事例研究
行政法

[第4版]

曽和俊文＝野呂充＝北村和生［編著］

日本評論社

第 4 版　はしがき

　新型コロナウィルス感染拡大を受けて編集作業も遅れがちであったが、このたびようやく、『事例研究 行政法（第 4 版）』を公刊することができた。初版（2008 年）発行以来、多くの読者に支えられ、おかげで、第 2 版（2011 年）、第 3 版（2016 年）と順調に版を重ねることができた。読者には改めてお礼を申し上げたい。

　読者からの要望に応え、また、第 3 版を教材にした授業の経験なども踏まえて、第 4 版では、以下のような更なる改善を盛り込んでいる。

　第 1 に、「第 1 部　行政法の基本課題」を拡充し、「第 3 部　総合問題」を廃止することにした。第 1 部は、比較的シンプルな問題を素材にして基本的な論点についての理解を確かめることを目的としている。第 3 版では 8 問を収めていたが、第 4 版ではこれに新作問題を 5 問追加して、全部で 13 問となっている。これにより、第 1 部の問題を概観するだけで行政法の基本的論点についての理解がひととおり進むことだろう。第 3 版の「総合問題」の一部は今回、解説を加えて第 2 部に収めることにした。

　第 2 に、「第 2 部　行政の主要領域」に収録する問題の約半数を新作問題に入れ替えた（第 3 版にあった 8 問を削除し今回新たに 8 問の新作問題を加えた）。第 2 部に収められた全 17 問は、行政の主要領域における典型的な現代的紛争を素材としたものである。これら第 2 部の問題を検討することで、行政事件訴訟法や行政手続法に関する一般的知識の応用力を養成でき、さらに、個別法の解釈すなわち個別行政制度の運用のあり方についての理解も進むであろう。

　第 3 に、第 1 部・第 2 部の両方に言えることであるが、第 3 版にあった問題を第 4 版で残す場合でも、解説の妥当性や表現の仕方などについて、編者会議で検討を加えて改良を図っている。そして、細かなことではあるが、問題の比重に関する出題者の意図を明確にするために、すべての問題

について設問ごとの配点を加えることにした。

　第4に、本書の特徴である「コラム」や「ミニ講義」もすべて編集会議等で検討・見直しを行った。例えば、「ミニ講義5」として新たに「給付法律の読み方」を追加し、「ミニ講義4　規制法律の読み方」とともに第2部に置いた。これらは、生活保護法や水質汚濁防止法の条文構造を丁寧に説明することで個別法解釈の方法に慣れてもらうことを目的としている。また、従来から「コラム」として一歩進んだ論点の解説や学生が陥りがちな誤りなどについて解説してきたが、内容を再吟味するともに、「ワンポイント解説：訴訟要件と本案勝訴要件」を復活させるなど一層の充実を図った。

　第5に、第3版第1部にあった「ウォーミングアップ」は廃止し、それに代わる新しい試みとして、本書で取り上げた全問題についての「論点表」を巻末付録として作成してみた。「論点表」では、各問題で検討対象となっている個別法の種類や訴訟形式などを示すとともに、各問題で取り上げられている行政法学上の主要な論点を示している。本書は最初から順番に解いていってもらうことを予定しているが、読者の理解度や関心に応じて、適当に自分で選んだ問題から読んでもらうことも可能である。「論点表」はその選択の際の資料として役立つであろう。

　以上のように、第4版では、形式的にも内容的にもかなり大きな変更を加え、バージョンアップを心がけた。

　第4版の編集作業に取りかかったのは2019年2月。各執筆者から新規問題の候補をあげてもらい、大まかな編集方針と執筆分担などを決めた。さらに新規問題だけでなく、改訂問題についても事前に原稿の提出をして頂くことにした。各執筆者から提出された原稿は、その後3度の執筆者会議における全体的な討論を経て修正・改善が加えられ、さらにその後の編者会議での指摘などを踏まえて完成稿となっていった。このように新規問題だけでなくすべての原稿について執筆者全員の議論を経てきているのが『事例研究　行政法』の初版以来の伝統である。その結果、本書による問題選択と解説は現段階で望みうる最高のものとなっていると信じている。

　なお、第4版のためのTMも用意したので、本書を授業で教材として採用して頂いた先生方は、日本評論社HPの「お問い合わせ先」にお名前とご所属を明記してご連絡頂きたい。

末尾であるが、日本評論社編集部の田中早苗さんにもお礼を申し上げたい。田中さんはすべての原稿に目を通し、読者の目線から率直な質問・意見を述べ、田中さんの提案を受けて修正された箇所も枚挙にいとまがない。本書が、読者にとって平易かつ明快な解説になりえているとしたら、それは編集者としての田中さんの功績に負うところが大である。ここに改めて田中さんに感謝を申し上げる次第である。

　　2021年7月

編　者

初版　はしがき

　現代社会では、経済規制行政やまちづくり行政や社会保障行政などさまざまな行政活動が行われている。そして、これらの行政活動のあり方に関して、国・公共団体と国民・住民との間で法的紛争（以下では「行政紛争」という）が生じる場合も少なくない。本書は、さまざまな行政領域での具体的な行政紛争事例を素材として、行政法学上の諸問題を分析・検討したものである。はじめに、本書のねらいや特徴などについて簡単に説明しておきたい。

1．事例研究の意義

　具体的な行政紛争事例では、行政法の一般理論の理解の他に、個別法の解釈が求められる。例えばマンション建設に対する周辺住民の反対運動が法的紛争となる場合には、当該地域が都市計画法上いかなる地域であるのか、建築基準法上の規制が正しく適用されているのか否かなどを確認する必要があり、都市計画法や建築基準法の基本構造や主要条文の解釈が求められる。ラブホテルの建設に対して条例でいかなる規制ができるかを考えようとすれば、風営法や旅館業法の規制の仕組みに対する理解が求められる。最近話題になった食品の安全性についてきちんと理解しようとすれば食品衛生法に対する理解が必要である。このように、現実の行政活動は都市計画法や建築基準法や風営法や食品衛生法などの個別法律に基づいて行われているから、行政活動の法的統制もこれら個別法の解釈を抜きにして考えることはできない。
　行政法についての知識を得るためにはまず行政法の教科書を読むことが求められる。しかしながら、行政法の教科書は、個別行政領域の差異を超えて一般的に妥当する法理について説明するものであるから、抽象度が高

く、初学者にとって理解しにくいものである。また、教科書にまとめられた行政法の一般的な法理を理解しただけでは、具体的な行政紛争事例を的確に分析するのがむずかしい。行政紛争事例の解決のためには個別行政制度の分析が不可避であるからである。

　本書は、具体的な行政紛争事例を素材として、行政法学上の諸問題を分析・検討したものである。具体的な事例に含まれている個別行政制度について詳しく解説すると同時に、教科書等にまとめられた行政法の一般的な法理が実際にどのように適用されるのかについても検討している。本書によって、行政法の一般理論に対する理解が一段と深まるであろうし、具体的な紛争事例に即して、種々の行政制度の仕組みについての理解も得られるはずである。行政法の基本的な知識を一通り修得した者が、さらに行政法の応用力を身に付けるために、本書は最適の教材となることだろう。

２．法科大学院での実践

　本書の執筆者はいずれも法科大学院で行政法の授業を担当している教員である。司法制度改革の一環として法科大学院が設立され、行政法が新司法試験の必修科目となったために、行政法研究者の多くが法科大学院教育にも携わることとなった。ところが旧司法試験で行政法が試験科目でなかったこともあって、学生の多くは行政法の基本的な知識も少なく、また、行政法に対して苦手意識をもつ学生も少なくなかった。いかにして学生に行政法の基本知識と考え方を伝えるべきか、法科大学院教員としての試行錯誤が続いている。

　過去２回の新司法試験ではかなりむずかしい事例問題が出題されたこともあって、学生の間からは、事例問題演習の要望が寄せられることがたびたびであった。たしかに、現実に法曹となって活躍するためには、具体的な行政紛争の解決力が求められているから、法科大学院において事例問題を素材として行政法を教えることは必要なことである。そこで、各法科大学院では、期末試験などにおいて、行政法の事例問題を出題し、それらを解説するなかで学生たちの行政法についての実力アップを図ろうとしてきた。本書で取り上げられた事例問題のほとんどは、実際に、執筆者が所属する法科大学院での期末試験等で出題・採点・解説された問題である。

本書の解説では、個別行政制度の解説や行政法の一般理論の説明の他に、学生が見落としがちな論点や学生が陥りがちな代表的な誤りについて、解説やコラムで特別にとりあげている。学生の疑問は必ずしも学生の勉強不足からだけ生じているわけではない。学生の疑問に謙虚に耳を傾けることによって、これまでの行政法教育の不十分な点、あるいは、これまでの行政法理論の弱点を反省するきっかけとなることもある。本書では、解釈と裁量の区別、裁量基準と個別的審査義務との関係、申請と届出の区別、処分性の判断の仕方、裁量の司法審査基準など、学生が疑問をもつこれらの論点について可能な限り突っ込んだていねいな解説を心がけている。こうした努力によって、本書は、法科大学院で行政法教育を担当している教員にとってもいくらかは示唆するところがある内容となっているのではないかと自負している。

　このように、本書は法科大学院での教育実践と学生との対話のなかで生み出されたといえるのであって、この点が本書の大きな特徴である。

3．本書の構成と活用方法

　本書は3部で構成されている。第1部（行政法の基本課題）では、行政法の基本原理、行政過程、行政争訟、国家補償のそれぞれに関わる基本的な問題を10題とりあげ、行政法の基本的な知識の復習もできるように配列し、解説している。第2部（行政の主要領域）では、情報公開行政、まちづくり行政、給付行政、人事行政、公物管理行政、環境保護行政などの行政領域における紛争を12題とりあげ、それぞれの行政制度を説明すると同時に、行政法の応用的な論点についても解説している。第1部と第2部の各問題の末尾には関連問題も掲載している。第3部（総合問題）では、新司法試験の問題形式に近い形で、行政法の総合的な力を試すような問題を9題配置している。

　以上のように、本書には、関連問題を含めると50問以上の事例問題が収められている。一応、第1部の問題から順番に解いてもらえば良いと考えているが、各問題はそれぞれ独立しているので、読者の実力や関心に応じて、適宜、取捨選択し、順不同で解いてもらっても差し支えはない。

　なお、関連問題（第1部・第2部）と総合問題（第3部）については、テ

ィーチャーズマニュアル（TM、問題の解説をCD-ROMに収めたもの）を作成している。本書を授業で教材として採用して頂いた先生にはTMを提供するので、日本評論社HPの「お問合せ先」宛にお名前とご所属を明記してご連絡頂きたい。

　事例問題には、参照すべき関連条文や参考資料を【資料】として付けている。【資料】を参照しながら問題文を熟読し、当事者になったつもりで事例を分析し、一体何が問題なのかを把握することが重要である。すぐに解説を見ずにまずは自分の頭でしっかりと考え、考えたことを文章で表現してほしい。

　解説では、出題の意図、解答として書くべき論点、代表的な誤りなどを説明している。また、読者の便宜のために、解説で取り上げた主要判例については、『行政判例百選ⅠⅡ（第5版）』（百選ⅠⅡ）および『ケースブック行政法（第3版）』（CB）との対照もしている。現在の通説や判例理論を踏まえて、できるだけ標準的な解説をするように心がけたけれども、本書が取り上げている問題の中には、重要だがまだ十分に解明されていない論点もいくつか含まれており、そのような場合には、執筆者会議での議論を踏まえて最終的には各担当者の責任で執筆した。さらに、先に述べたように、解説の随所に**コラム**を設けて、ワンポイント解説や学生の陥りがちな誤りの指摘等を行っている。多数の**コラム**は本書の特色の一つである。

　なお、解説には解答例は付けていないが、問題の意味をつかみ、解説をきちんと理解できれば、自ずから答案を書くことができるであろう。法科大学院で教えていると、「答案の書き方」を求める学生が多いことに驚く。万人に共通の「答案」を丸暗記するような勉強方法を求めているとしたら問題である。手っ取り早い「答案の書き方」などは存在しない。自分がわかったことを他人にも通じるようにわかりやすく書けばよいだけである。「答案の書き方」がわからないという学生は、実は、問題そのものがわかっていないことが多い。

　本書の第1部には**ミニ講義**として、「規制法律の読み方」（ミニ講義1)、「裁判所による行政処分の適法性審査方法」（ミニ講義2)、「処分性要件の役割とその判断の方法」（ミニ講義3) について、やや長く解説している。いずれも、教科書などでは十分に述べられていないけれども現実に事例問題を分析するうえで不可欠な論点である。内容はやや高度であるが、何度も熟

読していただくことで、行政法に関する応用力が一段とアップすることを期待して作成したものである。**ミニ講義**は本書のチャームポイントでもあるので、ぜひ、目を通していただきたい。

4．本書作成の経緯

　本書が企画されたのは2007年1月である。それから1年5カ月という比較的短期間に本書をまとめることができたのは、何よりもその背景に、4年間にわたる各法科大学院での教育実践があったからである。法科大学院で教えていると、学生から、事例問題演習のテキストが欲しいと訴えられることが再三であった。しかし、学生の学習進度にも対応し、かつ、興味深い論点を含み、学習効果の高い事例問題を作成することはなかなか容易ではない。学生の要望に対して、当初は「そんな本があればいいね」と軽く受け流していたのであるが、ついに断り切れなくなって何人かの行政法教員に相談してみたところ、どの教員も同じような思いでいることがわかったのである。そこで、これまで各法科大学院で出題してきた期末試験問題を集めれば何とか形になるかもしれないということになり、関西5大学の法科大学院教員が集まり、企画を練り、何度も会議を行って、議論を重ねて、ようやく完成したのが本書である。

　本書は、各法科大学院で実際に出題された問題を素材としているが、単に問題と解説を集めただけではなく、出題時と比べても相当のバージョンアップを遂げている。本書作成の過程では、問題の内容・形式はこれでよいのか、解説はこれで間違いはないのか、読者の立場から見てわかりやすい叙述になっているのかなどについて、執筆者全員で会議を開き、何度も議論を重ねてきている。さらに編者2名と編者補助2名で構成された編集委員会でも、全体の統一性を図る見地から必要な調整を加えている。このように本書は、最終的な執筆者分担は別に記した通りであるが、実質的には執筆者全体による集団的討議を経た共同著作といえるものである。

　本書の内容については何度も執筆者相互での検討の機会をもったので、誤りがないことを願っているが、なお、思いがけない見落としや誤解があるかもしれない。また、本書における解説はできるだけ標準的な見解に即して行うように努力したけれども、なお、至らない点があるかもしれない。

読者のご意見やご指摘を受けて改善してゆきたいと考えているので、お気づきの点はご指摘いただきたいと思う（ご意見をメールで頂ける場合には、tanaka@nippyo.co.jp までお願いします）。

　最後に、本書は、いわゆる事例問題集であるが、単なる受験対策本ではない。具体的な事例問題を素材として、行政法の問題を教科書レベルよりも一歩深く分析・研究することを意図している。したがって本書は、法科大学院の学生が新司法試験に対応する力を養成するために役立つことを目的としているが、それ以外にも、行政実務を実際に担当している公務員や行政訴訟を担当する弁護士にとっても有益なものであろうことを確信している。本書で検討されている問題には、今後の行政法学で深めてゆくべき論点も含まれている。あとは、本書が広く受け入れられることで、国民・住民の立場から行政活動をコントロールする法理がさらに発展することを期待している。

　本書をまとめることができたのは、何よりも、本書の企画に賛同され、充実した原稿を寄せていただいた各執筆者のおかげである。編者として各執筆者に改めてお礼を申し上げたい。また、野呂充教授と北村和生教授には編者補助として編集委員会に加わっていただき、すべての原稿について編者以上に細かなチェックをしていただいた。ここに記してお礼を申し上げたい。末尾ながら、日本評論社の田中早苗さんにもお礼を申し上げたい。田中さんには、本書の企画から内容の細部に至るまで、実に細かな配慮をしていただいた。書物を公刊するうえでの編集担当者の役割の大きさを改めて実感している。

　　　2008年5月

編　者

●事例研究 行政法［第4版］──大目次●

第1部　行政法の基本課題

1　行政過程
〔問題1〕予備校設置認可をめぐる紛争 ……………………………… 2
〔問題2〕特商法の業務停止処分をめぐる紛争 ……………………… 14
〔問題3〕地方公務員の懲戒処分をめぐる紛争 ……………………… 29

2　行政争訟
〔問題4〕ラブホテル建築規制条例をめぐる紛争 …………………… 46
ミニ講義1　処分性要件の役割とその判断の方法 ………………… 60
〔問題5〕住民票の記載をめぐる紛争 ………………………………… 64
ミニ講義2　取消訴訟の原告適格 …………………………………… 76
〔問題6〕開発許可をめぐる紛争 ……………………………………… 80
〔問題7〕砂利採取計画の認可をめぐる紛争 ………………………… 92
〔問題8〕食品の回収命令をめぐる紛争 ……………………………… 108
〔問題9〕太陽光発電設備の設置をめぐる紛争 ……………………… 125
〔問題10〕廃棄物処理施設の規制をめぐる紛争 …………………… 143
ミニ講義3　行政裁量と司法審査の方法 …………………………… 155

3　国家補償
〔問題11〕飲食店における食中毒をめぐる紛争 …………………… 161
〔問題12〕学校での事故・生徒間トラブルをめぐる紛争 ………… 170
〔問題13〕指定ごみ袋の規格変更をめぐる紛争 …………………… 186

第2部　行政の主要領域

1　情報公開
〔問題1〕土地買収価格の公開をめぐる紛争 ………………………… 196

2　まちづくり行政
〔問題2〕耐震偽装マンションをめぐる紛争 …………………… 214
〔問題3〕公共施設管理者の不同意をめぐる紛争 ……………… 235
〔問題4〕道路位置指定の廃止をめぐる紛争 …………………… 254

3　営業規制
ミニ講義4　規制法律の読み方 ………………………………… 271
〔問題5〕条例によるパチンコ店の規制をめぐる紛争 ………… 280
〔問題6〕フェリー運航の事業停止命令をめぐる紛争 ………… 297
〔問題7〕タクシーの運賃変更命令をめぐる紛争 ……………… 318
〔問題8〕不当表示をめぐる紛争 ………………………………… 338
〔問題9〕と畜場の使用をめぐる紛争 …………………………… 356

4　社会保障行政
ミニ講義5　給付法律の読み方 ………………………………… 371
〔問題10〕生活保護をめぐる紛争 ………………………………… 382

5　公物・公共施設の管理
〔問題11〕林道使用の不許可をめぐる紛争 ……………………… 399
〔問題12〕河川占用許可をめぐる紛争 …………………………… 412

6　環境・衛生行政
〔問題13〕廃棄物収集有料化条例をめぐる紛争 ………………… 430
〔問題14〕温泉掘削許可をめぐる紛争 …………………………… 449
〔問題15〕保安林指定解除をめぐる紛争 ………………………… 460

7　出入国管理行政
〔問題16〕入管法に基づく退去強制をめぐる紛争 ……………… 476

8　財務行政
〔問題17〕議員の海外研修費支出をめぐる紛争 ………………… 493

●事例研究 行政法［第4版］——詳細目次●

第4版　はしがき
初版　はしがき

第1部　行政法の基本課題

1　行政過程

〔問題1〕予備校設置認可をめぐる紛争 …………………………… 2

　1．出題の意図　6
　2．設問1——審査基準の設定公表義務違反　6
　　(1)　審査基準の設定公表義務（行手5条）違反の主張　6
　　(2)　(1)が本件処分の取消事由になることの主張　7
　　(3)　本件処分が取り消された場合にB県知事のとるべき
　　　　措置　8
　3．設問2——他事考慮　9
　　(1)　他事考慮の主張　9
　　(2)　本件処分が取り消された場合にB県知事のとるべき
　　　　措置　10
　〔関連問題〕　11
　◆コラム　答案を読んで①　8
　◆コラム　答案を読んで②　11

〔問題2〕特商法の業務停止処分をめぐる紛争 …………………… 14

　1．出題の意図　22
　2．本件処分の実体法上の違法　22
　　(1)　行政処分の違法性の判断手法　22
　　(2)　本件処分の処分要件は充足しているか——要件1　23
　　(3)　本件処分の処分要件は充足しているか——要件2　24
　　(4)　裁量権行使の違法はみられるか　25

3．本件立入検査の違法と本件処分の違法　26
　　(1) 行政調査の違法　26
　　(2) 本問へのあてはめ　26
　　4．おわりに　27
　〔関連問題〕　28

〔問題3〕地方公務員の懲戒処分をめぐる紛争 …………… 29

　　1．出題の意図　34
　　2．設問1──本件処分の内容の違法性に関する検討　34
　　(1) 本件処分における裁量の有無　34
　　(2) 本件処分の内容の違法性に関する検討──裁量処分に対する司法審査の方法　35
　　3．設問2──審査請求前置と審査請求に対する裁決を経なかった場合の救済手段　42
　　(1) 地方公務員法における審査請求前置　42
　　(2) 審査請求に対する裁決を経なかった場合の救済手段　43
　〔関連問題〕　44
　◆コラム　裁量基準・解釈基準と審査基準・処分基準　36
　◆コラム　裁量基準と個別事情考慮義務　40

2　行政争訟

〔問題4〕ラブホテル建築規制条例をめぐる紛争 …………… 46

　　1．出題の意図　53
　　2．風営法と本件条例の仕組み　53
　　(1) 風営法の仕組み　53
　　(2) 本件条例の仕組み　54
　　3．設問1──乙市市長の不同意の処分性　54
　　(1) 取消訴訟の対象とは？　55
　　(2) 本件条例の市長の不同意は行政処分か？　56
　　4．設問2──甲県の対応の違法性と訴訟形式　57
　　(1) 甲県の対応に対する法的な評価　57
　　(2) 甲県に対して考えうる抗告訴訟　58
　〔関連問題〕　59

ミニ講義1　処分性要件の役割とその判断の方法 …………… 60

〔問題5〕住民票の記載をめぐる紛争 ………………………………… 64

　1．出題の意図　69
　2．訴訟類型の基本的な検討方法　69
　3．住民票の記載を求める申出に対する応答の取消訴訟　70
　4．住民票の記載を求める義務付け訴訟（直接型義務付け
　　訴訟）　73
　〔関連問題〕　74
　　◆コラム　申請の仕組みと行手法および行訴法における取扱い　71
　　◆コラム　答案を読んで　74

ミニ講義2　取消訴訟の原告適格 ………………………………… 76

〔問題6〕開発許可をめぐる紛争 …………………………………… 80

　1．出題の意図　84
　2．設問1──Bの原告適格　85
　　(1)　処分の第三者の原告適格の判断枠組み　85
　　(2)　具体的検討　85
　3．設問2──Bが本案において主張しうる違法　87
　　(1)　行訴法10条1項による主張制限　87
　　(2)　原告が権利を侵害される者である場合　88
　　(3)　原告が法律上保護された利益を侵害される者で
　　　　ある場合　89
　〔関連問題〕　91

〔問題7〕砂利採取計画の認可をめぐる紛争 ……………………… 92

　1．出題の意図　98
　2．設問1-1──不認可処分の争い方　98
　　(1)　裁決主義　98
　　(2)　公害等調整委員会への裁定の申請　99
　　(3)　棄却裁定の取消訴訟・認容裁定の義務付け訴訟　99
　3．設問1-2──不認可処分の違法　100
　　(1)　実体的違法　100
　　(2)　手続的違法　102
　4．設問2-1──認可取消処分と訴えの客観的利益　104
　5．設問2-2──認可取消処分の違法　105
　　(1)　実体的違法　105
　　(2)　手続的違法　105

〔関連問題〕 107
◆コラム　公害等調整委員会と裁決主義　100

〔問題8〕 食品の回収命令をめぐる紛争 …………………… 108

1．出題の意図　115
2．設問1──提起すべき訴訟類型　115
3．設問2──違法性主張　116
 (1) 手続的違法性　116
 (2) 実体的違法性　119
〔関連問題〕 123
◆コラム　予防原則 vs. 比例原則　121
◆コラム　答案を読んで　122

〔問題9〕 太陽光発電設備の設置をめぐる紛争 ……………… 125

1．出題の意図　133
2．設問1──不作為の場合の争い方と本案での違法性主張　133
 (1) 訴訟手段　133
 (2) 本案での違法性主張と勝訴の見込み　135
3．設問2──不同意の違法性　136
 (1) 本件条例の構造　136
 (2) 原告としての違法性主張　137
 (3) 被告の反論　137
 (4) 勝訴の見込み　138
〔関連問題〕 141
◆コラム　町長同意の行政処分性　134
◆コラム　ワンポイント解説：訴訟要件と本案勝訴要件　140

〔問題10〕 廃棄物処理施設の規制をめぐる紛争 ……………… 143

1．出題の意図　147
2．設問1──B_1らが提起すべき訴訟　147
 (1) 求められるべき処分の根拠法条　147
 (2) 直接型義務付け訴訟の選択　148
3．設問2──直接型義務付けの訴訟要件の充足　149
 (1) 「一定の処分」（行訴37条の2第1項）　149
 (2) 「重大な損害を生じるおそれ」があること（行訴37条の2第1項）　150
 (3) 「その損害を避けるため他に適当な方法がない」こと（行訴

37条の2第1項）　151
    (4) 原告適格（行訴37条の2第3項・4項、および同条4項によって準用される9条2項）　152
  〔関連問題〕　153
  ◆コラム　ワンポイント解説：義務付け訴訟における「一定の処分」　149

 ミニ講義3　行政裁量と司法審査の方法 ……………………………… 155

3　国家補償

 〔問題11〕飲食店における食中毒をめぐる紛争 ……………………… 161
  1．出題の意図　165
  2．問題の所在　165
  3．国家賠償責任の成立の要件　165
   (1) 「公権力の行使」該当性　165
   (2) 不作為の違法性にかかる理論構成　165
   (3) 不作為の違法性の要件に関する学説・判例　166
   (4) 裁量権消極的濫用論と最高裁判例の立場　166
  4．本件における不作為の違法の具体的検討　168
   (1) 法の趣旨・目的　168
   (2) 5要件説の本問へのあてはめ　168
   (3) その他の考慮要素　169
  〔関連問題〕　169

 〔問題12〕学校での事故・生徒間トラブルをめぐる紛争 ………… 170
  1．出題の意図　176
  2．設問1──Aに対する乙市の営造物管理責任　176
   (1) 公の営造物　177
   (2) 設置管理の瑕疵の有無　177
  3．設問2-1──Cに対する乙市の営造物管理責任　180
   (1) 営造物設置後に開発された設備と営造物の瑕疵　181
   (2) 本問へのあてはめ　181
  4．設問2-2──Cに対する乙市と甲県の国家賠償責任　182
   (1) Cに対する乙市の国賠法1条1項に基づく責任　182
   (2) Cに対する甲県の国家賠償責任　184
  〔関連問題〕　185

〔問題13〕指定ごみ袋の規格変更をめぐる紛争 …………………… 186
 1．出題の意図　188
 2．検討の対象　188
  (1)　契約違反ないし政策変更自体の違法　188
  (2)　信義則（信頼保護原則）違反　189
 3．信頼保護原則に基づく損害賠償責任の検討　190
  (1)　昭和56年最判の立場　190
  (2)　本件に即した検討　190
 4．不法行為以外の法的根拠に基づく請求の可能性　192
  (1)　信義則上の義務違反（債務不履行）を理由とする
   　賠償請求　192
  (2)　損失補償請求　193
 〔関連問題〕　194

第2部　行政の主要領域

1　情報公開

〔問題1〕土地買収価格の公開をめぐる紛争 ………………………… 196
 1．出題の意図　203
 2．設問1——不開示情報該当性の解釈　203
  (1)　設問1-1——原告の主張　203
  (2)　設問1-2——被告の主張　205
  (3)　設問1-3——証明責任の分配　206
 3．設問2——理由の追加・差替え　207
  (1)　設問2-1——否定説　207
  (2)　設問2-2——肯定説　208
  (3)　設問2-3——義務付け訴訟の場合　210
  (4)　設問2-4——取消判決の拘束力　210
 〔関連問題1〕　211
 〔関連問題2〕　212
  ◆コラム　答案を読んで：裁量か解釈か　212

2 まちづくり行政

〔問題2〕耐震偽装マンションをめぐる紛争 ·················· 214

1．出題の意図　223
2．設問1——建設工事の中止を求めるための法的手段　223
　(1) 本件建築確認の取消訴訟　223
　(2) 本件構造計算適合性判定の取消訴訟（行訴3条2項）　224
　(3) 本件建築確認・本件構造計算適合性判定の無効確認訴訟　228
　(4) 工事施工停止命令の義務付け訴訟　229
3．設問2——工事完成後における設問1で検討した訴訟の帰趨　231
　(1) 取消訴訟および無効確認訴訟　231
　(2) 工事施工停止命令の義務付け訴訟　231
4．設問3——工事完成後に提起しうる訴訟　231
　(1) 検査済証交付の取消訴訟　231
　(2) 本件マンションの除却等の命令の義務付け訴訟　232
〔関連問題〕233
◆コラム　行政処分の違法性の承継　226
◆コラム　答案を読んで①：不適合通知の義務付け訴訟？　230
◆コラム　答案を読んで②：建築確認取消訴訟の訴えの利益　231
◆コラム　ワンポイント解説：指定確認検査機関制度と建基法の改正　233

〔問題3〕公共施設管理者の不同意をめぐる紛争 ·················· 235

1．出題の意図　242
2．設問1——争い方　243
　(1) 設問1-1——不同意の違法性を争い、同意を得るための争い方　243
　(2) 設問1-2——不許可決定の違法性を争い、開発許可を得るための争い方　248
3．設問2——本案での違法性主張　249
　(1) 設問2-1——不同意の違法性　249
　(2) 設問2-2——不許可処分の違法性　250
〔関連問題〕253
◆コラム　市街化調整区域内での開発　243
◆コラム　答案を読んで：平成7年判決との関係など　252

〔問題 4〕道路位置指定の廃止をめぐる紛争 …………………… 254
　1．出題の意図　262
　2．設問 1 ――道路位置指定の廃止決定の差止訴訟　262
　　(1)　処分性　262
　　(2)　原告適格　263
　　(3)　差止訴訟に特有の訴訟要件　265
　3．設問 2 ――道路位置指定を廃止しない旨の決定の違法性　267
　　(1)　利害関係人の同意の要否　267
　　(2)　建ぺい率規制をめぐる問題　268
　　(3)　接道義務違反が生ずるおそれ　269
　〔関連問題〕　270

3　営業規制

ミニ講義 4　規制法律の読み方 ……………………………… 271

〔問題 5〕条例によるパチンコ店の規制をめぐる紛争 ………… 280
　1．出題の意図　287
　2．設問 1 ――提起すべき訴訟　287
　　(1)　対象としうる行為　287
　　(2)　提起すべき訴訟　287
　3．設問 2 ――本案における主張(1)　289
　　(1)　原状回復命令の取消訴訟　289
　　(2)　戒告の取消訴訟　290
　4．設問 2 ――本案における主張(2)　291
　　(1)　法令と条例との抵触に関するリーディングケース　291
　　(2)　本件における具体的主張　291
　　(3)　条例の違法性判断における立法者意思の重要性　292
　　(4)　条例による規制の独自の目的・意義および合理性　293
　〔関連問題〕　296
　◆コラム　執行停止の対象　288
　◆コラム　答案を読んで：自主条例に基づく義務の代執行　290
　◆コラム　風俗営業とその法的規制　294

〔問題 6〕フェリー運航の事業停止命令をめぐる紛争 ………… 297
　1．出題の意図　305

2．海上運送法の仕組み　305
3．設問1-1──A社がとる救済手段　306
　(1)　提起すべき訴訟と被告　306
　(2)　仮の救済の必要性　307
　(3)　執行停止の要件　307
4．設問1-2──本件処分の違法性　310
　(1)　処分要件を充足しているか　311
　(2)　Eの裁量の範囲か　311
5．設問2──Bの原告適格　312
〔関連問題〕　313

〔問題7〕タクシーの運賃変更命令をめぐる紛争 …………………… 318

1．出題の意図　326
2．設問1──不利益処分を予防する法的手段　327
　(1)　本件指定の処分性　327
　(2)　運賃変更命令・自動車使用停止処分・事業許可取消処分の差止訴訟　328
　(3)　仮の救済──仮の差止め　330
　(4)　A社が本件届出に係る運賃によって適法に営業を行いうる地位を有することの確認訴訟　331
　(5)　仮の救済──仮地位仮処分　332
3．設問2──本件指定および運賃変更命令等の違法事由　332
　(1)　本件指定の違法事由　332
　(2)　運賃変更命令等の違法事由　333
〔関連問題〕　335
◆コラム　タクシー運賃の規制の変遷と判例　335

〔問題8〕不当表示をめぐる紛争 ………………………………………… 338

1．出題の意図　348
2．設問1(1)──課徴金納付命令における行為者の主観的要素　348
3．設問1(2)──課徴金納付命令取消訴訟における合理的な根拠による立証　349
4．設問2──実施予定返金措置計画の認定および本件不認定の処分性　349
　(1)　実施予定返金措置計画の認定の処分性　349
　(2)　本件不認定の処分性　350

5．設問3——違法性の承継　351
    (1)　違法性の承継の判断基準　351
    (2)　本問へのあてはめ　351
    (3)　本問の特殊性　352
    6．設問4——本件不認定の違法事由　352
    〔関連問題〕　353

  〔問題9〕と畜場の使用をめぐる紛争 ……………………………………… 356

    1．出題の意図　363
    2．設問1-1——本件取消処分の執行停止　363
    3．設問1-2——本件取消処分の違法事由　365
    (1)　手続上の瑕疵①——行手法の適用　365
    (2)　手続上の瑕疵②——意見陳述手続　365
    (3)　手続上の瑕疵③——理由提示（理由付記）　366
    (4)　実体法上の違法事由　366
    4．設問2——どのような訴訟を提起すべきか？　367
    (1)　「獣畜の検査」の法的仕組み　367
    (2)　抗告訴訟か、当事者訴訟・民事訴訟か（処分性）　368
    (3)　申請満足型義務付け訴訟か直接型義務付け訴訟か　368
    (4)　申請満足型義務付け訴訟の訴訟要件　369
    〔関連問題〕　370

4　社会保障行政

  ミニ講義5　給付法律の読み方 ……………………………………………… 371

  〔問題10〕生活保護をめぐる紛争 …………………………………………… 382

    1．出題の意図　391
    2．設問1——法63条に基づく返還決定の違法性　391
    (1)　法63条に基づく処分に関する裁量の限界一般　391
    (2)　本件における裁量の行使についての具体的検討　393
    3．設問2——法78条に基づく返還決定の違法性　395
    (1)　法78条の意義　395
    (2)　裁判例に照らした判断のあり方　396
    〔関連問題〕　397

5 公物・公共施設の管理

〔問題11〕林道使用の不許可をめぐる紛争 ……………………… 399

1．出題の意図　405
2．設問1――目的外使用許可および不許可の処分性、Aが
　　提起すべき訴訟　405
　(1)　設問1の趣旨　405
　(2)　行政財産の目的外使用許可の処分性　406
　(3)　行政財産の目的外使用の不許可の処分性　407
3．設問2――本件不許可の違法性　408
　(1)　不許可事由に対する反論　408
　(2)　その他の考慮要素についての主張　409
　(3)　憲法上の権利の侵害の主張　410
〔関連問題〕　411
◆コラム　答案を読んで：借地借家法の適用除外の意味　407

〔問題12〕河川占用許可をめぐる紛争 …………………………… 412

1．出題の意図　420
2．設問1――工事の完了と新築許可処分の取消しの利益　420
　(1)　問題の所在　420
　(2)　工作物新築許可処分の法的効果　420
　(3)　建築確認の取消しの利益に関する判例　421
　(4)　判例の応用――監督処分との関係　421
3．設問2――占用許可期間の終了と取消しの利益　422
　(1)　問題の所在　422
　(2)　更新（再免許）と取消しの利益に関する判例　423
　(3)　判例の応用――新規許可と再許可（許可更新）が制度上区別
　　されているか　423
4．設問3――河川の占用許可と周辺住民の原告適格　424
　(1)　法律上保護された利益説の定式　424
　(2)　原告の被侵害利益の特定　424
　(3)　根拠法令等の検討　425
　(4)　被侵害利益の勘案　426
　(5)　Cについてのあてはめ　426
5．設問4――本件新占用許可処分の違法性　427
　(1)　占用許可準則違反（水害発生の危険性）　427

(2)　建基法違反および都計法違反を考慮していないこと　428
　〔関連問題〕　428

6　環境・衛生行政

　〔問題13〕廃棄物収集有料化条例をめぐる紛争 …………………… 430
　　1．出題の意図　438
　　2．設問1――条例の違法を争う訴訟　438
　　　(1)　第1の考え方――条例の制定行為を抗告訴訟で争う　439
　　　(2)　第2の考え方――公法上の当事者訴訟の一種である確認訴訟
　　　　　によって争う　441
　　3．設問2――本件条例の違法性　443
　　　(1)　地方自治法227条に違反しているか　443
　　　(2)　本件条例のその他の違法性　445
　　〔関連問題〕　446
　　　◆コラム　答案を読んで：訴訟類型の選択　442

　〔問題14〕温泉掘削許可をめぐる紛争 ……………………………… 449
　　1．出題の意図　452
　　2．設問1――訴訟形式の選択とその訴訟要件　452
　　　(1)　不許可処分の取消訴訟　452
　　　(2)　温泉掘削許可の義務付け訴訟の併合提起　453
　　3．設問2――本案勝訴要件に関する主張　454
　　　(1)　不許可処分の取消訴訟と温泉掘削許可の義務付け訴訟の本案
　　　　　勝訴要件　454
　　　(2)　将来の温泉枯渇のおそれに対する主張　455
　　　(3)　自然環境への悪影響に対する主張　457
　　　(4)　温泉法4条1項1号・3号以外の要件の不存在と効果裁量の
　　　　　不存在の主張　458
　　〔関連問題〕　459

　〔問題15〕保安林指定解除をめぐる紛争 …………………………… 460
　　1．出題の意図　467
　　2．設問1――差止訴訟の訴訟要件充足性　467
　　　(1)　処分性と裁決主義　467
　　　(2)　原告適格　469

(3)　差止訴訟に特有の訴訟要件　470
　3．設問2──保安林指定を解除しない旨の処分の実体的
　　適法性　472
　　(1)　行政裁量の有無　472
　　(2)　林野庁の通知（裁量基準）とその合理性　473
　　(3)　裁量基準の適用　474
　〔関連問題〕　475

7　出入国管理行政

〔問題16〕入管法に基づく退去強制をめぐる紛争 …………… 476

　1．出題の意図　487
　2．設問1①──訴訟選択　487
　　(1)　どの行為を対象として抗告訴訟を提起するか　487
　　(2)　申請満足型義務付け訴訟か直接型義務付け訴訟か　488
　　(3)　訴訟相互の関係　489
　3．設問1②──仮の救済　489
　　(1)　仮の救済を考慮した訴訟提起　489
　　(2)　執行停止の選択　490
　　(3)　執行停止の要件の検討　490
　　(4)　仮の義務付け　491
　4．設問2──本案の主張　491
　〔関連問題〕　492

8　財務行政

〔問題17〕議員の海外研修費支出をめぐる紛争 ……………… 493

　1．出題の意図　502
　2．設問1──住民訴訟の類型と請求内容　502
　　(1)　住民訴訟制度の概略　502
　　(2)　本問における検討　504
　3．設問2──本件研修の旅費等支出の違法性　508
　　(1)　違法性主張の枠組み　509
　　(2)　被告による適法性主張　509
　　(3)　原告による違法性主張　510

〔関連問題〕　511
◆コラム　旧4号請求と新4号請求　　505

論点表　514
事項索引　522
判例索引　526

凡　例

▽**法令名**
行訴法＝行政事件訴訟法
行手法＝行政手続法
行審法＝行政不服審査法
国賠法＝国家賠償法
都計法＝都市計画法
建基法＝建築基準法
風営法＝風俗営業等の規制及び業務の適正化等に関する法律
廃棄物処理法＝廃棄物の処理及び清掃に関する法律
情報公開法＝行政機関の保有する情報の公開に関する法律

▽**判例集・判例解説**
民集＝大審院民事判例集、最高裁判所民事判例集
刑集＝大審院刑事判例集、最高裁判所刑事判例集
民録＝大審院民事判決録
判タ＝判例タイムズ
判時＝判例時報
判例自治＝判例地方自治
裁判集民＝最高裁判所裁判集民事
行集＝行政事件裁判例集
高民集＝高等裁判所民事判例集
下民集＝下級裁判所民事裁判例集
最判解民事篇（刑事篇）＝最高裁判所判例解説民事篇（刑事篇）
百選Ⅰ～Ⅱ＝行政判例百選Ⅰ～Ⅱ（第7版）
CB＝ケースブック行政法（第6版）
判評＝判例評論
リマークス＝私法判例リマークス
裁判所ウェブサイト＝裁判所ウェブサイト裁判例情報
LEX/DB＝TKC法律情報データベース

▽**雑誌**
法時＝法律時報
法セミ＝法学セミナー
ジュリ＝ジュリスト
法教＝法学教室
民商＝民商法雑誌
曹時＝法曹時報

▽文献
- 単行本は著者名の後に書名に『　』を付して入れ、論文は著者名の後に論文名を「　」を付して入れた。共著は「＝」で結んだ。
- 判例評釈は論文名を略した。
  ex. 野呂充・百選Ⅱ 364 頁
- 本書の基本的な参考文献については、以下の略語を用いた。

宇賀・概説Ⅰ〜Ⅲ	宇賀克也『行政法概説Ⅰ〜Ⅲ（Ⅰは第7版、Ⅱは第7版、Ⅲは第5版）』（有斐閣、2019〜2021年）
大橋・行政法Ⅰ・Ⅱ	大橋洋一『行政法Ⅰ・Ⅱ（Ⅰは第4版、Ⅱは第3版）』（有斐閣、2018〜2019年）
小早川・行政法上〜下Ⅲ	小早川光郎『行政法上〜行政法講義下Ⅲ』（弘文堂、1999〜2007年）
櫻井＝橋本・行政法	櫻井敬子＝橋本博之『行政法（第6版）』（弘文堂、2019年）
塩野・行政法Ⅰ〜Ⅲ	塩野宏『行政法Ⅰ〜Ⅲ（ⅠⅡは第6版、Ⅲは第5版）』（有斐閣、2015〜2021年）
芝池・総論	芝池義一『行政法総論講義（第4版補訂版）』（有斐閣、2006年）
芝池・救済法	芝池義一『行政救済法講義（第3版）』（有斐閣、2006年）
争点	芝池義一＝小早川光郎＝宇賀克哉『行政法の争点』（有斐閣、2014年）
中原・基本行政法	中原茂樹『基本行政法（第3版）』（日本評論社、2018年）
藤田・行政法上・下	藤田宙靖『新版行政法総論上巻・下巻』（青林書院、2020年）

※学習上の配慮から、正文では見出しのない法律にも、市販の六法などを参考にして見出しを付けたものがある。
※引用中に著者の注記を入れる場合は、〔　〕を付した。

第1部
行政法の基本課題

〔問題１〕 予備校設置認可をめぐる紛争

◆ 事例 ◆

次の文章を読んで、資料を参照しながら、以下の設問に答えなさい。

大学受験予備校「甲ゼミナール」を全国展開している学校法人Aは、新たに「甲ゼミナール乙校」を、各種学校（学校教育134条）として開設しようと考えた。Aは、設置認可の申請をするにあたり、B県の担当部署に対し、各種学校規程以外に、審査の基準となるものはないかと問い合わせたが、特にそのようなものはないとの返答であったので、各種学校規程に従って準備をととのえ、B県知事に対し、設置認可の申請をした。しかし、B県知事は、この申請を拒否する処分（以下「本件処分」という）をし、その理由として、「本件申請を認容すれば、過当競争によって地元中小予備校の経営不振に伴う教育水準の低下がもたらされることは避け難く、さらに、地元中小予備校が休・廃校に追い込まれるようなことになれば、生徒の選択の幅を狭めることにもなるため、予備校の適正配置の観点から、本件申請を拒否すべきと判断した」旨を付記した。これに対し、Aは、本件処分の取消訴訟を提起した。

〔設問〕
1. Aは、予備校設置認可の審査において「地元予備校間での過当競争を防ぐための適正配置」が考慮されることについて、申請の段階で何も知らされなかったことが不満である。もし、そのようなことが考慮されるとあらかじめ知っていれば、申請の段階で、定員を削減するなどの対策をとって、不認可処分を避けることができたのではないかと考えている。Aは本件処分の取消事由として、どのような主張をすることが考えられるか。また、その主張が認められてAが勝訴した場合、B県知事はどのような措置をとる義務を負うか。(50点)
2. 設問1の場合と異なり、Aは、予備校設置認可の審査において、「地元予備校間での過当競争を防ぐための適正配置」は考慮すべきでないと

考えている。Aは本件処分の取消事由として、どのような主張をすることが考えられるか。【資料】を参照し、学校と各種学校とで法的位置づけがどのように異なるかに注意して、論じなさい。また、Aの主張が認められてAが勝訴した場合、B県知事はどのような措置をとる義務を負うか。(50点)

【資料1　学校教育法等（抜粋）】

○　学校教育法

第1条　この法律で、学校とは、幼稚園、小学校、中学校、義務教育学校、高等学校、中等教育学校、特別支援学校、大学及び高等専門学校とする。

第2条　学校は、国（……国立大学法人及び独立行政法人国立高等専門学校機構を含む。以下同じ。）、地方公共団体（……公立大学法人……を含む。……）及び……学校法人（……）のみが、これを設置することができる。

2　（略）

第3条　学校を設置しようとする者は、学校の種類に応じ、文部科学大臣の定める設備、編制その他に関する設置基準に従い、これを設置しなければならない。

第4条　次の各号に掲げる学校の設置廃止……は、それぞれ当該各号に定める者の認可を受けなければならない。（以下略）

一　公立又は私立の大学及び高等専門学校　文部科学大臣

二　市町村……の設置する高等学校、中等教育学校及び特別支援学校　都道府県の教育委員会

三　私立の幼稚園、小学校、中学校、義務教育学校、高等学校、中等教育学校及び特別支援学校　都道府県知事

2～5　（略）

第134条　第1条に掲げるもの以外のもので、学校教育に類する教育を行うもの（……）は、各種学校とする。

2　第4条第1項前段……の規定は、各種学校に準用する。この場合において、第4条第1項前段中「次の各号に掲げる学校」とあるのは「市町村の設置する各種学校又は私立の各種学校」と、「当該各号に定める者」とあるのは「都道府県の教育委員会又は都道府県知事」と……読み替えるものとする。

3　前項のほか、各種学校に関し必要な事項は、文部科学大臣が、これを定める。

第136条　都道府県の教育委員会（私人の経営に係るものにあっては、都道府県知

事）は、学校以外のもの又は……各種学校以外のものが……各種学校の教育を行うものと認める場合においては、関係者に対して、一定の期間内に……各種学校設置の認可を申請すべき旨を勧告することができる。（ただし書略）
2 　都道府県の教育委員会（私人の経営に係るものにあっては、都道府県知事）は、前項に規定する関係者が、同項の規定による勧告に従わず引き続き……各種学校の教育を行っているとき、又は……各種学校設置の認可を申請したがその認可が得られなかった場合において引き続き……各種学校の教育を行っているときは、当該関係者に対して、当該教育をやめるべき旨を命ずることができる。
3 　（略）
第143条　……第136条第2項の規定による命令に違反した者は、6月以下の懲役若しくは禁錮又は20万円以下の罰金に処する。

○ **各種学校規程（文部省令）**
　学校教育法第83条第4項〔※筆者注：現行法では第134条第3項に相当〕……の規定に基き、各種学校規程を次のように定める。
（趣旨）
第1条　各種学校に関し必要な事項は、学校教育法……その他の法令に規定するもののほか、この省令の定めるところによる。
（水準の維持、向上）
第2条　各種学校は、この省令に定めるところによることはもとより、その水準の維持、向上を図ることに努めなければならない。
（生徒数）
第5条　各種学校の収容定員は、教員数、施設及び設備その他の条件を考慮して、適当な数を定めるものとする。
2 　各種学校の同時に授業を行う生徒数は、40人以下とする。ただし、特別の事由があり、かつ、教育上支障のない場合は、この限りでない。
（校長）
第7条　各種学校の校長は、教育に関する識見を有し、かつ、教育、学術又は文化に関する職又は業務に従事した者でなければならない。
（教員）
第8条　各種学校には、課程及び生徒数に応じて必要な数の教員を置かなければならない。ただし、3人を下ることができない。
2 　各種学校の教員は、その担当する教科に関して専門的な知識、技術、技能等を有する者でなければならない。

3　各種学校の教員は、つねに前項の知識、技術、技能等の向上に努めなければならない。

(位置及び施設、設備)
第9条　各種学校の位置は、教育上及び保健衛生上適切な環境に定めなければならない。

2　各種学校には、その教育の目的を実現するために必要な校地、校舎、校具その他の施設、設備を備えなければならない。

第10条　各種学校の校舎の面積は、115.70平方メートル以上とし、かつ、同時に授業を行う生徒1人当り2.31平方メートル以上とする。ただし、地域の実態その他により特別の事情があり、かつ、教育上支障がない場合は、この限りでない。

2～4　(略)

第11条　各種学校は、課程及び生徒数に応じ、必要な種類及び数の校具、教具、図書その他の設備を備えなければならない。

2～3　(略)

【資料2　教育基本法(抜粋)】
(学校教育)
第6条　法律に定める学校は、公の性質を有するものであって、国、地方公共団体及び法律に定める法人のみが、これを設置することができる。

2　(略)

◆ 解説 ◆

1．出題の意図

　本問は、行政手続の瑕疵および裁量処分における他事考慮（考慮すべきでない事項を考慮したこと）について、争い方とその帰結を具体的に理解してもらうことを意図している。なお、本問は、福岡地判平元・3・22行集40巻3号268頁（代々木ゼミナール小倉校設置不認可事件）をモデルとしたものである。この判決の詳細な解説として、稲葉馨「予備校の設置規制とその限界」ジュリ940号（1989年）99頁以下が参考になる。

2．設問1——審査基準の設定公表義務違反

(1)　審査基準の設定公表義務（行手5条）違反の主張

　本件の認可申請拒否処分は、行手法にいう「**申請に対する処分**」に該当する（2条3号参照）。申請に対する処分については、同法5条により、行政庁は、できる限り具体的な**審査基準**を定め、かつ、行政上特別の支障がない限り、それを**公にしておく**義務を負う。それにより、申請者は、法令が抽象的な要件しか定めていない場合でも、申請が認められるための具体的な要件をあらかじめ知ることができ、要件充足を主張するために必要な情報を申請書に記載することにより、自己の申請が不公正に取り扱われるのを防ぐことができる。ところが、本件でB県知事は、「地元予備校間での過当競争を防ぐための適正配置」という、学校教育法および各種学校規程に明示されていない基準で認可の許否を判断したにもかかわらず、そのような基準をあらかじめ定めていなかったか、または、定めていたとしても公にしていなかった。そして、そのような基準を公にしておくことに「行政上特別の支障がある」（行手5条3項）とも考えられないから、本件でB県知事が「地元予備校間での過当競争を防ぐための適正配置」という基準を公にしていなかったことは、行手法5条に違反し、違法である。

(2) (1)が本件処分の取消事由になることの主張

　行手法に規定された手続を履践せずになされた処分の効力について、同法自身は規定を置いていない。手続は実体的に正しい処分を生み出すための手段であるとすると、処分が実体的に正しいかどうかが重要であって、手続違反は当然には処分の効力に影響を及ぼさないとも考えられる。しかし、行手法が、告知・聴聞、理由の提示、文書閲覧、審査基準の設定公表を明確に行政庁の行為義務として定めているのは、**適正手続によってのみ処分を受けるという意味での手続的権利を国民に保障する**趣旨と考えるべきであり、したがって、手続違反は国民の権利侵害として処分の取消事由となると解すべきである（塩野・行政法Ⅰ 348 頁）。

　これに対し、B 県知事としては、最高裁判例（最 1 小判昭 46・10・28 民集 25 巻 7 号 1037 頁〔個人タクシー事件、百選Ⅰ 117、CB3-1〕、最 1 小判昭 50・5・29 民集 29 巻 5 号 662 頁〔群馬中央バス事件、百選Ⅰ 118、CB3-3〕）に依拠して、手続の瑕疵は**結果に影響を及ぼす可能性**がある場合にのみ、処分の違法をもたらすと解すべきところ、本件では、仮に審査基準を公にしていたとしても、大手予備校である「甲ゼミナール乙校」の開設を認めれば過当競争による教育水準の低下は避けられず、認可を拒否すべきであるという結論は変わらないと考えられるから、本件処分を取り消すべきでないと反論することが想定される。しかし、B 県知事の援用する判例の命題は、1993 年の行手法制定前に個別法の解釈として立てられたものであり、行手法制定後に同法に違反してなされた処分には、当然には妥当しないと考えられる。行手法の制定により一般的な手続規制が確立された今日においては、正しい手続によってのみ正しい決定が生み出されるという考え方を徹底すべきであり、また、手続規制の担保手段を確保するという観点からも、手続規制違反は当然に処分の違法をもたらすと解すべきである。ただし、このように解したとしても、軽微な瑕疵であれば処分の取消事由にならないと考えられるが、審査基準の設定・公表は、行手法上、明確に行為義務として位置づけられているにもかかわらず、本件ではそれが全く行われていなかったのであるから、重大な瑕疵に当たるとの主張が考えられる。

なお、仮に、手続の瑕疵が結果に影響を及ぼす可能性がある場合にのみ処分の違法をもたらすという立場に立ったとしても、本件で審査基準の設定・公表が適切になされていれば、Aとしては、過当競争による教育水準の低下をもたらさないための方策（定員を削減するなど）を具体的に申請書に記載することができたはずなので、不認可という結果が左右されていた可能性がある。したがって、いずれにせよ、審査基準の設定公表義務違反は、本件処分の取消事由となる。

(3) **本件処分が取り消された場合にB県知事のとるべき措置**

取消判決の拘束力（行訴33条）により、B県知事は、判決の趣旨に従って、審査基準を設定・公表し、必要があればAから追加書類の提出等を受けて、改めて申請を審査しなければならない（取消判決により、法的には、申請がなされたがB県知事が応答していない状態に戻ることになるので、Aが再度申請する必要はない）。しかし、審査の結果、再び認可拒否処分をすることは可能である。そこで、Aとしては、「地元予備校間での過当競争を防ぐための適正配置」という基準自体に不服がある場合には、再び取消訴訟を提起しなければならなくなる。したがって、そのような場合には、最初から設問2のような主張をした方がよい。これに対し、「地元予備校間での過当競争を防ぐための適正配置」という基準を満たす自信があるのに、B県知事が当該基準を公にしていなかったために、申請書に適切な記載ができなくて不認可になったというのであれば、本問における主張が有効である。

コラム 答案を読んで①

1．認可拒否処分は、行手法上、「不利益処分」ではなく、「申請に対する処分」である。認可をほしいのにもらえないわけだから、不利益処分であるようにもみえるが、行手法の「不利益処分」の定義規定では、申請拒否処分が除外されている（2条4号ロ）。これを誤ると行手法の適用条文が全く異なってしまい、致命的なミスとなるので、十分注意してほしい。

2．審査基準の「公開」という表現をしている答案があったが、審査基準の「公表」または審査基準を「公にしておく」という表現が用いられるのが普通である。ただし、行手法の文言上は、「公表」（36条）と「公にしておく」（5条3項・12条1項）

は区別されており、後者は、秘密にしないという趣旨であって、公衆に対して周知徹底することまでを意味するものではないとされている。

3．審査基準の設定・公表が求められることについて、個人タクシー事件から説き起こしている答案があったが、現在では行手法5条に明文の規定があり、かつ、その内容は個人タクシー事件で最高裁が強調したのと若干異なっているので、端的に行手法5条を根拠として挙げれば足りる。個人タクシー事件については、手続違反が処分の効力に与える影響の所で、言及すれば良い（この点については行手法に定めがないので）。

4．行手法5条3項の「行政上特別の支障があるとき」という要件に言及した答案は少なかった。本問ではあまり重視する必要はないが、一応触れておいても良いであろう。この要件については、「外交交渉上、日本が不利益を受けたり、国の安全が害されるおそれがあるなど、かなり、極端な場合が想定されており、単に行政がやり難くなるというのはこれに含まれない」（髙木光ほか『条解行政手続法〔第2版〕』〔弘文堂、2017年〕166頁）とされている。

5．処分が取消訴訟で取り消されるべきことを「取消訴訟の対象になる」と表現している答案があったが、これは誤りである。「取消訴訟の対象になる」というのは、処分性があるという訴訟要件の問題であり、処分が違法かどうかという本案の問題ではない。「（手続の瑕疵が）処分の取消事由になる」または「（手続の瑕疵を理由として）処分が取り消されるべきである」とすべきである。

3．設問2——他事考慮

(1) 他事考慮の主張

(ア) 根拠法令と処分の性質の検討

処分の（実体的）違法性を検討する際には、まず、**処分の根拠法令が、処分の要件・効果をどのように定めているか**に着目すべきである。本問では、各種学校の設置認可について、根拠規定である学校教育法134条2項・4条1項は、都道府県知事の権限であることを定めるのみであるが、同法134条3項は、「各種学校に関し必要な事項」について、文部科学大臣による定めに委任しており、これを受けた各種学校規程は、各種学校の教員、施設等に関する規定を置いている。もっとも、同法134条3項は、同条2項の設置認可の要件について委任するとは規定しておらず、各種学校規程も、「各種学校に関し必要な事項」を定めるものであって（同規程1条）、各種学校の設置認可の要件を定めるものであるとは明示されていない。このような規定の形式からは、各

種学校の設置認可の要件について法令の定めはなく、認可権者の広範な裁量に委ねられているようにも見える。

しかし、学校教育法は、各種学校（134条以下）を学校（1条以下）と制度上区別しており、学校は、国（国立大学法人等を含む）、地方公共団体（公立大学法人を含む）および学校法人のみが設置できるとしている（2条）のに対し、各種学校にはそのような制限はないこと、また、教育基本法上、学校は公の性質を有するとされている（6条1項）のに対し、各種学校にはそのような位置づけは与えられていないことからすると、学校における教育は、公の性質を有するものとして国が相当程度その運営に関与することが法律上予定されているのに対し、各種学校における教育活動は、職業選択の自由（憲22条）の行使として、**原則として自由**と解される。したがって、各種学校の設置認可の要件としては、各種学校規程に定められた基準を満たす必要はあるが、それをもって足り、それ以外の事情を考慮して認可を拒否することは許されないと解される。

(イ) 本問へのあてはめ

これを本件についてみると、各種学校規程のうち各種学校の位置に関係する定めは9条1項のみであるが、同項は繁華街の近くや不衛生な場所など、教育上不適切な場所に各種学校を設置することを禁ずるものであって、他の同種校との過当競争を防ぐ趣旨を含むものとは解されない。したがって、予備校の設置認可にあたって、「地元予備校間での過当競争を防ぐための適正配置」を考慮することは許されない。そうすると、本件処分は、考慮すべきでない事項を考慮に入れて（すなわち、**他事考慮**によって）なされたものであるから、**裁量判断の過程に誤りがある**ものとして違法であり、取り消されるべきである。

(2) **本件処分が取り消された場合にB県知事のとるべき措置**

取消判決の拘束力（行訴33条）により、B県知事は、判決の趣旨に従って、「過当競争の防止」を考慮要素から外し、改めて申請を審査する義務を負う。その結果、各種学校規程の定める要件を満たしていると判断されれば、認可処分をする義務を負う。

> **コラム　答案を読んで②**
>
> 1．「各種学校における教育活動は本来自由である」という視点に言及していない答案が多かったが、この視点は、なぜ各種学校規程に規定されていない事項を考慮してはならないかを説明するうえで、重要である。
> 2．裁量権の行使にあたって「処分によって得られる利益（公益）と失われる利益（私益および公益）を比較衡量すべきである」とした答案があったが、これは東京高判昭48・7・13行集24巻6=7号533頁（日光太郎杉事件、CB4-1）において、土地収用法20条3号の解釈として述べられたものであり、裁量処分一般にあてはまるわけではない。行政処分をするにあたって何を考慮すべきか（考慮すべきでないか）については、当該処分の根拠法令の趣旨から判断すべきであり、本問では、各種学校の認可制度の趣旨から、「過当競争の防止」を考慮すべきでないことが導かれる。比較衡量によって導かれるわけではない（本書ミニ講義3参照）。

〔関連問題〕

以下の資料を参照しながら、設問1～2に答えなさい。

1．C県では、「C県私立幼稚園設置認可取扱要領」（以下「本件取扱要領」という）3条に基づき、知事が新たに私立幼稚園の設置を認可しようとする場合には、既設幼稚園からの距離が1km以上であることを原則とし、既設幼稚園からの距離が1km未満のときは、設置予定地周辺の幼児数（増加の見込みを含む）が他地域に比べて特に多い場合、または当該既設幼稚園の同意がある場合に限り、認可するという取扱いをしている。その趣旨は、C県の主張によると、幼児の徒歩通園可能距離が概ね500mであることから、就園を希望するすべての幼児が概ね500mの範囲内にある幼稚園に通園できるような適正配置を目指して、不足地域への幼稚園の新設を誘導すること、および、既設幼稚園の園児数が減少して財政基盤の悪化により教育の質が低下することを防ぎ、幼児教育の実質的な機会均等を図ることにある。このような取扱いは適法か。上で検討した予備校と、幼稚園との違いに注意して、検討しなさい。なお、本件取扱要領は、法律の委任に基づくものではなく、C県知事が定めたものである。解答にあたっては、本件取扱要領の法的性質を明らかにしなさい。

2．DはC県内で私立幼稚園を設置・運営していたが、Dの幼稚園から600mの位置で、新たにEが私立幼稚園の設置認可の申請をした。これ

に対し、Dは反対の意見書をC県知事に提出したが、C県知事は、当該地域では今後幼児数の増加が見込まれるとして、Eの申請を認可した（以下「本件認可」という）。設問1の取扱いが適法であると仮定した場合、Dは本件認可の取消しを求める原告適格を有するか。

参考裁判例：千葉地判昭55・12・26行集31巻12号2699頁、東京高判昭57・3・31判タ473号206頁。なお、最3小判平26・1・28民集68巻1号49頁（百選Ⅱ171、CB12-12）も参照。

【資料　学校教育法等（抜粋）】

○　学校教育法
第22条　幼稚園は、義務教育及びその後の教育の基礎を培うものとして、幼児を保育し、幼児の健やかな成長のために適当な環境を与えて、その心身の発達を助長することを目的とする。

○　学校教育法施行規則
第1条　（略）
2　学校の位置は、教育上適切な環境に、これを定めなければならない。
第36条　幼稚園の設備、編制その他設置に関する事項は、この章に定めるもののほか、幼稚園設置基準（昭和31年文部省令第32号）の定めるところによる。

○　幼稚園設置基準
（一般的基準）
第7条　幼稚園の位置は、幼児の教育上適切で、通園の際安全な環境にこれを定めなければならない。
2　（略）

○　C県私立幼稚園設置認可取扱要領（抜粋）
（趣旨）
第1条　C県内に設置する私立幼稚園に関する学校教育法（昭和22年法律第26号）第4条による設置認可については、法令に定めるもののほか、この要領の規定によって取り扱うものとする。
（適正配置）
第3条　幼稚園の位置は、幼稚園設置基準（昭和31年文部省令第32号。以下「基

準」という。）第 7 条第 1 項に規定するもののほか、既設幼稚園等との距離、設置予定地周辺の幼児数、人口動態等を勘案し、適正な配置となるようにしなければならない。

(定員及び学級数)
第 5 条 幼稚園の規模は、定員 140 人以上 400 人以下であること。
2　前項の規定にかかわらず、次の各号を満たすものについては、2 学級 70 人以上とすることができる。
(1)　次のいずれかに該当すること。
　　ア　幼稚園未設置市町村及びこれに準ずる地域であること。
　　イ　開発事業施行区域内及びこれに準ずる地域で、人口増加が明らかな地域であること。
(2)　（略）

〔中原茂樹〕

〔問題2〕 特商法の業務停止処分をめぐる紛争

◆ 事例 ◆

次の文章を読んで、資料を参照しながら、以下の設問に答えなさい。

1. Aは、甲県で、美術品展覧会や美術画集の発刊等の事業を行っている会社である。Aは、美術愛好家や趣味で絵画等を制作する一般の人に対し、展覧会への出展や画集の発刊を電話によって勧誘しており、特定商取引に関する法律（以下「法」という）2条3項の「電話勧誘販売」を行う「販売業者又は役務提供事業者」に該当する。

2. 甲県消費生活部に対して、Aが強引で執拗な勧誘を行っているとの苦情が多数寄せられた。これらの苦情から、Aが違法な勧誘を行っていると考えられたため、甲県消費生活部の職員は、2019年11月、改善を行うように、Aに対して行政指導を行った。その後も、甲県消費生活部へのAに関する苦情は増加する傾向にあったため、2020年4月13日、甲県消費生活部の職員らは、法66条1項に基づいて、Aに対して立入検査を行った（以下「本件立入検査」という）。Aに関する多数の苦情が寄せられていることは、メディアでも多く取り上げられていたため、本件立入検査の当日、多数の報道関係者がAに集まり、甲県消費生活部の職員らがAの建物に入っていくところがテレビのニュース等で報道された。本件立入検査において、甲県消費生活部の職員らは、Aの社員とは行政指導を通じて顔見知りであったことから、特に身分証明書等を提示することなく本件立入検査に着手し、Aの社員が電話勧誘を行う際に使用していたマニュアル（以下「本件マニュアル」という）等の資料の提出を任意に受けた。これらの資料の分析に基づき、甲県消費生活部は、2020年5月11日、検討会議を開催し【**資料1　甲県消費生活部における検討会議議事録**】参照）、法23条1項や、行手法12条1項の処分基準に当たる「特定商取引に関する法律に基づく処分に係る処分基準について」（以下「本件基準」という）に基づき、Aに対して業務停止処分を下す方針を固めた。これを受けて、甲県知事は、同年6月12日に、Aに対して、

行手法30条に基づく弁明の機会の付与の通知をし、Aは、弁明書（以下「本件弁明書」という）を提出した。
3．本件弁明書には、Aは契約をチェックする体制を一層強化し、社員にコンプライアンスに関する研修を行ったことや、本件マニュアルの改定作業を予定しているといった対応が記載されていた。また、本件弁明書には、本件立入検査について、①身分証明書の提示がされなかったことは違法である、②Aは行政指導に従い、必要な資料は請求があればすべて任意で甲県に提供しており、本件立入検査の必要性はなかった、③にもかかわらず、本件立入検査をメディアの前で大々的に行ったのは、来月選挙を控えた甲県知事の政治的パフォーマンスであり、違法である、との記載があった。

甲県消費生活部では、本件弁明書に記載されたAの対応は不十分であり、また、本件立入検査に関する指摘についても、本件処分に影響はないとして、Aに対して予定どおり業務停止処分を行うべきと判断した。これを受けて、甲県知事は、同年7月6日に、Aに対して半年の業務停止処分を行った（以下「本件処分」という）ところ、Aは、これを不服として、本件処分に対する取消訴訟を提起した（以下「本件取消訴訟」という）。

なお、本問の解答に関連する法に基づく主務大臣の権限は、適法に甲県知事に委任されている。また、本件基準は法により認められた裁量の範囲内で定められた合理的なものであるとする。

〔設問〕
本件取消訴訟において、Aが主張しうる違法事由を想定し、甲県の立場から、本件処分が適法であるとの主張を行いなさい。（100点）

【資料1　甲県消費生活部における検討会議議事録（2020年5月11日）】
甲県消費生活部長：Aについて、最終的にどのような処分を行うべきか検討します。これまで明らかになった事情を整理してください。
職員：本件マニュアルによると、Aの社員は美術愛好家等に電話で連絡をとり、しばらくは雑談を続けた後、Aが開催する展覧会への出展を勧誘するとのことです。
甲県消費生活部長：最後に依頼を行うのですか。

職員：そうです。Aの開催する美術展へ出展すると20万円以上の費用が必要なのですが、本件マニュアルによると、費用がかかることは最後に言うことになっています。

甲県消費生活部長：そうすると、勧誘を受けた相手方は、会話の最後にならないと契約締結の勧誘についての電話であることがわからないことになりますね。

職員：本件マニュアルによりますと、相手に対して、有名な美術評論家らがその作品を褒めていたことや、「先生だからこの価格で出展いただけます」等のトークをすることになっています。もちろん、これらのトークの内容は虚偽ですし、価格を特別に値引きしているという事実も一切ありません。さらに、本件マニュアルには、「勧誘に断られても、諦めず、褒めて褒めて粘ること」、「勧誘の相手方に発言の機会を与えないように、まくしたてる感じで説明及び説得をすること」といった記載もあります。

甲県消費生活部長：価格に関する虚偽の勧誘は問題ですし、それ以外の虚偽の内容も、勧誘を受ける相手の判断に影響を及ぼしうると考えられますね。

職員：また、Aの担当者は、「お金がない」あるいは「忙しいので」という理由で断っても、その後も勧誘を続けるとのことです。

甲県消費生活部長：本件マニュアルにも、断られても反論して繰り返し勧誘すべき旨の記載がありますね。

職員：Aから交付される契約書等にも問題があったようです。というのも、例えば、美術展を行う場合、場所代、管理費、保険代といった複数の種類の支出があるのですが、Aが契約者に交付した書面にはこれらの内訳が明示されず、総額のみの記載となっていました。

甲県消費生活部長：総額のみでは、個々の対価がわかりませんから、契約内容が明らかになっているかについては問題がありますね。契約内容を明示することは、取引の公正や購入者の利益の保護という法1条の目的にも関わる重要な点です。ところで、本件マニュアルの内容と実際の勧誘が同じとは限らないかもしれません。この点はどうでしょうか。

職員：Aの社員は、キャリアの短い者が多く、本件マニュアルどおりの勧誘を行っていたことが確認されています。

甲県消費生活部長：経営者らは社員が違法行為を行っているのに気がついていたのでしょうか。

職員：経営者に聞き取り調査を行いましたが、最近Aの経営者に変更があり、新たな経営者は、ほとんど従業員の業務実態を把握していないことがわかりました。

甲県消費生活部長：経営者の変更があったにせよ、業務実態が把握できていな

いとすれば、コンプライアンス体制に問題がありそうですね。これまで検討してきた事実や法 23 条 1 項や本件基準からは、A に対しては業務停止処分を行うのが適切と考えられます。今後、A に対しては、行手法に基づいて、弁明の機会の付与の手続を進めることとします。
職員：承知しました。

【資料 2 特定商取引に関する法律等（抜粋）】

○ 特定商取引に関する法律
（目的）
第 1 条　この法律は、特定商取引（訪問販売、通信販売及び電話勧誘販売に係る取引、連鎖販売取引、特定継続的役務提供に係る取引、業務提供誘引販売取引並びに訪問購入に係る取引をいう。以下同じ。）を公正にし、及び購入者等が受けることのある損害の防止を図ることにより、購入者等の利益を保護し、あわせて商品等の流通及び役務の提供を適正かつ円滑にし、もって国民経済の健全な発展に寄与することを目的とする。

第 2 条
1～2　（略）
3　この章及び第 58 条の 20 第 1 項において「電話勧誘販売」とは、販売業者又は役務提供事業者が、電話をかけ又は政令で定める方法により電話をかけさせ、その電話において行う売買契約又は役務提供契約の締結についての勧誘（以下「電話勧誘行為」という。）により、その相手方（以下「電話勧誘顧客」という。）から当該売買契約の申込みを郵便等により受け、若しくは電話勧誘顧客と当該売買契約を郵便等により締結して行う商品若しくは特定権利の販売又は電話勧誘顧客から当該役務提供契約の申込みを郵便等により受け、若しくは電話勧誘顧客と当該役務提供契約を郵便等により締結して行う役務の提供をいう。
4　（略）

（電話勧誘販売における氏名等の明示）
第 16 条　販売業者又は役務提供事業者は、電話勧誘販売をしようとするときは、その勧誘に先立って、その相手方に対し、販売業者又は役務提供事業者の氏名又は名称及びその勧誘を行う者の氏名並びに商品若しくは権利又は役務の種類並びにその電話が売買契約又は役務提供契約の締結について勧誘をするためのものであることを告げなければならない。

（契約を締結しない旨の意思を表示した者に対する勧誘の禁止）

第17条　販売業者又は役務提供事業者は、電話勧誘販売に係る売買契約又は役務提供契約を締結しない旨の意思を表示した者に対し、当該売買契約又は当該役務提供契約の締結について勧誘をしてはならない。

（電話勧誘販売における書面の交付）

第18条　販売業者又は役務提供事業者は、電話勧誘行為により、電話勧誘顧客から商品若しくは特定権利につき当該売買契約の申込みを郵便等により受け、又は役務につき当該役務提供契約の申込みを郵便等により受けたときは、遅滞なく、主務省令で定めるところにより、次の事項についてその申込みの内容を記載した書面をその申込みをした者に交付しなければならない。ただし、その申込みを受けた際その売買契約又は役務提供契約を締結した場合においては、この限りでない。

一　商品若しくは権利又は役務の種類
二　商品若しくは権利の販売価格又は役務の対価
三～六　（略）

第19条　販売業者又は役務提供事業者は、次の各号のいずれかに該当するときは、……遅滞なく、主務省令で定めるところにより、前条各号の事項（……）についてその売買契約又は役務提供契約の内容を明らかにする書面を購入者又は役務の提供を受ける者に交付しなければならない。

一　電話勧誘行為により、電話勧誘顧客と商品若しくは特定権利につき当該売買契約を郵便等により締結したとき又は役務につき当該役務提供契約を郵便等により締結したとき。
二　電話勧誘行為により電話勧誘顧客から商品若しくは特定権利又は役務につき当該売買契約又は当該役務提供契約の申込みを郵便等により受け、その売買契約又は役務提供契約を締結したとき。

2　（略）

（禁止行為）

第21条　販売業者又は役務提供事業者は、電話勧誘販売に係る売買契約若しくは役務提供契約の締結について勧誘をするに際し、又は電話勧誘販売に係る売買契約若しくは役務提供契約の申込みの撤回若しくは解除を妨げるため、次の事項につき、不実のことを告げる行為をしてはならない。

一　商品の種類及びその性能若しくは品質又は権利若しくは役務の種類及びこれらの内容その他これらに類するものとして主務省令で定める事項
二　商品若しくは権利の販売価格又は役務の対価
三　商品若しくは権利の代金又は役務の対価の支払の時期及び方法
四～六　（略）
七　前各号に掲げるもののほか、当該売買契約又は当該役務提供契約に関す

る事項であって、電話勧誘顧客又は購入者若しくは役務の提供を受ける者の判断に影響を及ぼすこととなる重要なもの

2～3　（略）

（指示等）
第22条　主務大臣は、販売業者又は役務提供事業者が第16条から第21条までの規定に違反し、又は次に掲げる行為をした場合において、電話勧誘販売に係る取引の公正及び購入者又は役務の提供を受ける者の利益が害されるおそれがあると認めるときは、その販売業者又は役務提供事業者に対し、当該違反又は当該行為の是正のための措置、購入者又は役務の提供を受ける者の利益の保護を図るための措置その他の必要な措置をとるべきことを指示することができる。

一～四　（略）

五　前各号に掲げるもののほか、電話勧誘販売に関する行為であって、電話勧誘販売に係る取引の公正及び購入者又は役務の提供を受ける者の利益を害するおそれがあるものとして主務省令で定めるもの

2　（略）

（業務の停止等）
第23条　主務大臣は、販売業者若しくは役務提供事業者が第16条から第21条までの規定に違反し若しくは前条第1項各号に掲げる行為をした場合において電話勧誘販売に係る取引の公正及び購入者若しくは役務の提供を受ける者の利益が著しく害されるおそれがあると認めるとき、又は販売業者若しくは役務提供事業者が同項の規定による指示に従わないときは、その販売業者又は役務提供事業者に対し、2年以内の期間を限り、電話勧誘販売に関する業務の全部又は一部を停止すべきことを命ずることができる。（以下略）

2　（略）

（報告及び立入検査）
第66条　主務大臣は、この法律を施行するため必要があると認めるときは、政令で定めるところにより販売業者、役務提供事業者、統括者、勧誘者、一般連鎖販売業者、業務提供誘引販売業を行う者若しくは購入者（以下「販売業者等」という。）に対し報告若しくは帳簿、書類その他の物件の提出を命じ、又はその職員に販売業者等の店舗その他の事業所に立ち入り、帳簿、書類その他の物件を検査させ、若しくは従業員その他の関係者に質問させることができる。

2～5　（略）

6　第1項……の規定により立入検査をする職員は、その身分を示す証明書を携帯し、関係人に提示しなければならない。

7 （略）
第70条　次の各号のいずれかに該当する者は、3年以下の懲役又は300万円以下の罰金に処し、又はこれを併科する。
　一　第6条、第21条、第34条、第44条、第52条又は第58条の10の規定に違反した者
　二　（略）
第71条　次の各号のいずれかに該当する者は、6月以下の懲役又は100万円以下の罰金に処し、又はこれを併科する。
　一　（略）
　二　第7条第1項、第14条第1項若しくは第2項、第22条第1項、第38条第1項から第4項まで、第46条第1項、第56条第1項若しくは第2項又は第58条の12第1項の規定による指示に違反した者
　三　第66条第1項（……）の規定による報告をせず、若しくは虚偽の報告をし、若しくは同条第1項の規定による物件を提出せず、若しくは虚偽の物件を提出し、又は同項の規定による検査を拒み、妨げ、若しくは忌避し、若しくは同項の規定による質問に対し陳述をせず、若しくは虚偽の陳述をした者
　四　（略）
第72条　次の各号のいずれかに該当する者は、100万円以下の罰金に処する。
　一　第12条、第36条、第43条又は第54条の規定に違反して、著しく事実に相違する表示をし、又は実際のものよりも著しく優良であり、若しくは有利であると人を誤認させるような表示をした者
　二〜七　（略）
2　（略）

○　**特定商取引に関する法律施行規則**
（電話勧誘販売における禁止行為）
第23条　法第22条第1項第5号の主務省令で定める行為は、次の各号に掲げるものとする。
　一　電話勧誘販売に係る売買契約若しくは役務提供契約の締結について迷惑を覚えさせるような仕方で勧誘をし、又は電話勧誘販売に係る売買契約若しくは役務提供契約の申込みの撤回若しくは解除について迷惑を覚えさせるような仕方でこれを妨げること。
　二〜六　（略）

○ **特定商取引に関する法律に基づく処分に係る処分基準について**
・法第23条の規定による電話勧誘販売に係る販売業者等に対する業務の停止
　法第23条の規定による電話勧誘販売に係る販売業者又は役務提供事業者に対する業務の停止は、同条に定める処分の基準のほか、事業者によるコンプライアンス体制の状況、違反行為の悪質性及び被害の現実の広がりや将来の拡大可能性等の観点を総合的に考慮の上行うものとする。

◆ 解説 ◆

1．出題の意図

　本問は、行政処分の違法性を、事実と個別法に沿って検討してもらう問題である。行政法の事例問題では、訴訟法に関する問題を除けば、行政処分が違法（あるいは適法）であるとの主張を考えさせることが多い。しかし、行政法の初学者にとって、事案と個別法の条文に沿って、行政処分の違法性に関する主張を整理する作業は、それほど容易なものではない。個別法に定められた処分要件を正確に理解できていない答案や、行政裁量の違法性にしか触れていない答案が今でも少なからず見られる。本問は、こういった行政処分の違法性に関して、特定商取引に関する法律に基づく不利益処分について、処分要件、行政裁量、さらには、行政調査に関する違法事由の検討を行う問題である。なお、本問は、東京地判平26・11・21判例自治401号76頁を素材として出題したが、事実関係においては一部変更を加えている。

2．本件処分の実体法上の違法

(1) 行政処分の違法性の判断手法
　行政処分が違法となる場合としては、処分庁による事実認定の誤り、要件解釈の誤り、裁量権の逸脱や濫用、手続違反、憲法や法の一般原則違反をあげることができるであろう（参照、曽和俊文『行政法総論を学ぶ』〔有斐閣、2014年〕154頁）。
　では、行政処分の違法を考えるとき、上記のどこから手を付ければよいであろうか。もちろん事案によって違いがあるのは言うまでもないが、まずは行政処分の根拠となる規定を見つけ、次に、どのような要件が当該処分を行うにあたって要求されているのかという点を踏まえて、**当該事案において処分の要件が充足しているのかを考えていくことが基本**である（参照、中原・基本行政法34頁）。このような作業は、行政処分の違法性を考えるときだけではなく、行政処分以外の行政活

動や、あるいは、訴訟法上の問題（例えば、原告適格の有無）を考えるときにも大切であり、行政法の事例問題を考えるときの基本動作と言ってよい。まず、このような検討を行った後、それ以外の違法事由を事案に沿って検討していくこととなる。

(2) 本件処分の処分要件は充足しているか——要件1

では、本問に即して考えてみよう。本件処分の根拠となるのは法23条1項の前半部分である（後半部分は法22条1項の指示に従わない場合であるが、本問では指示は行われていないので、検討する必要はない）。法23条1項の前半部分によると、同条に基づく処分要件が充足するのは、Aが、「第16条から第21条までの規定に違反」したときか、「前条〔22条〕第1項各号に掲げる行為をした場合」で（以下、両者を「要件1」という）、かつ、「電話勧誘販売に係る取引の公正及び購入者若しくは役務の提供を受ける者の利益が著しく害されるおそれがあると認めるとき」である（以下「要件2」という）。図にすると以下のようになるので、これに従って、本件処分が処分要件を充足しているかを検討していくこととなる。要件が充足しているかを検討する際には条文をあげるのみでは不十分であり、Aが行ったどの行為がそれぞれの条文のどこに該当するかを示す必要がある。

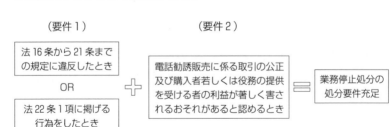

はじめに、法16条から21条までの規定に違反しているかである。まず、職員の発言によると、Aの従業員が、顧客に電話をする際、勧誘であることを示すのは会話の最後であり、「勧誘に先立って」販売目的を告知してないことから、法16条に違反すると考えられる。次に、Aの従業員は本件マニュアルに基づいて、顧客から断られた後も、勧誘を継続しており、法17条違反の再勧誘をしている。さらに、契約を

締結した際には、商品や役務の対価を明示しなくてはならないのに、Aは、総額のみを記載した書面を交付していることから、契約内容を明らかにしておらず、法19条1項違反が考えられ、また、勧誘に際して、虚偽の内容を告げているが、このような内容は、顧客の判断に影響を及ぼす内容に当たることから、法21条1項7号に該当する内容について「不実のこと」を告げており、同条に違反すると考えられるであろう。

次に、本件マニュアルに記載されている内容（「勧誘に断られても、諦めず、褒めて褒めて粘ること」、「勧誘の相手方に発言の機会を与えないように、まくしたてる感じで説明及び説得をすること」）からすると、顧客にとっては「迷惑を覚えさせるような仕方」（法施行規則23条）に該当すると考えられ、法22条1項5号に該当すると考えられる。

以上のように、Aは、法16条から21条までの規定に違反しているか、または法22条1項5号に該当する行為をしており（以下「本件各違反行為」という）、要件1は充足していると考えられる。

(3) 本件処分の処分要件は充足しているか──要件2

次に、要件2についても検討する必要がある。本件基準に則して考えてみよう。本件各違反行為のいずれに関しても、Aに対しては、2019年段階で行政指導が行われていたにもかかわらず、Aは行政指導に従っておらず、被害の拡大は止まっていなかった。また、Aの経営陣は、経営者の変更があったとはいえ、販売現場の状況も知悉しておらず、適切な対応をとることができずにいた。甲県消費生活部長の発言にもみられるように、Aのコンプライアンス体制には問題があるといえよう。

さらに、本件マニュアル自体が、従業員に違法行為をするよう促しているものであり、Aには組織的な違反行為が認められ、被害の拡大可能性や悪質性もあると考えられる。また、個別の違反についてみていくと、法21条違反については懲役刑を含む重い刑事罰が予定されており（法70条1号）、同法違反は、重大な違反と考えることができる。また、法22条に該当する行為についても、刑事罰の対象ともなるものであり（法71条2号）、やはり重大な違反行為と考えることができるで

あろう。さらに、法16条〜18条違反は、虚偽の内容を告げ、迷惑な勧誘を行うなどいずれも消費者の利益を著しく害するものということができる。法19条違反については、形式的な違反のようにもみえるが、甲県消費生活部長が指摘するように、取引の公正や消費者の利益を侵害するものということができる。

　以上のように考えると、本件各違反行為は、「取引の公正及び購入者若しくは役務の提供を受ける者の利益が著しく害されるおそれがあると認めるとき」に当たるということができる。

(4) 裁量権行使の違法はみられるか

　裁量に関する違法についても検討しておこう。本件処分は不利益処分であり、法23条1項の規定の仕方からも、処分を行うかどうか、あるいはどのような処分を行うのかにつき、一定の**効果裁量**（ミニ講義32⑵参照）があると考えられ、したがって、本件処分に裁量権の逸脱や濫用があるのかについても考えておく必要がある。

　甲県の立場からは、上のような裁量が広く認められることを前提としながら、要件2でみたような、本件各違反行為に関するAの悪質性や組織的な対応、また、行政指導によっては改善が図られず、被害の拡大を食い止めることはできなかったという事情を主張することとなるであろう。また、本件弁明書に見られるように、Aは、従業員に対する研修といった一定の改善策を実施しているようであるが、本件マニュアルの改定には至っていないのであり、将来的な被害の拡大の可能性は残っていると考えられる。このように考えれば、甲県からは、取引の公正や購入者の被害防止のため（法1条参照）、行政指導にとどまらず、本件処分のように半年の業務停止処分をしたとしても、裁量権の範囲を超えるものではないとされよう。

　また、Aからは、本件処分が比例原則に反するとの主張がされることも考えられるが、甲県からは、本件処分については、改善のためにも一定期間業務を停止させる処分にすぎないから、特に重い処分とはいえず、違法な点は認められないといった主張が考えられる。

3．本件立入検査の違法と本件処分の違法

　Aは、本件弁明書において、本件立入検査が違法ではないかと指摘している。このような指摘が、本件処分の違法性とどのように結びつくのであろうか。次のように考えることとなる。

(1)　行政調査の違法

　本件立入検査は、本件処分のために行われた情報収集活動であり、いわゆる**行政調査**の一種である。行政調査は任意調査と強制調査に分けることができる。強制調査は、相手方の抵抗を排除して行うことができる直接的な強制調査と、調査に協力しない場合には刑事罰が科せられる間接的な強制調査に分けられるが、本件立入検査は、後者の間接的な強制調査に当たる（法71条3号）。

　では、仮に、違法な行政調査によって収集された事実によって、行政処分がなされた場合、当該行政処分は違法となるのであろうか。裁判例には、処分の適法性は客観的に正しい事実に基づいていたのかによって決まることであるから、原則として行政調査の違法は行政処分の違法とは直結しないとする考え方もみられる。しかし、行政調査にいかなる違法性が認められても、行政処分の適法性には関係がないということも妥当ではないことから、「適正手続の観点から行政調査に重大な瑕疵が存在するとき」（塩野・行政法Ⅰ290頁）は、当該行政調査に基づく行政処分も違法となると考えられる。あるいは、重大な瑕疵がある行政調査に基づいて収集された事実を行政処分の根拠としては使うことができず、その結果として当該処分が要件を欠くことになれば、違法となると考えることもできよう（学説および裁判例については、曽和俊文「行政調査と、その瑕疵の効果」法教457号〔2018年〕38頁参照）。

(2)　本問へのあてはめ

　それでは、上記のような考え方に沿って、本問を考えてみよう。考える順番は、第1に、本件立入検査は違法なのかであり、第2に本件立入検査に重大な瑕疵があり、本件立入検査で入手した資料に基づいて行われた本件処分も違法となるのか、である。

第1に、本件立入検査が違法かどうかであるが、本件弁明書における事例3.①の身分証明書の提示がなかったことは、法66条6項に違反し違法である。②の本件立入検査の必要性がなかったことは、法66条1項の「この法律を施行するため必要があると認めるとき」に該当しないことを示すものである。しかし、本件においては、多数の苦情が県に寄せられていたことから、全く立入検査の必要がなかったと考えることは無理があろう。したがって、一定の必要性は認められると考えられ、甲県からは本件立入検査は適法であると主張されることとなる。③については、知事が選挙用のパフォーマンスだけのために本件立入検査を行ったのだとすれば、権限濫用として違法であるとされる可能性があるが、甲県からは、やはりそのような事実はないと主張されることとなる。

　第2に、上記の違法が「重大な瑕疵」と考えられるであろうか。事例3.の①の瑕疵については、甲県からは、形式的で軽微な瑕疵であり、「重大な瑕疵」には当たらないとの主張が考えられよう。②と③については、仮に、Aの主張が認められれば、本件立入検査に「重大な瑕疵」に当たるとされる可能性はある。そうすると、本件立入検査によって入手した本件マニュアル等の資料を本件処分の根拠とすることはできなくなる。甲県からは、上で見たように、本件立入検査には、Aが指摘するような事実はなく、違法ではないとの主張がされよう。

4．おわりに

　本問について解説してきたが、答案としてまとめるとすれば、例えば、以下の図のような順番で整理することが考えられるであろう。なお、本問を実際の試験で出題したときは、裁量権行使の違法性についてはほとんどの答案が触れていたが、要件1の該当性に関して問題文に示された事実を十分に取り上げていないものや（1個あるいは2個のみ挙げる答案が見られた）、要件2該当性について何ら触れていないものが見られた。個別法上の処分要件を理解し、事実に即してきちんとあてはめることは基本であり、注意が必要である。

〔関連問題〕
　本事例と同様のシチュエーションにおいて、Aは、本件弁明書を提出する前に、本件マニュアルを改定し、その内容を法に適合するものとした。さらに、Aは、改定されたマニュアルに基づいて、従業員に対する研修を行い、改定マニュアルの内容を徹底していた。このような本件マニュアルの改定や従業員への徹底について、本件弁明書に記載されていたにもかかわらず、甲県知事は、本件マニュアルの改定や従業員への徹底については、特に確認することなく本件処分を行った。このような事情が認められる場合、Aは、本件取消訴訟において、どのような主張をすることが考えられるか、検討しなさい。

〔北村和生〕

〔問題３〕 地方公務員の懲戒処分をめぐる紛争

◆ 事例 ◆

次の文章を読んで、資料を参照しながら、以下の設問に答えなさい。

1. 甲県は従来、懲戒処分の指針として【資料３】にあるような定めを置き、飲酒運転をした職員に対して、その定めに従って懲戒処分を行ってきた。しかし、職員の飲酒運転が相次いだことに対する県民や県議会の批判を受けて、飲酒運転をした職員に対して厳正な対処を行うべく、2008年11月に懲戒処分の指針を【資料４】にあるように改正し、これを公表した（以下、改正前の懲戒処分の指針を「旧指針」、改正後の懲戒処分の指針を「本件指針」という）。

2. 甲県職員であるAは、2008年12月18日に所属部署の忘年会に参加して飲酒し、午後11時50分頃に帰宅した。翌日はいつもの時間に自宅を出て、近くのバス停で最寄り駅に向かう路線バスを待っていたところ、同じくバス停にいたBが突然胸を押さえて倒れたため、Aは救急車を呼ぶなどの救助を行った。そのため、通常のように路線バスに乗っていたのでは午前9時からの会議に間に合わなくなったが、Aはその会議に遅刻するわけにはいかなかった。Aはタクシーが見つかる見込みもなかったので、急いで自宅に戻り、原動機付自転車を運転して最寄り駅まで行くことにした。だが、最寄り駅に向かう途中、見通しの悪いカーブ内で対向車が目に入って急ブレーキをかけたためにバランスを崩して転倒した。この転倒により、A自身が軽傷を負ったほか、原動機付自転車も破損し、さらに道路沿いのC宅の垣根も一部壊れた（以下この事故を「本件事故」という）。ただしAは、壊れた垣根で二次的な事故が起きないようにする措置はとっていた。

3. その後、Cの通報を受けて駆けつけた警察官が、Aから酒の臭いがするように感じたので、念のためアルコール呼気検査を実施したところ、呼気1L当たり0.17mgのアルコールが検出された。Aは酒気帯び運転で検挙され、2009年2月2日、罰金の略式命令を受け、さらに同年3

月2日には運転免許停止処分も受けた。その後、甲県知事は本件指針に従って、同月10日にAに対して免職処分（以下「本件処分」という）を下し、地方公務員法49条1項に従って、本件処分の事由を記載した説明書も交付した。
4．Aは甲県職員として25年間勤務し、勤務成績についても良好または特に良好の評価を常に受けており、他の職員からの信頼も厚かった。また、本件処分以前に懲戒処分を受けたことがなく、交通事故・違反の経歴もなかった。さらにAは、旧指針の下で自身のように酒気帯び運転で物損事故を起こした者が、その後の危険防止措置をとっていた場合、停職6カ月の懲戒処分が行われていたことを、本件処分を受けてから知った。
5．Aは、飲酒運転で交通事故を起こしたことは、地方公務員法33条の信用失墜行為の禁止に反するとして、同法29条1項1号の要件に該当するとともに、公務員の立場にあるまじき行為であるとして、同項3号の要件にも当たることは否定できないと考えた。また、懲戒処分が行われること自体もやむをえないと思ったが、免職処分という本件処分の内容には不満があった。

そこでAは、同年3月16日に甲県人事委員会に対して本件処分の審査請求を行ったが、同年9月18日に棄却裁決を受けたため、同年10月20日、甲県を被告として本件処分の取消訴訟を提起した。

〔設問〕
1．本件処分の取消訴訟において、本件処分の内容が違法とされるかどうかを複数の観点から検討しなさい。(75点)
2．2009年7月1日の時点で、Aが甲県人事委員会に対して本件処分の審査請求を行っていなかったとする。この場合、Aが甲県職員の地位を回復するためには、どのような法的手段をとるべきだろうか。(25点)

【資料1　地方公務員法（抜粋）】
（平等取扱いの原則）
第13条　全て国民は、この法律の適用について、平等に取り扱われなければならず、人種、信条、性別、社会的身分若しくは門地によって、又は第16条第

4号に規定する場合を除く外、政治的意見若しくは政治的所属関係によって差別されてはならない。
(懲戒)
第29条　職員が次の各号の一に該当する場合においては、これに対し懲戒処分として戒告、減給、停職又は免職の処分をすることができる。
　一　この法律……に違反した場合
　二　職務上の義務に違反し、又は職務を怠った場合
　三　全体の奉仕者たるにふさわしくない非行のあった場合
2〜4　(略)
(信用失墜行為の禁止)
第33条　職員は、その職の信用を傷つけ、又は職員の職全体の不名誉となるような行為をしてはならない。
(不利益処分に関する説明書の交付)
第49条　任命権者は、職員に対し、懲戒その他その意に反すると認める不利益な処分を行う場合においては、その際、その職員に対し処分の事由を記載した説明書を交付しなければならない。
2〜4　(略)
(審査請求)
第49条の2　前条第1項に規定する処分を受けた職員は、人事委員会又は公平委員会に対してのみ審査請求をすることができる。
2〜3　(略)
(審査請求期間)
第49条の3　前条第1項に規定する審査請求は、処分があったことを知った日の翌日から起算して3月以内にしなければならず、処分があった日の翌日から起算して1年を経過したときは、することができない。
(審査請求と訴訟との関係)
第51条の2　第49条第1項に規定する処分であって人事委員会又は公平委員会に対して審査請求をすることができるものの取消しの訴えは、審査請求に対する人事委員会又は公平委員会の裁決を経た後でなければ、提起することができない。

【資料2　道路交通法等（抜粋）】

○　道路交通法
(酒気帯び運転等の禁止)

第65条　何人も、酒気を帯びて車両等〔注：自動車、原動機付自転車、軽車両、トロリーバスまたは路面電車をいう〕を運転してはならない。
2～4　（略）
（交通事故の場合の措置）
第72条　交通事故があったときは、当該交通事故に係る車両等の運転者その他の乗務員（……）は、直ちに車両等の運転を停止して、負傷者を救護し、道路における危険を防止する等必要な措置を講じなければならない。（以下略）
2～4　（略）
（免許の取消し、停止等）
第103条　免許（……）を受けた者が次の各号のいずれかに該当することとなったときは、その者が当該各号のいずれかに該当することとなった時におけるその者の住所地を管轄する公安委員会は、政令で定める基準に従い、その者の免許を取り消し、又は6月を超えない範囲内で期間を定めて免許の効力を停止することができる。（以下略）
一～四　（略）
五　自動車等〔注：自動車または原動機付自転車をいう〕の運転に関しこの法律……に違反したとき（……）。
六～八　（略）
2～10　（略）
第117条の2の2　次の各号のいずれかに該当する者は、3年以下の懲役又は50万円以下の罰金に処する。
一～二　（略）
三　第65条（酒気帯び運転等の禁止）第1項の規定に違反して車両等（軽車両を除く。……）を運転した者で、その運転をした場合において身体に政令で定める程度以上にアルコールを保有する状態にあったもの
四～十二　（略）

○　道路交通法施行令
（アルコールの程度）
44条の3　法〔注：道路交通法〕第117条の2の2第3号の政令で定める身体に保有するアルコールの程度は、血液1ミリリットルにつき0.3ミリグラム又は呼気1リットルにつき0.15ミリグラムとする。

【資料3　甲県懲戒処分の指針（2008年11月改正前のもの。抜粋）】
第3　処分量定の基準

4　交通事故・交通法規違反関係
(1)　酒酔い運転
　酒酔い運転をした職員は、免職とする。
(2)　酒気帯び運転
　ア　酒気帯び運転で人を死亡させ、又は重篤な傷害を負わせた職員は、免職とする。
　イ　酒気帯び運転で人に傷害を負わせた職員は、免職又は停職とする。この場合において事故後の救護を怠る等の措置義務違反をした職員は、免職とする。
　ウ　酒気帯び運転をした職員は、停職とする。この場合において、物の損壊に係る交通事故を起こして、その後の危険防止を怠る等の措置義務違反をした職員は、免職又は停職とする。

【資料4　甲県懲戒処分の指針（2008年11月改正後のもの。抜粋）】
第3　処分量定の基準
4　交通事故・交通法規違反関係
(1)　酒酔い運転及び酒気帯び運転
　酒酔い運転及び酒気帯び運転（以下「飲酒運転」という。）をした職員は、事故の有無を問わず免職とする。

◆ 解説 ◆

1．出題の意図

　本問のうち設問1は、行政裁量の有無の判断基準、裁量処分に対する司法審査の方法および裁量基準の性質に関する知識を用いて、地方公務員の懲戒処分の違法性を具体的に検討することを求めるものである。それに対して設問2は、地方公務員の懲戒処分の事例を用いて、審査請求前置の意味、および、その場合に審査請求に対する裁決を経なかったときの救済手段に関する理解を問うものである。設問2の後者の点に関しては行訴法36条も問題になる。

　飲酒運転を理由とする地方公務員の懲戒処分が争われた裁判例は数多くあるが、本問の事例の作成にあたっては、東京高判平24・8・16LEX/DB25482550を参考にした。

2．設問1──本件処分の内容の違法性に関する検討

(1) 本件処分における裁量の有無

　設問1において、免職処分という本件処分の内容が違法かどうかを検討するにあたっては、地方公務員の懲戒処分に**効果裁量**が認められるか否かをまず確認しておく必要がある。効果裁量とは、行政処分の要件の充足を前提として、行政処分をするか否か、どのような内容の行政処分をするかという点に関する裁量である（ミニ講義3 **2**(2)参照）。この点に関して、懲戒処分の根拠規定である地方公務員法29条1項を見ると、「……懲戒処分として戒告、減給、停職又は免職の処分をすることができる」としており、「……しなければならない」とは定めていない。また、同項は懲戒処分の内容に関して複数の選択肢を挙げており、懲戒処分をすべきかどうか、また、懲戒処分をする場合にいかなる処分を選択すべきかについて具体的な基準を設けていない。

　さらに、最3小判昭52・12・20民集31巻7号1101頁（神戸全税関事件、百選Ⅰ80、CB4-2）は、「懲戒処分をすべきかどうか、また、懲戒処分をするときにいかなる処分を選択すべきかを決するについては、

……具体的な基準を設けていない」と指摘するとともに、そのような「判断は、……広範な事情を総合的に考慮してされるものである以上、平素から庁内の事情に通暁し、部下職員の指揮監督の衝にあたる者の裁量に任せるのでなければ、とうてい適切な結果を期待することができないものといわなければならない」と述べている。この判示は、国家公務員の懲戒処分について定めた国家公務員法82条1項に関するものであるが、同様のことは地方公務員の懲戒処分の場合にもあてはまる。

そうすると、地方公務員法29条1項の規定の仕方に加えて、懲戒処分を行う際には様々な事情を総合的に考慮する必要があること、および、組織内部の事情をよく知る者の判断を尊重すべきことも根拠として、地方公務員の懲戒処分については効果裁量が認められると考えられる。

(2) **本件処分の内容の違法性に関する検討──裁量処分に対する司法審査の方法**

上述のように、懲戒処分について効果裁量が認められるとしても、**裁量権の逸脱・濫用**がある場合には違法と判断される（行訴30条参照）。前掲・最3小判昭52・12・20（神戸全税関事件）は、懲戒処分が「社会観念上著しく妥当を欠き、裁量権を濫用したと認められる場合に限り違法である」と判示している。

(ア) **本件指針自体の合理性の検討**

裁量処分の違法性を判断するためのより具体的な方法については様々なものがあるが、本問では甲県が本件指針を定めていることにまず注目すべきである。

本件指針は地方公務員法の委任を受けて定められたものではなく、また、懲戒処分には効果裁量があることからすると、懲戒処分の量定の基準を定めた本件指針は**裁量基準**に当たる。裁量基準は行政機関が裁量権の行使に関して内部で定めた基準であり、法規命令ではないから、それから逸脱した行政処分が直ちに違法になるわけではない。だが、裁量基準が定められた以上は、特段の事情がない限りそれに従って判断することが要請され、裁量基準に反して行われた行政処分は、憲法14条に基づく**平等原則**違反または民法1条2項の**信義則（信頼保護原則）**

違反により、原則として違法と評価される（最3小判平27・3・3民集69巻2号143頁〔北海道パチンコ店営業停止命令事件、百選Ⅱ175、CB13-9〕）。ただし本問の場合、本件処分は本件指針に従って行われているので、そうした違法の可能性は問題にならない。

　しかし、裁量基準の定立も行政機関による裁量権の行使であると捉えると、裁量基準自体の合理性も検討する必要がある（最1小判平4・10・29民集46巻7号1174頁〔伊方原発訴訟、百選Ⅰ77、CB4-5〕）。そして、裁量基準自体が不合理なものと評価される場合、それに従って行われた行政処分も違法となる。本件処分は本件指針に従って行われているが、その場合でも本件指針自体が不合理なものであれば、本件処分も違法になる。裁量基準に反して行われた行政処分は、平等原則違反または信義則（信頼保護原則）違反により違法になる、という上記の原則は、当該裁量基準が合理的なものであることを前提にすると考えられる。

コラム　裁量基準・解釈基準と審査基準・処分基準

　本件指針は裁量基準に当たるが、その一方で、行手法2条8号ハの処分基準でもある。本件処分のような地方公務員に対する懲戒処分は、行手法2条4号の不利益処分に該当するからである（ただし、地方公務員に対する懲戒処分については、行手法3条1項9号により、同法第2章から第4章の2までの規定の適用が除外されるので、同法12条の処分基準に関する規定も適用されない）。では、裁量基準と処分基準の概念はどのような関係にあるのか。裁量基準や処分基準を説明する際に、あわせて取り上げられることが多い解釈基準や審査基準も含めて、それらの概念の整理を行っておこう。

　まず、審査基準と処分基準からいえば、それらは行手法で用いられている概念であり、同法2条8号ロ・ハに定義規定が置かれ、同法5条・12条に設定・公表等に関する定めがある。審査基準と処分基準は、行手法上の申請（同法2条3号を参照）に対する処分に関する基準か不利益処分に関する基準かによって区別される。審査基準の例としては、個人タクシー事業などの一般乗用旅客自動車運送事業の許可申請に関する審査基準があり（道路運送3条以下も参照）、処分基準の例としては、風営法26条1項に基づく営業停止命令等の量定等の基準がある。

　それに対して、裁量基準と解釈基準は理論上の概念である。本文で述べたとおり、裁量基準とは、行政機関が裁量権の行使に関して内部で定めた基準であるが、解釈基準とは、行政機関が法令の解釈に関して内部で定めた基準である。解釈基準

の例として、所得税法の解釈を示した所得税基本通達を挙げることができる。行政処分に関する裁量基準と解釈基準は、当該行政処分の根拠法令によって裁量が認められているか否かによって区別されるが、裁量の有無は最終的には裁判所の審査を経て明らかになるので、確立した判例がない限り、行政機関が基準を定める段階では、裁量基準と解釈基準を区別することは難しい（参照、佐伯祐二「審査基準・処分基準の法的性格」争点78頁以下）。

このように、審査基準・処分基準と裁量基準・解釈基準は、異なる見地から立てられた概念である。そのこともあって、審査基準には裁量基準に当たるものもあれば、解釈基準に当たるものもあるとされ、処分基準の場合にも同様に考えられている〔髙木光ほか『条解行政手続法〔第2版〕』弘文堂、2017年）62頁以下〔須田守〕、室井力ほか編『コンメンタール行政法Ⅰ　行政手続法・行政不服審査法〔第3版〕』〔日本評論社、2018年〕41頁以下〔芝池義一〕）。

裁量基準の性質は本文の中で述べているので、ここでは繰り返さないが、解釈基準の性質について説明しておくと、解釈基準は裁量の認められない行政処分に関するものであるから、裁判所は解釈基準に拘束されることなく、自らが正しいと考える法令の解釈に照らして行政処分が適法かどうかを判断する。例えば、課税処分は裁量が認められないと考えられているので、上記の所得税基本通達に従って行われた所得税の課税処分に対して取消訴訟が提起された場合、裁判所は、自らの所得税法の解釈に照らして、当該課税処分が適法かどうかを判断することになる（なお、最3小判令2・3・24判時2467号3頁も参照）。

　　(a)　平等原則違反

そこで、本件指針自体が不合理なものかどうかについて考えると、まず検討するべきは、本件指針が平等原則に反しないかどうかという点である。平等原則は上記のとおり憲法14条によって基礎づけられるが、地方公務員法13条にも規定されている。そのため、本件指針が平等原則違反であったとしても、地方公務員法13条に反するといえば足り、本問の場合に憲法14条を持ち出す必要はないだろう。

本問の場合、本件事故の約1カ月前に改正された本件指針第3の4(1)は、酒気帯び運転をした職員は、物損事故について措置義務を果たした場合であっても、免職とすると定めている。そのような定めが、旧指針第3の4(2)ウが同様の場合に停職とするとしていたことと比べて、平等原則に反しないかどうかが問題になる。

しかし、本件指針への改正は、職員の飲酒運転が相次いだことに対する県民や県議会の批判を受けて、飲酒運転をした職員に対して厳正

な対処をするために行われたものである。そのような目的から、本件指針が旧指針と比較してより重い懲戒処分の内容を定めたことには、合理的な理由があると考えられる。ここでは、相次ぐ飲酒運転事故を受けて、飲酒運転に対する罰則を強化する道路交通法の改正などが行われたことも想起されてよいだろう。

ただ、上記の目的から本件指針へと改正したことに合理的な理由があるとしても、その目的を達成するための手段として、本件指針が免職という懲戒処分の内容を定めたことが、旧指針と比べて著しく均衡を失していないかどうかという問題が残る。だが、旧指針の下でも、酒気帯び運転で物件事故を起こした職員については、措置義務を果たしていたとしても、停職6カ月の懲戒処分が行われていたということである。そうした状況と比較すると、議論の余地は残るかもしれないが、本件指針が免職処分を定めたことが、著しく均衡を失するとまではいえないように思われる。

(b) 比例原則違反

上記の検討は、本件指針が旧指針と比較して、平等原則に反しないかどうかを問うものであったが、さらに、本件指針のみに着目して、それが**比例原則**に違反していないかどうかということも問題になる。比例原則とは、達成すべき目的とそのための手段との間でバランスが取られていなければならないという原則である。比例原則は憲法13条に根拠が求められる場合もある。ここでは、飲酒運転をした職員の道義的責任を問い、他の職員も含めて再発を防止するという目的との関係で、本件指針が定める免職処分が重すぎないかどうかが検討されることになる。

飲酒運転をした職員に対して、事故の有無を問わず免職処分を行うことは、それを受ける職員の不利益も考慮すれば重すぎるという評価が考えられる。免職処分は懲戒処分の中で最も重い処分であり、それを受けると、職員は公務員の地位を失って生活基盤を奪われるのみならず、退職金の全部または一部を支給されないこともあるからである。また、本件指針が文言上例外を認めないように理解できることも、比例原則違反を主張する論拠となりうる。

しかし他方で、飲酒運転をした職員に対して厳正な対処をすること

が、職員の飲酒運転が相次いだことへの批判があったという経緯に鑑みて合理的な場合、免職という懲戒処分の内容は必ずしも重すぎないと考えることもできる。さらに、本件指針の文言にかかわらず、その裁量基準としての性質から、この後で述べるように事案に応じて本件指針から逸脱する余地もあるとすれば、本件指針自体が比例原則違反とまではいえないようにも思われる。

(イ) **個別事情考慮義務違反**

(a) 個別事情考慮義務

(ア)では本件指針自体に不合理な点がないかどうかを問題にした。本件指針については、とりわけ比例原則違反と評価する余地もあるだろうが、そのような評価ができないとしても、さらに、本件指針の適用ないし運用のあり方が違法かどうかを検討することが考えられる。

先に述べたように、裁量基準に反して行われた行政処分は、平等原則違反または信義則（信頼保護原則）違反により、原則として違法と評価される。だが、裁量基準が定められているときでも、特段の事情があればそれから逸脱して行政処分をすることは許される。さらに進んで、行政処分を行うにあたっては事案の個別の事情を考慮しなければならず、裁量基準を機械的に適用して行政処分をすれば違法になると考えられる場合がある。これは**個別事情考慮義務**と呼ばれることがあるが、(1)で述べたように、懲戒処分に効果裁量が認められる理由が、様々な事情を総合的に考慮してそれを行う必要があるという点にも求められるとすれば、懲戒処分の場合には個別事情考慮義務が妥当することがあると思われる。

(b) 本問へのあてはめ

そこで、本問の場合に本件指針から逸脱すべき個別の事情があるかを検討すると、まず問題になるのは次の2つのことである。すなわち、Aが酒気帯び運転をしたといっても、飲酒をしてからかなりの時間が経っており、アルコール呼気検査の結果も、道路交通法施行令44条の3が定める基準をわずかに上回るにとどまっていたということ、および、Aの勤務成績は常に良好または特に良好であり、懲戒処分歴や交通事故・違反の経歴もなかったということの2つである。それらの事情だけで、本件指針からの逸脱が求められると考えることも十分にで

きる。

　しかし、前日に摂取したアルコールが翌朝も体内に残ることはしばしばあると考えられ、また、道路交通法施行令44条の3の基準をわずかに超えるにすぎなかったといっても、それに違反したことに変わりはない。また、Aと同様の経歴をもつ職員は少なくないだろう。そうすると、上記の事情は本件指針が既に織り込み済みのものであると考えられ、本件指針からの逸脱が求められるとまではいえないようにも思われる。

　だが、本問においては、Aが原動機付自転車に乗るに至った経緯も挙げられている。つまり、Bの救助に時間を要し、タクシーが見つかる見込みもなかったことから、午前9時開始の会議に遅れないためにやむをえず原動機付自転車を使ったという事情は、通常は考えられない特殊なものである。上記の事情に加えて、懲戒処分を軽くする方向に働くそうした事情が存在することも指摘すれば、本件指針を機械的に適用して行われた本件処分は、個別事情考慮義務に反すると異論なくいえるだろう。

　もちろん、個別事情考慮義務違反という言葉は必ず使わなければならないものではなく、Aに有利な事情を考慮すべきところ、それを考慮せずに本件処分が行われているので、違法であると述べてもよい。また、以上の事情がある場合に行われた本件処分については、Aの道義的責任を問い、他の職員も含めて再発を防止するという目的に比して重すぎるものであり、比例原則違反に当たるとも考えられる。

コラム　裁量基準と個別事情考慮義務

　上記のとおり、裁量基準を機械的に適用して行われた行政処分は、個別事情考慮義務に違反するものとして、違法と評価されることがある。しかし他方で、(2)(ア)においては、裁量基準から逸脱して行われた行政処分は、平等原則違反または信義則（信頼保護原則）違反により、原則として違法とされると述べた。そうすると、どのような場合であれば、裁量基準から逸脱しても平等原則違反や信義則（信頼保護原則）違反は問われず、むしろ個別事情考慮義務があるといえるのかということが問題になる。この問題は、結局のところは事例ごとに判断せざるをえないが、一般的には次のように考えることができるだろう。

① 法令が裁量を認めた趣旨・目的

　まず、法令が個々の案件に応じた判断が望ましいとして、行政機関に裁量を認めていると解される場合に、個別事情考慮義務が問題になってくる（深澤龍一郎『裁量統制の法理と展開』〔信山社、2013年〕119頁以下、151頁以下を参照）。本問の地方公務員に対する懲戒処分に関しても、様々な事情を総合的に考慮してそれを行う必要があるということを1つの理由として、効果裁量が認められている。

　もちろん、法令が裁量を認めた趣旨・目的が上記の点にあるときでも、本問において本件指針が作られていることからわかるように、行政機関が裁量基準を定めることは妨げられない。むしろ、行手法5条1項は、裁量基準を含むとされる審査基準について、その設定を義務付けていると解される。

② 裁量基準と個別事情の内容

　法令が裁量を認めた趣旨・目的が、個々の案件に応じた判断が望ましいという点にある場合において、裁量基準が定められているとき、個別事情考慮義務が肯定されるためには、裁量基準が想定していない事情が存在することが前提となる。そのような事情がないにもかかわらず、裁量基準から逸脱して行われた行政処分は、平等原則または信義則（信頼保護原則）に反するといえる。多様なケースを想定して作成された、きめ細かな内容の裁量基準であるほど、当該裁量基準によってカバーされる案件の範囲は広くなり、個別事情考慮義務が生じる余地は小さくなる（阿部泰隆『行政裁量と行政救済』〔三省堂、1987年〕19頁以下）。特に、大量に行政処分が行われて案件の蓄積がある場合に、そのようなきめ細かな裁量基準を作成することが求められるだろう。

　そして、裁量基準が想定していない事情が存在する場合でも、個別事情考慮義務が認められるためには、その事情が考慮すべきものと評価されなければならないと考えられる。考慮に値しないような些細な事情では不十分であり、ましてや考慮すべきでない事情は論外である。

　本問の場合、少なくともAが原動機付自転車に乗るに至った経緯は、本件指針が想定していなかったものと考えられる。また、そうした経緯は、懲戒処分の選択にあたって当然に考慮すべき事情だろうから、個別事情考慮義務が肯定されるというわけである。

　なお、裁量基準自体が不合理なものである場合、それに従って行われた行政処分は違法になるから、むしろ当該裁量基準を適用しないことが求められるだろう。

3．設問2――審査請求前置と審査請求に対する裁決を経なかった場合の救済手段

(1) 地方公務員法における審査請求前置
㋐ 審査請求前置の意味

まず、本件処分が有効である限り、Aは甲県職員の地位を失ったままである。そこで、本件処分の効力を否定する必要があるが、そのための手段としてさしあたり考えられるのは、もちろん本件処分の取消訴訟である。しかし、設問2においては本件処分の取消訴訟が訴訟要件を満たすかどうかを検討しなければならないところ、**審査請求前置**が問題になってくる。

すなわち、行訴法8条1項本文によれば、行政処分に対して審査請求ができる場合であっても、それを行わずに直ちに取消訴訟を提起できるのが原則である（**自由選択主義**）。だが、同項ただし書が規定するように、個別の法律において、審査請求に対する裁決を経た後でなければ取消訴訟を提起できない旨が定められることがある。**【資料1】**を見ると、地方公務員法51条の2にその旨の規定があるため、本件処分については審査請求前置が義務付けられる。

審査請求前置が義務付けられるとき、審査請求に対する裁決を経ずに取消訴訟を提起しても、行訴法8条2項各号のいずれかに該当しない限り、当該取消訴訟は不適法なものとして却下される。また、審査請求を行っても、それが不適法であって却下裁決が下された場合には、審査請求前置の義務を果たしたことにならない。

㋑ 本問で審査請求前置の義務を果たす可能性

そこで、本問においてAが本件処分の審査請求を適法に行うことができるかどうかを考えると、地方公務員法49条の3に審査請求期間の規定があるので、この期間内に審査請求をする必要がある。同条は、懲戒処分などの不利益処分があったことを知った日の翌日から起算して3カ月、または、処分があった日の翌日から起算して1年を経過したときは、審査請求をすることができないと定めている。そして、Aが本件処分を知ったのは2009年3月10日であり、その翌日から起算すると同年7月1日の時点では3カ月を経過しているから、Aは適法

に審査請求をすることができない。

　そうすると、Aは審査請求前置の義務を果たすことができず、また、本問では行訴法8条2項各号のいずれかに該当する事情も見当たらないので、本件処分の取消訴訟は訴訟要件を欠き、適法に提起することができない。

(2) 審査請求に対する裁決を経なかった場合の救済手段
　(ア)　本件処分の無効の主張
　　では、Aが審査請求前置の義務を果たせないために、本件処分の取消訴訟を適法に提起できないとき、Aとしてはどのような法的手段をとるべきだろうか。その点に関しては、本件処分の無効を主張して訴訟を提起すべきということになる。行政処分が無効である場合、**取消訴訟の排他的管轄**は認められず、取消訴訟以外の訴訟で救済を求めることができる。より具体的には、行政処分の**無効確認訴訟**や**行政処分の無効を前提とする当事者訴訟**または**民事訴訟**（争点訴訟。行訴45条）によることができるが、それらの訴訟に**出訴期間の制限はなく**、また、審査請求前置も妥当しないからである。そのことは、行訴法8条・14条が行政処分の無効確認訴訟に準用されていないことにも現れている（行訴38条1項から3項を参照）。
　(イ)　本件処分の無効確認訴訟と公務員の地位確認訴訟の選択
　　本件処分の無効を主張して訴訟を提起する場合、選択肢としては、本件処分の無効確認訴訟と本件処分の無効を前提とする公務員の地位確認訴訟がありうる（公務員の勤務関係は公法上の法律関係と考えられているので、後者の訴訟は当事者訴訟とされる）。もっとも、それら2つの訴訟を任意に選択できるわけではなく、行訴法36条が適用される。
　　行訴法36条によれば、行政処分の無効確認訴訟は、行政処分の無効を前提とする「現在の法律関係に関する訴え」によって目的を達することができない」場合に限り、提起することができるとされている。そこでいう「現在の法律関係に関する訴え」は上記の当事者訴訟または民事訴訟を指し、行訴法36条はそれらが無効確認訴訟に優先するものとしている。判例は、「現在の法律関係に関する訴えによって目的を達することができない」場合の意味について、行政処分の無効を前提と

する当事者訴訟または民事訴訟によっては、その行政処分のため被っている不利益を排除することができない場合のほか、行政処分の無効を前提とする当事者訴訟または民事訴訟と比べて、無効確認訴訟の方がより直截的で適切な争訟形態であるとみるべき場合も含むと解している（最3小判平4・9・22民集46巻6号1090頁〔もんじゅ訴訟、百選Ⅱ181、CB15‐3〕）。

　本問の場合、Aは本件処分によって失った甲県職員の地位の回復を求めており、その目的は、本件処分の無効を前提とする公務員の地位確認訴訟で達成することができる。また、公務員の地位確認訴訟の方が本件処分の無効確認訴訟よりも直截的な争い方といえる。そうすると、Aとしては本件処分の無効を前提とする公務員の地位確認訴訟を提起すべきということになる（ただし、学説の中には、免職処分の無効を理由とする公務員の地位確認訴訟は、実質的には免職処分の無効確認訴訟と異ならないので、後者の訴訟も不適法でないとする見解もある。芝池・救済法122頁。そのほか、大分地判平8・6・3判時1586号142頁も参照）。

　なお、公務員の地位確認訴訟で請求が認容されるためには、本件処分の無効が認定される必要がある。通説・判例によれば、行政処分の無効は、原則として**重大かつ明白な瑕疵**を要件とするが、学説においては、本問のように利害関係のある第三者が存在しない場合には、明白性要件を要求しない見解も有力に主張されている（塩野・行政法Ⅰ181頁以下）。設問2の対象にはしていないが、本件処分の無効が認められるかどうかの検討をしてみてもよいだろう。

〔関連問題〕

1．本事例と同様のシチュエーションの下で、本件処分に先立ってAに意見陳述の機会が与えられなかったとする。そのことに不満をもつAは、本件処分が違法であるとして取消しを求めるためにどのような主張をすればよいだろうか。
2．また、甲県人事委員会による審査請求手続において、Aからの請求にもかかわらず、甲県人事委員会が口頭審理を行わなかったとき、その点に関する不服をAは本件処分の取消訴訟で主張することができるだろうか。もしできないとすれば、Aはいかなる法的手段をとるべき

だろうか。

参考裁判例：福岡高判平18・11・9判タ1251号192頁。

【資料　地方公務員法（抜粋）】
（審査及び審査の結果執るべき措置）
第50条　第49条の2第1項に規定する審査請求を受理したときは、人事委員会又は公平委員会は、直ちにその事案を審査しなければならない。この場合において、処分を受けた職員から請求があったときは、口頭審理を行わなければならない。口頭審理は、その職員から請求があったときは、公開して行わなければならない。
2～3　（略）

［長谷川佳彦］

〔問題4〕ラブホテル建築規制条例をめぐる紛争

◆ 事例 ◆

次の文章を読んで、資料を参照しながら、以下の設問に答えなさい。

日時　2020年3月10日
場所　弁護士Cの事務所

A（ホテル経営者）：それでは、事情をお話しします。私は甲県乙市でホテルを建てようと考え、準備を始めておりました。
B（Aの申請手続等を代行している行政書士）：ここからは、私から申し上げます。Aさんが建築を予定していたホテルは、その設備が風営法2条6項4号に規定された構造や設備を有していないので、風営法の規制を受けないホテルです。したがって、風営法やその委任を受けた甲県条例などの規制を受けません。また、ホテルの建築予定地は、他の法律の規制も受けないことを確認しました。
A：私どもとしては、風営法の規制を受けないように工夫して、ホテルの設計図を作成し、建築の準備を始めました。
B：ところが、乙市には、「乙市遊技場等及びラブホテル等の建築等の規制に関する条例」という条例が制定されているのです。
C（弁護士）：乙市ラブホテル建築等規制条例ですね。
B：そうです。そこで、乙市に設計図や予定されている建築物の外観の資料等を持って担当者に会いに行きました。すると、乙市の担当者から、Aさんが建築を予定していたホテルは、風営法の規制は受けないが、乙市条例の2条1項2号におけるラブホテルに該当するから、条例上の手続をとるように言われました。そこで、私は、Aさんと相談して条例上必要な手続をとることにしました。条例3条2項によるとラブホテルの建築には乙市市長の同意が必要ということですので、私が同意申請書を作成し乙市に提出したところ、昨年12月20日、乙市市長は条例4条1号に違反するとして同意をしないとの通知をしてきたのです。
C：それでどのように対応されましたか。
B：こちらとしては同意が得られないのは残念ですが、乙市市長の同意を得ないまま、今年の1月7日に甲県の建築主事に建築確認の申請書を提出しま

した。建築確認済証が出次第、建築工事にかかろうと考えているのですが、甲県は、乙市と協議して、同意をとるようにという指導を続けるだけで、未だに建築確認を出してくれません。建基法6条4項の期間を既に経過しています。これまでの私の経験からしても、これくらいの建築物ですと、遅くとも1カ月以内に建築確認が出るのですが。

A：建築確認申請はしたのですが、条例には違反した状態が続いているので、それが気になっています。建築が始まってからも同意を経ずに建築をすれば、乙市は中止命令を出すかもしれませんし、中止命令を無視して建築を続ければ、刑事罰を受ける可能性もあるとのことで、不安に感じています。

B：過去、同様の事例で、乙市はほぼ確実に建築中止命令を出しているそうです。そのことは、乙市の担当者から聞いています。

C：ところで、甲県はなぜ留保しているのでしょうか。

A：乙市では私たちのラブホテル出店に反対運動が起きているので、甲県は、指導を続け、その間に乙市との話がついて、反対運動が収束するのを望んでいるのだと思います。しかし、私は違法な点がない出店計画を変更するつもりはありません。当初から、甲県に対しては、出店計画を一切変更するつもりはないし、乙市条例が「建築基準関係規定」に該当しない以上、迅速に建築確認を行って確認済証を交付するようはっきりと言っております。

C：乙市条例6条の中止命令は出ていますか。

B：今のところは、出ていません。

A：既に着工が遅れ、借入金の利息も増えています。また、乙市も甲県も全く態度を変えないので、裁判を起こすことを考えております。

C：わかりました。それでは、これまでの点を踏まえて、訴訟の可否を検討してみましょう。

〔設問〕

1. Aは、Cとの相談の結果、乙市市長の不同意に対して取消訴訟で争うこととした。乙市市長の不同意は取消訴訟の対象としての処分性が認められるか検討しなさい。（60点）
2. Aは、甲県に対して抗告訴訟で争うとすれば、どのような訴訟で争うのが適切か検討しなさい。また、甲県の対応の行政法上の評価も検討しなさい。なお、仮の救済については検討する必要はない。（40点）

なお、本問の解答にあたっては、以下のことを前提として考えなさい。

①乙市条例は風営法や旅館業法などの国法と抵触していないものとする。
②乙市と甲県行政手続条例は本問の解答に必要な限りでは行手法と同一の内容であるものとする。

【資料1　乙市遊技場等及びラブホテル等の建築等の規制に関する条例（抜粋）】

（目的）
第1条　この条例は、ラブホテルの営業を行う施設の建築等に対し必要な規制及び指導を行うことにより、市民の善良な風俗及び良好な社会環境を保持するとともに、青少年の健全な育成に資することを目的とする。

（定義）
第2条　この条例において、次の各号に掲げる用語の意義は、それぞれ当該各号に定めるところによる。
　一　旅館業　旅館業法（昭和23年法律第138号）第2条第2項から第4項までに規定する営業をいう。
　二　ラブホテル　旅館業の用に供する施設のうち、専ら異性を同伴する客に利用させることを目的とするもの（風俗営業等の規制及び業務の適正化等に関する法律（昭和23年法律第122号）第2条第6項第4号に規定する営業の施設を除く。）であって、当該施設の周囲の環境及び立地条件からみて一般旅行者、商用人等の利用に供する施設と認められないと市長が判断したものをいう。
　三　建築　建築基準法（昭和25年法律第201号）第2条第13号から第15号までに規定する建築、大規模の修繕又は大規模の模様替をいう。

（事前届出及び同意）
第3条　市内に旅館業を目的とする建築物を建築しようとする者は、建築基準法第6条第1項の規定による建築確認申請書を提出する前に市長に届け出なければならない。
2　前項の届出にかかる建築物がラブホテルであるときは、当該建築物を建築しようとする者（以下「建築主」という。）は、前項の届出と同時に市長に申請して、その同意を得なければならない。
3　市長は、前項の規定に基づく申請に対して同意又は不同意の決定を行い、建築主に通知するものとする。

（規制区域）
第4条　市長は、前条第2項の規定に基づき同意を求められた場合において、当該建築物が次の各号に掲げる地域又は区域のいずれかに位置するときは同意しないものとする。

一　都市計画法（昭和43年法律第100号）第8条第1項第1号に規定する用途地域のうち、第1種低層住居専用地域、第2種低層住居専用地域、第1種中高層住居専用地域及び第2種中高層住居専用地域の周囲おおむね100メートル以内の区域、第1種住居地域、第2種住居地域及び準住居地域並びにそれらの周囲おおむね100メートル以内の区域、近隣商業地域並びに準工業地域

二～四　（略）

（中止命令）

第6条　市長は、第3条第1項の届出をせずに、又は同条第2項の同意を得ないでラブホテルを建築しようとする建築主に対し、当該建築の中止を命ずることができる。

（改善勧告及び改善命令）

第7条　市長は、第4条各号に規定する地域又は区域において、旅館業を目的とする建築物が規則に定める構造及び設備を有しなくなったと認めるときは、当該建築物の所有者に対し、期限を定めて、当該建築物に規則に定める構造及び設備を設置させる等の改善を勧告することができる。

2　市長は、前項の規定による勧告を受けた者がその勧告に従わないときは、期限を定めて、当該建築物に規則に定める構造及び設備を設置させる等の改善を命ずることができる。

（罰則）

第11条　第6条の規定による中止命令に違反した者又は第7条第2項の規定による改善命令に違反した者は、6月以下の懲役又は50万円以下の罰金に処する。

【資料2　建築基準法（抜粋）】

（建築物の建築等に関する申請及び確認）

第6条　建築主は、第1号から第3号までに掲げる建築物を建築しようとする場合（増築しようとする場合においては、建築物が増築後において第1号から第3号までに掲げる規模のものとなる場合を含む。）、これらの建築物の大規模の修繕若しくは大規模の模様替をしようとする場合又は第4号に掲げる建築物を建築しようとする場合においては、当該工事に着手する前に、その計画が建築基準関係規定（この法律並びにこれに基づく命令及び条例の規定（以下「建築基準法令の規定」という。）その他建築物の敷地、構造又は建築設備に関する法律並びにこれに基づく命令及び条例の規定で政令で定めるものをいう。以下同じ。）に適合するものであることについて、確認の申請書を提出して建築主事の確認を受け、

確認済証の交付を受けなければならない。当該確認を受けた建築物の計画の変更（国土交通省令で定める軽微な変更を除く。）をして、第1号から第3号までに掲げる建築物を建築しようとする場合（増築しようとする場合においては、建築物が増築後において第1号から第3号までに掲げる規模のものとなる場合を含む。）、これらの建築物の大規模の修繕若しくは大規模の模様替をしようとする場合又は第4号に掲げる建築物を建築しようとする場合も、同様とする。
一　別表第1(い)欄に掲げる用途に供する特殊建築物で、その用途に供する部分の床面積の合計が200平方メートルを超えるもの
二　木造の建築物で3以上の階数を有し、又は延べ面積が500平方メートル、高さが13メートル若しくは軒の高さが9メートルを超えるもの
三　木造以外の建築物で2以上の階数を有し、又は延べ面積が200平方メートルを超えるもの
四　前3号に掲げる建築物を除くほか、都市計画区域若しくは準都市計画区域（いずれも都道府県知事が都道府県都市計画審議会の意見を聴いて指定する区域を除く。）若しくは景観法（平成16年法律第110号）第74条第1項の準景観地区（市町村長が指定する区域を除く。）内又は都道府県知事が関係市町村の意見を聴いてその区域の全部若しくは一部について指定する区域内における建築物

2～3　（略）

4　建築主事は、第1項の申請書を受理した場合においては、同項第1号から第3号までに係るものにあってはその受理した日から35日以内に、同項第4号に係るものにあってはその受理した日から7日以内に、申請に係る建築物の計画が建築基準関係規定に適合するかどうかを審査し、審査の結果に基づいて建築基準関係規定に適合することを確認したときは、当該申請者に確認済証を交付しなければならない。

5～7　（略）

8　第1項の確認済証の交付を受けた後でなければ、同項の建築物の建築、大規模の修繕又は大規模の模様替の工事は、することができない。

9　（略）

【資料3　風俗営業等の規制及び業務の適正化等に関する法律等（抜粋）】

○　風俗営業等の規制及び業務の適正化等に関する法律
（用語の意義）
第2条　この法律において「風俗営業」とは、次の各号のいずれかに該当する

営業をいう。
一〜五　（略）
2〜5　（略）
6　この法律において「店舗型性風俗特殊営業」とは、次の各号のいずれかに該当する営業をいう。
一〜三　（略）
四　専ら異性を同伴する客の宿泊（休憩を含む。以下この条において同じ。）の用に供する政令で定める施設（政令で定める構造又は設備を有する個室を設けるものに限る。）を設け、当該施設を当該宿泊に利用させる営業
五〜六　（略）
7〜13　（略）

○　風俗営業等の規制及び業務の適正化等に関する法律施行令
（法第2条第6項第4号の政令で定める施設等）
第3条　法第2条第6項第4号の政令で定める施設は、次に掲げるものとする。
一　レンタルルームその他個室を設け、当該個室を専ら異性を同伴する客の休憩の用に供する施設
二　ホテル等その他客の宿泊（休憩を含む。以下この条において同じ。）の用に供する施設であって、次のいずれかに該当するもの（……）
イ　食堂（調理室を含む。以下このイにおいて同じ。）又はロビーの床面積が、次の表の上欄に掲げる収容人員の区分ごとにそれぞれ同表の下欄に定める数値に達しない施設

| 収容人員の区分 | 床面積 | |
	食堂	ロビー
30人以下	30平方メートル	30平方メートル
31人以上50人以下	40平方メートル	40平方メートル
51人以上	50平方メートル	50平方メートル

ロ〜ホ　（略）
2　法第2条第6項第4号の政令で定める構造は、前項第2号に掲げる施設（客との面接に適するフロント等において常態として宿泊者名簿の記載、宿泊の料金の受渡し及び客室の鍵の授受を行う施設を除く。）につき、次の各号のいずれかに該当するものとする。
一　客の使用する自動車の車庫（天井（天井のない場合にあっては、屋根）及び2以上の側壁（ついたて、カーテンその他これらに類するものを含む。）を有するものに限るものとし、2以上の自動車を収容することができる車庫にあっては、その客の自動車の駐車の用に供する区画された車庫の部分をいう。以下この項にお

いて同じ。）が通常その客の宿泊に供される個室に接続する構造
二　客の使用する自動車の車庫が通常その客の宿泊に供される個室に近接して設けられ、当該個室が当該車庫に面する外壁面又は当該外壁面に隣接する外壁面に出入口を有する構造
三　客が宿泊をする個室がその客の使用する自動車の車庫と当該個室との通路に主として用いられる廊下、階段その他の施設に通ずる出入口を有する構造（前号に該当するものを除く。）
3　法第2条第6項第4号の政令で定める設備は、次の各号に掲げる施設の区分ごとにそれぞれ当該各号に定めるものとする。
一　第1項第1号に掲げる施設　次のいずれかに該当する設備
イ　動力により振動し又は回転するベッド、横臥している人の姿態を映すために設けられた鏡（以下このイにおいて「特定用途鏡」という。）で面積が1平方メートル以上のもの又は2以上の特定用途鏡でそれらの面積の合計が1平方メートル以上のもの（天井、壁、仕切り、ついたてその他これらに類するもの又はベッドに取り付けてあるものに限る。）その他専ら異性を同伴する客の性的好奇心に応ずるため設けられた設備
ロ　次条に規定する物品を提供する自動販売機その他の設備
ハ　長椅子その他の設備で専ら異性を同伴する客の休憩の用に供するもの
二　（略）

◆ 解説 ◆

1. 出題の意図

　本問は、風営法やラブホテル等の建築規制条例、さらに建基法などの個別法の仕組みを理解し、それに基づいて、行手法（条例）や行訴法の処分性の有無といった基本的な知識を使って原告側の主張を組み立てることができるかを見ることを目的としている。個別法の仕組みも、条例を別にすれば、基本的な内容であり、それほど難しいものではない。以下では、本問における個別法の法制度に簡単に触れ、さらに、設問別に解説を加えることとする。

2. 風営法と本件条例の仕組み

(1) 風営法の仕組み
　　ラブホテルやパチンコ屋といった営業は、住環境に大きな影響を与え、また、その性格上犯罪や風紀の悪化と関係が深い。そのため、国法では、【資料3】に挙げた風営法がそれらの営業を規制している。風営法は、風俗営業と性風俗関連特殊営業に大きく2つに分けて規制を行っている。パチンコ店が代表である風俗営業については、**許可制**を導入し、ラブホテルなどの性風俗関連特殊営業については**届出制**を置いている。行政法の教科書では、届出制は許可制よりも規制の強度が低いとされることが多いが、風営法が性風俗関連特殊営業を届出制の下に置いたのは、性風俗関連特殊営業のもつ特性から許可制が適切ではないとされたからであり、規制を緩和する趣旨ではないので注意が必要である（詳しくは、第2部〔問題5〕コラム「風俗営業とその法的規制」参照）。
　　本問で問題になっているのはラブホテルであり、営業のためには届出が必要となるが、上で見た性風俗関連特殊営業の一種である店舗型性風俗特殊営業である（風営2条6項4号）。店舗型性風俗特殊営業は、風営法によって、営業の可能なエリアが法律で定められている。例えば、風営法28条1項は一定の施設の周辺200mについては店舗型性風俗特

殊営業の営業を禁止しているし、同条2項は都道府県条例に店舗型性風俗特殊営業を禁止できる地域を定めることを授権している。

(2) **本件条例の仕組み**

都道府県と異なり、市町村は、風営法によって禁止区域を定める権限を認められていないため、よりきめ細かい規制を行おうとするのなら、条例を独自に制定しなくてはならない。また、風営法や風営法施行令で規定された設備等を置かないが、実質的にはラブホテルであるようなホテルを営業する例が見られることがあり、「偽装ラブホテル」と呼ばれている。このような「偽装ラブホテル」が各地で地域住民らとの間に軋轢を起こしてきた。そのため、2010年、国は、風営法施行令を改正し、「偽装ラブホテル」にもある程度、風営法の規制が及ぶようになった。このような改正により、市町村の独自条例の必要性は従来よりもやや低下したかもしれない。しかし、風営法による規制が強化されても、「偽装ラブホテル」がなくなるわけではなく、これらを市町村の実情に応じて規制しようとするなら、今後も独自の条例が必要となると考えられる。また、このような条例が、風営法施行令の改正後も、風営法や旅館業法と抵触しないかという重要な論点はあるが（第2部〔問題5〕参照）、本問では、条例は適法であることを前提として考えることとされているのでこの論点には触れない（参照、福岡高判昭58・3・7行集34巻3号394頁）。

本事例の条例は、ラブホテルの規制に関していうと、まず、風営法の規制対象に入らないラブホテルを対象としており（本件条例2条1項2号かっこ書）、本件条例でいうラブホテルに当たるとすると、その建設が一定の地域で予定されているときは市長の同意が得られず（本件条例4条）、同意が得られない場合に建築を強行すると中止命令が下され、中止命令に反すると刑事罰の可能性があるという仕組みになっている（本件条例6条・7条・11条）。

3．設問1——乙市市長の不同意の処分性

設問1で検討することが要求されているのは、市長が行った不同意

の通知に対して取消訴訟を起こすことが許されるのか、すなわち、不同意は「処分」に該当するのか、という点である。

(1) 取消訴訟の対象とは？
㋐ 判例の定式
　取消訴訟の対象である「処分」とは、詳細は本書ミニ講義1にあるとおりだが、判例（最1小判昭39・10・29民集18巻8号1809頁〔百選Ⅱ148、CB11-2〕）によると「行政庁の法令に基づく行為のすべてを意味するものではなく、公権力の主体たる国または公共団体が行う行為のうち、その行為によって、直接国民の権利義務を形成しまたはその範囲を確定することが法律上認められているものをいうものであることは、当裁判所の判例とするところである」とされている。その特徴を整理すると、当該行為に法律や条例上の根拠があるだけでは処分性の有無は決定されない。第1に、当該行為に**具体的な法的効果**があるか、すなわち、国民の権利義務関係を具体的に変動させているか、である。たとえ、法的な効果が発生しても、それが、法規命令のように抽象的なものであれば行政処分には当たらない。第2に、**権力的な性格**があるか、ということである。法効果の発生が行政の一方的な決定によっているのかどうかという点である。当事者同士の合意によるものや任意に委ねられているものは原則として行政処分ではない。

㋑ 法令の仕組み等と処分性
　しかしながら、実際に処分性を論じる必要がある場合とは、定型的な行政処分ではなく、処分性の有無が必ずしも明らかでない場合である。もっと簡単に言えば、処分か処分でないのかがはっきりしない場合であり、したがって、上の定式にあてはめるだけで答えが出るようなものではない。そのような場合に着目しなければならないのは、上で見たような当該行為の性質だけではなく、当該行為の根拠となっている法律や条例等が、当該行為が行政処分であるとうかがわせるような規定や仕組みをもっているのかである。その典型例が当該行為の根拠となっている法律が当該行為を行政不服申立ての対象とする規定を置いていることである。そのほか、法律の規定が、義務の履行確保につき行政上の強制執行や行政罰についての定めを置いているか、など

が手がかりとなりうる。また、例えば、行政代執行法に基づく戒告のように、当該行為を抗告訴訟で争わせることが救済の都合上適切である場合にも処分性が認められることがある（参照、ミニ講義1）。

　いずれにせよ、処分性の有無はそれぞれの根拠規定の解釈によって決定される。裁判例によって同一行為の処分性の判断が異なることもあり、本書の他の問題でも扱われているところだが、行訴法の解釈上難解な問題であるといえるであろう。

(2) **本件条例の市長の不同意は行政処分か？**

　以上の点を本問にあてはめて考えてみよう。本条例の仕組みは、ラブホテルの規制に関していうと、まず、風営法の規制対象に入らないが本件条例でいうラブホテルに当たり、かつ、4条に該当すると、市長は不同意を申請者に通知する（3条3項）。通知された側が、建築を強行すると、中止命令等が発され（6条）、中止命令等に違反すると刑事罰が科されるということになっている（11条）。

㋐　**乙市の反論**

　まず、乙市の反論から考えてみよう。少なくとも、市長の不同意の後に行われる中止命令は行政処分であると考えることができるであろう。中止命令によって、Aには建築をやめなければならないという法的な義務（不作為義務）が発生し、その義務に違反すれば刑事罰が科される。そうすると、中止命令の前段階にある不同意はいわば将来の中止命令（＝行政処分）の前に行われる**中間的な性格の行為**であり、単に事前に建築計画の見直しを求めるものにすぎないのであるから、法的な効果はみられない行政指導の一種であると考えることもできる。したがって、Aが裁判を起こしたいのであれば、中止命令が発せられてからその取消しを求めるか、あるいは訴訟要件を充足していれば、**中止命令の差止訴訟**（行訴3条7項）を提起すべきという考え方もありうるであろう。少なくとも、乙市はAの不同意に対する取消訴訟についてはこのような反論を行うと考えられる。

㋑　**Aの主張**

　上記の乙市の反論に対して、設問に答えるためには、処分性を根拠づけるためにはどのような主張が可能かを検討しなければならない。

第1に、不同意は、Aに実質的に建築ができなくなるという法的な不利益（＝財産権等の権利制限）を与えているのではないか。たしかに、条例上は不同意の状態で建築を強行したところでAには何ら制裁があるわけではない。しかし、乙市の条例運用の実態からしても、Aはほぼ確実に将来中止命令を受けるという地位に立たされているのであり、すなわち、財産権を侵害されるのがほぼ確実な状態にある。不同意によってそのような地位に立たされること自体が法的な効果なのであり、その意味では不同意には法的な効果があることになるであろう。本問の素材とした判決（名古屋地判平17・5・26判タ1275号144頁）も傍論ではあるもののこのような考え方を肯定している。第2に、たしかに中止命令を待って取消訴訟を起こすということも考えられるが、既にAはほぼ確実に将来中止命令を受ける立場にあるのであるから、**紛争は成熟**しており、中止命令を受けて訴訟を起こすためだけに建築工事にかかるというのも、不自然で無駄な時間と費用がかかる対応であり、国民の権利救済の観点から決して合理的な解決方法ではないであろう。以上のような点がAの主張として考えられる。

4．設問2——甲県の対応の違法性と訴訟形式

(1) 甲県の対応に対する法的な評価

　甲県は、Aからの建築確認の申請を受けたが、本事例の会話によると、申請を受けながら、約2カ月にわたって申請を留保している。甲県が、建築確認申請を行ったAに対して、申請の取下げや申請内容の変更を行うよう行政指導を行うことはそれだけでは違法ではないと考えられる。しかし、行政指導を行うこと自体は通常適法であるとしても、行手法33条と同一内容の甲県行政手続条例は、「申請者が当該行政指導に従う意思がない旨を表明したにもかかわらず当該行政指導を継続すること等により当該申請者の権利の行使を妨げるようなことをしてはならない」と規定しているはずであり、また、判例も同様に考えている。本事例のAは、既に行政指導には従わない意思を明言している。そうすると、行政指導を継続し、留保を続けることは違法ではないかと考えられる。

なお、**地方公共団体の機関の行政指導**には行手法は適用されず行政手続条例が適用されるので、注意が必要である。

(2) **甲県に対して考えうる抗告訴訟**
㋐ **不作為の違法確認訴訟**

本問では、第1に、**不作為の違法確認訴訟**（行訴3条5項）を考えることができる。不作為の違法確認訴訟の訴訟要件として、抗告訴訟であるから処分性が要求されるが、本問においては建築確認であることから、処分性については問題にする必要はない。次に、法令に基づいて申請を行った者のみが不作為の違法確認訴訟を起こすことができるが（行訴37条）、本問ではAは建基法に基づき建築確認申請書を提出していることから、原告適格も認められる。さらに、不作為の違法確認訴訟の勝訴要件は、「**相当の期間**」（行訴3条5項）を経過したことである。相当の期間は、通常当該申請を処理するのに必要とされる期間を経過しているか、また、それを経過したことについてそれを正当とするような事情があるか、という基準で判断される。本問においては、これまでの他の建築物に関するBの発言や建基法上の期間の経過から、通常必要とされる期間を経過していると考えることができる。また、行政指導を継続しているということ以外に処分が行われていないことに理由がなく、特に時間がかかっていることを正当化する事情もないと考えられる。

㋑ **申請満足型義務付け訴訟**

第2に、考えられる訴訟類型としては、建築確認を行うよう求める義務付け訴訟（**申請満足型義務付け訴訟**）がある（行訴3条6項2号）。本件であれば、適法に提起された不作為の違法確認訴訟と併合提起することが訴訟要件となる（行訴37条の3第3項1号）が、上で見たように不作為の違法確認訴訟は適法に提起できるので、これを提起すれば、訴訟要件は充足している。勝訴要件は、不作為の違法確認訴訟において理由があると認められ、かつ、「……行政庁がその処分若しくは裁決をすべきであることがその処分若しくは裁決の根拠となる法令の規定から明らかであると認められ又は行政庁がその処分若しくは裁決をしないことがその裁量権の範囲を超え若しくはその濫用となると認めら

れるとき」（行訴37条の3第5項）であるが、本事例では建築物の内容自体には問題はないようなので、これらの勝訴要件も充足していると考えてよいであろう。

〔関連問題〕
1．本事例と同じシチュエーションで、乙市長の不同意に処分性が認められないとされた場合、Aはどのような訴訟で争うことが考えられるか。また、それらの訴訟の訴訟要件は充足していると考えられるかについて検討しなさい。検討すべき訴訟は、行訴法に基づくものに限る。
2．本事例と同じシチュエーションで、甲県知事に対して抗告訴訟で争う場合、Aはどのような仮の救済を申し立てることができるか、また、Aが申し立てる仮の救済は裁判所によって認められるかについて検討しなさい。

［北村和生］

───── !ミニ講義1! ─────

処分性要件の役割とその判断の方法

1．処分性要件の役割
　行政機関の行った行為の処分性、すなわち、当該行為が取消訴訟の対象である「処分」（行訴3条2項）に当たるかどうかの問題が、行政訴訟の訴訟要件の中でも特に重要なものの1つであることはいうまでもない。行政法の事例問題においては、行政機関のいかなる行為を対象にいかなる訴訟を提起すべきかが問われることが多く、そして、これについての解答を得るためには、たいていの場合、処分性についての検討が不可欠である。

2．処分性判断の出発点としての昭和39年判決
　処分性に関する判例としてよく知られているのは、最1小判昭39・10・29民集18巻8号1809頁（大田区ゴミ焼却場設置事件、百選Ⅱ148、CB11-2。以下「昭和39年判決」という）である。昭和39年判決は、処分とは、「公権力の主体たる国または公共団体が行う行為のうち、その行為によって、直接国民の権利義務を形成しまたはその範囲を確定することが法律上認められているもの」であるという定式を述べている。この定式は、後に述べるように、行訴法の下での取消訴訟の対象をすべて包括するものではないが、処分の核心部分を捉えていることには疑いの余地がない。処分性について判断する際には、まずはこの定式を適用して検討するのがオーソドックスな方法である。
　この定式に示された処分性要件には、大まかに言って2種類の役割がある。1つ目は、訴訟類型間の交通整理の役割である。すなわち、行政機関の行為が国民の権利義務を変動させる場合であっても、当該行為が、契約上の行為のように、権力性のない行為である場合には、取消訴訟の対象にならないため、民事訴訟や当事者訴訟を利用すべきことになる。昭和39年判決の定式のうち「公権力の主体たる」という部分は1つ目の役割に関わる。2つ目は、訴訟として取り上げるに値しない紛争を排除する役割である。例えば、行政立法や都市計画は、国民の権利義務を権力的に変動させる行為であるが、紛争の成熟性を欠くとして処分性を否定されることが多い。また、行政指導のように、国民の権利義務を変動させる効力をもたない行為も、原則として処分性を否定される。2つ目の場合には、行政機関の行為の効力を争うような訴えは、行政訴訟であろうと民事訴訟であろうと原則として提起できないことになる。もちろん、こうした場合でも、損害賠償を求めることは妨げられない。昭和39年判決の定式のうち、「直接」や「国民の権利義務を形成しまたはその範囲を確定する」という部分は、2つ目の役割に関わる。

3．学問上の行政行為と「処分」との関係
　昭和39年判決の定式を用いて処分性の判断をするにあたり、いくつか注意を要する点がある。まず、昭和39年判決の定式は、学問上の行政行為の概念（塩野・行政法Ⅰ123頁以下、芝池・総論122頁以下）とほぼ同じであり、許認可や違反是正

命令のような典型的な行政行為が処分に当たることは、学説・判例において全く争いがない。したがって、このような行為についてまで、昭和 39 年判決の定式を細かくあてはめて処分性の有無を長々と論じる必要はない。

他方、昭和 39 年判決の定式または行政行為の概念と行訴法 3 条 2 項との間には、以下のようなズレがある。昭和 39 年判決は、行訴法の前身である**行政事件訴訟特例法**（以下「特例法」という）1 条にいう「行政庁の……処分」の解釈を示したものであった。これに対し、行訴法 3 条 2 項の条文を見ると、「処分」のみならず、「その他公権力の行使に当たる行為」も取消訴訟の対象に含めたうえで、「処分」と略すことにしている。ここには、特例法の下で「処分の取消又は変更に係る訴訟」の対象とされていなかった行為を取消訴訟の対象にするという行訴法の立法者の意思が示されている。この点を次に説明しよう。

4．公権力的事実行為

行訴法の立案関係者は、「その他公権力の行使に当たる行為」という文言について、特例法 1 条にいう「処分」のみならず、公権力的事実行為にも取消訴訟の手続を適用することを目的としたものと説明している（杉本良吉『行政事件訴訟法の解説』〔法曹会、1963 年〕12 頁）。また、行訴法とほぼ同時に制定された旧行審法は、2 条 1 項で、処分についての不服申立ての対象である「処分」には、「公権力の行使に当たる事実上の行為で、人の収容、物の留置その他その内容が継続的性質を有するもの」が含まれると定めており、取消訴訟の対象たる「その他公権力の行使に当たる行為」も同様の行為を意味すると解されてきた。ただし、旧行審法においては、事実行為を最初から「処分」の概念に含めているという違いがある（2014 年の行審法改正により行訴法とほぼ同じ規定の仕方になった）。

ところで、旧行審法 2 条 1 項が、処分についての不服申立ての対象となる公権力的事実行為を、継続的性質を有するものに限定し、取消訴訟の対象たる事実行為も同様に解されてきたのは、処分についての不服申立てや取消訴訟が、事実行為をやめさせることを目的としているため、事実行為が終了してしまえば無意味になる（取消訴訟であれば訴えの利益が消滅する）からである。したがって、行訴法 3 条 2 項にいう「その他公権力の行使に当たる行為」が、理論上当然に継続性のある事実行為に限定されるわけではない。杉本・前掲は、「その他公権力の行使に当たる行為」の具体例として、継続的に行われることが考えられない行政代執行も挙げていた（なお、行政代執行法 3 条は、代執行を「処分」と言い換えている）。したがって、義務付け訴訟や差止訴訟のように、将来における処分の発動ないし阻止を求める訴えにおいては、継続性のない事実行為を対象とすることも可能であろう。2004 年改正行訴法の下で、受刑者の頭髪の強制剪剃につき差止訴訟の提起を認めた裁判例も現れている（名古屋地判平 18・8・10 判タ 1240 号 203 頁）。

実は、継続性のない公権力的事実行為も不服申立てや抗告訴訟の対象たる広義の処分に含めうることは、杉本・前掲のみならず、旧行審法によって既に意図されていた。旧行審法 2 条 2 項は、不作為についての不服申立ての対象を「処分その他公権力の行使に当たる行為」の不作為と定めていた。上述のように、旧行審法上の「処分」には既に継続的事実行為が含まれているので、同項にいう「その他公権力の行

使に当たる行為」は継続性のない事実行為を意味することになる。そうすると、継続性のない事実行為の不作為に対しても、不作為の違法確認訴訟を提起できると解するのが素直であろう。もっとも、継続性のない事実行為そのものの申請について定める法律が出てこなかったため、継続性のない事実行為の不作為について、不服申立てや不作為の違法確認訴訟が提起されることがなく、旧行審法2条2項の「その他公権力の行使に当たる行為」という文言は空文化していたのである。

	学問上の行政行為	権力的事実行為で継続的なもの	権力的事実行為で継続的でないもの
行訴法・新行審法	処分	その他公権力の行使に当たる行為	
旧行審法	処分		その他公権力の行使に当たる行為
行政代執行法			処分

5．個別法の明文で処分性が認められている行為

　公権力的事実行為を除いた狭義の「処分」については、行訴法下の判例も、しばしば、昭和 39 年判決の定式を下敷きにして処分性を判断している。もっとも、それだけでは説明がつかないものもある。

　ある行為について、個別法が明文で行審法による不服申立てや取消訴訟の提起を認めている場合がある。このような場合には、法律が、当該行為の実質的性質を問わずに、これを処分とみなしているのであって、処分性を認めるにあたり、昭和 39 年判決の定式をあてはめて解答を出す必要はない。

　そのような行為の例として、公務員に対する懲戒処分がある。ここでは、地方公務員法 29 条および 49 条以下の規定をあわせ読んで、立法者が公務員の懲戒処分については取消訴訟の対象となる処分とみなしていると論ずれば足りる。また、そのように考えないと、必ずしも「国民の権利義務を形成しまたはその範囲を確定する」とはいえない戒告処分も取消訴訟の対象になることの説明がつかなくなる。

6．私人間でも行われうるような行為の処分性

　個別法に処分性を認める明文が存在しない場合には、昭和 39 年判決の定式に基づいた実質的な判断を試みることになるであろう。学生諸君の答案を読んで、昭和 39 年判決の定式の用い方に誤りが生じやすいと感じるのは、私人間においても行われうるような行為を行政機関が法律に基づいて行った場合においてである。そのような行為の例として、新司法試験プレテストの論文式試験問題〔公法系科目〕〔第2問〕で処分性の有無が問われた、旧児童福祉法に基づく保育の実施の解除を挙げることができる。この行為は、国民の法的地位を一方的に変動させる効果を有するものの、対等当事者間の契約上の行為、すなわち、契約の解除とみることもできる。

　こうした行為についても、昭和 39 年判決の定式を適用して処分性を判断することは、一応可能である。しかし、ここで注意すべきなのは、〈当該行為が国民の法的地位を一方的に変動させる行為だから処分である〉という理由づけは不適切ないし不十分だということである。当該行為を契約の解除とみなしても全く同様のことがいえるから、当該「解除」が、優越的地位の発動として行われたものであること

にならないからである。国または公共団体が契約関係の当事者としてではなく「公権力の主体」として当該行為を行ったというためには、立法者が当該行為を取消訴訟の対象とするという立法政策を採用しているということを、旧児童福祉法の条文（例えば、行手法の適用除外に関する規定など）を根拠にして論じなければならない。すなわち、個別法の文言や仕組みを具体的に検討して、個別法の立法政策を具体的に明らかにすることが必要になるのである。

次に、金銭給付の申請に対する決定を取り上げてみよう。この行為は、贈与契約の申込みに対する諾否の応答と解することもできるし、申請に対する処分と解することもできる。このような行為の処分性を根拠づけるためのパターンとしては、①保育の実施の解除と同様に、法律の文言や仕組みの具体的な検討により、当該行為が立法者によって処分とみなされていると論じる方法や、②具体的受給権の発生という法効果が、行政機関と申請者の意思表示の合致ではなく、行政機関の一方的判断に基づいて発生するという仕組みが法令によって選択されている、と論じる方法がある（後者の方法を用いる判例として、最1小判平15・9・4判時1841号89頁〔労災就学援護費不支給事件、百選Ⅱ157、CB11-11〕）。

7．救済上の必要性に基づいて処分性が認められる行為

さらに、判例上、昭和39年判決の定式に厳密にはあてはまらない行為であって、かつ、処分性を認めるという立法政策が個別法から読みとれないものであっても、行政法規に基づいて生じる具体的な権利侵害を救済するために、他に争わせるべき適切な行為がないようなときには、例外的に処分性が認められることがある。古くは、源泉所得税の納税告知（最1小判昭45・12・24民集24巻13号2243頁〔百選Ⅰ61〕）や輸入禁制品該当の通知（最大判昭59・12・12民集38巻12号1308頁〔百選Ⅱ159〕）に処分性を認めた判例があり、近年においても、行政指導である医療法上の勧告に処分性を認めた最2小判平17・7・15民集59巻6号1661頁（病院開設中止勧告事件、百選Ⅱ160、CB11-14）が注目を集めている。事案によっては、昭和39年判決の定式のあてはめや個別法の立法政策の探究にとどまらず、救済上の観点に基づく例外的な処分性拡張の可能性についても検討する必要がある。

8．処分性拡大論への批判と当事者訴訟活用論

もっとも、取消訴訟の訴訟手続の適用になじまない行為にまで処分性の範囲を拡張することを批判し、取消訴訟の対象を行政行為（したがって昭和39年判決の定式と概ね一致する範囲）に限定して、それ以外の行為については、公法上の当事者訴訟（特に確認訴訟）などによる救済を図るべきとする有力な学説も存在する（代表的なものとして、髙木光『行政訴訟論』〔有斐閣、2005年〕特に101頁以下）。また、行訴法2004年改正も、処分性を拡大する立法政策を採用せず、当事者訴訟（特に確認訴訟）を活用するという方向を示したが、その後の判例は、必ずしも処分性を限定する方向には進んでおらず、条例に初めて処分性を認める最高裁判例（最1小判平21・11・26民集63巻9号2124頁〔百選Ⅱ204、CB11-16〕）なども現れている。

〔野呂　充〕

〔問題5〕住民票の記載をめぐる紛争

◆ 事例 ◆

次の文章を読んで、資料を参照しながら、以下の設問に答えなさい。

1．Aは、婚姻届出をしていない事実上の夫婦であるB（母）およびC（父）の子として、2008年9月29日に出生した。Cは、同年10月11日、甲市長Dに対し、戸籍法49条に基づき、Aに係る出生届（以下「本件出生届」という）を提出したが、非嫡出子という用語を差別用語と考えていたことから、届書中、嫡出子または非嫡出子の別を記載する欄（戸籍49条2項1号参照）を空欄のままとした。このため、Dは、Cに対し、この不備の補正を求めたが、Cはこれを拒否した。Dは、届書の記載が上記のままでも、届書のその余の記載事項から出生証明書の本人と届書の本人との同一性が確認されれば、その認定事項（例えば、父母との続柄を「嫡出でない子・女」と認める等）を記載した付せんを届書に貼付するという内部処理（いわゆる「付せん処理」）をして受理する方法を提案したものの、Cはこの提案も拒絶した。そこで、Dは、同日、本件出生届を受理しないこととした（以下「本件不受理処分」という）。
2．Cは、本件不受理処分を不服として、Dに本件出生届の受理を命ずることを求める家事審判の申立てをしたが、E家庭裁判所は、本件不受理処分に違法はないとして、同申立てを却下する決定をした。Cはこれを不服として抗告したが、東京高等裁判所は、これを棄却する決定をし、これに対する特別抗告も最高裁判所の決定により棄却された。BおよびCは、その後も、2009年4月現在に至るまで、Aに係る適法な出生届を提出していない。

他方、Cは、Dに対し、Aにつき住民票の記載を求める申出（住民台帳14条2項）をしたが、2008年11月19日、Dは、本件出生届が受理されていないことを理由に、上記記載をしない旨の応答をした。
3．住民票の記載は、転入の場合には、住民基本台帳法上の届出（同法22条）に基づいて行うこととされている（同法施行令11条）のに対し、出

生の場合には、戸籍法上の届出（戸籍49条）が受理されたときに職権で行うこととされている（住民台帳法施行令12条2項1号）。本件では、戸籍法上の出生届は受理されていないが、例外的に住民票の記載をすべき場合に当たるとBおよびCは考えている。
4．BおよびCは、その後も、Aの住民票の記載を行うよう、甲市の担当者と交渉したが、進展が見られなかったため、2009年4月6日、弁護士Fに相談した。
5．なお、住民票は、行政実務上、選挙人名簿への登録のほか、就学、転出証明、国民健康保険、年金、自動車運転免許証の取得等に係る事務処理の基礎とされている。これらのうち、選挙人名簿への登録以外の事務に関しては、Dは、住民基本台帳に記録されていない住民に対し、手続的に煩さな点はあるが、多くの場合、それに記録されている住民に対するのと同様の行政上のサービスを提供している。

〔設問〕
弁護士Fの立場に立って、Aを原告とする行政訴訟によって、Aに係る住民票の記載を求めるには、どのような訴訟を提起し、どのような主張をすべきか、述べなさい。（100点）

【資料1　戸籍法（抜粋）】
第49条　出生の届出は、14日以内（……）にこれをしなければならない。
2　届書には、次の事項を記載しなければならない。
　一　子の男女の別及び嫡出子又は嫡出でない子の別
　二　出生の年月日時分及び場所
　三　父母の氏名及び本籍、父又は母が外国人であるときは、その氏名及び国籍
　四　その他法務省令で定める事項
3　（略）

【資料2　住民基本台帳法等（問題文当時のもの。抜粋）】

○　住民基本台帳法
（目的）

第1条　この法律は、市町村（特別区を含む。以下同じ。）において、住民の居住関係の公証、選挙人名簿の登録その他の住民に関する事務の処理の基礎とするとともに住民の住所に関する届出等の簡素化を図り、あわせて住民に関する記録の適正な管理を図るため、住民に関する記録を正確かつ統一的に行う住民基本台帳の制度を定め、もって住民の利便を増進するとともに、国及び地方公共団体の行政の合理化に資することを目的とする。

(市町村長等の責務)
第3条　市町村長は、常に、住民基本台帳を整備し、住民に関する正確な記録が行われるように努めるとともに、住民に関する記録の管理が適正に行われるように必要な措置を講ずるよう努めなければならない。
2〜4　（略）

(住民票の記載事項)
第7条　住民票には、次に掲げる事項について記載（……）をする。
　一　氏名
　二　出生の年月日
　三　男女の別
　四　世帯主についてはその旨、世帯主でない者については世帯主の氏名及び世帯主との続柄
　五　戸籍の表示。ただし、本籍のない者及び本籍の明らかでない者については、その旨
　六〜十四　（略）

(住民票の記載等)
第8条　住民票の記載、消除又は記載の修正（……以下「記載等」という。）は、……政令で定めるところにより、第4章〔筆者注：第21条の4〜第30条〕……の規定による届出に基づき、又は職権で行うものとする。

(住民基本台帳の正確な記録を確保するための措置)
第14条　市町村長は、その事務を管理し、及び執行することにより、又は……第34条第1項若しくは第2項の調査によって、住民基本台帳に脱漏若しくは誤載があり、又は住民票に誤記若しくは記載漏れがあることを知ったときは、届出義務者に対する届出の催告その他住民基本台帳の正確な記録を確保するため必要な措置を講じなければならない。
2　住民基本台帳に記録されている者は、自己又は自己と同一の世帯に属する者に係る住民票に誤記又は記載漏れがあることを知ったときは、その者が記録されている住民基本台帳を備える市町村の市町村長に対してその旨を申し出ることができる。

(選挙人名簿との関係)

第15条　選挙人名簿の登録は、住民基本台帳に記録されている者……で選挙権を有するものについて行うものとする。
2〜3　（略）
（転入届）
第22条　転入（新たに市町村の区域内に住所を定めることをいい、出生による場合を除く。以下この条……において同じ。）をした者は、転入をした日から14日以内に、次に掲げる事項（……）を市町村長に届け出なければならない。
　一　氏名
　二　住所
　三〜七　（略）
2　（略）
（行政手続法の適用除外）
第31条の2　この法律の規定により市町村長がする処分については、行政手続法（平成5年法律第88号）第2章及び第3章の規定は、適用しない。
（調査）
第34条　市町村長は、定期に、第7条……の規定により記載をすべきものとされる事項について調査をするものとする。
2　市町村長は、前項に定める場合のほか、必要があると認めるときは、いつでも第7条……の規定により記載をすべきものとされる事項について調査をすることができる。
3　市町村長は、前2項の調査に当たり、必要があると認めるときは、当該職員をして、関係人に対し、質問をさせ、又は文書の提示を求めさせることができる。
4　当該職員は、前項の規定により質問をし、又は文書の提示を求める場合には、その身分を示す証明書を携帯し、関係人の請求があったときは、これを提示しなければならない。
第49条　第34条第3項の規定による質問に対し、答弁をせず、若しくは虚偽の陳述をし、又は文書の提示を拒み、妨げ、忌避し、若しくは虚偽の文書を提示した者は、5万円以下の罰金に処する。

○　住民基本台帳法施行令
（住民票の記載）
第7条　市町村長は、新たに市町村……の区域内に住所を定めた者その他新たにその市町村の住民基本台帳に記録されるべき者があるときは、……その者の住民票を作成しなければならない。
2　（略）

(届出に基づく住民票の記載等)
第11条 市町村長は、法第4章〔筆者注：第21条の4～第30条〕……の規定による届出があったときは、当該届出の内容が事実であるかどうかを審査して、第7条から前条までの規定による住民票の記載、消除又は記載の修正（以下「記載等」という。）を行わなければならない。

(職権による住民票の記載等)
第12条 （略）
2　市町村長は、次に掲げる場合において、第7条から第10条までの規定により住民票の記載等をすべき事由に該当するときは、職権で、これらの規定による住民票の記載等をしなければならない。
　一　戸籍に関する届書、申請書その他の書類を受理し、若しくは職権で戸籍の記載若しくは記録をしたとき（以下略）。
　一の二～七　（略）
3　市町村長は、住民基本台帳に脱漏若しくは誤載があり、又は住民票に誤記（……）若しくは記載漏れ（……）があることを知ったときは、当該事実を確認して、職権で、住民票の記載等をしなければならない。
4　（略）

◆ 解説 ◆

1．出題の意図

本問は、東京地判平 19・5・31 判時 1981 号 9 頁、東京高判平 19・11・5 判タ 1277 号 67 頁および最 2 小判平 21・4・17 民集 63 巻 4 号 638 頁（百選 I 62）をモデルとしたものである。

個別法で申請の仕組みがとられているかどうかは、行手法および行政救済法上、大きな意味をもつ。前者においてはとりわけ、「申請に対する処分」の手続の適用の有無に関わり、後者においては、不作為の違法確認訴訟（行訴 3 条 5 項）および申請満足型義務付け訴訟（行訴 3 条 6 項 2 号）の可否に関わるとともに、申請に対する応答行為の処分性との関係で、取消訴訟（行訴 3 条 2 項）や無効確認訴訟（行訴 3 条 4 項）の可否にも関わる。本問では、後者の、申請の仕組みと行訴法上の取扱いとの関係について、具体的に理解してもらうことを意図している。

なお、法務省は、2010 年 3 月 24 日に市町村に出した通知（法務省民一第 729 号）で、出生届について、これまでの取扱いを改め、「嫡出でない子」の欄にチェックを入れない場合でも、「その他」欄に、「母の氏を称する」「母の戸籍に入籍する」などと書けば、受理することを認めた。したがって、現在では問題状況が異なっているが、本問は、上記の意図で、従来の取扱いを前提とする出題とした。

2．訴訟類型の基本的な検討方法

本問で問われているのは、A に係る住民票の記載を求めるための訴訟類型である。

一般に、訴訟類型を考えるにあたっては、一連の行政過程のうちで、①既に行われた行政処分があり、それに対する不服がある場合は、取消訴訟（行訴 3 条 2 項）、②その際、取消訴訟の出訴期間を既に過ぎている場合は、原則として争えなくなるが（行訴 14 条）、例外的に、処分に重大・明白な瑕疵があって無効であることを前提とする訴訟として、

争点訴訟（行訴45条）、実質的当事者訴訟（行訴4条後段）または無効確認訴訟（行訴3条4項）、③申請に対してまだ処分が行われておらず、そのことの違法を確認してほしい場合は、不作為の違法確認訴訟（行訴3条5項）、④まだ行われていない一定の処分を求める場合は、義務付け訴訟（行訴3条6項）、⑤まだ行われていない一定の処分が今後も行われないことを求める場合は、差止訴訟（行訴3条7項）、⑥処分に当たらない行政の行為について争いたい場合は、実質的当事者訴訟（行訴4条後段）または民事訴訟を、それぞれ検討するのが基本である。

3．住民票の記載を求める申出に対する応答の取消訴訟

そこで、本問において、まず、住民票の記載に関して既に行われた行政の行為をみると、CがAにつき住民票の記載を求める**申出**（住民台帳14条2項）をしたのに対し、甲市長Dは上記記載をしない旨の応答をしているので、この応答を処分とみて取消訴訟を提起できないかが問題となる。その際、Cの申出の法的性格（申請なのか職権による処分を求める申出にすぎないのか）を検討する必要がある。

そして、住民票の記載に関する法的仕組みは、戸籍制度と密接な関連があるので、問題文の説明と参照条文を手がかりにして、出生があった場合の住民票と戸籍との関係を理解する必要がある。すなわち、出生があった場合、戸籍法上の届出（同法49条）に基づいて戸籍の記載が行われるが、住民票の記載は、戸籍法上の届出が受理されたときに**職権**で行うこととされている（住民台帳施行令12条2項1号）。これは、戸籍の記載と住民票の記載とを連動させ、不一致を防ぐための仕組みであると考えられる。また、この仕組みは、届出をする国民の側にとっても、戸籍法上の届出と住民基本台帳法上の届出とを二重に行う必要がないという意味で、通常の場合には、合理的であると考えられる。しかし、本事例のように、戸籍法上の届出の記載事項に不備があるために届出が受理されない場合、当該記載事項（嫡出・非嫡出の表示）は、住民票の記載とは直接関係がないにもかかわらず、戸籍と連動して、住民票の記載もされないという問題が生じてしまう。

この場合、戸籍法上の届出が受理されず、戸籍の記載がされなくても、

出生があったのは事実であるから、「住民に関する記録を正確かつ統一的に行う住民基本台帳の制度」（住民台帳1条）の趣旨からは、住民票の記載をすべきではないかと考えられる。戸籍と住民票の連動の仕組みを定めている上述の住民基本台帳法施行令12条も、3項において、「市町村長は、住民基本台帳に脱漏若しくは誤載があり、又は住民票に誤記（……）若しくは記載漏れ（……）があることを知ったときは、当該事実を確認して、職権で、住民票の記載等をしなければならない」と規定しており、本事例のような場合には、戸籍法上の届出が受理されていなくても、例外的に、住民票の記載をすべきではないかが問題となる。Ｃは、このように考えて、住民基本台帳法14条2項に基づき、住民票の記載を求める申出をしたものと考えられる。

　しかし、転入の場合には、住民基本台帳法上の届出（同法22条）に基づいて住民票の記載を行うこととされている（同法施行令11条）のに対し、出生の場合には、上述のように考えたとしても、職権で住民票の記載をしなければならないとされているにとどまり、届出や申請に基づいて住民票の記載を行う仕組みは、規定されていない。住民基本台帳法14条2項に基づく申出は、「申し出る」という文言が用いられていることや、申出に対する行政庁の審査・応答義務が規定されていないことから、職権の発動を促すものにすぎず（前掲・最2小判平21・4・17参照）、申請に当たらないと考えられる。

　したがって、本件の申出に対して、住民票の記載をしない旨の応答は、職権の発動をしない旨を事実上回答したにすぎず、取消訴訟の対象となる処分に当たらないと考えられる（なお、後掲コラム「申請の仕組みと行手法および行訴法における取扱い」参照）。

申請の仕組みと行手法および行訴法における取扱い

　個別法で申請（行手2条3号参照）の仕組みがとられている場合、申請者にとっては、申請が実体上の要件を満たしている場合には許認可等をもらえるという実体的な権利とは別に、申請を審査してもらったうえで諾否の応答（実体的要件を満たさないと行政庁が判断する場合には、申請拒否の応答）をもらえるという手続上の権利が保障される。これを申請権という。いわば、「ＯＫをください」という権利とは別に、「ダメならダメと言って！」という権利が保障されるのである。このことは、

以下にみるように、行手法および行訴法上、重要な意味を有する。

なお、申請権が保障されているか否かは、個別法の仕組みの解釈による。文言が重要な手がかりになる（「許可」、「認可」、「申請」等の文言が用いられていれば、申請権が保障されていると解釈しやすい）が、「申出」等の文言が用いられている場合にも、当該仕組みの解釈によって、申請権が保障されていると解釈されることはありうる。

◎個別法に申請（行手2条3号）の仕組みが定められている場合
① 行政庁に審査義務および諾否の応答義務が課される（国民に申請権が保障されている）（行手7条・33条参照）。
② 申請に対する行政庁の応答は処分に当たる（申請を認容する応答のみならず、申請を拒否する応答も処分に当たることに注意）。
③ 行手法の「申請に対する処分」の手続（行手第2章〔5条～11条〕：審査基準の設定・公表、拒否処分の理由の提示等）が保障される。
④ 申請を拒否する応答（拒否処分）に不服がある場合は、審査請求（行審2条）、取消訴訟（行訴3条2項）および申請満足型義務付け訴訟（行訴3条6項2号）で争うことができる。なお、申請を拒否された場合に、不作為の違法確認訴訟で争えるという答案を時々見かけるが、これは誤りである。②で述べたとおり、申請を拒否する応答は処分に当たるので、行訴法3条5項にいう不作為（何らかの処分をすべきであるにかかわらず、これをしないこと）には当たらない。したがって、申請拒否処分の取消訴訟を提起すべきである。
⑤ 相当の期間を経過しても応答が得られない場合は、不作為の違法確認訴訟（行訴3条5項）および申請満足型義務付け訴訟（行訴3条6項2号）で争うことができる。

◎個別法に申請の仕組みが定められておらず、職権による処分を求める申出にすぎない場合
① 行政庁に審査義務および諾否の応答義務は課されない（国民に申請権が保障されていない）。
② 申出に対する行政庁の応答がされたとしても、それは事実上のものにすぎず、処分に当たらない（行政庁が申出を受け入れて〔きっかけとして〕職権による処分をした場合は、もちろん、処分がされたことになる。しかし、応答自体は処分ではないから、行政庁が申出を拒否する応答をし、職権による処分をしない場合は、何ら処分が存在しないことになる）。
③ 申出については、行手法の「申請に対する処分」の手続（審査基準の設定・公表、拒否処分の理由の提示等）は保障されない。
④ 申出を拒否する応答を審査請求や取消訴訟で争うことはできない。また、応答が得られなくても、不作為についての審査請求（行審3条）や不作為の違法確認訴訟（行訴3条5項）で争うことはできない。ただし、職権処分を求める直接型義務付け訴訟（行訴3条6項1号）は可能である。直接型義務付け訴訟にお

いては、申請満足型義務付け訴訟と異なり、当該「処分がされないことにより重大な損害を生ずるおそれ」があることが訴訟要件となる（行訴37条の2）。

4．住民票の記載を求める義務付け訴訟（直接型義務付け訴訟）

住民票に特定の者の氏名等を記載する行為は、その者が当該市町村の選挙人名簿に登録されるか否かを決定づけるものであるので、**処分に当たると解される**（最1小判平11・1・21判時1675号48頁〔CB18 - 10〕）。そして、出生の場合の住民票の記載は、3で述べたように、**職権**で行うこととされており、これを申請する手続は法令に定められていないので、**直接型義務付け訴訟**を提起することが考えられる。

行訴法37条の2の要件のうち、特に問題となるのは、「**重大な損害を生ずるおそれ**」の有無である。まず、本事例5．にあるように、行政実務上、選挙人名簿への登録以外の各種行政サービスに関しては、住民基本台帳に記録されていない住民に対し、手続的に煩さな点はあるが、多くの場合、それに記録されている住民に対するのと同様の行政上のサービスが提供されている。次に、選挙人名簿への登録については、Fが相談を受けた2009年4月時点では、Aがまだ乳児であり選挙権を得るまで10数年ある点が問題となる（前掲・東京高判平19・11・5は、これらの点を理由として、「重大な損害を生ずるおそれ」がないとした）。

しかし、居住関係の証明を必要とし、住民票の提出を求められる手続には、甲市による行政サービス以外にも様々なものがあり、甲市の行政サービスを受けるための手続が煩さになることも含め、日常の社会生活の様々な場面における不利益の累積は、市民生活上看過できない負担であって、住民票に記載されないこと自体が重大な不利益であると考えられる（前掲・東京地判平19・5・31参照）。原告側としては、以上のように主張することが考えられる。

本案においては、3で述べたように、戸籍法上の届出が受理されていなくても、出生があったのは事実であるから、「住民に関する記録を正確かつ統一的に行う住民基本台帳の制度」（住民台帳1条）の趣旨、そのために市町村長に定期的な調査の責務と強力な調査権限が与えら

れていること（住民台帳34条・49条）、および、上述のように住民票不記載によって重大な不利益がもたらされることから、Dは住民票の記載をする義務があるとの主張が考えられる（前掲・最2小判平21・4・17の今井裁判官の意見を参照）。

> **コラム　答案を読んで**
>
> ①本文で述べたように、住民票の記載は処分であると解されるが、住民票の記載を求める申出に対する応答が処分に当たるかどうかは、別問題である。この点を理解できていない答案がかなり多かったので、注意してほしい。
>
> ②不作為の違法確認訴訟を挙げた答案が多数あった。しかし、不作為の違法確認訴訟は、「法令に基づく申請」（行訴3条5項）があったことが訴訟要件とされているので、申請に当たらない申出をした者は、提起できない。なお、仮に、住民基本台帳法14条2項の「申出」を申請に当たると解釈した場合、それに対して住民票の記載をしないという応答は、拒否処分に当たると解されるから、不作為ではない。したがって、いずれにせよ、不作為の違法確認訴訟は提起できない。
>
> ③一般的な注意であるが、単に取消訴訟、義務付け訴訟、確認訴訟などと記すのみで、「何を」取り消したり義務付けたり確認したりするのかを、明示していない答案を見かけることがある。しかし、この点は必ず明示すべきである（訴訟実務上は、訴状に「請求の趣旨」として記載される）。

〔関連問題〕

　Xは、隣人Aの家が建築基準法の定める構造耐力の基準（同20条）に適合しておらず、地震の際に倒壊するおそれが高いとして、行手法36条の3に基づき、建基法上の特定行政庁に当たる市長Yに対し、Aに違反是正命令（建基9条1項）を発出することを求める申出をした。これに対し、Yは、「検討の結果、申出に係る処分を行わないこととした」旨をXに通知した。Xは、この通知に不満であり、訴訟で争いたいが、どのような訴訟を提起すべきか。

【資料　建築基準法（抜粋）】
（違反建築物に対する措置）
第9条　特定行政庁は、建築基準法令の規定……に違反した建築物……については、当該建築物の建築主……又は……所有者……に対して、……当該建築

物の除却、移転、改築……その他……違反を是正するために必要な措置をとることを命ずることができる。
2～15（略）
（構造耐力）
第20条　建築物は、……地震その他の震動及び衝撃に対して安全な構造のものとして、次の各号に掲げる建築物の区分に応じ、それぞれ当該各号に定める基準に適合するものでなければならない。
　　一～四　（略）
2　（略）

［中原茂樹］

──── !ミニ講義 2 ! ────

取消訴訟の原告適格

1．行訴法 9 条 1 項と原告適格の 2 類型
　取消訴訟は主観訴訟であるから、行政機関が行った処分について一定の利害関係を有する者しか取消訴訟を提起することはできない。これが、原告適格または訴えの主観的利益といわれる訴訟要件である。**取消訴訟の原告適格**につき、行訴法 9 条 1 項は、「処分の取消しの訴え（……）は、当該処分……の取消しを求めるにつき**法律上の利益を有する者**（……）に限り、提起することができる」と定める。もっとも、行訴法 9 条 1 項の文言は抽象的で、これだけではどのような者に原告適格が認められるかはっきりしない。判例は、これをもう少し具体化し、「処分により自己の権利若しくは法律上保護された利益を侵害され又は必然的に侵害されるおそれのある者」としている（最 3 小判昭 53・3・14 民集 32 巻 2 号 211 頁〔主婦連ジュース訴訟、百選Ⅱ132、CB12 - 1〕、最大判平 17・12・7 民集 59 巻 10 号 2645 頁〔小田急訴訟、百選Ⅱ165、CB12 - 10〕)。この定式においては、「権利」を侵害される者と「法律上保護された利益」を侵害される者という 2 類型の原告適格が示されている。以下それぞれについて説明しよう。

2．原告適格の第 1 類型 ──「権利」を侵害される者
　処分により権利を侵害される者とは、処分の法的効果によって自己の権利を制限される者を意味し、不利益処分の名あて人や申請拒否処分の名あて人がその典型である。このような者には当然に原告適格が認められる。また、処分の第三者であっても処分の法的効果によって直接権利を制限される場合がある。例えば、最 2 小判平 25・7・12 判時 2203 号 22 頁は、税の滞納者と他の者との共有に係る不動産につき、滞納者の持分が国税徴収法 47 条 1 項に基づいて差し押さえられた場合には、他の共有者も権利を侵害される者に当たるとしている。さらに、土地収用法による事業認定は、起業者を名あて人として収用権限を付与する申請認容処分であるが、当該処分がなされると、起業地の土地所有者は自己の所有地が収用されるべき地位に立たされるため、土地所有者にも法的効果が及ぶと解されている。このような第三者については、後述する行訴法 9 条 2 項を適用するまでもなく原告適格が認められる。

3．原告適格の第 2 類型 ──「法律上保護された利益」を侵害される者
　法律上保護された利益を侵害される者につき、産業廃棄物処理施設の設置許可がなされた場合における処分の第三者たる周辺住民を例にして説明しよう。周辺住民は、施設によって生活環境が汚染され、生命・健康や財産にかかる被害を受けるおそれがある。しかし、事業者を相手取って施設の建設・操業の差止め等を求める民事訴訟を提起し、被害を防止または除去することもできるので、処分の法的効果によって直接権利を制限されているわけではない。また、このような第三者は往々にして不特定多数者であり、不利益の程度も様々であるから、原告適格を認めるにし

てもどこまで認めればよいか、という問題がある。

判例は、このような第三者については、処分によって侵害されるおそれのある利益が「法律上保護された利益」に当たるといえる場合には原告適格が認められるとする。そして、その判断基準として、「当該処分を定めた行政法規が、不特定多数者の具体的利益を専ら一般的公益の中に吸収解消させるにとどめず、それが帰属する個々人の個別的利益としてもこれを保護すべきものとする趣旨を含むと解される場合には、このような利益もここにいう法律上保護された利益に当た」と述べている（前掲・最大判平17・12・7）。つまり、第三者の利益が、①処分の根拠法規（以下「根拠法規」という）によって保護対象とされ、しかも、②公益でなく**個別的利益**としても保護されていること、という2つの要件を満たす場合に、法律上保護された利益とみなされる。①は保護範囲要件、②は個別的利益保護要件といわれることがある。

そして、行訴法2004年改正によって追加された行訴法9条2項は、処分の第三者の利益が根拠法規による個別的利益としての保護という要件を満たすかどうかを判断する際に考慮すべき事項を定めている。最2小判平元・2・17民集43巻2号56頁（新潟空港訴訟、百選Ⅱ192、CB12-2）や最3小判平4・9・22民集46巻6号571頁（もんじゅ訴訟、百選Ⅱ162、CB12-5）に現れていた柔軟な判断方法を明文化し、原告適格を拡大することを意図したものである。この規定の用い方については5．で説明する。

4．法律上保護された利益説と法的保護に値する利益説

以上のように、判例は、処分の第三者であって第1類型に該当しない者について、根拠法規の解釈によって原告適格の有無を判断している。このような考え方は、**法律上保護された利益説**といわれる。これに対し、学説においては、**法的保護に値する利益説**も有力である。この説は、根拠法規の解釈を離れて、処分により侵害される利益の性質・程度等に鑑みて、原告適格の有無を判断すべきと主張するものである。

しかし、行訴法2004年改正前から、一部の判例は、法律上保護された利益説を維持しつつも判断方法を柔軟化し、侵害される利益の性質・程度等も考慮に入れて根拠法規を解釈するようになっていた。さらに、このような判断方法が改正行訴法9条2項で明文化されたため、現在では両説の対立の意味は薄れている。現在の議論の焦点は、柔軟化された法律上保護された利益説の下で、どのような場合に原告適格を認めるべきか、という問題に移行している。以下では、これを前提に、第2類型の原告適格の判断の思考プロセスについて説明する。

5．原告適格判断のプロセス

第2類型の原告適格について判断する際の典型的なプロセスは、以下の3段階に整理することができる。

(1) 第1段階として、原告が処分によって侵害される（または原告がそう主張する）利益を念頭に置いて、根拠法規を精査し、根拠法規が処分権限の行使に課している制約の中から、原告の利益を保護している可能性があるものを見つけ出す必要があ

る。そのような制約は、通常は処分要件規定によって設けられているので、まずは処分要件を丁寧にチェックすべきである。例えば、核原料物質、核燃料物質及び原子炉の規制に関する法律は、原子炉設置許可処分の要件の1つとして「災害の防止上支障がない」（24条1項3号・43条の3の6第1項4号）ことを定めているが、これは、周辺住民の生命・身体等を保護することをその目的に含むとみることができる。ただし、このような制約は必ずしも明文のものには限られないとされている（最3小判昭60・12・17判時1179号56頁〔伊達火力発電所事件〕）。また、処分要件が根拠法規以外の法令に定められている場合もある。環境影響評価法33条のいわゆる横断条項（同法に基づく環境影響評価の結果を、道路法・河川法などの他の法律に基づく免許等の際に考慮することを義務付ける条項）や、根拠法規の委任を受けた下位法令ないし施行条例に処分要件が定められている場合がその例である。

(2) 第2段階として、当該規定を、行訴法9条2項が定める2つの考慮事項を考慮しながら解釈し、原告の利益が保護範囲要件および個別的利益保護要件を満たすかどうかを明らかにする必要がある。

1つ目の考慮事項は法令の趣旨・目的である。趣旨・目的の考慮にあたっては、まずは、根拠法規の定め、すなわち、処分要件の定め方に加え、目的規定や手続規定等の検討も必要である。例えば、目的規定に「国民の生命、健康及び財産の保護」がうたわれている場合（建基1条）や、根拠法規に原告の利益の保護に資する手続規定が置かれている場合には、原告適格を認めるための有利な要素になる。さらに、根拠法規と目的を共通にする関係法令があればそれも考慮すべきと定められている（前掲・最2小判平元・2・17を参考にした規定である）。

関係法令の具体例として、まず、上記の環境影響評価法33条（横断条項）のように、処分の根拠法令以外の法令の規定が、処分要件ないし処分をする際に処分庁が考慮すべき事項を明文で付加している場合を挙げることができる。このような規定が、処分の根拠法令と並んで原告適格判断の基礎となることは当然である。次に、処分の根拠法令が定める処分要件規定を解釈する手がかりとなる他の法令も、関係法令に当たる。前掲・最大判平17・12・7を例にして説明しよう。この事件では、都計法を根拠法規とする都市計画事業認可という処分が、事業に伴う騒音、振動等による被害から事業地の周辺住民を保護する趣旨を有するかどうかが争点となった。都計法61条1号は、都市計画事業認可は都計法に基づく都市計画に適合しなければならない旨を定め、さらに、都計法13条1項柱書は、都市計画は公害防止計画に適合しなければならない旨を規定しているが、これらの規定だけで結論を出すことが困難である。そこで、裁判所は、都計法13条1項柱書の規定を解釈するために、公害防止計画の作成について定める公害対策基本法（現・環境基本法）を、関係法令として参照した。そして、公害対策基本法が、公害の定義に、騒音、振動による健康または生活環境の被害を含めていたことなどから、都市計画事業認可に関する都計法の規定は、騒音、振動によって事業地の周辺住民に健康または生活環境の被害が発生することを防止することも、その趣旨および目的とすると解釈したのである。

なお、処分の根拠法律の委任を受けて制定された施行令・施行規則などの下位法令は、根拠法律と一体となって処分の根拠法令の一部をなすとみるべきであり、関

係法令ではない（中原・基本行政法 326 頁参照）。関係法令というべき法令の実例はまだ乏しく（関係法令のその他の例については、小林久起『司法制度改革概説 3　行政事件訴訟法』〔商事法務、2004 年〕218 頁以下を参照）、まずは、処分の根拠法令の内容を丁寧に検討することが重要である。

　2 つ目の考慮事項は、処分の際に考慮されるべき利益の内容・性質や侵害の態様・程度である（行訴法改正以前に被侵害利益を重視して原告適格を認めた代表的判例が前掲・最 3 小判平 4・9・22 である）。利益の内容・性質としては、生命や健康という特に尊重されるべき利益については、経済的利益や景観等の主観的な利益よりも原告適格が認められやすいことは当然である。侵害の態様・程度としては、まず、利益侵害の程度が重大であれば原告適格が認められやすいことはいうまでもない。騒音・振動等による被害が、一時的なものであれば大したことはなくても反復継続的に生じる結果、重大な利益侵害に至る場合もある。また、許可された施設・事業等から直接的に被害が発生する場合や、許認可を受けた施設・事業等に接近するにつれて被害の程度が増大する場合には、原告適格が認められやすい。

　なお、利益の内容・性質の考慮により原告適格を認めることが難しい場合であっても、法の趣旨・目的を考慮した解釈により原告適格を認めることができないか検討すべきである。例えば、医療施設等の周辺における良好な環境を保護するため、当該施設から一定の距離内においては風俗営業許可ができないという距離制限規定が存在する場合には、医療施設等の設置者に風俗営業許可の取消しを求める原告適格が認められている（最 3 小判平 6・9・27 判時 1518 号 10 頁〔CB12－6〕）。

　(3)　第 3 段階として、根拠法規が原告の主張するような利益を個別的利益として保護する趣旨を含むと解される場合において、原告が現実に「法律上保護された利益」を有するかどうかを判断する必要がある。例えば、廃棄物処理施設の設置許可処分が周辺住民の生命・健康を個別的利益として保護する趣旨であるとしても、原告が、現実に被害を受けるおそれがほとんどない遠方に居住している場合には、原告適格が認められないであろう。

　なお、2004 年に改正された行訴法の下で、以上のような判断方法を用いて原告適格を認めた判例として前掲・最大判平 17・12・7 が参考になるので、その内容をよく学んでおいてほしい。

〔野呂　充〕

〔問題6〕 開発許可をめぐる紛争

◆ 事例 ◆

次の文章を読んで、資料を参照しながら、以下の設問に答えなさい。

株式会社であるAは、甲市内において地上15階建、戸数240戸、高さ約45mの分譲マンション（以下「本件マンション」という）を建設するため、都計法上の都市計画区域内にある面積10,300㎡の平坦な土地（以下「本件開発区域」という）につき、甲市長に、都計法29条1項に基づき、予定建築物の用途を「共同住宅（分譲）」とする開発行為（以下「本件開発行為」という）の許可を申請し、甲市長から許可（以下「本件許可」という）を受けた。なお、開発行為とは、主として建築物の建築または特定工作物の建設の用に供する目的で行う土地の区画形質の変更（都計4条12項）である。Bは、本件開発区域から約10m離れた場所に土地および同土地上の木造2階建ての建物を所有して居住しており、本件マンションは、本件開発区域内の、Bの土地・建物から約20m離れた場所に建設されることになっている。Bは、(1)本件開発区域は、市街地に残された貴重な緑地であり、これが開発によって破壊されると住環境が悪化すること、および、(2)本件開発区域外の周辺の地域は道路が狭隘な箇所が多く、そのような場所で大規模な開発を行い、本件マンションを建設した場合には、①周辺地域での交通事故が多発するおそれがあるし、②災害時に本件開発区域に緊急自動車が円滑に進入できない可能性が高く、無謀な開発であることを理由に、本件開発行為に反対している。

〔設問〕
1. Bに、本件開発許可の取消訴訟の原告適格が認められるか否かについて論じなさい。（60点）
2. Bが原告適格を認められた場合に、本案審理において、どのような違法性を主張できるか。行訴法10条1項により違法主張が制限されるか否かという観点から論じなさい。（40点）

【資料 都市計画法等（抜粋）】

○ 都市計画法

(目的)

第1条　この法律は、都市計画の内容及びその決定手続、都市計画制限、都市計画事業その他都市計画に関し必要な事項を定めることにより、都市の健全な発展と秩序ある整備を図り、もって国土の均衡ある発展と公共の福祉の増進に寄与することを目的とする。

(都市計画の基本理念)

第2条　都市計画は、農林漁業との健全な調和を図りつつ、健康で文化的な都市生活及び機能的な都市活動を確保すべきこと並びにこのためには適正な制限のもとに土地の合理的な利用が図られるべきことを基本理念として定めるものとする。

(定義)

第4条　（略）

2～11　（略）

12　この法律において「開発行為」とは、主として建築物の建築又は特定工作物の建設の用に供する目的で行なう土地の区画形質の変更をいう。

13　この法律において「開発区域」とは、開発行為をする土地の区域をいう。

14～16　（略）

(開発行為の許可)

第29条　都市計画区域又は準都市計画区域内において開発行為をしようとする者は、あらかじめ、国土交通省令で定めるところにより、都道府県知事（……）の許可を受けなければならない。ただし、次に掲げる開発行為については、この限りでない。

一～十一　（略）

2～3　（略）

(開発許可の基準)

第33条　都道府県知事は、開発許可の申請があった場合において、当該申請に係る開発行為が、次に掲げる基準（……）に適合しており、かつ、その申請の手続がこの法律又はこの法律に基づく命令の規定に違反していないと認めるときは、開発許可をしなければならない。

一　（略）

二　主として、自己の居住の用に供する住宅の建築の用に供する目的で行う開発行為以外の開発行為にあっては、道路、公園、広場その他の公共の用

に供する空地（……）が、次に掲げる事項を勘案して、環境の保全上、災害の防止上、通行の安全上又は事業活動の効率上支障がないような規模及び構造で適当に配置され、かつ、開発区域内の主要な道路が、開発区域外の相当規模の道路に接続するように設計が定められていること。（以下略）
　　イ　開発区域の規模、形状及び周辺の状況
　　ロ　開発区域内の土地の地形及び地盤の性質
　　ハ　予定建築物等の用途
　　ニ　予定建築物等の敷地の規模及び配置
　三～八　（略）
　九　政令で定める規模以上の開発行為にあっては、開発区域及びその周辺の地域における環境を保全するため、開発行為の目的及び第2号イからニまでに掲げる事項を勘案して、開発区域における植物の生育の確保上必要な樹木の保存、表土の保全その他の必要な措置が講ぜられるように設計が定められていること。
　十～十四　（略）
2　前項各号に規定する基準を適用するについて必要な技術的細目は、政令で定める。
3～8　（略）

○ 都市計画法施行令
（樹木の保存等の措置が講ぜられるように設計が定められなければならない開発行為の規模）
第23条の3　法〔注：都計法〕第33条第1項第9号（……）の政令で定める規模は、1ヘクタールとする。ただし、開発区域及びその周辺の地域における環境を保全するため特に必要があると認められるときは、都道府県は、条例で、区域を限り、0.3ヘクタール以上1ヘクタール未満の範囲内で、その規模を別に定めることができる。
（開発許可の基準を適用するについて必要な技術的細目）
第25条　法第33条第2項……に関するものは、次に掲げるものとする。
　一　道路は、都市計画において定められた道路及び開発区域外の道路の機能を阻害することなく、かつ、開発区域外にある道路と接続する必要があるときは、当該道路と接続してこれらの道路の機能が有効に発揮されるように設計されていること。
　二　予定建築物等の用途、予定建築物等の敷地の規模等に応じて、6メートル以上12メートル以下で国土交通省令で定める幅員（小区間で通行上支障がな

い場合は、4メートル）以上の幅員の道路が当該予定建築物等の敷地に接するように配置されていること。ただし、開発区域の規模及び形状、開発区域の周辺の土地の地形及び利用の態様等に照らして、これによることが著しく困難と認められる場合であって、環境の保全上、災害の防止上、通行の安全上及び事業活動の効率上支障がないと認められる規模及び構造の道路で国土交通省令で定めるものが配置されているときは、この限りでない。
三　（略）
四　開発区域内の主要な道路は、開発区域外の幅員9メートル（主として住宅の建築の用に供する目的で行う開発行為にあっては、6.5メートル）以上の道路（開発区域の周辺の道路の状況によりやむを得ないと認められるときは、車両の通行に支障がない道路）に接続していること。
五〜八　（略）

○　**都市計画法施行規則**（昭和44年建設省〔現国土交通省〕令第49号）
（道路の幅員）
第20条　令〔注：都計法施行令〕第25条第2号の国土交通省令で定める道路の幅員は、住宅の敷地又は住宅以外の建築物若しくは第1種特定工作物の敷地でその規模が1千平方メートル未満のものにあっては6メートル（……）、その他のものにあっては9メートルとする。
（令第25条第2号ただし書の国土交通省令で定める道路）
第20条の2　令第25条第2号ただし書の国土交通省令で定める道路は、次に掲げる要件に該当するものとする。
一　開発区域内に新たに道路が整備されない場合の当該開発区域に接する道路であること。
二　幅員が4メートル以上であること。

◆ 解説 ◆

1．出題の意図

　本問は、開発許可取消訴訟をめぐる訴訟法上の問題を対象とする。
　設問1は、開発許可の第三者である開発区域の付近住民の原告適格について問うものである。行訴法9条に基づく**取消訴訟の原告適格**の判断方法を踏まえ、都計法等が定める許可要件と開発区域の付近住民であるBが被るおそれのある不利益に基づいて、Bの原告適格の有無を具体的に検討することが求められる。
　開発区域の付近住民に**開発許可取消訴訟の原告適格**を認めた判例として、最3小判平9・1・28民集51巻1号250頁（CB12-7）がある。同判決は、都計法33条1項7号が、開発許可の要件として、がけ崩れ等による災害を防止するため、擁壁の設置等の安全上必要な措置が講ぜられる設計が定められていることを規定していること、同号の委任に基づいて、都計法施行令や都計法施行規則に、がけ崩れを防止するための措置について具体的かつ詳細な許可基準が定められていることに加え、都計法33条1項7号が保護しようとしている利益が人の生命・身体等という重要な利益であることに鑑み、同号は、がけ崩れ等の被害が直接的に及ぶ可能性がある開発区域外の地域の住民の生命・身体等の安全等を個別的利益として保護していると判断した。
　これに対し、本問は、がけ崩れのおそれがあるとはいえない平坦な土地における開発許可に反対する付近住民につき、他の許可要件によって原告適格を認めることができないか、検討することを求めるものである。参考判例として、大阪地判平24・3・28裁判所ウェブサイト、名古屋地判平24・9・20裁判所ウェブサイト、大阪地判平25・2・15裁判所ウェブサイト、大阪地判平25・2・15の控訴審判決である大阪高判平26・3・20裁判所ウェブサイトがある。
　設問2は、取消訴訟の本案審理において主張できる違法性の範囲について、「自己の法律上の利益に関係のない違法」の主張を制限する行訴法10条1項に照らして検討することを求めるものである。Bに原告

適格が認められた場合において、Bが開発許可の要件のうちのいずれの違反を主張できるかについて、行訴法10条1項に関する学説・判例を踏まえて検討することが求められる。

2．設問1――Bの原告適格

(1) 処分の第三者の原告適格の判断枠組み

　取消訴訟の原告適格の判断方法は、本書ミニ講義2で解説したとおりである。要点を整理すると、以下のとおりである。

　取消訴訟の原告適格は、行訴法9条1項にいう、「処分……の取消しを求めるにつき法律上の利益を有する者」に認められる。Bは、本件開発許可の第三者であり、また、本件開発許可の法的効果によって権利を制限される者ではないから、Bの原告適格は、Bが本件開発許可により法律上保護された利益を侵害されまたは必然的に侵害されるおそれのある者に当たる場合に認められる。その判断にあたっては、まず、本件開発許可の根拠法規である都計法の規定（特に開発許可の要件を定める規定）が、Bが主張するような利益を個別的利益として保護する趣旨を含むかどうかを、行訴法9条2項が定める事項を考慮しながら解釈すべきである。そして、開発区域周辺住民の利益が**個別的利益**として保護されていると解することができる場合には、Bの居住地と開発区域との位置関係に鑑みて、Bに原告適格を認めることができるかどうかについて判断する必要がある。

(2) 具体的検討

　以下、Bが主張する不利益に沿って、Bに原告適格が認められる可能性について検討しよう。

(ア) 緑地の破壊による住環境の悪化

　都計法33条1項9号は、「開発区域及びその周辺の地域における環境を保全するため」、1ha以上（都計法施行令23条の3）の開発行為について、樹木の保存等の措置を開発許可の要件としている。本件開発区域は10,300㎡であるから、都計法33条1項9号が本件開発行為に適用される。

しかし、緑地の保全による良好な住環境の確保という利益は、生命・身体・財産等の具体的な利益とは性質が異なり、また、不利益が及ぶ範囲も明確ではないから、公益としての保護になじむというべきである。このため、法律に特別な手がかりがない限り、こうした利益が個別的利益として保護されていると解することは困難であるが、都計法にはこのような手がかりを見出すことができない。また、住環境の悪化に伴い、健康への影響や地価の低落といった被害が生じるおそれがないとはいえないが、直接重大な影響が及ぶとは考えにくい。これらのことからすれば、都計法33条1項9号をBの原告適格の根拠とすることは難しいであろう。

(イ) 狭隘な道路が多い地域における開発

(a) 交通事故の多発

都計法33条1項2号が定める開発許可の要件には、「通行の安全上」という文言があるが、これは、開発区域内の交通に関わるものであろう。そこで、「開発区域外の相当規模の道路に接続」という要件に着目すると、都計法施行令25条1号には、開発区域外の道路の機能を阻害しないこと、また、同4号で、接続すべき開発区域外の道路の幅員についての定めがある。これらの規定は、開発区域外の道路の交通に配慮したものということができ、また、交通事故等が発生した場合には、生命・身体という重要な法益にかかる被害が生じうる。しかし、道路は不特定多数者によって自由に利用されるものであるし、交通事故等による被害は、開発許可によって直接生じるものとはいえず、第一次的には道路交通法等によって対処すべきともいえよう。そうすると、道路の安全・円滑な通行という利益は、開発許可制度の保護対象であるとしても公益として保護されるにとどまると解するのが一般的であろう。

(b) 緊急自動車の進入が困難であること

都計法33条1項2号は、開発区域内において、「道路、公園、広場その他の公共の用に供する空地（……）が、次に掲げる事項を勘案して、……災害の防止上、……支障がないような規模及び構造で適当に配置され」ることを求め、「次に掲げる事項」には、同号イにいう「開発区域の……周辺の状況」も含まれている。また、同号は、(a)で既に述べたように、「開発区域外の相当規模の道路に接続」という要件を定めて

いる。そして、開発区域内に配置される道路の幅員や開発区域外の道路との接続について、都計法施行令25条各号および都計法施行規則20条に具体的な基準が定められている。

都計法33条1項2号の規定が、専ら、開発区域内の災害への対処のため、緊急自動車の進入・通行の確保等を目的とするものであるならば、開発区域外の住民の利益は同号の保護範囲に含まれず、Bの原告適格は認められないということになる。しかし、火災等の災害の発生時に緊急自動車が開発区域内に進入・通行できないと、予定建築物の倒壊や予定建築物の開発区域外への延焼により、開発区域外にも被害が拡大することが予想される。また、同号イが「周辺の状況」を考慮すべきものとしていることからしても、同号が、専ら開発区域内の安全を目的とすると解するのは妥当ではなく、開発区域外の住民の利益をも保護対象とすると解すべきであろう。

そして、災害時には、開発区域外の、開発区域に近接する地域に居住する住民に、直接、生命・身体にかかる重大な被害が及ぶおそれがあることからすれば、開発区域内における予定建築物の火災等の災害により直接的被害が及ぶことが予想される範囲の地域に居住する住民の利益は、都計法33条1項2号により、個別的利益として保護されていると解しうる。

これを前提として、Bに原告適格が認められるかについて検討すると、Bは、高さ45mの予定建築物から約20mの場所に居住しており、災害時の予定建築物の倒壊や延焼により、Bの生命・身体等に直接被害が及ぶことが想定されるから、原告適格を認めることができるであろう。

3．設問2——Bが本案において主張しうる違法

(1) 行訴法10条1項による主張制限

Bが原告適格を認められた場合であっても、本案審理においていかなる違法も主張できるわけではない。行訴法10条1項によれば、取消訴訟の原告は、本案審理において、**自己の法律上の利益に関係のない違法**を、処分の取消しを求めるために主張することはできない。

同項による主張制限が及ぶ範囲については、原告が、処分によって**権利を侵害される者**、すなわち、処分の名あて人や処分の法的効果によって直接権利を制限される第三者である場合と、処分によって**法律上保護された利益を侵害される者**、すなわち、処分の法的効果によって直接権利を制限されるのではなく、処分によって事実上の不利益を受ける第三者である場合を区別して考える必要がある（以上の原告適格の区別につき、ミニ講義2を参照）。Bは、処分の第三者であり、また、処分の法的効果によって直接権利を制限されるわけではないので、後者の、法律上保護された利益を侵害される者に当たる。

(2) **原告が権利を侵害される者である場合**

　Bとは異なり、原告が「権利」を侵害される者である場合には、原則としてすべての違法性を主張できると解されている。騒音規制法15条1項により、騒音を発生する施設の設置者に対して改善命令が発される場合を例にとって説明しよう。改善命令を行うにあたっては、処分庁は、行手法に従い、弁明の機会の付与などの手続を行う必要がある。このような手続は施設設置者の権利保護を目的とするから、施設設置者が、手続に瑕疵があるという違法を主張することができるのは当然である。

　次に、「周辺の生活環境が著しく損なわれると認めるとき」という改善命令の要件についてはどうだろうか。この要件は、直接的には、公益ないし施設設置者以外の周辺住民の利益保護を目的とするものである。しかし、公益ないし周辺住民の保護の必要性があることを理由として、改善命令によって施設設置者に法的義務が課されるのであるから、この要件を満たしていないという違法は、施設設置者の法律上の利益に関係のある違法ということができる。

　これに対し、専ら原告以外の者の権利・利益に関わる違法は、原告の法律上の利益と無関係であると解されている。例えば、Xの物件を差し押さえる処分につき、当該物件の抵当権者に対する通知を欠いたまま行われたという違法があったとしても、Xの利益とは無関係であるとされる（以上につき、司法研修所編『改訂　行政事件訴訟の一般的問題に関する実務的研究』〔法曹会、2000年〕190頁を参照）。

(3) 原告が法律上保護された利益を侵害される者である場合

　次に、Bのような、「法律上保護された利益」を侵害される第三者について検討しよう。まず、原告の権利・利益の保護を目的とする手続の瑕疵を主張できることは当然である。しかし、それ以外の違法については、主張できる範囲について見解が分かれている（学説・裁判例の状況について、さしあたり、室井力ほか編『コンメンタール行政法Ⅱ　行政事件訴訟法・国家賠償法〔第 2 版〕』〔日本評論社、2006 年〕155 頁以下〔野呂充〕、小早川光郎＝青柳馨編著『論点体系　判例行政法2』〔第一法規、2017 年〕269 頁以下〔青柳馨〕を参照）。以下、代表的な見解を紹介しつつ、それぞれの見解を前提とするとBがどのような違法性を主張できるか、検討しよう。

㋐　原告適格を認める根拠とされた規定の違反のみを主張できるという見解

　実務において支配的な見解は、原告適格を認める根拠とされた規定、すなわち、原告の個別的利益を保護することを意図した処分要件規定の違反のみを主張できるというものである。その理由は以下のようなものである。このような規定は、原告の法律上保護された利益を侵害しないことを処分の要件として定めるものである。当該規定の違反がない場合には、法が意図するレベルの原告の利益保護は十分達成されていることになるから、それ以外の規定の違反があっても、原告の法律上の利益とは無関係である（司法研修所編・前掲 192 頁以下）。例えば、原子炉設置許可については、原子炉の安全性確保のための要件を根拠として、周辺住民の原告適格が認められている。そして、この要件を充足している場合には、法が求めるレベルの原子炉の安全性は確保されており、原告の法律上保護された利益が侵害されるおそれはないということになる。したがって、原子炉の公益適合性を確保するための許可要件（平和目的利用要件など）にかかる違法主張を認める必要はないとされるのである。このような見解を前提とすると思われる判例として、最 2 小判平元・2・17 民集 43 巻 2 号 56 頁（新潟空港訴訟、百選Ⅱ192、CB12-2）があり、定期航空運送事業免許の取消訴訟において、原告適格の根拠とされた免許要件（騒音被害からの周辺住民の保護を目的とする要件）以外の要件にかかる違法主張を排斥している。

この見解を本件に適用すると、以下のようになる。設問1で検討対象にされた許可要件は、①樹木の保存等により環境を保全するための要件(都計33条1項9号)、②通行の安全を確保するための要件(同2号)、③災害時における緊急自動車の侵入を確保するための要件（同号）である。以上のうち、Bの原告適格の根拠となると解することができる要件は③のみであり、①および②の要件は、公益の保護・実現を目的とするものと解される（設問1の解説を参照）。そうすると、Bが主張できるのは、③の要件にかかる違法のみということになる。

(イ)　**公益要件にかかる違法も主張できるという見解**
　これに対し、学説においては、原告適格の根拠とされた規定の違反のみならず、**公益の保護・実現のための要件（以下「公益要件」という）にかかる違法も主張できる**という見解がある。その理由は以下のとおりである。処分が原告適格の根拠とされた規定に違反していなくても、処分がされることによって第三者の利益に一定のリスクが生じることは避けられない。例えば、原子炉設置許可がされれば、原告適格の根拠とされた、原子炉の安全性確保のための要件を充足している場合であっても、周辺住民は、原子炉ができて運転されることにより、原子炉事故のリスクにさらされることになる。そして、当該処分が公益要件を充足している場合にのみ、第三者にリスクをもたらすことが正当化されると考えると、第三者は、公益要件を充足していないという違法を主張できる。したがって、原子炉設置許可については、公益要件たる平和目的利用要件についても、違法主張が可能であるとされる（塩野・行政法Ⅱ182頁、阿部泰隆『行政法解釈学Ⅱ』〔有斐閣、2009年〕243頁）。このような考え方を採用したと考えられる裁判例として東京高判平13・7・4判時1754号35頁がある。
　そして、この見解を前提にすると、開発許可による災害のリスクをBに受忍させるためには、①および②の要件を満たした公益適合的な開発行為でなければならないと解することができれば、③のみならず、①および②の要件についても、違法主張を認めることができることになる。

〔関連問題〕
　本事例と同一のシチュエーションの下で、本件開発区域から約5km離れた場所に居住しているが、Bの土地および建物に隣接する場所のアパートを所有し、そこから得られる収入によって生計を立てているCに、本件許可の取消訴訟の原告適格が認められるか、検討しなさい。

［野呂　充］

〔問題7〕 砂利採取計画の認可をめぐる紛争

◆ 事例 ◆

次の文章を読んで、資料を参照しながら、以下の設問に答えなさい。

I 1．砂利採取法にいう砂利採取業者であるAは、甲県内の砂利採取場で認可の日から1年間砂利採取を行うことを内容とする採取計画を定め、2020年4月、砂利採取法16条に基づく認可の権限を有する甲県知事に認可を申請した（以下「本件申請」という）。
 2．本件申請に係る砂利採取場（以下「本件砂利採取場」という）の周辺には、自家用井戸を設置して地下水を生活用水として使用している住宅がある。本件申請に係る採取計画では、本件砂利採取場においては土地の掘削に係る跡地の埋戻しを行い、埋戻しに使用する土砂としては県外のマンション建設現場から出た残土を使用するものとされていた。本件申請があったことを知った周辺住民らは、埋戻しに建設残土を使用することは地下水を汚染するおそれがあると主張して、甲県に対し、本件砂利採取場における砂利採取には反対である旨の陳情をした。
 3．そこで甲県の担当者は、Aに対し、埋戻しには建設残土を使用しないことを求める行政指導を行った。Aは、埋戻しに使用する予定の建設残土のサンプル分析を専門業者Bに依頼し、環境省の定める土壌汚染に係る環境基準所定の有害物質に関しては、いずれも基準値を下回っているとの調査結果を得た。Aは、この調査結果に係る書類を甲県に提出し、本件申請を速やかに認可するよう求めた。
 4．ところが甲県知事は、2020年8月20日、本件申請を認可しない旨の処分（以下「本件不認可処分」という）をした。翌日Aが受け取った本件不認可処分に係る通知書では、処分の理由として、「砂利採取場周辺の井戸水の利用に悪影響を与えないとはいえず、他人に危害を及ぼし、公共の福祉に反すると認めるので、砂利採取法19条の不認可事由に該当する」と記載されていた。

5．Aが甲県に苦情を申し出たところ、甲県の担当者は、Bによる調査結果に疑問があるわけではないが、調査されたもの以外の建設残土が混入することなどにより、地下水が汚染される可能性が全くないとはいえず、地域住民の不安が解消されていないので、本件不認可処分がなされたという説明をした。

6．甲県のウェブサイトでは、砂利採取計画の認可に係る審査基準が公表されており、その中には「掘削箇所への地下水の浸透、地下水位の低下その他の地下水の変化により、砂利採取場周辺の井戸水、農業用水その他の水の利用に悪影響を与えないように行うものであること」という定めがある。なおAは、これまで砂利採取法に違反する行為を行ったことはない。

〔設問1〕

1．本件不認可処分に不服があるAは、訴訟も辞さないとして、2020年9月1日に弁護士に相談した。あなたが弁護士の立場であるとして、どのような争い方がありうると答えるか（仮の救済については触れなくてよい）。(20点)

2．本件不認可処分が違法であるとする主張としては、どのようなものが考えられるか。(30点)

Ⅱ 1．乙県知事から砂利採取法3条の登録を受けた砂利採取業者であるCは、乙県内の砂利採取場で2020年7月21日から翌年7月20日までの間砂利採取を行うことを内容とする採取計画を定め、砂利採取法16条に基づく認可の権限を有する乙県知事に認可を申請した。乙県知事はCの申請を認可する旨の処分をした（以下これを「本件認可」という）。

2．乙県における砂利採取計画の認可に係る審査基準では、隣接地等の崩壊を防止するため、最低2mの保安距離を隔てたうえで掘削を行うものでなければならないという定めがあったが、本件認可に係る採取計画では、隣接地から最低4mの保安距離を置くものとされていた。しかしながら2020年9月上旬、隣接地との距離が2m以上4m未満の場所（以下これを「本件場所」という）でCが掘削を行った事実

が発覚した。そこで乙県の担当者は、同月15日、Cに対して、本件場所における掘削を中止し、月末までに本件場所を原状回復することを指導するともに、改善がみられない場合には本件認可の取消しもありうることを警告した。

3．Cは本件場所における掘削は中止したものの、原状回復は月末までには行われなかった。同年10月3日、本件場所の原状回復が行われていないことが確認されたため、乙県知事は、直ちに本件認可を取り消す処分をした（以下これを「本件取消処分」という）。翌日Cが受け取った本件取消処分に係る通知書では、処分の理由として、「貴殿は、認可に係る採取計画に違反して砂利採取を行った。砂利採取法21条違反が認められるので、同法26条の規定に従い、認可を取り消した」と記載されていた。

4．乙県では、同法26条に基づく認可の取消し等の処分については、処分基準は作成されていない。Cは本件以前において砂利採取法に違反する行為を行ったことはなく、目下のところ本件場所およびその付近における災害は発生していない。

〔設問2〕

1．本件取消処分に不服があるCは、2020年中に取消訴訟を提起した。その後、裁判所の判決が出る前に本件認可に係る採取期間が経過してしまった場合には、訴えの客観的利益は消滅するか。（20点）
2．本件取消処分が違法であるとする主張としては、どのようなものが考えられるか。（30点）

【資料1　砂利採取法（抜粋）】

（目的）

第1条　この法律は、砂利採取業について、その事業を行なう者の登録、砂利の採取計画の認可その他の規制を行なうこと等により、砂利の採取に伴う災害を防止し、あわせて砂利採取業の健全な発達に資することを目的とする。

（登録）

第3条　砂利採取業を行おうとする者は、当該業を行おうとする区域を管轄する都道府県知事の登録を受けなければならない。

(登録の取消し等)
第12条　都道府県知事は、その登録を受けた砂利採取業者が次の各号のいずれかに該当するときは、その登録を取り消し、又は6月以内の期間を定めてその事業の全部若しくは一部の停止を命ずることができる。
　一～四　（略）
　五　第26条の規定による認可の取消しを受けたとき。
　六　（略）
2　（略）

(採取計画の認可)
第16条　砂利採取業者は、砂利の採取を行おうとするときは、当該採取に係る砂利採取場ごとに採取計画を定め、次の各号に掲げる場合の区分に応じ、当該各号に定める者の認可を受けなければならない。
　一　次号に掲げる場合以外の場合　当該砂利採取場の所在地を管轄する都道府県知事（……）
　二　当該砂利採取場の区域の全部又は一部が河川区域等（河川法（昭和39年法律第167号）第6条第1項に規定する河川区域（……）、同法第54条第1項に規定する河川保全区域及び同法第58条の3第1項に規定する河川保全立体区域をいう。以下同じ。）の区域内にある場合　当該河川区域等に係る同法第7条に規定する河川管理者（……）

(認可の基準)
第19条　都道府県知事又は河川管理者は、第16条の認可の申請があった場合において、当該申請に係る採取計画に基づいて行なう砂利の採取が他人に危害を及ぼし、公共の用に供する施設を損傷し、又は他の産業の利益を損じ、公共の福祉に反すると認めるときは、同条の認可をしてはならない。

(遵守義務)
第21条　第16条の認可を受けた砂利採取業者は、当該認可に係る採取計画（……）に従って砂利の採取を行なわなければならない。

(緊急措置命令等)
第23条　（略）
2　都道府県知事又は河川管理者は、政令で定めるところにより、第3条の規定に違反して砂利採取業を行なった者又は第16条若しくは第21条の規定に違反して砂利の採取を行なった者に対し、採取跡の埋めもどしその他砂利の採取に伴う災害の防止のための必要な措置をとるべきことを命ずることができる。

(認可の取消し等)
第26条　都道府県知事又は河川管理者は、第16条の認可を受けた砂利採取業

者が次の各号の一に該当するときは、その認可を取り消し、又は6月以内の期間を定めてその認可に係る砂利採取場における砂利の採取の停止を命ずることができる。
一　第21条の規定に違反したとき。
二～四　（略）

(認可の条件)
第31条　第16条の認可（……）には、条件を附することができる。
2　前項の条件は、認可に係る事項の確実な実施を図るため必要な最小限度のものに限り、かつ、認可を受ける者に不当な義務を課することとなるものであってはならない。

(裁定の申請)
第40条　第16条、第20条第1項又は第22条の規定による処分（河川管理者が行ったものを除く。）に不服がある者は、公害等調整委員会に対して裁定の申請をすることができる。この場合には、審査請求をすることができない。
2　（略）

【資料2　鉱業等に係る土地利用の調整手続等に関する法律（抜粋）】

(目的)
第1条　この法律は、鉱業、採石業又は砂利採取業と一般公益又は農業、林業その他の産業との調整を図るため公害等調整委員会（……）が行う次に掲げる処分の手続等に関し、必要な事項を定めることを目的とする。
一　（略）
二　次に掲げる法律の規定による不服の裁定
　　イ～リ　（略）
　　ヌ　砂利採取法（昭和43年法律第74号）第40条第1項
　　ル～タ　（略）

(裁定の申請期間)
第25条　第1条第2号に掲げる法律の規定による裁定の申請は、処分があったことを知った日の翌日から起算して3月を経過したときは、することができない。ただし、正当な理由があるときは、この限りでない。
2　裁定の申請は、処分があった日の翌日から起算して1年を経過したときは、することができない。ただし、正当な理由があるときは、この限りでない。
3　（略）

(訴の提起)
第49条　裁定又は裁定の申請の却下の決定の取消しの訴えは、裁定書又は決定

書の正本が到達した日から 60 日以内に提起しなければならない。
2～3　（略）
第 50 条　裁定を申請することができる事項に関する訴は、裁定に対してのみ提起することができる。
（専属管轄）
第 57 条　裁定及び裁定の申請の却下の決定に対する訴は、東京高等裁判所の専属管轄とする。

◆ 解説 ◆

1．出題の意図

　砂利採取法の規定に基づく不認可処分および認可取消処分に不服がある者の争い方（訴訟要件充足性）、およびこれらの処分が違法であることを論ずることができるかどうかを問うものである。
　争い方に関しては、裁決主義が定められている場合の取扱いを理解しているかどうかが１つのポイントである。処分の違法性に関しては、実体面と手続面の両面からの検討が求められる。手続的違法としては行手法の規定の違反があるかどうかが問題となる。不認可処分については申請に対する処分の手続、認可取消処分については不利益処分の手続である。

2．設問１-１——不認可処分の争い方

(1) 裁決主義

　本件不認可処分は、法令に基づく申請を拒否する処分（申請拒否処分）である。申請拒否処分を受けた申請者は、その取消訴訟と、申請認容処分の義務付け訴訟（申請満足型義務付け訴訟）を併合提起して争うというのが原則である。その例外として、法律の特別の定めにより、処分の取消訴訟を提起することが認められていない場合がある。裁決主義が定められている場合がそれである。
　裁決主義は、処分について審査請求をすることを認めつつ、審査請求に対する裁決についてのみ取消訴訟を提起できるものとする仕組みである。裁決主義がとられている場合には、処分の取消訴訟を提起することは認められない。砂利採取法40条1項前段は、同法16条等の規定による処分に不服がある者は公害等調整委員会に対して裁定の申請をすることができると定めている。公害等調整員会は、総務省の外局として設置された独立行政委員会であり（公害等調整委員会設置2条）、鉱業、採石業または砂利採取業と一般公益等との調整を図ることをその任務の１つとする（同法3条）。砂利採取法40条1項に定める裁定

の申請は、行審法の審査請求に代わる特別な不服申立てである（同条後段は、この場合には審査請求をすることができないものとしている）。次に「鉱業等に係る土地利用の調整手続等に関する法律」（調整手続法）を見てみると、同法は公害等調整委員会が砂利採取法40条1項の規定による不服の裁定を行うものとしたうえで（1条1項2号）、裁定の取消訴訟を認め（49条）、裁定を申請することができる事項に関する訴えは、裁定に対してのみ提起することができると定めている（50条）。これはまさに裁決主義を定めたものである。

(2) 公害等調整委員会への裁定の申請

砂利採取法40条1項前段にいう「第16条……の規定による処分」には、砂利採取計画不認可処分が含まれる。したがって本件不認可処分に不服があるAとしては、まずは公害等調整委員会に裁定の申請をするべきである（砂利採取不認可処分について裁定の申請がなされる場合、「砂利採取計画不認可処分を取り消す」という内容の裁定が申請されるのが通例である）。裁定の申請期間は処分があったことを知った日の翌日から起算して3カ月以内であるが（調整手続25条1項）、2020年9月1日の時点であれば全く問題ない。

(3) 棄却裁定の取消訴訟・認容裁定の義務付け訴訟

本件不認可処分は違法でないとして公害等調整委員会が棄却裁定をした場合には、Aは棄却裁定の取消訴訟を提起することができる。裁決主義が定められている処分について、審査請求を棄却する裁決がなされた場合には、棄却裁決の取消訴訟だけでなく、認容裁決の義務付け訴訟を提起することもできる。行訴法37条の3第7項は、処分についての審査請求がされた場合において、当該処分の取消訴訟または無効等確認訴訟を提起することができないときには、裁決の義務付け訴訟（申請満足型義務付け訴訟）を提起することができるものとしている。これは、特に裁決主義がとられている場合において、裁決の義務付け訴訟による救済の必要性を認める趣旨である（小林久起『司法制度改革概説3 行政事件訴訟法』〔商事法務、2004年〕178頁）。

それに対して、申請拒否処分の取消訴訟・無効確認訴訟を提起する

ことができるときは、申請認容処分の義務付け訴訟を併合提起することができるので、裁決の義務付け訴訟の必要性は認められない（不利益処分についての審査請求に対して棄却裁決がなされた場合も、不利益処分の取消訴訟・無効確認訴訟を提起することができるときは、裁決の義務付け訴訟の必要性は認められない）。

したがってAが、本件不認可処分について裁定の申請をしたところ、棄却裁定を受けた場合には、Aは棄却裁定の取消訴訟と認容裁定の義務付け訴訟を提起して争うことができる。

｜コラム｜ 公害等調整委員会と裁決主義

公害等調整委員会は、1972年に、公害等調整委員会設置法に基づき、土地調整委員会（1951年発足）と中央公害審査委員会（1970年発足）を統合して設置された。公害等調整委員会は、①調停や裁定等によって公害紛争の迅速・適正な解決を図ること（公害紛争処理制度）、②工業、採石業または砂利採取業と一般公益等との調整を図ること（土地利用調整制度）を主な任務とする。①の裁定は、申請人が主張する加害行為と被害との間の因果関係の存否や、損害賠償請求に関し、法律判断を行うことによって紛争の解決を図る手続である。行政処分に対する不服の裁定は、②に属するものである。不服の裁定の対象となる行政処分としては、砂利採取法に基づく砂利採取計画の認可処分のほか、採石法に基づく岩石採取計画の認可処分、鉱業法に基づく鉱業権設定の許可処分等がある。鉱業等に係る土地利用の調整手続等に関する法律は、裁定手続について、裁定委員の除斥・忌避の制度（3条～6条）、審理の公開原則（32条）、参考人の審問手続等に関する民訴法の規定の準用（34条）といった準司法手続を採用するとともに、裁決主義（50条）、実質的証拠法則（52条）、審級省略（57条）等の特例を定めている。

公害等調整委員会以外の組織で、準司法手続・裁決主義・実質的証拠法則・審級省略のすべてが認められているものとしては、電波監理審議会（電波法）がある。他方で、準司法手続をとる国税不服審判所（国税通則法）については、裁決主義も実質的証拠法則も審級省略も認められていない。裁決主義と審級省略を認める立法例としては、弁護士法16条・61条がある。

3．設問1-2――不認可処分の違法

(1) **実体的違法**

(ア) **審査基準の合理性**

本件不認可処分は、砂利採取法19条の不認可事由に該当するという

理由でなされたものである。同条によると、「当該申請に係る採取計画に基づいて行なう砂利の採取が他人に危害を及ぼし、公共の用に供する施設を損傷し、又は他の産業の利益を損じ、公共の福祉に反すると認めるとき」は、砂利採取計画の認可をしてはならない。また甲県では、砂利採取計画の認可に係る**審査基準**が作成されており、「砂利採取場周辺の井戸水、農業用水その他の水の利用に悪影響を与えないように行うものであること」と定められている。砂利の採取の結果、周辺の地下水の利用に悪影響が生ずることは、ありうる事態である。また最悪の場合、地下水を飲用している者の健康に危害が及んだり、地下水を利用して事業を行っている者の利益が害されたりすることも考えられる。したがって、砂利採取場の周辺で地下水を利用している者がある場合、砂利の採取が他人に危害を及ぼすか否か、他の産業の利益を損じるか否かを判断するにあたって、地下水への影響を考慮すること自体は許されるだろう。その点で上記の審査基準も、砂利採取法19条該当性を判断するための基準として合理性を有するといえる。

(イ) **他人に危害を及ぼすかどうか**

甲県側は、Aが計画している砂利の採取が、砂利採取場周辺の井戸水の利用に悪影響を与えないとはいえず、それゆえに他人に危害を及ぼすと判断している。甲県の担当者の説明によると、建設残土を用いて採取跡の埋戻しをすることによって、井戸水の利用に悪影響を生ずる可能性があるとのことである。しかしながらAは、埋戻しに使用する予定の建設残土については、土壌汚染に係る環境基準に違反するものではないとの調査結果を得ており、このことは甲県側も否定していない。それにもかかわらず本件不認可処分がなされた理由は、調査されたもの以外の建設残土が混入するということにある。しかし、Aはこれまで砂利採取法に違反する行為を行ったことのない業者であって、砂利の採取に関して不正が行われるおそれがあるということはできないし、調査されたもの以外の建設残土が使用される危険があることをうかがわせる事情も見当たらない。また、有害物質を含む建設残土が埋戻しに使用されることを防止するためには、認可に条件（砂利採取31条）を付することにより、環境基準に適合することが判明した建設残土に限り使用を認めるという方法も考えられる。

そうすると、本件不認可処分は、他人に危害を及ぼすおそれがないにもかかわらずこの点を誤認したものとして違法である、あるいは、認可に条件を付することにより他人への危害の発生を防止することができるにもかかわらずこの点を看過してなされたものとして違法であると主張することができる。

(ウ)　**公共の福祉に反するかどうか**

　本事例においては、周辺住民らが砂利採取に反対である旨の陳情をしており、また甲県の担当者は、地域住民の不安が解消されていないことを指摘している。このような事情があることから、砂利の採取が「公共の福祉に反する」（砂利採取19条）と認めることはできるだろうか。砂利採取法19条と同様の基準を定める採石法33条の4について、公害等調整委員会裁定平19・5・8判タ1244号335頁は、「この法文の文理解釈からすると、同条の不認可事由は、①他人に危害を及ぼすこと、②公共の用に供する施設を損傷すること、③農業、林業若しくはその他の産業の利益を損じること、のいずれかの事由が認められ、かつ、それが公共の福祉に反すると認められることであると解するのが相当である」として、「公共の福祉に反すると認めるとき」を独立の不認可事由と解釈することはできないと述べている。この立場では、上記①～③がいずれも認められない場合には、周辺住民らが反対の陳情をしていたり、地域住民の不安が解消されていないとしても、不認可処分をすることはできないということになる。

　またAとしては、仮に甲県知事が「公共の福祉に反する」と認めるかどうかを判断するにあたって周辺住民らの反対や地域住民の不安を考慮すること自体は許されるとしても、そのことのみを理由として不認可処分をすることは違法であると主張することもできる。実害が発生するおそれがないにもかかわらず、住民の反対や不安があることのみを理由として不認可処分をすることは、住民の反対や不安を過剰に重視しており、社会通念上著しく妥当性を欠くといわなければならないからである。

(2)　**手続的違法**

　砂利採取法16条に基づく処分について行手法の適用を除外する規定

は存在しないので、行手法の規定の違反があるかどうかを検討する必要がある。本件不認可処分は**申請拒否処分**であるから、行手法第2章の規定が問題となる。

(ｱ) **審査基準の設定・公表**

審査基準の設定・公表に関する行手法5条の違反を主張することは困難である。甲県では、砂利採取計画の認可に係る審査基準が作成されており、インターネット上で公開されているからである。また、審査基準の内容が具体性を欠くとの主張も、説得力があるとは言い難い。

(ｲ) **理由の提示**

理由の提示に関する行手法8条についてはどうか。同条1項によれば、申請拒否処分をする場合には理由の提示が必要となるが、その趣旨とするところは、判例によれば、①行政庁の判断の慎重・合理性を担保してその恣意を抑制するとともに、②処分の理由を相手方に知らせて不服の申立てに便宜を与えることにある。また、判例は、申請拒否処分に付すべき理由としては、いかなる事実関係に基づきいかなる法規を適用して当該処分を行ったかを、申請者においてその記載自体から了知しうるものでなければならないと解している（最3小判昭60・1・22民集39巻1号1頁〔百選Ⅰ121、CB3-6〕）。当該処分が行手法5条の審査基準を適用した結果であって、その審査基準を公にすることに特別の行政上の支障がない場合には、当該処分に付すべき理由は、いかなる事実関係についていかなる審査基準を適用して当該処分を行ったかを、申請者においてその記載自体から了知しうる程度に記載することを要するという裁判例もある（東京高判平13・6・14判時1757号51頁。処分基準については後掲・最3小判平23・6・7参照）。

本件不認可処分に係る通知書に記載された処分の理由は、審査基準で用いられている文言と砂利採取法19条の文言をつなぎ合わせただけであり、実質的にみて、法律の規定と審査基準を示すにとどまるものである。たしかに事案によっては、適用法規を示すだけで処分の理由をその相手方において了知しうる場合もありうる。しかし本事例では、Aが使用する予定の建設残土について環境基準違反はない旨の調査結果が得られているにもかかわらず、なぜ周辺の井戸水の利用に悪影響を与えないとはいえないという判断がなされたのか、通知書の記載か

らは全く理解できない。したがって、本事例における理由の提示は、上記①・②の要求を満たすものではなく不備があるというべきである。理由不備がある場合には、当該処分は違法な処分として取り消されるべきであると解するのが判例の立場である。本事例では、Aの苦情申出に対して甲県の担当者が処分の理由をより具体的に説明しているが、そのことによって理由不備の瑕疵が治癒されることはない（最1小判平4・12・10判時1453号116頁参照）。

4．設問2-1――認可取消処分と訴えの客観的利益

砂利採取法は、同法26条に基づく認可の取消し等の処分に関しては、その争い方について特別の定めを置いていない（同法40条1項は、同法26条に基づく処分について公害等調整委員会に対して裁定の申請をすることを認めていない）。したがって、本件取消処分に不服があるCとしては、その取消訴訟を提起すればよい。2020年中に出訴する場合、出訴期間に関しても問題はない。

他方で、本件認可に係る採取計画では、採取期間が2021年7月20日までとされているため、同日が経過すると**訴えの客観的利益**は消滅するかという問題がある。

ここで砂利採取法の規定を見ると、同法26条による認可の取消しを受けた者については、登録の取消しや事業の停止を命ずることができるものとされている（同法12条1項参照）。したがって、Cが本件取消処分を受けたことを理由として登録の取消し等の処分を受ける可能性が残されている限り、なお訴えの客観的利益は認められるというべきだろう。最3小判平27・3・3民集69巻2号143頁（百選Ⅱ175、CB13-9）は、行手法12条1項の規定により定められ公にされている処分基準において、先行処分を受けたことを理由として後行処分に係る量定を加重する旨の不利益な取扱いの定めがある場合にも、このような不利益な取扱いを受ける期間内は先行処分の取消しを求める訴えの利益が認められるものとしている。

5．設問2-2——認可取消処分の違法

(1) 実体的違法

本事例の事実関係からすると、Cの砂利採取が本件認可に係る採取計画に従っていないことを否定することは困難であり、Cが砂利採取法21条に違反したことは認めざるをえない。もっとも同法26条は、同法21条違反が認められる場合には必ず認可取消処分をしなければならないというのではなく、認可取消処分をすることが「できる」と定めており、砂利採取停止命令についても規定している。したがって、同法21条に違反したCに対して認可取消処分をすることが当然に適法とされるわけではない。

同法26条に規定された処分のうち、認可取消処分は相手方に最大の不利益をもたらす処分であるから、**比例原則**違反の有無が特に問題となる。本事例の場合、本件認可に係る採取計画で定められた4mの保安距離が保たれていないことは確かであるが、乙県の審査基準で要求されている2mの保安距離は確保されており、実際に災害が発生したという事実もない。そうすると、Cが違反行為を行ったことは認めざるをえないとしても、本件認可を取り消さなければならないとまではいえないのではないか。Cは本件以前においては違反行為を行ったことはないというのであるから、過去の処分歴等に鑑みて重大な処分を選択することもできない。Cは、原状回復を求める行政指導に従っていないという事情もあるが、行政指導に従っていないことから認可取消処分をすることが正当化されるわけではない。

このように考えれば、本件取消処分は比例原則に違反すると主張することができるだろう。本件場所が原状回復されないままになっているという問題に関しては、砂利採取法23条2項に基づいてCに対して本件場所の埋戻しを命令することにより対処すべきであって、いずれにしても本件認可を取り消す処分をする必要性は認められないと主張することができる。

(2) 手続的違法

本事例においても行手法違反の有無を検討する必要がある。本件取

消処分は行手法にいう「不利益処分」に該当するから、行手法第 3 章の規定が問題となる。

(ア) 処分基準の作成

乙県では砂利採取法 26 条に基づく処分については処分基準が作成されていないが、行手法上処分基準の作成は努力義務にとどめられているので (12 条 1 項)、これを違法ということは困難である。

(イ) 意見陳述のための手続

他方で、乙県知事が本件取消処分をするにあたって**意見陳述のための手続**をとっていないことは大いに問題となる。本件取消処分は行手法 13 条 1 項 1 号イにいう「**許認可等を取り消す不利益処分**」に該当するので、原則として聴聞手続を実施しなければならない。行手法 13 条 2 項 1 号は、公益上緊急に不利益処分をする必要があるため意見陳述のための手続をとることができないときにはこれを実施しなくてもよいものとしているが、本件取消処分を違法とする立場からは、本件場所およびその付近において災害が発生していないのであるから、緊急に認可取消処分をする必要性は認められないという主張や、本件場所について原状回復命令をする緊急の必要性はあるかもしれないが、認可取消処分をする緊急の必要性はないという主張を展開することが考えられる。行手法上意見陳述のための手続をとる義務があるにもかかわらずこの義務に違反してなされた処分は、違法であり取り消されるべきである（聴聞手続を欠く許可取消処分を取り消した裁判例として、東京地判平 25・2・26 判タ 1414 号 313 頁）。

(ウ) 理由の提示

本件取消処分については、行手法上理由の提示が必要となるが (14 条)、本件取消処分に係る通知書には処分の理由が記載されており、事実関係と適用法規も示されている。処分基準を適用して不利益処分がなされた場合には、処分基準の適用関係をも提示すべき場合もあるものの（最 3 小判平 23・6・7 民集 65 巻 4 号 2081 頁〔百選 I 120、CB3-8〕）、本事例ではそもそも処分基準が存在しない。本件取消処分に係る理由の提示に関しては、理由不備を主張することは難しいだろう（もっとも原告側としては、停止命令ではなく取消処分が選択された理由が記載されていないと主張することも考えられる）。

〔関連問題〕
　設問2のCが、隣接地との距離が2m未満の場所でも掘削を行っていた事実が発覚した。当該場所の隣接地で畑を所有して農業を営んでいるDは、乙県知事が砂利採取法23条2項に基づいてCに対して当該場所の埋戻しを命ずることを求める義務付け訴訟を提起することはできるか。

〔湊　二郎〕

〔問題8〕 食品の回収命令をめぐる紛争

◆ 事例 ◆

以下の文章を読んで、資料を参照しながら、以下の設問に答えなさい。

1. A社は、化工でん粉の製造販売等を目的とする株式会社である。A社は、2015年5月23日から2020年3月9日の間、甲農政事務所から事故米穀約236t（玄米重量）を購入した。事故米穀とは、WTO協定に基づく輸入米のうち輸入後の国内残留農薬基準の見直しによって基準値を超えることが判明した米穀等、および、倉庫に保管中に水濡れ等の被害を受けたりカビが生えたりした米穀をいう。本件で問題となった事故米穀は、メタミドホス等の農薬やアフラトキシンのようなカビ毒に汚染されたものではなく、一般のカビ、袋破れ等によって事故米穀とされたものであった。A社は、この事故米穀のうち、2015年5月23日から2019年8月10日に購入した約233t（以下「本件事故米穀」という）について、2015年5月25日から2019年8月20日の間に、加工用米穀（食用）と区分管理することなく米でん粉に加工し、当該米でん粉（以下「本件米でん粉」という）を食用と非食用の区別をせずに販売した。

2. 2020年8月下旬頃、大手食品会社であるC社が事故米穀を食用に販売している旨の内部告発を受けて、農林水産省が同社に立入調査を実施し、その事実を確認して公表したことにより、事故米穀の食用としての不正流通が大きな社会問題となった。このような中で、農林水産省は、事故米穀の流通に関する全国一斉点検を実施することとし、同年9月8日、一斉点検の対象となる業者名を公表したが、その中にA社も含まれていた。これに対し、A社は、同日付けで、A社の取引先に対し、「弊社で製造しております食品向け製品の原料には、食品用の米のみを使用しております。カビ米、基準を超える農薬が検出された米等、非食用の事故米穀は使用しておりません。過去に購入した事故米穀およびその製品は個別に管理しており、その製品は食品産業以外のお客様に限定して販売しております」との内容を記載した文書を送付した。

3．しかしながら、A社に対して甲県乙地方保健所が実施した調査の結果、A社も本件事故米穀を使用して本件米でん粉を製造していたことが判明した。そこでA社は、甲県乙地方保健所長の立会いの下に、「A社は、この事故米穀のうち、2015年5月23日から2019年8月10日に購入した約233ｔについて、2015年5月25日から2019年8月20日の間に、加工用米穀（食用）と区分管理することなく米でん粉に加工し、当該米でん粉を食用と非食用の区別をせずに販売した」との事実を確認した旨の確認書に記名押印し、保健所長に提出した。このときA社の代表は、保健所長に対して、「このたびは違反を犯して申し訳ありません。深く反省し、いかなる処分も甘んじて受けます」と伝えていた。

4．甲県乙地方保健所長（同保健所長は、甲県事務委任規則により、食品衛生法54条の規定に基づく知事の権限に属する事務の委任を受けている）は、2020年9月17日付けで、A社に対し、「食品衛生法第6条に違反したので、同法第54条の規定により下記のとおり処置することを命じます」として、下記「違反の内容」について、下記「処置事項」を命じる処分をした（以下「本件処分」という）。なお、A社が違反事実を認めていたので、保健所長は、A社に改めて意見を聞くまでもないと判断し、処分に先立っての事前手続はとっていなかった。

「1　違反の内容」
貴社は、カビの発生等による非食用の事故米穀を原料として米でん粉を製造し、食用と非食用の区別をせずに販売した。製造期間：2015年5月25日から2019年8月20日まで。
「2　処置事項」
(1)　販売済みの上記1の米でん粉を回収すること。
（販売先で非食用として使用されることが確実なものは除く。）
(2)　回収方法及び回収品の処分方法についての計画書を提出すること。
(3)　回収終了後、回収結果を速やかに報告すること。

5．A社は、甲農政事務所から本件事故米穀を購入するに際して、食用には用いないとの約束をしており、本件事故米穀を使用して本件米でん粉を製造販売したことは、たしかにこの約束に違反する行為であった。し

かしA社としては、農政事務所との約束違反が直ちに食品衛生法違反になるとは考えていなかった。というのは、A社の理解によれば、食品衛生法6条は、「人の健康を損なうおそれがあるもの」の販売を禁止しているが、A社が製造販売した本件米でん粉は安全性が確認されているものであるからである。そこで、A社は、本件処分の違法性を訴訟で争おうと考えて、2000年11月1日に、知り合いの弁護士Pが勤務している弁護士事務所を訪問した（その時の会話の一部については、【資料1】を参照せよ）。

〔設問〕
1．本件処分の違法性を争う訴訟として、誰を被告として、いかなる訴訟を提起すべきか。あなたが、A社の依頼を受けて本件を担当する弁護士Qであるとして、訴訟要件を確認しつつ、簡潔に説明せよ。ただし、仮の救済については検討しなくても良い。(20点)
2．設問1で検討した訴訟において、本件処分の違法性として、いかなる主張をすべきか。あなたが、弁護士Qであるとして答えよ。被告による反論も想定しつつ、できるだけ詳しく述べよ。(80点)

【資料1　P弁護士事務所での会話の一部】
　　以下は、弁護士事務所での対話の一部である。P弁護士のほかに、司法修習を終えて弁護士として働き始めたばかりのQ弁護士も同席している。
P：本件事故米穀を使用した本件米でん粉が安全であるという事情を説明してくれますか？
A社：はい、わが社では、次の6段階の工程によって米でん粉を製造しています。
　(ア)　まず、米穀を精米します。この精米された時点においては、発芽に必要なビタミン類や脂肪分などを含んだ栄養価の高い糠層や胚芽が取り除かれるため、米穀の表層の一般のカビや汚れ等はこの段階でほとんど除去されます。
　(イ)　次に、精米を洗浄してから約1tの精米が入るタンク7基に精米を入れ、そこに水酸化ナトリウム水溶液を入れて一昼夜浸漬して精米を柔らかくします。
　(ウ)　次に、柔らかくなった精米を磨砕機ですりつぶし、これを湿式フルイにかけたうえで、高速分級機にかけてタンパク質とでん粉の比重差を利用し

て分級します。

㈢　次に、分級されたでん粉を10倍の清水とともに高速遠心分離器にかけて、一次水洗と二次水洗を行い、その後、希塩酸を加えて中和させて、さらに同様の三次水洗を行います。この段階において一般のカビや汚れ等は完全に除去されます。

㈣　続いて、でん粉を遠心脱水機で脱水し、瞬間熱風乾燥機で乾燥させ、強力マグネットででん粉中の金属異物を除去して乾式フルイにかけます。

㈤　その後、計量、包装して製品とし、ロットごとに一般分析（水分、タンパク質、灰分、pH等）や細菌（一般生菌数、大腸菌群等）の検査を行います。

　このように、精米、浸漬、磨砕、分級によるでん粉の抽出、その後の３回の水洗等によりほぼ完全に一般カビや汚れ等は除去され、最後にロットごとの最終検査により食品としての安全性は確保できており、食品衛生法等の法令に適合した製品を製造して販売していたところです。製品検査でも安全性が証明されておりますし、本件米でん粉について、何らかの健康被害があったという報告もありません。乙地方保健所もわが社の製造した本件米でん粉の安全性については認めていると思います。

P：製品としての本件米でん粉の安全性についてのお話はわかりました。では、その原料として本件事故米穀を使用した点についてはいかがですか？

A社：たしかに、本件事故米穀を「使用」して本件米でん粉を製造したことは事実ですし、それが農政事務所との売買契約時の条件（食用には使用しない）に違反したことは申し訳ないと思っています。しかし、本件事故米穀は、メタミドホス等の農薬やアフラトキシン等のカビ毒に汚染されたものではなく、一般の普通カビ、水濡れや袋破れ等の事故米穀にすぎなかったのであり、先ほど述べたように、米でん粉に加工する段階で、カビや汚れはすべて除去されていますので、本件事故米穀が法６条１号から４号のいずれかに該当して、定量的に安全性を害するものであったということにはならないと考えています。

P：Qさん、食品衛生法６条の解釈はどうなっていますか？

Q：はい、実務でよく参照されている注釈書によりますと、「食品衛生法は、食品の安全性の確保のために公衆衛生の見地から必要な規制その他の措置を講ずることにより、飲食に起因する衛生上の危害の発生を防止し、もって国民の健康の保護を図ることを目的とする（法１条）。この観点から、法６条は、同条各号に規定する不衛生食品等の販売禁止（同条前段）のみならず、販売の用に供するために加工し、使用等してはならない（同条後段）と定める。前段は、販売により不衛生食品を市場に流通させるという実害発生の危険が切迫した場合であるが、後段は、それ以前の準備行為をも禁止して国民の健康保護を

より強く保護しようとする趣旨である」とされています。乙地方保健所長としては、非食用事故米穀を利用して食用に転用したことを6条後段違反として、また、転用した結果の加工食品の販売を6条前段違反として主張してくるものと思われます。

P：製品としての本件米でん粉の安全性が立証されれば、6条前段違反には反論できそうですね。問題は6条後段違反に対していかに反論するかですね。ところで、乙地方保健所長は本件処分が食品衛生法6条に違反していると言っていますが、前段なのか後段なのか、あるいは、6条各号のうちどの号に該当するのかについて、どう説明しているのですか？

A社：それが全くわからないのです。処分通知書を見ると、「貴社は、カビの発生等による非食用の事故米穀を原料として米でん粉を製造し、食用と非食用の区別をせずに販売した」とありますので、本件米でん粉を販売したことが違反内容としているように思われます。そうだとすれば、先ほど説明したように、本件米でん粉は安全ですので、これを回収しなければならないというのは納得できません。

P：ふむふむ。本件処分の根拠が十分に明確に示されていないとすればそれ自体問題ですね。この点についての主張も、Qさん、先例等も含めて考えていただけますか？

Q：わかりました。

P：それから先ほどの論点ですが、Qさん、食品衛生法6条の前段と後段のそれぞれの規定の趣旨、あるいは、6条1号から4号までの各号の趣旨を踏まえて、いずれにしても本件処分が実体的にみても違法であるという主張をまとめていただけませんか？

Q：わかりました。ただ、事故米穀それ自体が6条1号または4号に該当するというのは厚生労働省のこれまでの公定解釈であるようです。製品としての本件米でん粉が安全であるというのであれば6条前段に違反するという乙地方保健所の主張について反論はしやすいと思うのですが、本件事故米穀が6条後段に違反するという乙地方保健所の主張に対してはなかなか反論が難しそうですね。でも考えてみます。

【資料2　食品衛生法（抜粋）】

〔目的〕

第1条　この法律は、食品の安全性の確保のために公衆衛生の見地から必要な規制その他の措置を講ずることにより、飲食に起因する衛生上の危害の発生を防止し、もって国民の健康の保護を図ることを目的とする。

〔食品等事業者の責務〕
第3条　食品等事業者（食品若しくは添加物を採取し、製造し、輸入し、加工し、調理し、貯蔵し、運搬し、若しくは販売すること若しくは器具若しくは容器包装を製造し、輸入し、若しくは販売することを営む人若しくは法人又は学校、病院その他の施設において継続的に不特定若しくは多数の者に食品を供与する人若しくは法人をいう。以下同じ。）は、その採取し、製造し、輸入し、加工し、調理し、貯蔵し、運搬し、販売し、不特定若しくは多数の者に授与し、又は営業上使用する食品、添加物、器具又は容器包装（以下「販売食品等」という。）について、自らの責任においてそれらの安全性を確保するため、販売食品等の安全性の確保に係る知識及び技術の習得、販売食品等の原材料の安全性の確保、販売食品等の自主検査の実施その他の必要な措置を講ずるよう努めなければならない。

2〜3　（略）

〔定義〕
第4条　この法律で食品とは、全ての飲食物をいう。ただし、医薬品、医療機器等の品質、有効性及び安全性の確保等に関する法律（昭和35年法律第145号）に規定する医薬品、医薬部外品及び再生医療等製品は、これを含まない。

2　この法律で添加物とは、食品の製造の過程において又は食品の加工若しくは保存の目的で、食品に添加、混和、浸潤その他の方法によって使用する物をいう。

3〜9　（略）

〔不衛生食品等の販売等の禁止〕
第6条　次に掲げる食品又は添加物は、これを販売し（不特定又は多数の者に授与する販売以外の場合を含む。以下同じ。）、又は販売の用に供するために、採取し、製造し、輸入し、加工し、使用し、調理し、貯蔵し、若しくは陳列してはならない。
　一　腐敗し、若しくは変敗したもの又は未熟であるもの。ただし、一般に人の健康を損なうおそれがなく飲食に適すると認められているものは、この限りでない。
　二　有毒な、若しくは有害な物質が含まれ、若しくは付着し、又はこれらの疑いがあるもの。ただし、人の健康を損なうおそれがない場合として厚生労働大臣が定める場合においては、この限りでない。
　三　病原微生物により汚染され、又はその疑いがあり、人の健康を損なうおそれがあるもの。
　四　不潔、異物の混入又は添加その他の事由により、人の健康を損なうおそれがあるもの。

〔廃棄・除去命令〕
第54条 厚生労働大臣又は都道府県知事は、営業者が第6条、……の規定に違反した場合……においては、営業者若しくは当該職員にその食品、添加物、器具若しくは容器包装を廃棄させ、又はその他営業者に対し食品衛生上の危害を除去するために必要な処置をとることを命ずることができる。

2　（略）

〔許可の取消し・営業の禁止停止〕
第55条 都道府県知事は、営業者が第6条……の規定に違反した場合……においては、同条第1項の許可を取り消し、又は営業の全部若しくは一部を禁止し、若しくは期間を定めて停止することができる。

2　（略）

〔不衛生食品等の販売等の処罰〕
第71条 次の各号のいずれかに該当する者は、これを3年以下の懲役又は300万円以下の罰金に処する。
　一　第6条（第62条第1項及び第2項において準用する場合を含む。）、第10条第1項又は第12条（第62条第1項において準用する場合を含む。）の規定に違反した者
　二〜三　（略）

2　（略）

◆ 解説 ◆

1．出題の意図

　行手法が施行（1994年）されてから20数年が経過した。近年は、行手法違反を理由として行政処分を取り消す判決も増えてきている。本問は、食品衛生法上の回収命令の適法性が争われた事件を素材にして、手続的違法の主張、ならびに、本案での違法性主張をどのようにすればよいのかを問うものである。

　素材とした判決は、新潟地判平23・11・17判タ1382号90頁、および、その控訴審である東京高判平24・6・20LEX/DB25482659である（ただし、年月日など事実関係については一部修正を加えている）。前者は、**理由の提示の不備**を認めて処分を違法としていたが、後者は、理由の提示に不備はないとし、さらに実体的な違法もないとしている。このように、第1審と第2審で結論が分かれたのはなぜか、本事例をもとに、理由の提示の程度の評価に関する判断方法について検討してみよう。さらに、本問は、**食品衛生法の条文解釈のあり方**も争点となっている。本問を素材として、個別法の解釈のあり方についても考えてみよう。

2．設問1——提起すべき訴訟類型

　設問1は、本件処分の違法性を争うために**提起すべき訴訟は何か**を問うている。本件処分は、A社に対して、販売済みの本件米でん粉の回収等を命じる（回収等の義務を課す）行政処分であるので、その違法性を争うためには、本件処分の取消訴訟を提起すれば良い。これが解答の基本となる。

　A社は本件処分の相手方であるので、本件処分の取消訴訟を提起する原告適格が認められる。また、本件処分が出されたのが2020年9月17日で、弁護士事務所に相談があったのが同年11月1日であるので、早急に対応すれば出訴期間（処分があったことを知った日から6カ月以内）も問題なさそうである。さらに、本件処分は甲県乙地方保健所長によるものであるが、保健所長は甲県に所属する行政庁なので、本件処分

の取消訴訟の被告は甲県になる。食品衛生法には審査請求前置を定めた規定も見られない。以上のように、本件処分の取消訴訟を提起するにあたって、訴訟要件で特に問題となるところはない。

設問1の解答としては、以上を簡潔に書いておくことで十分である。時々、処分性の定義などを引いて、回収命令がなぜ行政処分であるのかを詳細に論じる答案を見ることがあるが、誰も争わないような論点について長々と論じるのは無駄である。

3．設問2――違法性主張

設問2は、**本件処分の違法性主張の内容**を問うものである。一般に、行政処分の違法性は、事実認定の誤り、要件解釈の誤り、（行政裁量が認められている場合には）裁量権の逸脱・濫用、手続的規範への違反、憲法違反や法の一般原則違反などとして主張できる（曽和俊文『行政法総論を学ぶ』〔有斐閣、2014年〕154～162頁参照）が、具体的な事例では、これらのすべてが常に問題となるのではなく、その中のいくつかが問題となる。それゆえ、事件の事実関係を踏まえて、違法性主張をどう組み立てるかを考える必要がある。

本件では、食品衛生法6条違反を理由として回収命令が出されているが、6条違反に該当しないのではないかが問題となっている。また、6条は前段と後段に分かれており、本件での違反が前段違反なのか後段違反なのか明確でないということも問題である。そこで、これらを違法性主張として構成するとなれば、食品衛生法6条に定める要件の解釈の誤り（実体的違法性）と、違反の根拠を説明する理由の提示が不十分であるという手続的規範への違反（手続的違法性）が問題となる。

(1) 手続的違法性

まずは**手続的違法性**から検討していく。本件処分は、食品衛生法に基づき、原告に対して直接回収等の義務を課す不利益処分であり、特に適用除外の規定もないので、行手法の適用がある。行手法は、**不利益処分をなす場合に行政庁が順守すべき手続**として、意見陳述の手続をとること（13条）と、理由を提示すること（14条）を義務付けてい

る（さらに、処分基準の設定・公表も求めている〔12条〕が、これは努力義務であるので、12条違反を根拠に処分を違法とするのは苦しいであろう）。これらの手続的規範が守られたかどうかが問題となる。

(ア) 意見陳述手続

　意見陳述手続として、行手法は、許可の取消しや資格の剥奪のような重大な不利益処分の場合には聴聞手続を、それ以外の不利益処分の場合には弁明の機会の付与の手続をとるべきことを定めている。本件では、食品の回収を命じる処分（通常の不利益処分）の場合であるので、弁明手続が必要である。しかし、本件処分に先立って弁明手続はとられていない。したがって、A社としては、本件処分に先立って弁明手続がとられなかったことが行手法13条違反となること、そして、行手法違反は重大な手続違反であるので本件処分は違法である、と主張することができる。

(イ) 理由の提示

　理由の提示については、本件では、「食品衛生法第6条に違反したので、同法第54条の規定により下記のとおり処置することを命じます」と根拠条文が示され、かつ、「1　違反の内容」として「貴社は、カビの発生等による非食用の事故米穀を原料として米でん粉を製造し、食用と非食用の区別をせずに販売した。製造期間：2015年5月25日から2019年8月20日まで」とあった。しかし、これだけの記載では、いかなる行為が食品衛生法6条違反とされたのか（本件事故米穀を使用して本件米でん粉を製造したことが悪いのか、本件米でん粉を販売したことが悪いのか、何が6条各号のどれに該当するのか）が明確ではない。

　一般に、**理由の提示の機能**としては、処分庁の判断の慎重、合理性を担保して、その恣意を抑制するとともに、処分の理由を相手方に知らせることにより、相手方の不服申立てに便宜を与えることがあり、理由の提示の程度としては、いかなる事実関係に基づき、いかなる法規を適用して本件命令がなされたかを営業者においてその記載自体から了知しうるものでなければならない。本件では、違反の対象となる事実ならびに対象となる食品等が何であり、それが6条各号のいずれに該当するかが法6条の規定に沿って示されたとはいえず、A社において、いかなる理由に基づいていかなる食品等を対象として本件処分

がなされたかを知ることはできない。**理由の提示の不備は、それだけで処分の違法事由となる**とするのが判例である（最 3 小判昭 60・1・22 民集 39 巻 1 号 1 頁、最 3 小判平 23・6・7 民集 65 巻 4 号 2081 頁等参照）。それゆえ、本件では、行手法 14 条が要請する理由の提示としては不十分であり、本件処分は行手法 14 条に定める理由の提示の要件を満たさない処分として違法である、と主張できる。

(ウ) 被告の反論

なお、以上の原告の主張に対する**被告の反論**としては、次のような主張が考えられる。まず弁明手続がなかった点については、違反事実に関してはＡ社にも異論がなかったので、改めて弁明手続をとる必要がないと判断した、あるいは、緊急に回収命令を出す必要があったため（行手 13 条 2 項 1 号）に弁明手続をとることができなかったと反論しうる。次に、理由の提示に関しては、処分書に記載された「違反の内容」を見れば、本件処分が「本件事故米穀を原料として本件米でん粉を製造し」たことに対するものであることがわかるので、理由の提示として欠けるところがないと反論しうる。

(エ) 裁判例

素材とした裁判例では、第 1 審が理由の提示の不備を認めて処分を違法としている。すなわち、本件で示された理由だけでは、処分の「対象となる事実並びに対象となる食品等が何でありそれが 6 条各号のいずれに該当するかが法 6 条の規定に沿って示されたとはいえず、原告において、いかなる理由に基づいていかなる食品等を対象として本件処分がなされたかを知ることはできないもの」というわけである。

これに対して、第 2 審では、理由の提示に不備はないとしている。すなわち、「本件処分の文書に記載された理由には『使用』という文言はないものの、『事故米穀を使用し』という行為の内容を具体的に摘示したものとみることができる『事故米穀を原料として米でん粉を製造し』という記載があり、販売の用に供するためにそのような行為をしたことを問題として処分をするものであるという処分行政庁の判断過程を省略することなしに記載したものということができる。そうすると、処分行政庁としては、そのような内容の理由を記載することによって、本件処分における自己の判断過程を検証することができるので

あるから、その判断の慎重と合理性を担保するという点について欠けるところはなく、処分庁の恣意抑制という理由提示制度の趣旨目的を損なうことはない」というわけである。

以上のように、素材とした裁判例では、第1審と第2審の判断は正面から対立している。本問は、弁護士Qの立場から答えよ、というものであるから、第1審のような論じ方が好ましいと言えよう。

(2) **実体的違法性**

次に**実体的違法性の主張**について検討してみよう。本件処分はA社の行為が食品衛生法6条に違反することを理由になされたものである。そこでA社としては、自らの行為は食品衛生法6条には違反せず、本件処分は、食品衛生法6条の解釈を誤った違法な処分であると反論することになる。食品衛生法6条は、内容的にはその前段と後段に分かれており、2つの規制内容を定めているので、分けて考える必要がある。具体的には、以下のような主張が考えられる。

(ア) **食品衛生法6条前段**

第1に、食品衛生法6条前段は、6条1号～4号に掲げる食品または添加物を販売することを禁じているが、6条1号～4号に掲げる食品または添加物はすべて「人の健康を損なうおそれ」があるものを列挙したものである。本件米でん粉は、その製造過程に照らしても、実際の現地調査の結果に照らしても安全性が確認されており、人の健康を損なうおそれがないので、本件米でん粉を販売したことを6条前段に違反するとすることは法の解釈を誤っている。

(イ) **食品衛生法6条後段**

第2に、食品衛生法6条後段は、6条1号～4号に掲げる食品または添加物を、販売目的で「採取し、製造し、輸入し、加工し、使用し、調理し、貯蔵し、若しくは陳列」することを禁止している。本事例では、販売目的で本件事故米穀を「使用し」て本件米でん粉を製造したことが食品衛生法6条後段に違反すると判断されている。厚生労働省の公定解釈では、事故米穀が6条1号または4号に該当するとされているが、本件事故米穀は、「メタミドホス等の農薬やアフラトキシンのようなカビ毒に汚染されたものではなく、一般のカビ、袋破れ等

問題8 食品の回収命令をめぐる紛争 119

によって事故米穀とされたもの」であって、それ自体、人の健康を損なうおそれのないものであるので6条1号にも4号にも該当しない。それゆえ、本件事故米穀が6条1号または4号に該当するとして食品衛生法6条に違反するというのは法の解釈を誤ったものであり、そのような誤った解釈に基づく本件処分は違法である。

本件米でん粉の安全性については保健所長も争っていないようなので、本件米でん粉が6条1号～4号に該当しないというA社の第1の主張は認められる可能性が高い。これに対して本件事故米穀が6条1号または4号に該当するという行政庁の主張への反論は認められないかもしれない。

(ウ) 比例原則

そこで、第3に、A社としては、さらに、以下のように、**比例原則違反**の主張をすることが考えられる。すなわち、本件事故米穀が仮に6条1号または4号に該当したとしても、本件米でん粉に加工する際に汚れ等も取り除いて製品として安全なものを製造・販売しているので、当該製品を回収する必要性は高くない。他方で、販売済みの本件米でん粉をすべて回収することによりA社は多大な損害を被ることになる。それゆえ、実害も明らかでないのに、本件米でん粉の回収を命ずる本件処分は、比例原則に照らして違法である、と主張しうる。

(エ) 行政庁側の反論

これに対して、行政庁側の反論としては、本件事故米穀が6条1号または4号に該当することが明確であるとしたうえで、食品衛生法6条後段は、不衛生な事故米穀を販売用に「使用する」こと自体を禁止しており、その結果として販売される米でん粉が安全であるかどうかを問題としていないと主張することになろう。【資料1】での対話の中で、食品衛生法6条の趣旨として「前段は、販売により不衛生食品を市場に流通させるという実害発生の危険が切迫した場合であるが、後段は、それ以前の準備行為をも禁止して国民の健康保護をより強く保護しようとする趣旨である」という解釈が示されているが、この解釈に基づき、実害発生の危険が切迫していなくても、6条後段に違反する場合には回収命令も可能である、と反論することになろう。

コラム 予防原則 vs. 比例原則

　本件では、米でん粉自体の安全性については行政庁もこれを認めている。となれば、安全であるとされている米でん粉の回収を命じるのは、規制目的（食品の安全性の確保）を達成するための規制手段としては行きすぎであり、比例原則に違反するのではないかとの主張にも説得力があるように思われる。伝統的な行政法学では、規制対象となる国民の自由を最大限保護するために、私人の活動について、有害性の立証があって初めて禁止できるという考え方がとられていた。そのような立場からは、比例原則違反の主張に賛成が寄せられることだろう。

　しかし他方で、食品衛生法 6 条の条文構造に照らせば、行政庁の言い分も理解し難いわけではない。食品衛生法 6 条は、前段では不衛生食品・添加物の販売を禁じ、後段では不衛生食品・添加物を使用して食品を製造することを禁止して、前段と後段でレベルの異なる規制を定めている。すなわち、後段では、製造された食品が安全であるか否かを問わず、「人の健康を損なうおそれ」がある食品・添加物を使用して食品を製造することが禁止対象となっている。

　このように、製造後の食品が安全であるか否かを問わず、不衛生食品・添加物を使用して食品を製造すること自体を禁止するのは、場合によっては過剰規制になるかもしれないが（そして本件は過剰規制の一例かもしれないが）、国民の健康をより強く保護するためには必要なことかもしれない。行政庁の側で有害性の立証をなした場合のみ規制できるという従来の行政法学の考え方では、有害であるのか無害であるのか明確でないもの、しかし一定のリスクのあるものを実効的に規制することができない。一定のリスクある行為に対して予防的に規制することも許される（このような考え方は「予防原則」の一内容である）のではなかろうか。このような考え方に基づいて、製造後の食品の不衛生性・危険性の立証がなくても、食品の製造過程自体を規制しているのが食品衛生法 6 条後段であるといえよう。

　以上のように考えると、本問での食品衛生法 6 条の解釈をめぐる対立の背後には、予防原則的アプローチと比例原則的アプローチの対立が存在していた、という整理も可能かもしれない。

(オ) 裁判例

　この点、素材とした事例での第 1 審は、理由の提示の不備を理由に本件処分を違法としたので実体的違法性については判断されていない。第 2 審は、行政庁の主張を認めて、以下のように判示して、本件処分を適法としている。

　「本件事故米穀は、食品衛生法 6 条の 1 号又は 4 号に定める各不衛生食品に該当するというべきであり、また、これを原料として米澱粉を製造することは、その『使用』に当たるというべきであり、しかも、

それが販売の用に供するためにされたというのであるから、このような禁止行為をした被控訴人に対してされた本件処分は、十分に根拠のあるものであって、適法であるというべきである。

被控訴人は、本件米澱粉の安全性についてるる主張するが、本件処分は、不衛生食品たる本件事故米穀の販売の用に供するための使用を直接の対象とするものであるから、本件米澱粉の安全性の有無は、本件処分の適法性を直ちに左右するものではない」。

コラム
答案を読んで

本問を法科大学院で出題したところ、手続的な違法性主張の部分では、数は少ないが、理由の提示の根拠を行手法8条とするものがあった。行手法8条は申請に対する拒否処分の場合の理由の提示の規定であり、不利益処分の場合の理由の提示の規定は行手法14条である。申請に対する処分と不利益処分の区別を日頃からしっかりとつけておくことが求められる。また、いきなり理由の提示の不備の問題を論じて、そもそも本件処分に行手法が適用される理由を説明していない答案もかなりあった。地方公共団体の条例や規則に基づく処分には行政手続条例が適用されるが、国の法令に基づく処分には行手法が適用される（行手3条3項）。このあたりは常識に属すが、解答にあたっては、本件処分が食品衛生法に基づく処分であるから行手法が適用されるという説明をひと言しておくことが必要である。なお、理由の提示が求められる趣旨や、理由の提示の程度についての最高裁の基準についてもきちんと触れている答案が優れた答案である（この点はよく書けている答案が多かった）。

実体的な違法性主張の部分では、6条前段違反と後段違反を分けて論じているのかどうかが、答案としての出来を左右するポイントである。両者を分けて論ぜよということは、【資料1】の弁護士事務所での対話の中で注意していることである。このような明確なヒント（指示）があるにもかかわらず、両者を分けて論じていない答案がかなり見られたのには驚いた。問題文を注意深く読み、ヒントを手がかりに、問いに答えること。

本件を裁量権の逸脱・濫用の枠組みで論じているものもあった。被告側が主張するならともかく、原告の方から裁量があると主張する必要はない。また、「人の健康を損なうおそれ」の有無は、たしかに専門的判断を要する事項ではあるが、食品衛生法はこの判断を行政機関の裁量に委ねているのではなく、争いとなった場合には裁判所が鑑定意見などを参考にして判断する（すなわち行政裁量は認めていない）というのが、食品衛生法6条についての一般的理解なのではなかろうか。

〔関連問題〕

本事例と同様のシチュエーションの下で（ただし、回収命令に先立って弁明手続はとられたとする）、以下の設問に答えよ。

〔設問１〕
　Ａ社は、甲県乙地方保健所長による販売済み米でん粉の回収命令（本件処分）を受けて、回収命令の取消訴訟を提起するのではなく、直ちにすべての販売済み米でん粉の回収を行った。その後、甲県乙地方保健所長も立会いの下で米でん粉の安全性検査を行ったが、食品としての安全性には全く問題なしとの検査結果を得た。そこでＡ社は、回収命令は比例原則に照らして違法であり、違法な公権力の行使により損害を被ったと主張して、甲県を被告として、回収命令により生じた損害の賠償を求める国家賠償請求訴訟を提起した。このとき、国家賠償請求は認められるべきかどうか、あなたの見解を述べよ。
〈ヒント〉
　回収命令の違法性については、本問で問題となった点が同様に問題となるが、本設問１は、少し角度を変えて、国賠法上の責任を問うものである。国賠法上の違法性と取消訴訟の違法性とが同一であるのかどうか、国賠法における違法性と過失の関係をどう捉えるべきかの論点についての整理も行いながら、解答することが求められる。

〔設問２〕
　Ａ社は、甲県乙地方保健所長による販売済み米でん粉の回収命令（本件処分）に対して、米でん粉の安全性については立証済みであるので回収する必要はないと考え、一切無視することにした。実際に、その後１カ月を経過しても、米でん粉による事故は報告されなかった。しかし甲県乙地方保健所長は、弁明手続を経たうえで、「Ａ社による米でん粉の販売は食品衛生法６条に違反し、にもかかわらず回収命令に従わないのは極めて悪質である」との理由を付して、食品衛生法55条１項に基づき、Ａ社に対して、３週間の営業停止命令を発した。これに対して、Ａ社は、営業停止命令の取消訴訟を提起すると同時に執行停止を申し立てた。この訴訟お

よび申立てについて、あなたが本件訴訟を担当した裁判官であるとしたら、いかなる判断を下すべきか。

なお、甲県の「食品衛生関係不利益処分取扱要綱」によれば、6条違反で食品衛生法55条に基づく不利益処分を行う場合の処分基準として、「食品事故が生じた場合には営業停止日数が7日以上30日未満」、「それ以外の場合には1日以上10日未満」となっていた。

〈ヒント〉

営業停止命令の取消訴訟では、改めて6条違反の有無が争点となるが、この点については本問での展開と同様のことが争点となる。そこで、設問2では、それに加えて特に、執行停止の要件の解釈、あるいは、「不利益処分取扱要綱」の法的意味などが問題となるであろう。

［曽和俊文］

〔問題9〕太陽光発電設備の設置をめぐる紛争

◆ 事例 ◆

次の文章を読んで、資料を参照しながら、以下の設問に答えなさい。

1. A社は、再生可能エネルギーによる発電事業およびその管理・運営ならびに電気の供給販売等に関する業務等を目的とする株式会社である。A社は、甲県乙町内の土地の一部（地積合計6,197.3m^2。以下「本件開発区域」という）を賃借し、その上に太陽光発電設備を設置してそこで発電した電気を第三者に売却するという事業（以下「本件事業」という）を行う計画を立てた。
2. 乙町の町長は、A社から本件事業の可否について質問を受けたので、2017年5月26日付けの書面をもって、大要、以下のように回答した。すなわち、乙町には、「乙町土地開発行為等の適正化に関する条例」（後掲【資料1】参照。以下「本件条例」という）があり、本件事業における開発区域の面積は1,000m^{2}以上であり、本件条例の適用を受け、本件太陽光発電設備は、本件条例4条1項4号の「周辺地域の環境に影響を及ぼすおそれのある工作物」に該当するので、開発行為の計画については、町長との協議およびその同意が必要である、と。
3. そこでA社は、2019年2月17日、町長に対し、「乙町土地開発行為等の適正化に関する条例施行規則」（後掲【資料1】参照。以下「本件規則」という）が定める様式の開発行為協議書を送付して、町長の同意を得るために、町長との協議を開始した。
4. 同年4月18日、乙町の都市整備課都市計画係の担当者は、A社に対して、計画の細部を補充する追加書類の提出を求め、あわせて、本件条例7条に基づき、本件開発区域の周辺の住民に対して本件事業の計画について説明し、地元である丙地区の地区代表であるCの承諾書を一緒に提出するように求めた。そこで、A社は、さっそく、Cに電話をかけ、Cの留守電に「丙地区での太陽光発電設備の設置の件で話がしたい」旨の伝言を残したが、Cから電話がかかってくることはなかった。同年5

月18日、A社は、乙町の上記担当者からCの住所を聞き、同月19日、本件事業担当者がC宅を訪問したが、面会を拒否されたので、本件事業に承諾してくれるようにとの要請文とともに、本件事業に関する資料と承諾書のひな型を手渡して帰った。その後も、同月21日、25日、28日にA社の担当者はC宅を訪問したが、面会を拒否された。

5．計画を知った地元の丙地区では、本件太陽光発電設備の設置に反対する住民が多数にのぼり、同年6月5日、同地区の住民全体の会議体である区会において、本件事業について不承諾である旨の決議がなされた。そして、地区代表であるCは、A社に対し、本件事業について不承諾とした旨を記載した文書を、同月6日付けで郵送し、A社は、同月7日にこれを受領した。この書面には、不承諾とした理由について、「申請地に隣接する地権者は当該事業の施行に関して不承諾であり、また当地は牛乳の大規模生産地であり、大規模な工作物は受け入れ困難な地域でもあります。戦後の開拓地として、当地域は酪農を中心とした産業の発展を目指しておりますことから、御社からの計画書には不承諾とする決定に至りましたので、御報告申し上げます」と記載されていた。

6．A社は、同月15日、乙町町長に対し、追加提出を求められた書類（ただしCの承諾書を除く）とCの承諾書を得られなかった経緯を記載した「経緯書」と題する書面を送付した。この「経緯書」には、上記のCとのやりとりに加えて、「弊社といたしましては、事業にあたっては、周辺地域の使用等に支障を及ぼさないよう十分に配慮いたしますので、本申請を認めていただきますよう、お願い申し上げます」などと記載されていた。

以上の事実を前提として、以下、Ⅰ～Ⅱの2つのシチュエーションにおける、以下の設問に答えよ。なお、Ⅰ～Ⅱのシチュエーションは、それぞれ独立の設定である。また、本件条例に基づく町長の同意の法的性質については議論の余地がある（→後掲、コラム「町長同意の行政処分性」参照）が、以下の検討においては「行政処分」であることを前提として答えなさい。

Ⅰ1．乙町の担当部署では、A社から提出された書類に基づき、本件条例に基づく審査を開始した。条例に基づく同意審査の「標準処理期間」（乙

町行政手続条例 6 条参照）は 3 カ月となっていた。しかし、地元丙地区での反対が予想以上に強いため、仮に本件規則に基づく技術的細目の基準（以下「細目基準」という）にすべて適合したとしても、同意を出すことは躊躇された。そこで、乙町の町長は、2019 年 7 月 15 日、A 社に対して、地元丙地区の住民の理解を得るために、地元で説明会を開き、地区代表 C の承諾書を得るように努力してほしいと、重ねて要請した。

A 社は、乙町からの要請に応えて、同年 7 月 20 日、8 月 1 日、8 月 20 日の 3 度、地元での説明会を開催した。しかし、住民たちの多くは「開発計画絶対反対！」の立場を崩さず、地区代表が説明会をボイコットするように呼びかけたため、説明会に参加した住民は各回ともほんの数名程度であった。

2. 乙町の町長は、翌年（2020 年）4 月に町長選挙を控えており、乙町内でも一番住民数が多い丙地区の住民の反対を無視して本件太陽光発電設備の設置に同意をすれば来年の選挙にも影響を受けるのではないかと懸念し、担当課職員に対して、何とか地元の承諾がとれるように、A 社に対する行政指導を続けるように指示した。

3. しかし A 社としては、地元の反対の意志が強いので承諾を得られる見込みは少ないと判断していた。そこで、2019 年 12 月 1 日、町長に対して、「これ以上説明会を重ねても地元は納得しようとしない。このうえは、1 日も早く、申請書の審査を進めて、結論を出してほしい」という書面を内容証明付き郵便で送付した。しかし、その後も乙町からの返答はなく、2020 年を迎えた。そこで町が審査を進めないならば訴訟をすることも辞さずとして、2020 年 2 月 1 日に、A 社の担当者が顧問弁護士の下を訪れて相談することにした。

〔設問 1〕

あなたが、A 社から相談を受けた弁護士であるとして、以下の質問に答えなさい。

1. 本件事業に対する町としての結論を早く出してもらうために、誰を被告として、どのような訴訟を提起すれば良いか？ また、訴訟要件などについて留意すべき点は何か？（20 点）

2．上記1．で選んだ訴訟で、町長の行為の違法性について、どのように主張すれば良いか？　また、勝訴の見込みはあるのか？（30点）

Ⅱ1．乙町の担当部署では、A社から提出された書類に基づき、本件条例に基づく審査を開始した。乙町内には、他社によるものであるが、既に4つの太陽光発電設備の設置が認められていた。そして、A社から提出された本件太陽光発電設備の設置計画書は、他社の計画と比べても特に劣っているところはなく、本件規則に基づく技術的細目の基準（以下「細目基準」という）にも適合していることが確認された。

2．しかし、既に設置されている4つの太陽光発電施設については、それぞれ地元区会の承諾が得られていたが、本件施設については地元の承諾書が提出されていなかった。そこで町長は、地元住民の多くが反対しているなかで町としての同意を出すのは本件条例7条の趣旨に反するとして、2019年9月15日、本件事業について同意をしない旨の処分（本件不同意）をし、A社に対し通知した。この書面には、不同意の理由として、「地元丙地区からは、当地域における開発行為は地域に好ましくないと考え不承諾である旨の書面が確認されております。町としましては、現時点で地元地域から承諾を得られない当事業について、同意することはできないこととする結論に至ったところであります」と記載されていた。

3．A社としては、本件計画は細目基準にも適合し、他社の同種の計画には同意を出しているのに、本件開発計画についてのみ不同意とすることには納得がゆかず、同年11月15日、乙町を被告として、不同意の取消訴訟と同意の義務付け訴訟（申請満足型義務付け訴訟）を提起した。

〔設問2〕
不同意の取消訴訟において、本件不同意の違法性について、どのように主張すれば良いか？　また、取消訴訟における勝訴の見込みはどうか？　あなたが、A社の顧問弁護士であるとして、答えなさい。（50点）

【資料1　乙町土地開発行為等の適正化に関する条例等（抜粋）】

○乙町土地開発行為等の適正化に関する条例
（目的）
第1条　この条例は、土地利用の規制に関する法令に定めるもののほか、本町における開発行為の適正化と秩序ある土地利用を図り、もって良好な環境の確保に寄与することを目的とする。
（定義）
第2条　この条例において、次の各号に掲げる用語の意義は、当該各号に定めるところによる。
(1)　開発行為　宅地造成等による土地の区画形質の変更及び土地の区画変更を伴わない建築物の建築又は工作物の建設若しくは設置をいう。
(2)　開発区域　開発行為に係る一団の土地の区域をいう。
(3)　事業主　開発行為に係る工事（以下「工事」という。）の請負契約の注文者又は請負契約によらないで自ら工事をする者をいう。
(4)　工事施行者　工事の請負人又は請負契約によらないで自ら工事をする者をいう。
（指導及び協力）
第3条　町長は、開発行為をしようとする者（事業主及び工事施行者を含む。以下「開発者」という。）に対して開発行為が自然、生活環境の保全等と調和が保たれるように指導することができる。
2　開発者は、前項の規定による町長の指導に協力しなければならない。
（開発行為の協議）
第4条　開発者は、次の各号のいずれかに該当する開発行為の計画について、あらかじめ町長に協議し、その同意を得なければならない。既に同意を得ている計画を変更するときも、同様とする。
(1)　開発区域の面積が1,000m^{2}以上のもの。ただし、町長が指定する区域にあっては開発区域の面積が300m^{2}以上のもの
(2)〜(3)　（略）
(4)　周辺地域の環境に影響を及ぼすおそれのある工作物
2　前項の規定による協議を受けようとする者は、次に掲げる事項を記載した協議書を、町長に提出しなければならない。
(1)　開発区域の位置及び面積
(2)　開発行為を行う事業計画の概要
(3)　前2号に掲げるもののほか、規則で定める事項

（同意）
第5条　町長は、前条第1項の規定による協議があったときは、次条に定める同意の基準に従い審査し、同意についての可否を決定し、その旨を開発者に通知しなければならない。
2　町長は、前条の同意について、良好な環境の確保のため必要な限度において、条件を付することができる。
（同意の基準）
第6条　町長は、前条の同意については、次に掲げる事項を勘案して行うものとする。
　(1)　開発区域内の道路その他の公共施設が、災害の防止、通行の安全その他健全な生活環境の確保に支障のないような構造及び規模又は能力で適正に配置されるように措置されていること。
　(2)　開発区域周辺地域における道路、河川、水路その他の公共施設が、当該開発行為の目的及び規模に照らして、災害の防止、通行の安全その他健全な生活環境の確保に支障のないような構造及び規模又は能力で適正に配置され、又は配置されるように措置されていること。
　(3)　排水路その他の排水施設が、開発区域及びその周辺地域にいっ水、汚水等による被害が生じないような構造又は能力で適正に配置され、又は配置されるように措置されていること。
　(4)　開発者の資力、信用及び土地の性状等からして当該開発行為の遂行が不可能でないこと。
　(5)　前各号に掲げるもののほか、町長が町民の適正な生活環境の確保のため特に必要と認める基準を満たすものであること。
2　前項各号に掲げる基準の適用について必要な技術的細目は、規則で定める。
（利害関係者の承諾及び被害の補償）
第7条　開発者は、事業計画について、開発区域周辺の住民等の意見を十分尊重し、説明等を行い、あらかじめ必要な調整を図らなければならない。
2　開発区域周辺に影響を及ぼすおそれのある事業計画については、原則として、事前に利害関係者の承諾を得るものとする。
3　開発者は、開発行為により第三者に与えた損害については、その賠償の責めを負わなければならない。
（監査処分等）
第13条　町長は、第5条の同意を得ず、又は同条の同意の内容若しくはこれに付した条件に適合しない工事を施行している開発者に対し、工事の停止を命ずることができる。
2　（略）

*　なお、条例第6条1項5号でいう「町長が町民の適正な生活環境の確保のため特に必要と認める基準」はまだ定められていない。
**　本件条例には「罰則」の規定はない。

○　乙町土地開発行為等の適正化に関する条例施行規則
(同意の基準)
第5条　条例第6条2項に規定する技術的細目は、別表のとおりとする。
*　別表には、本件条例6条2項に規定する技術的細目として、道路(幅員、構造、行き止まり道路、すみ切り、階段道路、防護施設、勾配、既存道路との接続、都市計画道路、道路法第24条の承認、排水施設、構造)、給水施設、汚水処理施設、消防水利、地盤及び擁壁(構造、地表水の処理)に関する事項が定められている(詳細は省略する)。
(利害関係者の承諾の特則)
第8条　条例第7条第2項の承諾は、開発区域周辺であっても、既に条例の適用を受け、県知事の許可を受け又は町長の同意を得た区域については、省略することができる。

【資料2　乙町行政手続条例(抜粋)】
(審査基準)
第5条　行政庁は、申請により求められた許認可等をするかどうかをその条例等の定めに従って判断するために必要とされる基準(以下「審査基準」という。)を定めるものとする。
2　行政庁は、審査基準を定めるに当たっては、当該許認可等の性質に照らしてできる限り具体的なものとしなければならない。
3　行政庁は、行政上特別の支障があるときを除き、条例等により当該申請の提出先とされている機関の事務所における備付けその他の適当な方法により審査基準を公にしておかなければならない。
(標準処理期間)
第6条　行政庁は、申請がその事務所に到達してから当該申請に対する処分をするまでに通常要すべき標準的な期間(条例等により当該行政庁と異なる機関が当該申請の提出先とされている場合は、併せて、当該申請が当該提出先とされている機関の事務所に到達してから当該行政庁の事務所に到達するまでに通常要すべき標準的な期間)を定めるよう努めるとともに、これを定めたときは、これらの当該申請の提出先とされている機関の事務所における備付けその他の適当な方法により公にしておかなければならない。

（申請に対する審査及び応答）
第7条　行政庁は、申請がその事務所に到達したときは遅滞なく当該申請の審査を開始しなければならず、かつ、申請書の記載事項に不備がないこと、申請書に必要な書類が添付されていること、申請をすることができる期間内にされたものであることその他の条例等に定められた申請の形式上の要件に適合しない申請については、速やかに、申請をした者（以下「申請者」という。）に対し相当の期間を定めて当該申請の補正を求め、又は当該申請により求められた許認可等を拒否しなければならない。

（理由の提示）
第8条　行政庁は、申請により求められた許認可等を拒否する処分をする場合は、申請者に対し、同時に、当該処分の理由を示さなければならない。ただし、条例等に定められた許認可等の要件又は公にされた審査基準が数量的指標その他の客観的指標により明確に定められている場合であって、当該申請がこれらに適合しないことが申請書の記載又は添付書類その他の申請の内容から明らかであるときは、申請者の求めがあったときにこれを示せば足りる。

（申請に関連する行政指導）
第31条　申請の取下げ又は内容の変更を求める行政指導にあっては、行政指導に携わる者は、申請者が当該行政指導に従う意思がない旨を表明したにもかかわらず当該行政指導を継続すること等により当該申請者の権利の行使を妨げるようなことをしてはならない。
2　前項の規定は、申請者が行政指導に従わないことにより公共の利益に著しい支障を生ずるおそれがある場合に、当該行政指導に携わる者が当該行政指導を継続することを妨げない。

（許認可等の権限に関連する行政指導）
第32条　許認可等をする権限又は許認可等に基づく処分をする権限を有する町の機関が、当該権限を行使することができない場合又は行使する意思がない場合においてする行政指導にあっては、行政指導に携わる者は、当該権限を行使し得る旨を殊更に示すことにより相手方に当該行政指導に従うことを余儀なくさせるようなことをしてはならない。

◆ 解説 ◆

1．出題の意図

　近年、地球温暖化への懸念から火力発電所が敬遠され、また、原子力発電所に対しても深刻な事故の危険が拭い難いことから、これらとは別の、再生可能エネルギー（風力発電、太陽光発電、地熱発電など）に対する注目が高まっている。しかし、再生可能エネルギー設備の設置をめぐっても、地元の環境悪化を憂える住民との間での紛争が増えている。太陽光発電設備の設置を特に規律する法律はなく、地方公共団体のなかには条例によって設置を規制しようとするところがある。本問題が取り上げた**太陽光発電設備の設置をめぐる紛争**もそのような条例の適用が争われた現代的紛争の1つである。

　本問は、行政と事業者と周辺住民がそれぞれの立場から関係する、いわゆる**三極関係にある行政法関係**での法的紛争において、事業者あるいは周辺住民がそれぞれどのような法的主張をすることができるのかを問うものである。典型的な紛争場面に応じていかなる救済手段をとるべきか、それぞれの救済手段において訴訟要件等でどのような問題を検討すべきなのかについて検討することが求められている。

　素材としたのは、甲府地判平29・12・12判例自治451号64頁、および、その控訴審である東京高判平30・10・3判例自治451号56頁であるが、事実関係などを一部変更している。なお、判決に直接対応するのは設問2であって、設問1と〔関連問題〕は出題者の創作である。また、設問2に相当する論点について、上記の地裁と高裁の結論が異なっているので、あわせて参照されたい。

2．設問1——不作為の場合の争い方と本案での違法性主張

(1)　訴訟手段

　設問1では、A社が開発行為の協議を申し込んでから約1年経つにもかかわらず町長からの返答がない場合に、ともかく早く町としての

結論を出してもらうために、いかなる訴訟を提起すればよいのかが問われている。同意が行政処分であることが前提とされている（→後掲コラム「町長同意の行政処分性」参照）ので、解答は容易であろう。乙町を被告として（行訴 11 条 1 項）、不作為の違法確認訴訟を提起すべきである、ということになる。

不作為の違法確認訴訟の訴訟要件は、①「**法令に基づく申請**」に対して応答がないこと（行訴 3 条 5 項。なお「法令に基づく申請」が訴訟要件であるのか本案要件であるのかについては議論もある。末尾の「ワンポイント解説：訴訟要件と本案勝訴要件」を参照）、②原告が当該申請をした者であること（行訴 37 条）等である。本件では、本件条例 4 条に基づく開発協議の申込みが「法令に基づく申請」に当たること、協議の申込みに対する応答がないこと、原告は開発協議を申し入れた事業者であることなどから、不作為の違法確認訴訟の訴訟要件は満たされている、と論ずることになる（なお、条例に基づく申請も「法令に基づく申請」に含まれることは説明するまでもないが、ときどき間違う人もいるので注記しておく）。

コラム　町長同意の行政処分性

　本件条例は、太陽光発電設備の設置には町長の同意が必要であること（条例 4 条 1 項・5 条）、同意のないままに設置工事に着手すれば、工事停止命令を受けることになること（条例 13 条 1 項）を定めている。その文言や規定の仕方からすれば、少なくとも条例を制定した乙町としては、本件「同意」や「停止命令」について、「行政処分」と考えていたことがうかがえる。

　もっとも、本件条例には、同意なしの設置や工事停止命令違反に対して罰則の定めがない。また停止命令は代替的作為義務を課すものではないので行政代執行法に基づく代執行もできない。これらの点に鑑みれば、同意や停止命令は行政指導にすぎないという考え方もありうるかもしれない。しかし、刑罰や強制執行の仕組みがなくても、条例全体の仕組みの中で行政処分性を肯定することはありうることである。例えば、最高裁は、本件条例と同様の市長の同意制と中止命令の規定をもちながら、罰則の定めのない**宝塚市パチンコ店等建築等規制条例**について、中止命令が行政上の義務を課すものであることを前提とした判断をしている。その判断に従えば、本件でも少なくとも停止命令は行政処分であると考えられる。

　それでは「同意」についてはどう考えれば良いであろうか。太陽光発電設備の設置には町長の同意が必要であり（条例 4 条 1 項・5 条）、同意のないままに設置工

事に着手すれば工事停止命令を受ける（条例13条1項）という本件条例の仕組みに照らせば、同意は、これを受けなければ太陽光発電設備の設置を適法に行うことはできないという法効果を有する「行政処分」（講学上の概念でいえば「許可」）であると考えて差し支えないと思われる。本件の素材とした事例で、東京高判平30・10・3は、同意の法的性質について「開発者の申請に対する応答として、当該同意に係る開発者が当該計画又は当該同意について付された条件に適合する工事を施行する限りにおいては町長による監督処分の対象とすることはないという法的な地位を確定するもの」として、行政処分に該当すると判示している（なお、同意の処分性については、第1部〔問題4〕も参照されたい）。

(2) **本案での違法性主張と勝訴の見込み**

不作為の違法確認訴訟では、「相当の期間」が経過するにもかかわらず応答がないことの違法性が審理される。「**相当の期間**」の有無は、「その処分をなすに通常必要とする期間を基準として判断し、通常の所要時間を経過した場合には原則として……違法となり、ただ右期間を経過したことを正当とするような特段の事情がある場合には違法たることを免れる」（東京地判昭39・11・4行集15巻11号2168頁）という基準によって判断される。

そこで本件では、A社としては、以下の①〜④を主張して、本件での不作為は違法であると主張すればよい。すなわち、①乙町行政手続条例に基づき定められた、本件同意の**標準処理期間**は3カ月とされている。「標準処理期間」はそれ自体が「相当の期間」と同一ではないが、「相当の期間」を判断するうえでの考慮要素となる。本件では、開発者が開発協議の申込み（2019年2月17日）をしてから約1年、また、地元の承諾書を除く必要書類を提出（2019年6月15日）してからでも7カ月以上経過して、「標準処理期間」を大きく超えており、上記判例にいう「処分をなすに通常必要とする期間」を超えているといえる。②Aが行政指導に任意に従っている間の不作為は違法でないとしても、2019年12月1日にAは行政指導に従えない旨を「真摯かつ明確に」（最3小判昭60・7・16民集39巻5号989頁〔品川マンション事件〕を参照）示しているので、少なくともそれ以降の不作為は違法である。③地元の承諾書は、条例6条の同意の基準とは関連せず、審査の必要書類ではないので、承諾書がないことを理由とする不作為は違法である（仮

に必要書類であるとしても、不提出に対しては補正を求め、補正に従わない場合には拒否処分をすべきであって、不作為を継続するのは違法である）。④その他、**通常の審査期間を経過していることを正当化するような特段の事情**もみられず、むしろ、遅延の原因が翌年の町長選挙への影響を考慮した町長の意向にあるとすれば、**他事考慮**として違法である。

　以上のＡ社の主張は説得的であり、本件の事実関係の下では、不作為の違法確認訴訟で原告が勝訴する見込みは高いといえよう。

3. 設問2──不同意の違法性

　設問2では、不同意処分を受けたＡ社が提起した不同意の取消訴訟において、**不同意の違法性**をどう主張すべきかが問われている。そこで本件条例が同意の要件をどのように定めているのかが問題となる。

(1) 本件条例の構造

　本件条例5条1項は、「町長は、……次条に定める同意の基準に従い審査し、同意についての可否を決定し……なければならない」と定め、本件条例6条が「**同意の基準**」を定めている。すなわち、同条1項各号において、同意において勘案すべき事項が列挙され、同条2項で「前項各号に掲げる基準の適用について必要な技術的細目」が規則に委任されている。以上の規定から、町長同意の要件（判断基準）は、本件条例6条およびその委任を受けた規則5条（の別表）の基準（細目基準）を満たすことであると、一応いうことができる。もっとも、本事例では、乙町も、本件施設設置計画書が細目基準に適合していることを認めているので、問題は、町長同意の要件が、上記細目基準の充足に尽きるか否かである。

　本件条例7条1項は、「開発者は、事業計画について、開発区域周辺の住民等の意見を十分尊重し、説明等を行い、あらかじめ必要な調整を図らなければならない」と定め、同条2項は「開発区域周辺に影響を及ぼすおそれのある事業計画については、原則として、事前に**利害関係者の承諾**を得るものとする」と定めている。本問では、これらの規定に反して「利害関係者の承諾」が得られていない場合に、そのこ

とを理由に同意を拒否することができるか、すなわち、利害関係者の承諾を得ることが町長同意の要件であるのかが問われている。

(2) 原告としての違法性主張

原告であるA社としては、以下のように、不同意処分の違法性を主張すべきである。

①本件申請は、本件条例6条、条例施行規則5条の定める同意の基準（細目基準）に適合していることから、同意をすべきであり、同意をしないことは条例の解釈を誤る（仮に条例が町長に一定の裁量を与えていたとしても裁量権を逸脱・濫用する）もので、違法である。

②本件条例7条は「原則として、事前に利害関係者の承諾を得るものとする」と定めているが、この規定は、条例6条、条例施行規則5条が定める同意の基準とは別に規定されており、同意の要件ではなく、承諾書は申請の必要書類でもない。したがって、同意の要件にはない事項を理由として不同意とするのは、他事考慮であって、違法である。

③本件条例7条が定める利害関係者の承諾を町長の同意の要件とすることは、実質的にみても問題がある。すなわち、利害関係者の承諾を同意の要件とすることは、地元に太陽光発電設備の設置の是非についての拒否権を与えるものであるが、このような主観的な事情を理由に設置を認めないのは、「開発行為の適正化と秩序ある土地利用を図り、もって良好な環境の確保に寄与することを目的とする」本件条例の趣旨に反し、事業者の営業の自由、財産権を、正当な理由なく過度に侵害するもので許されない。

④他社の同様の申請については同意しながら、本件申請にのみ、合理的な理由もなく不同意とするのは**平等原則**にも反して違憲・違法である。

(3) 被告の反論

以上の原告からの違法性主張に対して、被告は、次のような反論をすることが考えられる。

①本件条例7条の定める「利害関係者の承諾」は本件条例6条の同意の基準とは別個に定められているが、町長が同意・不同意にあたっ

て考慮すべき一要素として機能することも否定されていない。「利害関係人の承諾」を示す書類は本件申請にあたっての必要書類であり、必要書類を欠くことを理由とする不同意は違法ではない。

②町長には、同意にあたって、「町民の適正な生活環境の確保のため特に必要と認める基準を満たす」（本件条例6条1項5号）かどうかを判断する裁量が与えられており、地元が生活環境の悪化を憂えて不承諾を表明している場合に、地元の承諾がないことを理由に町長として開発に不同意とすることも町長の裁量の範囲内である。

③丙地区は牛乳の大規模生産地であり、酪農を中心とした産業の発展を目指しているので、本件施設のような大規模な工作物の設置は地域経済の発展の見地からも好ましくない。このような事情を考慮することは、「開発行為の適正化と秩序ある土地利用を図り、もって良好な環境の確保に寄与することを目的とする」本件条例の趣旨に合致する。

④既に設置されている4件の同種設備はいずれも地元の承諾を得ており、地元の承諾のない今回の申請とは事情が異なるので、平等原則には違反しない。

(4) 勝訴の見込み

それでは、本件取消訴訟において原告A社が勝訴する見込みはどの程度あるだろうか。価値判断も含むために断定できないが、以下、考察してみよう。

(ア) 本件条例の構造

まず、本件条例5条は、「協議があったときは、次条〔第6条〕に定める同意の基準に従い審査し、同意についての可否を決定し、その旨を開発者に通知しなければならない」と定めている。「利害関係者の承諾」の求めは、本件条例6条の同意の基準とは別個に本件条例7条で定められている。以上の構造からすれば、本件条例7条が定める「利害関係者の承諾」は開発者に対する**努力義務**として定められているにすぎず、同意の要件と解すべきではないという考え方も十分に成り立つところである。

(イ) 承諾を同意の要件としない考え方

例えば、本問の素材とした事例において、前掲・甲府地判平29・

12・12は、ⅰ)「本件審査基準には、『開発区域周辺の住民等』に対する説明等の有無や『利害関係者』の同意の有無を、町長が同意についての可否を決定するに当たって勘案することを定めた規定はな」く、「町長は、本件審査基準〔同意の基準〕に従い審査し、同意の可否を決定しなければならないとされている（本件条例5条1項）ところ、〔丙地区の〕不同意〔不承諾〕は本件審査基準において勘案し得る事項とされているとはいえないにもかかわらず、これを主な理由として本件不同意をしたものであ」る、ⅱ)「また、例外的に、本件審査基準において定められていない事項について、町長が、『町民の適正な生活環境の確保のため特に必要と認める基準』を満たしていないとして、そのことを勘案して同意の可否について決定することができる場合があるとしても、その事項が『町民の適正な生活環境』を害することが客観的に明白である場合に限られる」ところ、本件ではこの点の主張・立証がないとの2点を指摘して、「本件不同意は、町長がその裁量権を逸脱又は濫用したものであり、違法なものであるというほかない」と判示している（〔　〕内は本問にあわせて一部変更している）。

(ウ) 承諾を同意へ要件（考慮要素）とする考え方

　もっとも、同意・不同意の判断における町長の裁量を認め、地元の承諾の有無を1つの考慮要素として判断しても良いという見解もありうるところである。例えば、本問で素材とした事例の控訴審である前掲・東京高判平30・10・3は、本件条例7条が定める地元への説明や「利害関係者の承諾」の意義について、「開発者と上記の開発区域の周辺の住民等、とりわけ上記の利害関係者との間において利害の調整がされることを図った上で、町長が同意についての可否を判断するに当たっては、そのような手続が履践されていることを前提に、町民の適正な生活環境の確保のため特に必要と認める基準を満たしていること等の一定の事項を勘案してするものとしているものと解される」と判示し、さらに、事業者が地元の承諾を得る努力を十分にしなかったがゆえに地元の承諾書が添付できず、本件規則が定める申請書類の「形式上の要件」に適合しないため町長が不同意としたと事実を認定したうえで、不同意にしたことには裁量権の逸脱・濫用があるとはいえないとして、第1審判決を取り消している。

(エ) 検　討

　ただ、設問2のシチュエーションは、実際の裁判例の事例とは異なる設定としている。素材となった裁判例は、事業者はCに対して資料を送っただけで、その後に地元に対する説明会などを全く行わなかった事例であったが、本事例では、事業者がまずは何度か地区代表宅を訪問して承諾を得ようと努力したうえ、さらに町長の**行政指導**に従って3度の説明会を試みたけれども住民のボイコットで無駄に終わったというふうに事実関係を変更している。先の東京高判平30・10・3は、開発者の努力不足（条例が開発者に課した地元への説明義務や地元の承諾取得の努力を開発者が十分にしていないこと）を理由に不同意を適法とした例として読むこともできる。

　一般に、地元の了解や承諾を求めることが民主主義の見地、地方自治の見地からみて望ましいとはいえたとしても、事業の是非は最終的には客観的基準に基づいて判断されるべきであって、開発者が説明会などの努力もしているという本事例のシチュエーションにおいては、甲府地裁のような見解が妥当といえるのではないだろうか。

　以上のように考えると、不同意の取消訴訟において、原告勝訴の見込みはかなりあるといえよう。

コラム　ワンポイント解説：訴訟要件と本案勝訴要件

1．訴訟要件と本案勝訴要件の主別の必要性

　「いかなる訴訟を提起することができるか」と問われている場合には、本案の勝ち目の問題とは区別して、目的を達成するために適法に提起しうる訴訟としてどのようなものがあるか、について検討することが求められる。

　ところが、このようなタイプの設問に対して、「処分が無効であるとはいえないから無効確認訴訟を提起することはできない」、とか、「相当の期間が既に経過しているから不作為の違法確認訴訟を提起することができる」というように、訴訟要件と本案勝訴要件とを混同した形で解答している答案を目にすることが多い。処分の無効は、無効確認訴訟（および処分の無効を前提とする民事訴訟・当事者訴訟）の訴訟要件ではなく本案勝訴要件であり、相当の期間の経過も、不作為の違法確認訴訟の本案勝訴要件である。

　設問で、何をどこまで論じることが求められているのかを、よく理解して、〈訴訟要件の充足→本案において主張すべき内容→勝ち目の有無〉の順に、段階を踏

んで論じていくことが必要である。また、義務付け訴訟や差止訴訟は、1つの条文の中に訴訟要件と本案勝訴要件とが両方規定されているので、特に注意すべきである。例えば、直接型義務付け訴訟についていえば、行訴法37条の2第1項から4項までは訴訟要件で、同5項は本案勝訴要件である。

2．不作為の違法確認訴訟

もっとも、ある要件が、訴訟要件なのか本案勝訴要件なのか、はっきりしない場合もある。例えば、不作為の違法確認訴訟については、相当な期間の経過が本案勝訴要件であること、他方、処分または裁決の申請が行われたことが訴訟要件であることについては争いがない。しかし、行われた申請が「法令に基づく申請」（行訴3条5項）であることが、訴訟要件と本案勝訴要件のいずれに当たるかについては、学説・裁判例が分かれている（南博方ほか編『条解行政事件訴訟法〔第4版〕』〔弘文堂、2014年〕736頁〔内野俊夫〕）。不作為の違法確認訴訟の原告適格を定める行訴法37条に「法令に基づく」という文言がないため、事実上の申請があれば訴訟要件を充足するという見解（杉本良吉『行政事件訴訟法の解説』〔法曹会、1963年〕121頁以下など）も存在するからである（なお、最2小判令3・1・22裁判所ウェブサイトは訴訟要件説を前提にするようである）。他方、不作為についての審査請求に関しては、行審法3条が、明文で、法令に基づく申請および相当の期間の経過を審査請求の適法要件として定めているので、注意すべきである。

3．申請満足型義務付け訴訟

また、行訴法37条の3第1項は、文言どおりに読むと、申請に対する不作為が違法であること、または、処分・裁決が違法ないし無効であることを、申請満足型義務付け訴訟の訴訟要件としているようにみえるが、不作為の違法ないし処分の違法・無効は本案勝訴要件と解すべきという説もある（芝池・救済法146頁、橋本博之『解説改正行政事件訴訟法』〔弘文堂、2004年〕72頁）。もっとも、これらの要件を訴訟要件と解するとしても、それが充足されているかどうかを義務付け訴訟の提起の段階で判断することはできないであろう。これらの要件の充足の有無は、義務付け訴訟と併合提起された不作為の違法確認訴訟や取消訴訟・無効確認訴訟の本案判決が出るまで決着がつかないからである。そうすると、不作為の違法ないし処分・裁決の違法・無効が義務付け訴訟の訴訟要件であるという意味は、併合提起された不作為の違法確認訴訟や取消訴訟・無効確認訴訟が棄却されるときに、義務付け訴訟は当然に却下される、という点に存することになる（このような判断をした判例として、最2小判平23・10・14判時2159号53頁などがある）。

〔野呂　充〕

〔関連問題〕

本文の事実を前提に、Ⅰ、Ⅱのシチュエーションとは別の下記設定の下で、以下の設問に答えなさい。

乙町の担当部署では、A社から提出された書類に基づき、本件条例に基

づく審査を開始し、Ａ社の申請が本件条例・規則が定めている細目基準に適合していることが確認された。そこで乙町町長は、Ａ社の申請に対して、利害関係者である地元の承諾は得られていないが、条例6条の定める同意の基準に適合している以上不同意にはできないと考えて、2019年9月1日、本件事業について同意する旨の処分を下した。これに対して、町長が同意したことを知った丙地区の住民たちは、地元の反対にもかかわらず同意した町長の行為に対して納得がいかなかった。とりわけ、本件開発区域の隣地で酪農業を営んでいるＤは、本件太陽光発電設備の設置のために森林が伐採され、崖崩れや水害などの危険が増すのではないかと懸念し、同意の取消訴訟を提起したいと考えている。

〔設問〕

　Ｄが本件同意の取消訴訟を提起した場合に、Ｄは原告適格を認められるのであろうか？　あなたが、Ｄから相談を受けた弁護士であるとして、答えなさい。

〔曽和俊文〕

〔問題10〕 廃棄物処理施設の規制をめぐる紛争

◆ 事例 ◆

次の文章を読んで、資料を参照しながら、以下の設問に答えなさい。

1. 2018年12月、株式会社A（以下「A社」という）は、甲県の農地が多く残る地域に産業廃棄物処分場を設置することにつき、廃棄物の処理及び清掃に関する法律（以下「法」という）15条1項・2項に基づき申請を行い、2019年1月、甲県知事の許可（以下「本件許可」という）を得た。この処分場（以下「本件処分場」という）は、一般に「安定型最終処分場」と呼ばれる種類に属し、①廃プラスチック類、②ゴムくず、③金属くず、④ガラスくず、コンクリートくず、陶磁器くず、⑤がれき類、という危険性の低い産業廃棄物（一般に「安定5品目」と総称される）を地中に埋立処分するためのものである。
本件処分場の許可申請書に示された、施設の設置および維持管理に関する計画は、安定型最終処分場について法およびこれに基づく法施行令・施行規則が定める安全基準（埋立地からの廃棄物の流出を防止するための擁壁の設置その他）等の許可要件を満たしており、法のその他の許可要件に照らしても、甲県知事による申請認容に問題はなかった。

2. ところが、本件処分場の稼働開始後、2019年8月に至り、本件処分場の排水溝から、直近の乙川に、硫化水素の異臭を伴う黒い汚水が排出される事態が起こった。そこで、甲県の担当部局が本件処分場の浸透水（廃棄物の層を通過した雨水等）の検査を行ったところ、法施行規則所定の上限の2倍に当たる0.02mg/lの鉛が検出されるなど、法施行令6条3号が定める基準に反し、安定5品目以外の廃棄物も混入して埋め立てられていることを示す結果が出た。そのため、甲県の担当部局が、廃棄物の搬入・埋立ての一時停止、水質悪化の原因究明などを求める指導を行ったところ、翌月の再検査では、法令上の基準違反は認められなかった。この結果を受け、A社は、同年10月から、廃棄物の搬入・埋立てを再開したが、それ以後も、乙川において、本件処分場の排水溝が接続

する箇所から下流では河川水が濁り、川底がヘドロに薄く覆われたままである。

3. B_1～B_{12}（以下「B_1ら」という）は、いずれも、本件処分場から500m以内、乙川と本件処分場の排水溝が接続する箇所から300m以内の下流域に居住し、本件処分場からの排水が混入する河川水を、住居脇の田畑の用水とし、主に農業によって生計を立てている。また、B_1らの集落には上水道が配備されていないことから、B_1らは、乙川の河川水と地下で水脈がつながる井戸水を、飲用その他の生活用水としている。B_1らが、2019年10月、A社に対し、民事保全法に基づく仮処分の申立てにより、①本件処分場の使用・操業の差止め、および②本件処分場内に埋め立てられた既存の廃棄物の搬出を求めた。同年末、地方裁判所は、①について申立てを認容し、②については申立てを却下する決定を下した。そのためA社は、この決定に従い、以後は、廃棄物の新規搬入を止めている。

4. ところが、2020年1月に至り、甲県の担当部局が、再度、本件処分場の浸透水の検査をした結果、法施行規則所定の上限の4倍に当たる鉛0.04mg/lが検出され、B_1らの中には、乙川の河川水の農業利用を断念する者も現れた。しかし甲県が、以後も、前回と同様、A社には行政指導によって対応していることから、B_1らは、このままでは営農上の被害だけでなく健康被害の発生も十分ありうると考え、2020年2月、甲県知事の処分権限の行使により、これらの被害の原因を除去させ、さらなる被害の発生や進行を防止するために、弁護士に依頼し、抗告訴訟を提起することとした。

〔設問〕
1. B_1らは、どのような抗告訴訟を提起すべきか。(40点)
2. B_1らの立場から、上記の訴訟の訴訟要件が充足する旨の主張を述べなさい。(60点)

【資料　廃棄物の処理及び清掃に関する法律等（抜粋）】

○　廃棄物の処理及び清掃に関する法律

（目的）
第1条　この法律は、廃棄物の排出を抑制し、及び廃棄物の適正な分別、保管、収集、運搬、再生、処分等の処理をし、並びに生活環境を清潔にすることにより、生活環境の保全及び公衆衛生の向上を図ることを目的とする。

（事業者の処理）
第12条　事業者は、自らその産業廃棄物（……）の運搬又は処分を行う場合には、政令で定める産業廃棄物の収集、運搬及び処分に関する基準（……以下「産業廃棄物処理基準」という。）に従わなければならない。

2～13　（略）

（産業廃棄物処理施設）
第15条　産業廃棄物処理施設（……）を設置しようとする者は、当該産業廃棄物処理施設を設置しようとする地を管轄する都道府県知事の許可を受けなければならない。

2　前項の許可を受けようとする者は、環境省令で定めるところにより、次に掲げる事項を記載した申請書を提出しなければならない。
　一　氏名又は名称及び住所並びに法人にあっては、その代表者の氏名
　二　産業廃棄物処理施設の設置の場所
　三　産業廃棄物処理施設の種類
　四　産業廃棄物処理施設において処理する産業廃棄物の種類
　五～九　（略）

3　前項の申請書には、環境省令で定めるところにより、当該産業廃棄物処理施設を設置することが周辺地域の生活環境に及ぼす影響についての調査の結果を記載した書類を添付しなければならない。（以下略）

4～6　（略）

（許可の基準等）
第15条の2　都道府県知事は、前条第1項の許可の申請が次の各号のいずれにも適合していると認めるときでなければ、同項の許可をしてはならない。
　一　その産業廃棄物処理施設の設置に関する計画が環境省令で定める技術上の基準に適合していること。
　二　その産業廃棄物処理施設の設置に関する計画及び維持管理に関する計画が当該産業廃棄物処理施設に係る周辺地域の生活環境の保全及び環境省令で定める周辺の施設について適正な配慮がなされたものであること。

三　申請者の能力がその産業廃棄物処理施設の設置に関する計画及び維持管理に関する計画に従って当該産業廃棄物処理施設の設置及び維持管理を的確に、かつ、継続して行うに足りるものとして環境省令で定める基準に適合するものであること。
　四　（略）
２～５　（略）
（措置命令）
第19条の5　産業廃棄物処理基準……（……）に適合しない産業廃棄物の保管、収集、運搬又は処分が行われた場合において、生活環境の保全上支障が生じ、又は生ずるおそれがあると認められるときは、都道府県知事（……）は、必要な限度において、次に掲げる者（……）に対し、期限を定めて、その支障の除去等の措置を講ずべきことを命ずることができる。
　一　当該保管、収集、運搬又は処分を行った者（以下略）
　二～五　（略）
２　（略）

○　**廃棄物の処理及び清掃に関する法律施行令**
（産業廃棄物の収集、運搬、処分等の基準）
第6条　法第12条第1項の規定による産業廃棄物（……）の……処分（……）の基準は、次のとおりとする。
　一～二　（略）
　三　（略）〔注：本号は、本件処分場のように地中に廃棄物を埋め立てて処分する方法は、安定5品目またはこれに準じるものに限って許されること、等を定める〕
　四～五　（略）
２　（略）

◆ 解説 ◆

1．出題の意図

　本問は、福岡高判平23・2・7判時2122号45頁（CB15-4）の事案を一部改変しており、**直接型義務付け訴訟**による救済が期待される事例に即し、適切な訴えを選択し、主要な訴訟要件の充足を論じることを求めている。直接型義務付け訴訟については、本書の他の箇所でも扱われているが（第1部〔問題5〕、第2部〔問題2〕）、本問は、基本的な論点を扱うものである。なお、前掲・福岡高判は、典型的な事案について詳しく判示した裁判例であるので、ケースブック等により、あわせてよく読んでほしい。

2．設問1——B_1らが提起すべき訴訟

　まず、2019年1月になされた本件許可の取消訴訟は、出訴期間の徒過のため（行訴14条2項を参照）、2020年2月の時点では、提起することができない。本件許可が、その成立時において適法であったことから、B_1らが本件許可について出訴期間内に取消訴訟を提起していたとしても、本案での勝訴は無理であった。また、B_1らが本件許可について、出訴期間の制限がない無効確認訴訟を提起しても、成立時において適法な本件許可には無効原因がなく、やはり、本案での勝訴は見込めない。
　そこで、抗告訴訟としては、B_1らは、本件許可それ自体を攻撃する訴えにより救済を求めることはできず、法の適切な条項の適用により、生活環境の悪化を防止・除去するため、甲県知事に処分権限の行使を義務付けることを求める訴えを提起すべきことになる。具体的には、次のとおりである。

(1) 求められるべき処分の根拠法条
　【資料】における関連の条項は限られているので、A社に発せられるべき処分は、比較的容易に判定できるだろう。まず、鉛等による水質

汚染を示す本事例の記述は、法19条の5第1項に基づく命令の要件として同項柱書が定める、「産業廃棄物処理基準……に適合しない産業廃棄物の……処分」が、A社により「行われた」事実を示している。すなわち、関連する産業廃棄物処理基準は、法施行令6条3号に見る、安定5品目等の危険性の低い廃棄物に限って埋立てを認める基準である（法19条の5第1項柱書にいう「産業廃棄物処理基準」の語義については、法12条1項を参照）。加えて、この事実は、法19条の5第1項柱書が定めるもう1つの要件、「生活環境の保全上支障が生じ、又は生ずるおそれがあると認められるとき」にも当たる。しかし、それにもかかわらず、本件処分場には、安定5品目以外の有害な廃棄物が、鉛汚染等の防止措置もなく地中に埋め立てられたままのはずである。そうすると、【資料】の条文から、義務付けの対象として考えられるのは、甲県知事が法19条の5第1項に基づき、A社に対して「生活環境の保全上〔の〕……支障の除去等の措置を講ずべきこと」を命じる処分である（処分の内容の特定度いかんについては、訴訟要件の充足とも関わるので、後述する）。

(2) **直接型義務付け訴訟の選択**

　義務付け訴訟には**申請満足型（申請型）**と**直接型**の2種類があり（行訴3条6項1号・2号）、前者の場合は申請を認容する処分の義務付けが請求されるが、本件の場合、この訴訟は利用できない。法19条の5第1項に基づく処分は、行手法2条4号にいう不利益処分に当たるところ、不利益処分の発動について、その処分により利益を受ける第三者に申請権を認める立法例はほとんどない。本問の場合も、B_1らに申請権を認める手がかりとなる規定は見当たらず、B_1らは、申請を経て申請型義務付け訴訟を提起することはできない（土地家屋調査士法の改正により新設された規定の解釈に基づき、国民一般に調査士または調査士法人に対する懲戒処分発動の申請権を認めた、不利益処分に関わる稀な例としては、名古屋高判平27・11・12判時2286号40頁がある）。

　そこで次に、A社に対する前記のような処分の直接型義務付け訴訟に関し、行訴法37条の2第1項〜4項に則して、訴訟要件の充足を論じなければならない。条文の文言の順序に従い、検討してみよう。

3．設問2——直接型義務付けの訴訟要件の充足

(1)　「一定の処分」（行訴37条の2第1項）

　本問で義務付けの対象となる行為、すなわち甲県知事が「生活環境の保全上の支障の除去等の措置を講ずべきことを命じる」行為の処分性については、争いの余地はない旨、簡潔に述べれば十分である。ここでは、上記の処分が、一義的に特定された内容をもたないことから、これがなお「一定の処分」（行訴3条6項1号・37条の2第1項）に該当するか、すなわち、裁判所が、その事件について他の訴訟要件と本案の審理をなすに足りる程度に、対象となる処分が特定されているかどうか、が問題となりうる。

　法19条の5がそうであるように、不利益処分の根拠条文は、通常、一定の幅をもって、複数の種類の処分から処分庁による選択が可能な旨定めている。このような場合、本問のように、具体的な改善方法を命じる処分の内容が技術的に複数想定される事案では、義務付けの対象となる処分を訴え提起の段階で一義的に特定させるのは、原告に無理を強いるに等しい。本問の場合、前記2の(1)末尾に挙げたように、根拠法条が特定され、その下での処分の内容が法条の文言に従って示されれば、これに応じ、後述3(2)・(4)のように、「重大な損害」や原告適格の要件審理において考慮される利益の範囲が明らかとなる。また、上記の程度の特定があれば、本案の請求認容要件（行訴37条の2第5項）の判断も可能となる。

ワンポイント解説：義務付け訴訟における「一定の処分」

　取消訴訟や無効確認訴訟、不作為の違法確認訴訟においては、既に存在する特定の「処分」や「不作為」が対象とされるが、2種の義務付け訴訟（および差止訴訟）の対象に関しては、「一定の処分」の語が用いられている。義務付けや差止めの訴えにおいては、未だなされていない処分が対象となることから、実効的な権利救済のためには、ある程度の幅のある（「一定の」）処分についての義務付けや差止めの請求を認める必要があるからである。

　直接型に関わる不利益処分の義務付け訴訟においては、上記の本文(1)で述べた

ように、一般に、処分庁が発動可能な処分には幅があるので、この論点が問われうる。ただ、例えば、設問1の事案で、請求の趣旨において根拠法条を特定せず、「原告の生活環境の悪化を廃掃法に基づき防止または除去するために必要な処分」と記載するだけであれば、「一定の処分」該当性は否定されるほかなかろうが、実際にこのような請求がなされ、訴えを却下した裁判例は、未だ見当たらない。本問のモデルである裁判例により認容された請求は、「……知事は、……の産業廃棄物処分場について、……〔法〕第19条の5第1項に基づき、生活環境の保全上の支障の除去等の措置を講ずべきことを命ぜよ」というものであった。原審の福岡地裁（福岡地判平20・2・25判時2122号50頁）は、この請求の趣旨につき、処分の具体的内容までは特定していないが、「一定の処分」の要件を充足するものと認め、控訴審の前掲・福岡高判平23・2・7も、この判断を是認している。

　他方で、申請型義務付け訴訟の事案では、申請人が求める許認可等の処分の内容は、通常、申請書において既に十分に特定されているはずである。そのため、この文脈では、「一定の処分」の幅が問題となることは、通常、考えにくい。ただ、「一定の処分」の範囲内かどうかについて争いがあった事例ではないが、身体障害児の保育園入園承諾に関する東京地判平18・10・25判時1956号62頁（CB17-5の事件の本案判決）では、認容された請求の趣旨は、「……行政庁は、……原告……につき、A保育園、B保育園、C保育園、D保育園又はE保育園のうち、いずれかの保育園への入園を承諾せよ」というものであった。これは、希望する園の候補を保護者が申請書に複数記入することに対応しており、義務付け判決によっても、適切な入園先を決める裁量は、処分庁に残されていることになる。

(2) 「重大な損害を生じるおそれ」があること（行訴37条の2第1項）

　この要件は、直接型義務付け訴訟が、法令上の申請権がない者に申請権を認めるのと同様の結果を生むことから、この訴えが適法であるためには、救済の必要性が高い事案でなければならない、とする考えに基づいている（小林久起『司法制度改革概説3　行政事件訴訟法』〔商事法務、2004年〕161〜162頁）。ここでは、行訴法37条の2第2項の要素、特に、処分がされないことによる「損害の回復の困難の程度」、「損害の性質及び程度」に関する考慮が検討される。

　実務上有力な考え方は、一般に、問題の損害が、生命・身体の利益に関わるものか、その他の権利・利益、例えば財産的利益に関わるものか、の区別を重視する（高橋滋ほか編『条解行政事件訴訟法〔第4版〕』〔弘文堂、2014年〕752〜753頁〔川神裕〕）。財産的利益であれば「重大」性が直ちに否定されるわけではないが、生命・身体の利益の方が要件充足を認められやすい。生命・身体の利益については、その性質上、

特に「損害の回復の困難の程度」が高く、したがって救済の必要性が高いからである。

本問の場合は、本件処分場に由来する、有害な重金属を含む汚染水が、地下水脈や河川を通じて井戸水や農業用水に混入し、B_1 らに健康被害をもたらす可能性が相当程度に認められるため、この要件も充足する。汚染水の危険性については、具体的にはどの程度のものなのか、その評価をめぐって争いの余地があるかもしれないが、「類型的に回復の困難な、保護の必要性の高い」（高橋ほか編・前掲753頁）生命・身体の安全について、その侵害の具体的可能性は、後述する原告適格判断の場合と同じく、本案の問題となる、と解すべきである（芝池・救済法144頁も、「重大な損害を生ずるおそれ」については一応の疎明で足り、「そのおそれの存否の最終判断は本案審理の段階で行われるべきもの」と述べる）。また、B_1 らの生計を支える農地が、長期にわたり利用不能となるおそれは、財産的利益の中でも相当に重要なものの侵害に関わる。この点も、「重大な損害を生じるおそれ」の判断において、救済の必要上、生命・身体の利益侵害のおそれに次ぐものとして、やはり考慮されるべきであろう。

(3) 「その損害を避けるため他に適当な方法がない」こと（行訴37条の2第1項）

本問の事案で、B_1 らは、仮処分決定により、暫定的な救済を一部得ており、今後、A社を被告とした本訴により、人格権に基づく何らかの請求をさらに認容される可能性もある。しかし、このような民事上の法的救済は、一般に「〔他の〕適当な方法」には当たらない、と解されている（塩野・行政法Ⅱ 250頁は、「私人間に想定される訴訟と、本〔直接型義務付け〕訴訟とは法制度上主従の関係にあるものではない」という）。

なお、前掲・福岡高判平23・2・7は、この**補充性**の判断に関わり、処分場の設置者が仮処分決定により経営上相当な打撃を受けている事情を挙げ、原告らが別途民事訴訟を提起しても「損害を避けることができる具体的な可能性は認め難い」（判時2122号49頁）、とも述べている。しかし、このような事情は、仮に民事上の法的救済が「〔他の〕適当な方法」に該当する場合がありうると解するとしても、本件では該

当しない、という趣旨で、念のために記されたものであろう。

(4) **原告適格（行訴37条の2第3項・4項、および同条4項によって準用される9条2項）**

(ア) 「法律上の利益」の一般的意義

ここでは、行訴法37条の2第3項・4項にいう「法律上の利益」の存在が示されなければならない。この判断は、基本的に取消訴訟の場合と同じであり（最3小判平26・7・29民集68巻6号620頁〔CB12-13〕）、判例の定式によると、求められる処分の根拠規定が、①許可を受ける施設の周辺地域に居住する住民の具体的利益を保護していること（保護範囲要件）、②それら周辺住民の利益を一般的公益の中に吸収解消させるにとどめず（言い換えると、専ら一般的公益の一環として保護するのではなく）、それが帰属する個々人の個別的利益としてもこれを保護すべきものとする趣旨であること（個別的利益保護要件）、の2点の充足が求められる。加えて、最後に、本問のような事案では、原告それぞれの原告適格判断に関わり、②にいう個別的利益保護を受ける者の範囲が問題となりうる。すなわち、③B_1ら各人に原告適格を認めるためには、それぞれの住居が、個別的利益保護の対象となる地域的範囲に存する、との具体的判断も必要である（塩野・行政法Ⅱ143頁は、この③の判断を、②の判断に続く2段階目の「切出し作業」と呼ぶ。ミニ講義2も参照）。

(イ) 具体的な検討

上記①〜③を本問の事例にあてはめると、次のようになる。すなわち、法15条および15条の2は、法1条のいう「生活環境の保全」のために、産業廃棄物処理施設の設置許可制度を定めており、法19条の5は、「生活環境の保全」上の支障除去等のための処分について定めている。これらの規定には、処分場の周辺住民の良好な生活環境を保全する趣旨が含まれる（上記①）。そして、生活環境に関する利益の中でも特に重要な、生命・身体ないし健康に関わる著しい被害を受けないという、周辺住民の具体的利益は、判例の定式に従えば、「専ら一般的公益の中に吸収解消させるにとどめ」られるものではなく、法の関連する規定により、「それが帰属する個々人の個別的利益としても」保護されるべ

きものである（上記②）。これは、行訴法37条の2第4項が準用する同法9条2項にいう「利益の内容及び性質」が考慮される好例である。そして、本件の原告それぞれの事情について見ると、その住居と処分場との距離の近さ、井戸水や農業用水の利用形態に照らし、B_1ら12名の全員について、上記具体的利益の侵害を直接的に受けるおそれがあると認められる（上記③）。

なお、取消訴訟の原告適格は、「処分……の取消しを求める」についての「法律上の利益」（行訴9条1項）に関わる。これに対し、「処分をすべき旨を命ずることを求める」ことについての「法律上の利益」（行訴37条2第3項）に関しては、取消訴訟の原告適格判断に関する判例の定式が言う、「処分により……侵害され又は必然的に侵害されるおそれ」ではなく、処分がされないことによる侵害のおそれが問題となるが、産廃処分場の設置許可の取消訴訟について原告適格が認められる住民の範囲と、許可された産廃処分場に関する不利益処分の義務付け訴訟について原告適格が認められる住民の範囲は、関連する法令と利益状況に照らし、異なるものではない。同じ産廃処分場をめぐる許可処分取消訴訟・無効確認訴訟と、許可取消処分の義務付け訴訟について、原告適格判断の結果が一致する旨を述べる判例に、前掲・最3小判平26・7・29〔CB12-13〕がある。この判決は、上記③に対応する判断により、原告らのうち、処分場の中心から20km以上離れた場所に居住する1名についてのみ、「健康又は生活環境に係る著しい被害を直接的に受けるおそれ」なしとして、原告適格を否定している。

以上(1)～(4)に述べたように、前記2.で示した直接型義務付け訴訟は、主要な訴訟要件を充足している。

〔関連問題〕
本事例の下で、他にも義務付けの候補となりうる適切な処分はないか、前掲の【資料】に加え、法の次の条文も参照して検討しなさい。

○　廃棄物の処理及び清掃に関する法律（抜粋）
（一般廃棄物処理施設の許可）
第8条　一般廃棄物処理施設（……）を設置しようとする者（……）は、当該一

般廃棄物処理施設を設置しようとする地を管轄する都道府県知事の許可を受けなければならない。

2～6 （略）

（変更の許可等）

第9条 （略）

2～4 （略）

5 第8条第1項の許可を受けた者は、当該許可に係る一般廃棄物処理施設が一般廃棄物の最終処分場である場合においては、環境省令で定めるところにより、あらかじめ当該最終処分場の状況が環境省令で定める技術上の基準に適合していることについて都道府県知事の確認を受けたときに限り、当該最終処分場を廃止することができる。

6～7 （略）

（改善命令等）

第15条の2の7 都道府県知事は、次の各号のいずれかに該当するときは、産業廃棄物処理施設（……）の設置者に対し、期限を定めて当該産業廃棄物処理施設につき必要な改善を命じ、又は期間を定めて当該産業廃棄物処理施設の使用の停止を命ずることができる。

一 第15条第1項の許可に係る産業廃棄物処理施設の構造又はその維持管理が……当該産業廃棄物処理施設の許可に係る第15条第2項の申請書に記載した設置に関する計画若しくは維持管理に関する計画（……）に適合していないと認めるとき。

二～四 （略）

（許可の取消し）

第15条の3 （略）

2 都道府県知事は、前条〔注：15条2の7〕第1号、第2号若しくは第4号のいずれかに該当するとき……は、当該産業廃棄物処理施設に係る第15条第1項の許可を取り消すことができる。

（許可の取消しに伴う措置）

第15条の3の2 （略）

2 旧設置者等〔注：産業廃棄物処理施設である最終処分場について許可を取り消された者またはその承継人〕は、環境省令で定めるところにより、あらかじめ当該最終処分場の状況が……第9条第5項に規定する技術上の基準に適合していることについて都道府県知事の確認を受けたときに限り、当該最終処分場を廃止することができる。

［佐伯祐二］

―――――――!ミニ講義3!―――――――

行政裁量と司法審査の方法

　行政処分の適法性審査方法をめぐる問題、すなわち、抗告訴訟において裁判所が行政処分の違法性をどのような基準に基づいて審査するのかという問題は、行政法学の中心的課題の1つである。具体的な訴訟事例では、そこで争いの対象となっている個別法の解釈が決め手になるのであって、そこでの多様な問題については本書の全体で検討しているところである。ここでは、行政裁量と司法審査の方法に関する一般的な判断枠組みについてまとめておきたい。

1．行政判断のプロセス

　「休日に飲酒運転をした国家公務員Aに対して懲戒処分をする」という例を使って、行政庁が行政処分をするときの判断のプロセスを考えてみよう（地方公務員の事例だが、第1部〔問題3〕を参照）。一般に、行政処分を行うためには法律の根拠が必要であり、その場合の法律は、「一定の要件が満たされる場合に」「行政庁は、一定の行政処分をする（ことができる）」という形で規定していることが多い。例えば、国家公務員法82条1項は、「国民全体の奉仕者たるにふさわしくない非行のあった場合」に、その職員に対し「懲戒処分として、免職、停職、減給又は戒告の処分をすることができる」と定めている。その場合、行政庁の判断は、次のようなプロセスをたどる。

　①事実の認定　まず、処分の前提となる事実（Aが実際に飲酒運転をしたのか）を認定する必要がある。Aが飲酒運転の嫌疑で警察に検挙されたが、本人が飲酒の事実を否定しているような場合、事実認定について行政庁が難しい判断を迫られることもありうる。

　②要件の認定　次に、①でAが休日に飲酒運転をしたことを行政庁が認定したとして、その事実が法律の定める懲戒処分の要件にあてはまるかどうかを判断する必要がある。法律には、「国民全体の奉仕者たるにふさわしくない非行」とは何を意味するのか、具体的な基準が定められていないので、行政庁が自らその意味を解釈したうえで、休日の飲酒運転がそれにあてはまるかどうかを判断しなければならない。

　③行為の選択　行政庁が②で要件を満たしていると判断した場合は、法律で、「懲戒処分として、免職、停職、減給又は戒告の処分をすることができる」と定められているので、処分をするかしないか、また、処分をする場合、どの処分を選択するかを判断しなければならない。これについても、法律に具体的な基準が定められていないことが問題となる。

　④手続の選択　行政庁が①〜③を判断する際、処分の相手方であるAの言い分を聴くなど、一定の手続をとる必要があるかどうかを判断する必要がある。公務員の懲戒処分には行手法の適用はなく（行手3条1項9号）、国家公務員法上の事前手続として、処分説明書の交付（国公89条）が定められているのみであるが、懲戒処分は重大な不利益処分なので、憲法上、弁明の機会の付与等が必要ではないかが問

題となる。
　⑤時の選択　上述の例ではあまり問題にならないかもしれないが、いつ処分をするかというタイミングが問題になる場合がある。

２．裁判所による審査と行政裁量の所在

　上述のようなプロセスで行政庁がした判断（処分）が適法かどうかについて、取消訴訟等により裁判所に審査が求められた場合、裁判所はどのような方法で判断すべきであろうか。大きく分けて、次の２つの方法がある。

(1)　判断代置

　裁判所が行政庁と同一の立場に立って、1．で述べた①～⑤を判断し、裁判所の判断が行政庁の判断（処分）と一致しない場合に、処分を違法とする方法である。例えば、上述の例では、仮に裁判所が公務員Ａの懲戒権者であったとしたらどのように判断するかという観点から、裁判所が自ら①～⑤を判断して一定の結論（例：Ａを停職６カ月の懲戒処分にすべきである）を出し、それが実際に行政庁がした処分（例：懲戒免職処分）と一致しない場合に、処分を違法とする判断方法である。「裁判所の判断を行政庁の判断に置き代える」という意味で、**「判断代置」**とよばれる。法律の文言が一義的でない場合でも、その意味を確定するのは裁判所であって行政庁ではない。この場合には、行政庁には裁量は認められていない、ということになる。
　刑事訴訟や民事訴訟では、裁判所が法律の文言の意味を確定する権限を有することは当然であるが、行政訴訟においては、判断代置方式は有効な司法審査手法の１つであるものの、以下に見るように、常に判断代置方式によるべきであるとは限らない点に特徴がある。

(2)　裁量権の逸脱・濫用の審査

　これに対して、1．で述べた①～⑤のいずれかについて、裁判所が行政庁と同一の立場に立つのではなく、行政庁の判断を一定の範囲で尊重したうえで、裁量権の逸脱・濫用があった場合に、処分を違法とする方法がある。行訴法30条は「行政庁の裁量処分については、裁量権の範囲をこえまたはその濫用があった場合に限り、裁判所は、その処分を取り消すことができる」と定めている。このような場合の司法審査を**「裁量権の逸脱・濫用の審査」**という。先に挙げた例についてみれば、①～⑤のどの部分に裁量を認めるかが問題となる。
　①の「事実の認定」については、裁判所の審理・判断の対象であり、原則として行政裁量は認められない。ただし、原子力発電所の安全性のように、将来の予測を含む高度な科学技術的問題については、「要件の認定」と「事実の認定」が分かち難く結びついており、行政裁量が認められることがありうる（高松高判昭59・12・14行集35巻12号2078頁参照）。
　②の「要件の認定」に関する裁量を、**要件裁量**とよぶ。これに対し、③の「処分をするかしないか、するとして、どの処分を選択するか」に関する裁量を、**効果裁量**とよぶ。この要件裁量および効果裁量が、行政裁量について最も問題になるものであり、それらが認められるかどうかの判断基準について、3．で説明する。

④の「手続の選択」について、裁量が認められることがある。例えば、東京地判昭 59・3・29 行集 35 巻 4 号 476 頁は、地方公務員に対する懲戒処分において、告知・聴聞の手続をとるか否かは行政庁の裁量に委ねられているとする。

⑤のいつ処分を行うかという「時の選択」に関して、「時の裁量」が問題となる場合がある（塩野・行政法Ⅰ 145 頁。判例として、最 2 小判昭 57・4・23 民集 36 巻 4 号 727 頁〔中野区特殊車両通行認定事件、百選Ⅰ 123、CB5-1〕）。

3．行政裁量の有無の判断基準

(1) 法律の文言

裁判所が上記 2．の(1)と(2)のいずれの審査方法によるべきかを判断するには、まず、法律の文言、すなわち、法律が処分の要件および効果をどのように定めているかに着目すべきである。法律が処分の要件を全く定めていなかったり、いわゆる**不確定概念**（冒頭に挙げた例では、「国民全体の奉仕者たるにふさわしくない非行」）を用いているときは、**要件裁量**が認められる可能性がある。また、法律が処分について複数の選択肢（冒頭の例では、「免職、停職、減給又は戒告」）を挙げている場合には、処分の選択について裁量が認められうるし、処分をすることが「できる」と規定している場合には、処分をするかしないかについて、裁量が認められる可能性がある（**効果裁量**）。

ただし、法律が要件に不確定概念を用いていても、裁判所が自ら法律を解釈して、その意味を一義的に確定すべきであると考えられる（すなわち、要件裁量が否定される）場合もある（第 2 部〔問題 1〕コラム「答案を読んで：裁量か解釈か」参照）。また、処分をすることが「できる」と法律に規定されていても、それは行政機関に処分の権限を授ける趣旨であって、要件を満たす場合には処分をしなければならないと解釈される（すなわち、効果裁量が否定される）場合もある。したがって、法律の文言だけでは決め手にならず、次に述べる処分の性質をも考慮しなければならない。

(2) 処分の性質

国民の権利・自由を制限する処分（侵害処分。講学上の許可はこれに当たる）については、裁量が認められない方向に傾くのに対し、国民に利益を与える処分（授益処分。講学上の特許はこれに当たる）については、比較的広い裁量が認められうる。また、行政機関の政治的または専門技術的な判断が要求されることを理由に、裁量が認められることがある。

(3) 裁量の有無の判断基準

結局、**裁量の有無については、法律の文言と処分の性質の両面からアプローチすべきである**。すなわち、要件裁量についていうと、単に「法律が抽象的な要件しか定めていないから要件裁量が認められる」とするのではなく、「法律が抽象的な要件しか定めていないのは、（政治的または専門技術的な判断を要する等の）処分の性質に鑑みて、要件の認定につき行政庁の裁量を認める趣旨であると解される」というように論じるべきであろう。

要件に不確定概念が用いられており、その認定に行政機関の政治的または専門技術的な判断が要求される場合に、要件裁量を認めたと解される判例として、次のものがある。

・「在留期間の更新を適当と認めるに足りる相当の理由があるとき」（最大判昭53・10・4民集32巻7号1223頁〔マクリーン事件、百選Ⅰ76、CB4・4〕）
・「能率的な経営の下における適正な原価を償い、かつ、適正な利潤を含むものであること」（最1小判平11・7・19判時1688号123頁〔三菱タクシーグループ運賃値上げ事件、百選Ⅰ72、CB8・5〕）

また、原発の安全性審査について、次に掲げる判決は、「裁量」という語を用いるのを避けているが、裁判所が判断代置を行わないという意味では、要件認定について専門技術的裁量を認めたものと解される（「微妙な要件判断」の問題として、裁量とは区別する見解もある。小早川・行政法下Ⅱ200頁）。

・「原子炉による災害の防止上支障がないものであること」（最1小判平4・10・29民集46巻7号1174頁〔伊方原発訴訟、百選Ⅰ77、CB4・5〕）

上記は要件裁量の例であるが、効果裁量についても、法律の文言と処分の性質の両面からアプローチすべきである。冒頭に挙げた公務員の懲戒処分の例について見ると、最3小判昭52・12・20民集31巻7号1101頁（神戸税関事件、百選Ⅰ80、CB4-2）は、次のように述べて、効果裁量を認めている（〔 〕内は筆者注）。「国公法は、同法所定の懲戒事由がある場合に、懲戒権者が、懲戒処分をすべきかどうか、また、懲戒処分をするときにいかなる処分を選択すべきかを決するについては、……具体的な基準を設けていない〔＝法律の文言〕。したがって、懲戒権者は、……諸般の事情を考慮して、懲戒処分をすべきかどうか、また、懲戒処分をする場合にいかなる処分を選択すべきか、を決定することができるものと考えられるのであるが、その判断は、右のような広範な事情を総合的に考慮してされるものである以上、平素から庁内の事情に通暁し、部下職員の指揮監督の衝にあたる者の裁量に任せるのでなければ、とうてい適切な結果を期待することができないものといわなければならない〔＝処分の性質〕」。

4．裁量審査の方法

3．で述べた基準により、行政庁に裁量が認められると解される場合であっても、裁量権の逸脱・濫用があれば処分は違法と判断される（行訴30条）。今日の複雑化した行政においては、行政処分には何らかの裁量が認められることが多い。そこで、問題の重心は、裁量の有無よりも、行政処分には基本的には裁量が認められることを前提としたうえで、どの程度の裁量が認められるか、逆にいうと、裁判所はどのような方法で、どこまで行政庁の判断に踏み込んで審査できるか（これを「審査密度」ということがある）、という点に移ってきている。

行政裁量の司法審査の方法に関する判例の立場は、次に述べる(1)の古典的な審査方法から(2)の現代的な審査方法へと発展してきているとみることができる。

(1) 社会観念審査

"行政庁の判断が全く事実の基礎を欠き、または社会観念上著しく妥当を欠く場

合に限って"処分を違法とする方法である（前掲・最 3 小判昭 52・12・20〔神戸税関事件〕、前掲・最大判昭 53・10・4〔マクリーン事件〕等)。古典的な審査方法であり、裁判所が原則的には審査を差し控え、最小限の審査しかしないという意味で、「最小限審査」といわれることもある（小早川・行政法下Ⅱ 195 頁参照)。この場合のコントロール手段としては、重大な事実誤認、目的・動機違反、信義則違反、平等原則違反、比例原則違反が挙げられる（塩野・行政法Ⅰ 147 頁)。

(2) 判断過程審査

　行政庁が考慮すべき事項を考慮せず、または考慮すべきでない事項を考慮した（他事考慮）のではないかというように、行政庁の判断過程に不合理な点がないかを審査する方法である。東京高判昭 48・7・13 行集 24 巻 6=7 号 533 頁（日光太郎杉事件、CB4-1）が先駆けであるが、最高裁においては、従来、判断過程審査の枠組みをとる判例も存在していたものの（地方公務員の分限処分に関する最 2 小判昭 48・9・14 民集 27 巻 8 号 925 頁）、(1)で述べた諸判決に見られるように、必ずしも判断過程審査が裁量審査の主流を成しているわけではなかった。しかし、近年、最高裁は、"判断過程が合理性を欠く結果、処分が社会観念上著しく妥当を欠く"という形で、(1)で述べた社会観念審査と判断過程審査を結合させることにより（その点では、上記日光太郎杉事件東京高裁判決と異なる）、ある程度踏み込んだ審査をしている（最 2 小判平 8・3・8 民集 50 巻 3 号 469 頁〔「エホバの証人」剣道実技拒否事件、百選Ⅰ 81、CB4-6〕、最 3 小判平 18・2・7 民集 60 巻 2 号 401 頁〔呉市公立学校施設使用不許可事件、百選Ⅰ 73、CB4-7〕)。

　判断過程審査は、考慮すべき事項・考慮すべきでない事項（重みのつけ方を含む）を裁判所がどの程度詳細に判断するかによって、判断代置に近づく場合もあれば、最小限審査に近づく場合もありうる（前掲・日光太郎杉事件東京高裁判決は、実質的には判断代置に近いともいえる。本ミニ講義末尾の図を参照)。

　そして、考慮すべき事項を裁判所自身がどの程度詳細に確定するかについて、最高裁は、処分の性質や対応する相手方の人権を考慮して判断していると考えられる。例えば、前掲・最 2 小判平 8・3・8（「エホバの証人」剣道実技拒否事件）において、剣道実技の代替措置について担当教員が何ら検討せずに体育科目を不認定とし、それを受けて校長が不認定の主たる理由および全体成績について勘案することなく退学処分をしたことについて、考慮すべき事項を考慮していないと最高裁が判断したのは、それが信仰の自由という基本的人権に関わることを考慮したためと考えられる。これに対し、最 1 小判平 18・11・2 民集 60 巻 9 号 3249 頁（小田急訴訟本案判決、百選Ⅰ 75、CB4-8）は、判断過程審査の枠組みをとりつつ、政策的・技術的見地からの総合的判断を要するという都市計画決定の性質に着目して、考慮すべき事項やその評価について広範な裁量を認めたものと解される。

　裁判所が判断代置によらずに行政判断の適法性を審査しようとするのであれば、行政判断の過程に着目するのは自然なことであり、また、行政に説明責任を果たさせる観点からも、この審査方法のさらなる発展が期待される。

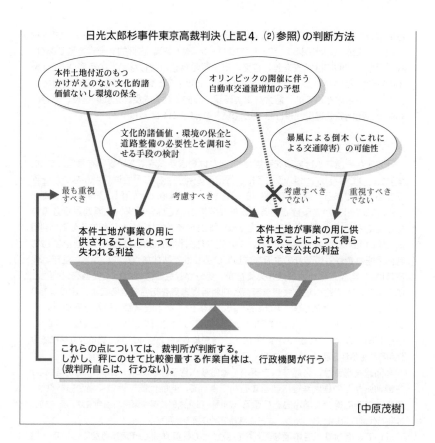

〔問題11〕 飲食店における食中毒をめぐる紛争

◆ 事例 ◆

次の文章を読んで、資料を参照しながら、以下の設問に答えなさい。

A県内の飲食店Pにおいて食事をした客Fが、嘔吐・下痢等の食中毒症状を訴えて、病院で入院する事故が起こり、Fを診察した医師からA県の保健所に通報があった。保健所の職員であるBが、原因を調査したところ、Fの食中毒の原因となった病原菌は発見されず、Pの提供した食事が食中毒の原因となったかどうかは明らかにならなかった。しかし、Pの施設の検査の結果、調理場や調理器具の清掃ないし洗浄が不十分であり、また、十分な容量の冷蔵・冷凍保管庫が設けられていないなど、施設の管理ないし設備が食品衛生法50条および51条に基づき同法施行令および同法施行条例で定められた基準に適合していないことが明らかになった。

Bが以上の調査結果を保健所長Cに報告したところ、Cは、Pが、これまでに食中毒事故を理由に食品衛生法上の営業禁止等の処分を受けたことはなかったこと、今回も、F以外に食中毒事例の報告がないこと、また、Pの経営者が、直ちに施設の管理ないし設備を改善すると言明していることなどを考慮し、Pに対し、施設の管理ないし設備を改善してから営業を再開するようにとの行政指導をするにとどめ、それ以上の対処は行わず、以上の経緯をA県知事に報告した。

ところが、Pは行政指導を無視して営業を再開し、1カ月後、このような経緯を知らずにPで食事をしたXらに、Pの施設の管理ないし設備の不備が原因となった重症の食中毒が発生し、Xの長男で幼児であったGが死亡した。

〔設問〕
Xは、A県知事がPに対して適切な規制をしなかったために、食中毒被害を受けたとして、A県を相手取って、国賠法1条1項に基づき、損害賠償を求める訴えを提起しようとしている。Xはこの訴えにおいてどのような

主張をすべきか。（100点）

【資料　食品衛生法等（抜粋）】

○　食品衛生法
〔目的〕
第1条　この法律は、食品の安全性の確保のために公衆衛生の見地から必要な規制その他の措置を講ずることにより、飲食に起因する衛生上の危害の発生を防止し、もって国民の健康の保護を図ることを目的とする。
〔不衛生な食品又は添加物の販売等の禁止〕
第6条　次に掲げる食品又は添加物は、これを販売し（不特定又は多数の者に授与する販売以外の場合を含む。以下同じ。）、又は販売の用に供するために、採取し、製造し、輸入し、加工し、使用し、調理し、貯蔵し、若しくは陳列してはならない。
　一　腐敗し、若しくは変敗したもの又は未熟であるもの。ただし、一般に人の健康を損なうおそれがなく飲食に適すると認められているものは、この限りでない。
　二　有毒な、若しくは有害な物質が含まれ、若しくは付着し、又はこれらの疑いがあるもの。ただし、人の健康を損なうおそれがない場合として厚生労働大臣が定める場合においては、この限りでない。
　三　病原微生物により汚染され、又はその疑いがあり、人の健康を損なうおそれがあるもの。
　四　不潔、異物の混入又は添加その他の事由により、人の健康を損なうおそれがあるもの。
〔報告の要求、臨検、検査、収去〕
第28条　厚生労働大臣、内閣総理大臣又は都道府県知事等は、必要があると認めるときは、営業者その他の関係者から必要な報告を求め、当該職員に営業の場所、事務所、倉庫その他の場所に臨検し、販売の用に供し、若しくは営業上使用する食品、添加物、器具若しくは容器包装、営業の施設、帳簿書類その他の物件を検査させ、又は試験の用に供するのに必要な限度において、販売の用に供し、若しくは営業上使用する食品、添加物、器具若しくは容器包装を無償で収去させることができる。
2～4　（略）
〔有毒、有害物質の混入防止措置基準〕
第50条　厚生労働大臣は、食品又は添加物の製造又は加工の過程において有毒

な又は有害な物質が当該食品又は添加物に混入することを防止するための措置に関し必要な基準を定めることができる。

2　営業者（……）は、前項の規定により基準が定められたときは、これを遵守しなければならない。

〔営業施設の基準〕

第51条　都道府県は、飲食店営業その他公衆衛生に与える影響が著しい営業（……）であって、政令で定めるものの施設につき、条例で、業種別に、公衆衛生の見地から必要な基準を定めなければならない。

〔営業の許可〕

第52条　前条に規定する営業を営もうとする者は、厚生労働省令で定めるところにより、都道府県知事の許可を受けなければならない。

2～3　（略）

〔許可の取消、営業の禁停止〕

第55条　都道府県知事は、営業者が第6条、第8条1項、第10条から第12条まで、第13条第2項若しくは第3項、第16条、第18条第2項若しくは第3項、第19条第2項、第20条、第25条第1項、第26条第4項、第48条第1項、第50条第2項、第50条の2第2項、第50条の3第2項若しくは第50条の4第1項の規定に違反した場合、第7条第1項から第3項まで、第9条第1項若しくは第17条第1項の規定による禁止に違反した場合、第52条第2項第1号若しくは第3号に該当するに至った場合又は同条第3項の規定による条件に違反した場合においては、同条第1項の許可を取り消し、又は営業の全部若しくは一部を禁止し、若しくは期間を定めて停止することができる。

2　（略）

〔改善命令、許可の取消、営業の禁停止〕

第56条　都道府県知事は、営業者がその営業の施設につき第51条の規定による基準に違反した場合においては、その施設の整備改善を命じ、又は第52条第1項の許可を取り消し、若しくはその営業の全部若しくは一部を禁止し、若しくは期間を定めて停止することができる。

〔中毒に関する届出、調査及び報告〕

第58条　食中毒患者等〔＝食品、添加物、器具又は容器包装に起因する中毒患者又はその疑いのある者〕を診断し、又はその死体を検案した医師は、直ちに最寄りの保健所長にその旨を届け出なければならない。

2　保健所長は、前項の届出を受けたときその他食中毒患者等が発生していると認めるときは、速やかに都道府県知事等に報告するとともに、政令で定めるところにより、調査しなければならない。

3　（略）

4 保健所長は、第2項の規定による調査を行ったときは、政令で定めるところにより、都道府県知事等に報告しなければならない。
5 （略）

○ **食品衛生法施行令**
（中毒原因の調査）
第36条　法〔＝食品衛生法〕第58条第2項（……）の規定により保健所長が行うべき調査は、次のとおりとする。
　一　中毒の原因となった食品、添加物、器具、容器包装又はおもちゃ（以下この条及び次条第2項において「食品等」という。）及び病因物質を追及するために必要な疫学的調査
　二　中毒した患者若しくはその疑いのある者若しくはその死体の血液、ふん便、尿若しくは吐物その他の物又は中毒の原因と思われる食品等についての微生物学的若しくは理化学的試験又は動物を用いる試験による調査
（中毒に関する報告）
第37条　保健所長は、法第58条第2項の規定による調査（以下この条において「食中毒調査」という。）について、前条各号に掲げる調査の実施状況を逐次都道府県知事、保健所を設置する市の市長又は特別区の区長（以下この条において「都道府県知事等」という。）に報告しなければならない。
2　都道府県知事等は、法第58条第3項（……）の規定による報告を行ったときは、前項の規定により報告を受けた事項のうち、中毒した患者の数、中毒の原因となった食品等その他の厚生労働省令で定める事項を逐次厚生労働大臣に報告しなければならない。
3　保健所長は、食中毒調査が終了した後、速やかに、厚生労働省令で定めるところにより報告書を作成し、都道府県知事等にこれを提出しなければならない。
4　（略）

◆ 解説 ◆

1．出題の意図

　規制権限の不行使を理由にする国賠法1条1項に基づく国家賠償責任について問うものである。学説・判例で論じられている要件を事例に的確に適用し、賠償責任の成立を根拠づける主張をすることを求めている。

2．問題の所在

　本件は**規制権限の不行使による国家賠償責任**の事例である。すなわち、本件における直接の加害者はPであり、PがXに対して民法上の損害賠償責任を負うことは言うまでもないが、それに加えて、A県も、Pに対する規制権限を適切に行使しなかったことについて、責任を問われているのである。A県の国家賠償責任の成否に関わる最大の争点は、A県の行政機関による規制権限の不行使につき違法性が認められるか否かである。

3．国家賠償責任の成立の要件

(1)　「公権力の行使」該当性
　まず、前提として、行政機関の規制権限の行使のみならず、その不行使（不作為）も、国賠法1条1項にいう「公権力の行使」に当たることについては、学説・判例において争いがない。

(2)　不作為の違法性にかかる理論構成
　次に、違法性の判断の方法について整理しておこう。行政庁に規制権限を付与する法規の多くは、本件における食品衛生法上の監督処分権限（食品55条・56条）と同様、権限の発動について「できる」規定を用いており、権限の行使を明文で義務付けていない。しかし、学説・

判例は、一定の場合には権限の不行使が違法になると解しており、そのための理論構成として、裁量権収縮論（一定の場合に裁量権が収縮・後退して、規制権限行使の義務が生じるとする説）、作為義務論（国民の健康権などを根拠に裁量権の収縮について論ずるまでもなく被害者との関係で行政庁の作為義務を認めるべきとする説）、裁量権消極的濫用論（規制権限の不行使が著しく不合理である場合には違法となるという説）などがある（詳細には、宇賀克也『国家補償法』〔有斐閣、1997 年〕154 頁以下、西埜章『国家賠償法コンメンタール〔第 3 版〕』〔勁草書房、2020 年〕282 頁以下を参照）。

(3) 不作為の違法性の要件に関する学説・判例

権限の不行使を違法と判断するための具体的要件を示した先駆的な裁判例として、東京地判昭 53・8・3 判時 899 号 48 頁（東京スモン訴訟第 1 審判決）があり、そこでは、①国民の生命・身体・健康に対する毀損という結果発生の危険（危険の存在）、②行政庁において危険の切迫を知りまたは容易に知りうべかりし情況にあったこと（予見可能性）、③行政庁において規制権限を行使すれば容易に結果の発生を防止できたこと（結果回避可能性）、④行政庁が権限を行使しなければ結果の発生を防止できなかったこと（補充性）、⑤被害者として規制権限の行使を要請し期待することが社会的に容認されうること（期待可能性）の 5 要件が挙げられていた。

5 要件説は、以後の学説・下級審裁判例においてかなり広く支持された。なお、期待可能性要件については、その内容がはっきりせず、不適切かつ不要とする説（芝池・救済法 265 頁）があるが、むしろ期待可能性要件を重視し、補充性要件をそこに吸収させる説（宇賀・概説Ⅱ462 頁以下）もある。また、被侵害法益が生命・健康・身体のような重大なものである場合などにおいては、②以下の要件を緩和すべきという主張もされている（芝池・救済法 262 頁）。

(4) 裁量権消極的濫用論と最高裁判例の立場

ところで、裁量権収縮論、作為義務論、裁量権消極的濫用論といった理論構成のいずれを選択するかの問題と、具体的な要件のあり方と

は、必ずしも連動するものではないが、**裁量権消極的濫用論**は、裁量権収縮論を 5 要件説と同一視してこれを批判し、具体的な要件を定立せずに諸般の事情を総合考慮すべきと主張するものである。その意図は、規制権限の根拠法規の趣旨・目的など、5 要件説で明示されていない要素を考慮することにあるようであり、特に、行政機関が規制権限の行使以外にとった措置など、責任の成立に消極的に働く事情をも考慮すべきことが説かれる（例えば、横山匡輝「権限の不行使と国家賠償法上の違法」西村宏一ほか編『国家補償法大系 2　国家賠償法の課題』〔日本評論社、1987 年〕144 頁を参照）。もっとも、賠償責任を認めるうえでの基本的な要件は、この説に立ったとしても、上記の 5 要件（またはそれを緩和した要件）とさほど変わらないであろう。また、5 要件説に立っても、法の趣旨・目的を全く考慮せずに判断すべきということにはならないであろう。

　最高裁は一貫して具体的要件を定立せずに規制権限の不行使の違法性について判断しており、最 2 小判平元・11・24 民集 43 巻 10 号 1169 頁（京都宅建業者事件、百選Ⅱ 222、CB18 - 6）以来、法令の趣旨・目的や権限の性質に照らして権限の不行使が著しく合理性を欠く場合に権限の不行使が国賠法上違法になる、という旨の一般論が述べられるようになっている。上記平成元年判決や、最 2 小判平 7・6・23 民集 49 巻 6 号 1600 頁（クロロキン薬害訴訟、百選Ⅱ 223）は、権限付与の趣旨・目的や、行政機関が行政指導などの措置をとっていたことを考慮して、国家賠償責任を否定しており、既に述べたような意味での裁量権消極的濫用論に近い立場をとるものとみてよい。

　上記平成元年判決以後、不作為責任を否定する最高裁の判断が続いたが、近年、生命・健康・身体の重大な被害に関わる事例において、最 3 小判平 16・4・27 民集 58 巻 4 号 1032 頁（筑豊じん肺訴訟）、最 2 小判平 16・10・15 民集 58 巻 7 号 1802 頁（熊本水俣病関西訴訟、百選Ⅱ 225、CB18 - 12）、最 1 小判平 26・10・9 民集 68 巻 8 号 799 頁（泉南アスベスト訴訟、百選Ⅱ 224）のように、国の不作為責任を認める判決も出ており、注目される。

4．本件における不作為の違法の具体的検討

　一般論としては、上述の最高裁の立場に従っておいてもよいが、重要なのは、不作為の違法性を判断する際に考慮されるべき諸要素に関する具体的な検討である。

(1) 法の趣旨・目的
　まず、規制権限を授権する法の趣旨・目的について検討しておこう。食品衛生法が、1条において「国民の健康の保護」をその目的として掲げていること、同法55条ないし56条も、法令に違反する営業等を規制して、国民の健康被害を防ぐことを主要な目的としていると考えられること、同法が58条において食中毒に関する調査・報告義務を課していることなどに鑑みれば、同法の規制権限が、衛生基準を満たさない施設を規制して食中毒事故を防ぐことを重要な目的の1つとしていることは明らかであり、A県知事は、この権限を、被害の防止のために適切に行使する義務を負うというべきである。

(2) 5要件説の本問へのあてはめ
　次に、5要件説で説かれているような要件を、本件の事例にあてはめてみよう。第1に、危険の存在、しかも、生命・健康に対するそれが客観的に存在していたことについては、疑いの余地がない。第2に、既に食中毒事故が起こっていたことや、Pの施設が法令上の衛生基準を満たしていなかったことからすれば、Pの施設が改善されないまま営業が再開されたら新たな被害が発生することを、A県の担当者が予見することは可能であったといえるであろう。第3に、Pの施設は、食品衛生法50条および51条に基づく基準に違反していたから、同法55条ないし56条による監督処分権限行使の要件は満たされており、また、改善の命令や営業禁止等の適切な処分を行っていれば、被害の発生を回避することができたであろう。第4に、XおよびGは、それまでの経緯を知らずに食事をしたのであるから、A県の処分権限の行使がない状況で、自ら被害を回避することはできなかったといえる。ただし、第4の補充性要件を、生命・健康被害の事例において重視す

ることは必ずしも適切ではないと考えられる。最高裁が不作為責任を認めた上記の3判決も、補充性要件について明示的には触れていない。以上の要件に加えて第5の期待可能性要件を独自に判断することが必要か否かについては争いがあるが、いずれにせよ、以上のような状況の下ではこの要件も充足されるであろう。

(3) その他の考慮要素

もっとも、以上の検討から直ちにA県の責任が認められるとは言い切れず、裁量権消極的濫用論によって考慮すべきとされるその他の要素についても検討しておく必要がある。

保健所長であるCがPの経営者に行政指導をしていることはどのように評価すべきであろうか。まず、Fの食中毒の原因がはっきりしないこと、Pの経営者が施設の改善を約束していることからすれば、行政指導にとどめることにもそれなりの合理性があるようにも思われる。しかしながら、侵害されるおそれのある法益が生命・健康という重要なものであること、また、いずれにせよ、施設が改善されるまで営業再開を認めるつもりはなかったことに鑑みれば、行政指導にとどめて改善の命令や営業禁止等の処分に至らなかったことを違法と判断する余地がある。また、行政指導にとどめたことが違法でなかったとしても、その後の調査・監視を怠り、施設を改善しないまま営業を再開・継続させたことについては、責任を免れえないであろう。

〔関連問題〕

1．本事例と同じシチュエーションで、Xが、A県に対して、国家賠償を求めようとしたが、CがA県知事に本事例にあるような報告をしたかどうかが判明せず、事故がCないしA県知事のいずれのミスによって生じたのかを特定できなかった場合、加害公務員が特定されていないにもかかわらず、Xは賠償を求めることができるか。
2．本事例と同じシチュエーションで、CがA県知事に報告をしていなかったことが判明したとして、Xが、事故の主たる原因は、Cの判断ミスにあったと考えた場合、C個人に対して、民法709条に基づく損害賠償を求めることはできるか。

〔野呂　充〕

〔問題12〕 学校での事故・生徒間トラブルをめぐる紛争

◆ 事例 ◆

次の文章を読んで、資料を参照しながら、以下の設問に答えなさい。

1. 甲県の乙市立中学校は、乙市が設置し管理する中学校である。乙市立中学校は甲県内ではとりわけ音楽等の文化活動が盛んであり、構内の体育館（以下「本件体育館」と呼ぶ）は、今から10年前に建築されたが、体育の授業や課外のクラブ活動によるスポーツだけではなく、コンサートや文化的なイベントも開催することができるように、当時の最新の設備を備えていた。その設備の1つとして、舞台前面の床面が可動式になっており、コンサートを行う場合には、床面を下げて、オーケストラピット（舞台上でオペラ等の公演を行う場合、オーケストラが入るためのスペースとして舞台前面に設けられ、通常観客の視線を遮らないよう客席より低い位置になる）を作ることができるようになっていた。ただし、床面を下げた場合、本件体育館の床面とオーケストラピットの床面との間に隙間があく構造となっていた。オーケストラピットの下は地下の機械室につながっており、体育館の床面から機械室の床面の差は4mほどあった。また、体育館の床もオーケストラピットの床も、通常の体育館で使われる素材を使ったフローリングとなっていた。
2. 乙市立中学校では、例年、文化祭の行事の一部として、音楽系のクラブが中心となって、本件体育館でコンサートを開催していた。コンサートは、地域では有名な行事となっており、中学校の関係者だけではなく、地域住民も参加できるようになっていた。特に、プログラムの内容は小学生や幼稚園児に適した内容とされていた。そのため、例年、コンサートにおいては、同中学校の中学生だけではなく、周辺の地域の小学生や幼稚園児がそれぞれの小学校や幼稚園の行事の一環として参加していた。
3. 文化祭の日には舞台前の床を約0.7m下げて、オーケストラピットを設定していた。オーケストラピットを設定していたのは、ピット内でオ

ーケストラが演奏するためではなく、当日は乙市立中学校の生徒だけではなく小学生や幼稚園児も多数来場することから、舞台上の生徒が落ち着いて演奏できるように、観客席と舞台の間にスペースを設けるためであった。観客席とオーケストラピットの境界には、高さ0.8mで幅1.6mほどのプラスチックと金属製の防護柵（以下「本件防護柵」と呼ぶ）が数センチ間隔で並べられており、観客が過ってオーケストラピットに転落しないようにされていた（**【資料5】**参照）。

Ⅰ　コンサートが休憩時間に入ったとき、観客の1人として来ていた小学1年生のAが、オーケストラピットの中を見ようとして、本件防護柵によじのぼって乗り越えようとしたが、バランスを崩して、オーケストラピット内に転落し、さらに、勢いがついていたため、体育館床面とオーケストラピットの隙間をすり抜け、3m以上下の地階にまで転落し、両足を骨折するという重傷を負った。

Ⅱ　また、文化祭のコンサートについては、乙市立中学校の生徒は正課の授業の一環として全員鑑賞することになっていた。しかし、休憩時間に、会場の後方で何人かの生徒が遊びはじめ、生徒Bが、止めに入った生徒Cをふざけて柔道の投げ技で投げたところ、Cは体育館の床面で背中を強打し脊椎を損傷する重傷を負った。

4．AとCはいずれも国家賠償請求を行う意思を示していることから、甲県の担当者Dと乙市の担当者Eは、弁護士であるFに対応を相談することとした。

〔設問1〕
Aが、乙市に対して、国賠法2条1項に基づく国家賠償請求をする場合、どのような主張を行うことができるか、乙市の反論に留意しながら検討しなさい。（40点）

〔設問2〕
1．Cが、乙市に対して国賠法2条1項に基づいて国家賠償請求をする場

合、どのような主張を行うことができるか、乙市の反論に留意しながら検討しなさい。(30点)
2．Cが、乙市に対して国賠法1条1項に基づいて国家賠償請求をする場合、どのような主張を行うことができるか、乙市の反論に留意しながら検討しなさい。また、この場合、Cが甲県に対する国家賠償請求をできるとすればその法的な根拠はどのような点になるか、Cの立場から説明しなさい。(30点)

【資料1　F弁護士事務所での会話の一部】

E：今年の乙市立中学校の文化祭は2つも大きな事故が重なってしまいました。F先生に法的な対応につきおうかがいしたいと思います。

F：まず、Aさんの転落事故についてですが、Aさんは本件防護柵を乗り越えようとしたということですね。

E：はい。本件防護柵は、観客が過って転落するのを防ぐためのものです。高さが0.8mほどあれば、観客が過って転落することは十分に防止できます。普段、学校行事でオーケストラピットを使うときも、本件防護柵を使っていました。ですから、観客が転落するのを防ぐためのものとしては、本件防護柵は十分な安全性を備えていたものと考えています。それに、あまり高い頑丈な防護柵を設置すると舞台が見えなくなりますし。また、ピットの深さを約0.7mとしていたのも転落時の危険性を考慮してのことです。Aさんは、オーケストラピットの中に何があるのか興味をもったとのことで、自ら中を見に行こうと考えて防護柵を乗り越え、そのままバランスを崩して転落されたとのことです。

F：体育館の床面とオーケストラピットの隙間には特に金網や柵はなかったのですか。

E：床面とオーケストラピットの隙間には、特に何も設置されていませんでした。また、当日はオーケストラピットの深さを約0.7mにしていましたので、体育館の床面とオーケストラピットの床の隙間は、床の厚さがあるので0.4mほどでした。この程度の隙間だと、中学生や大人の体格なら隙間から落ちる可能性はあまりないとも考えていました。Aさんは小学1年生で、比較的小柄でしたので、隙間から地階に転落されたのだと思います。

F：休憩時間には、本件防護柵の周辺には誰も配置されていなかったのですか。

E：担当の先生方は、次の演目の準備のため、楽屋におり、体育館の中にはいませんでした。生徒を係員として配置することもしておりませんでした。

F：お話をうかがう限りでは、Aさんについては、国賠法2条の営造物管理責任が問題になりそうですね。その他、Aさんを連れてきていた小学校の先生方の対応に不十分な点があったかという論点も考えられますが、この問題については別の機会に検討することとしましょう。次に、Cさんの事故ですが、Cさんが国家賠償請求の根拠とされている点は2つあるということですね。

E：はい。Cさんと代理人の弁護士さんにお会いしたところ、2つの点について話されました。第1に、休憩時間に教員が誰もいなくなっていたため、悪ふざけをしている生徒を注意する者がいなかったので、これが学校の管理のミスではないかということでした。乙市立中学校では、これまで、重大な事故は起きていませんでしたが、このような生徒が多く集まる学校行事の際には男子生徒を中心に悪ふざけをして騒ぐことはよくあったことで、このようなことは先生方も知っていたはずだし、また、先生方がその場にいればBを止めることもできたはずではないかとのことでした。第2に、Cさんは体育館の床に投げつけられてけがをしたのですが、体育館の床材は、そこで柔道等も行われるのであるから、通常のフローリングではなく、衝撃を吸収する特別な素材を使って、けがをしにくい構造にすべきだったのではないかという点も指摘されていました。

F：法的に整理すると、第1の点は国賠法1条の損害賠償請求に関わる点で、第2の点は国賠法2条に関わる点だと思います。ところで、Cさんが主張されるような衝撃吸収の床の構造というのもあるのでしょうか。

D：甲県でも他の県でも、中学校の体育館でそのような素材使っている学校はありません。そのような素材は、7～8年前に開発されたそうですが、格闘技などが行われる一部のスポーツ施設には設置されていることがあるものの、通常の学校の体育館にはほとんど使われていないようです。それに、授業やクラブ活動で生徒が衝撃を受ける場合には安全のため別にマット等を使用します。また、そのような床材を設置するとなると費用も工事のための時間もかかるとのことです。

F：そのような床材を使っていないことが国賠法2条の営造物管理責任を考えるうえで、どのように考慮されるべきなのかは、注意して検討すべきでしょうね。

D：それともう1つお聞きしておきたい点があるのですが、Cさんは、乙市だけではなく甲県も被告として国家賠償請求すると聞いています。乙市立中学校での事故なのに、甲県も国家賠償責任を負うのでしょうか。

F：法的には、乙市立中学校の教職員が、市町村立学校職員給与負担法1条1号の職員に当たり、甲県も国家賠償責任を負うことがありえますので、Cさんの甲県に対する国家賠償請求については、国賠法や教員の人件費に関する

個別法の条文を踏まえて、説明いたします。

【資料２　市町村立学校職員給与負担法（抜粋）】
第１条　市（……）町村立の小学校、中学校、義務教育学校、中等教育学校の前期課程及び特別支援学校の校長（中等教育学校の前期課程にあっては、当該課程の属する中等教育学校の校長とする。）、副校長、教頭、主幹教諭、指導教諭、教諭、養護教諭、栄養教諭、助教諭、養護助教諭、寄宿舎指導員、講師（常勤の者及び地方公務員法（昭和25年法律第261号）第28条の５第１項に規定する短時間勤務の職を占める者に限る。）、学校栄養職員（学校給食法（昭和29年法律第160号）第７条に規定する職員のうち栄養の指導及び管理をつかさどる主幹教諭並びに栄養教諭以外の者をいい、同法第６条に規定する施設の当該職員を含む。以下同じ。）及び事務職員のうち次に掲げる職員であるものの給料、扶養手当、地域手当、住居手当、初任給調整手当、通勤手当、単身赴任手当、特殊勤務手当、特地勤務手当（これに準ずる手当を含む。）、へき地手当（これに準ずる手当を含む。）、時間外勤務手当（学校栄養職員及び事務職員に係るものとする。）、宿日直手当、管理職員特別勤務手当、管理職手当、期末手当、勤勉手当、義務教育等教員特別手当、寒冷地手当、特定任期付職員業績手当、退職手当、退職年金及び退職一時金並びに旅費（都道府県が定める支給に関する基準に適合するものに限る。）（以下「給料その他の給与」という。）並びに定時制通信教育手当（中等教育学校の校長に係るものとする。）並びに講師（公立義務教育諸学校の学級編制及び教職員定数の標準に関する法律（昭和33年法律第116号。以下「義務教育諸学校標準法」という。）第17条第２項に規定する非常勤の講師に限る。）の報酬、職務を行うために要する費用の弁償及び期末手当（次条において「報酬等」という。）は、都道府県の負担とする。
一　義務教育諸学校標準法第６条第１項の規定に基づき都道府県が定める都道府県小中学校等教職員定数及び義務教育諸学校標準法第10条第１項の規定に基づき都道府県が定める都道府県特別支援学校教職員定数に基づき配置される職員（義務教育諸学校標準法第18条各号に掲げる者を含む。）
二〜三　（略）

【資料３　地方教育行政の組織及び運営に関する法律（抜粋）】
（任命権者）
第37条　市町村立学校職員給与負担法（昭和23年法律第135号）第１条及び第２条に規定する職員（以下「県費負担教職員」という。）の任命権は、都道府県委員会に属する。

2　（略）

（服務の監督）
第43条　市町村委員会は、県費負担教職員の服務を監督する。
2　県費負担教職員は、その職務を遂行するに当って、法令、当該市町村の条例及び規則並びに当該市町村委員会の定める教育委員会規則及び規程（前条又は次項の規定によって都道府県が制定する条例を含む。）に従い、かつ、市町村委員会その他職務上の上司の職務上の命令に忠実に従わなければならない。
3　県費負担教職員の任免、分限又は懲戒に関して、地方公務員法の規定により条例で定めるものとされている事項は、都道府県の条例で定める。
4　（略）

【資料4　学校教育法（抜粋）】
第5条　学校の設置者は、その設置する学校を管理し、法令に特別の定のある場合を除いては、その学校の経費を負担する。

【資料5　オーケストラピットおよび舞台の断面図】

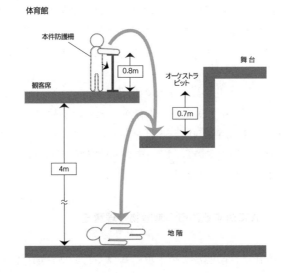

◆ 解説 ◆

1．出題の意図

　本問は、国賠法2条1項の営造物管理責任の要件と、それと関連して国賠法1条1項に基づく責任や国賠法3条1項の費用負担者についても考えてもらう問題である。

　まず、国賠法2条1項の営造物管理責任については**設置管理の瑕疵**が問題になるが、Aについては転落事故において被害者が自ら危険な場所に近づいたことをどのように考えるべきか、Cについては、体育館建築後に開発された新しい床材を採用していなかったことが瑕疵と判断されるべきかがポイントとなる。従来の判例をベースにして考えてもらいたい。Cに対する国賠法1条1項の責任については、学校事故でよく見られる事案であるが、学校での教育活動における事故の発生等を防止する注意義務を問題にするものである。さらに、国賠法1条1項の責任については、乙市だけではなく甲県も国家賠償責任を追及されることとなるが、参照条文に注意しながら、どのような条文に基づいて甲県の責任が追及されるのかを整理することが求められている。

　なお、オーケストラピットへの転落事故については高松高判平2・10・26判時1380号109頁を、体育館の床での事故については東京地判平23・9・13判時2150号55頁を参考にしているが、事案については大きく変更を加えている。また、床の衝撃吸収素材についての事実は、作問の必要に応じて筆者が考えたものである。

2．設問1——Aに対する乙市の営造物管理責任

　乙市の責任は、国賠法2条1項に基づく営造物管理責任である。国賠法2条1項は、「道路、河川その他の公の営造物の設置又は管理に瑕疵があったために他人に損害を生じたときは、国又は公共団体は、これを賠償する責に任ずる」と規定しており、責任の有無を考えるうえで検討すべきなのは、①**公の営造物**に該当するか、②設置管理の瑕疵

があったかどうか、③損害と営造物の瑕疵との因果関係がみられるか、である。このうち、営造物管理責任を考えるうえで重要なのは①と②であるが、本問の場合は②が特に重要であり、②を中心に解説する。

(1) 公の営造物

本問の場合、争点となることはあまりないであろうが、本件体育館が、国賠法2条1項における「公の営造物」に該当するのかについては簡単に確認しておく必要がある。

国賠法2条1項の「公の営造物」は、国賠法2条1項が適用される場合かどうかの基準であり、学説や判例では、公の用に供される有体物を指すとされている。また、公の営造物は、民法717条における「土地の工作物」とは異なり、不動産や土地に定着した物には限定されず、動産も含むと考えられているし、国賠法2条はその責任根拠を所有権や占有権に求めるものではないため、例えば国や公共団体が所有権等の権原なしに管理していることもあると考えられている。

本件体育館については、市立中学校の体育館として、地方公共団体である乙市が設置して同校の生徒や本事例のように生徒以外の地域の小学生らも利用しているもので、公の用に供されており、国賠法2条1項の適用対象となる公の営造物であるということができる。

(2) 設置管理の瑕疵の有無

では、本件体育館やオーケストラピットの設置管理に瑕疵があったかどうかである。まず、国賠法2条1項における「設置管理の瑕疵」がどのように理解されているかを一般的に整理し、次に本件体育館にあてはめると、どのような点が争点となるのかを解説する。

(ア) 設置管理の瑕疵の判断基準＝通常有すべき安全性に欠けていること

国賠法2条に基づく営造物管理責任は、国賠法1条と異なり、**無過失責任**であると解されており、責任要件とされるのは、設置管理の瑕疵である。設置管理の瑕疵とは、判例上、当該営造物に**通常有すべき安全性が欠けていること**であるとされる。この判断は「当該営造物の構造、用法、場所的環境及び利用状況等諸般の事情を総合考慮して具体的個別的に」行われる（最3小判昭53・7・4民集32巻5号809頁〔夢

野台高校事件〕）。そのとき、基準とされるのは、①当該営造物に危険性が存在すること、②営造物の設置管理者において損害の発生が予測できること（予見可能性）、③営造物の設置管理者が損害の発生を回避できること(回避可能性)であると整理することができる。③については、例えば、道路工事現場を赤色灯で示していたところ、通行車両が赤色灯にぶつかり消してしまい、その直後に別の車が通りかかり工事現場に気づかず事故を起こした場合には、時間的に道路の管理者が安全性を確保することができなかったことを理由に設置管理の瑕疵を否定した事例が見られる（最1小判昭50・6・26民集29巻6号851頁〔赤色灯事件、CB19-3〕）。

また、少なくとも道路等の人工的に設置された営造物（「**人工公物**」と呼ばれることがある）については、事故防止のための安全対策をとることに多額の予算がかかることのみでは免責事由にはならないとされている（最1小判昭45・8・20民集24巻9号1268頁〔高知落石訴訟、百選Ⅱ235、CB19-1〕）。ただし、河川などの自然公物については、道路と異なり、河川改修に多額の予算が必要なことが通常有すべき安全性の有無の判断において考慮されることがある（最1小判昭59・1・26民集38巻2号53頁〔大東水害訴訟、百選Ⅱ237、CB19-5〕）。

(イ) 本件体育館の設置管理の瑕疵

それでは、本件体育館やオーケストラピットには通常有すべき安全性が欠けているといえるであろうか。(ア)の整理を踏まえて検討してみよう。

(a) 乙市の反論

まず、乙市の反論から考えてみよう。乙市は、本件のオーケストラピットは転落の危険性があり、そのような危険性は予測できたとしても、転落の危険性については、本件防護柵を設置しており、本件防護柵はその高さにおいても構造においても観客の転落を防止するための設備としては十分な安全性を有するものだから、通常有すべき安全性を備えていたと主張するであろう。すなわち、乙市としては、本件防護柵によって、観客の転落を防止することができたのであるから、自ら本件防護柵を乗り越えてオーケストラピットに近づこうとするという危険な行為をする者のことまで予測して対応する必要はないと主張

することになるであろう。また、安全性を考えて高い防護柵を設ければ、コンサートにも支障となることが考えられるのであり、本件防護柵の置かれている場所的な状況から、0.8m 程度の防護柵しか設置できないとの主張も考えられる。さらに、万一、観客が、防護柵をすり抜け、あるいは、何らかの理由で過って転落した場合を想定して、オーケストラピットの深さを 0.7m としていたのであるから、乙市は、取りうる安全策をすべてとっていたのであり、通常有すべき安全性があったと主張することになる。

(b) 守備範囲論

では、乙市のこのような主張は正しいのだろうか？　たしかに、被害者が自ら危険な行為や無謀な行動を行った場合には、営造物管理責任は成立しないことがある。また、営造物に想定される守備範囲やその本来の用法を外れた使用の仕方による事故については、設置管理者は責任を負わないという考え方もこれまでの判例には見られる（「**守備範囲論**」と呼ばれる）。そうすると、乙市の反論に見られるように、本問のAの事故は営造物の設置管理の瑕疵によるものではないということになるのであろうか。

この点については、Aの立場からは、次のように考えることになるであろう。たしかに、Aは本件防護柵を自ら乗り越えるという危険な行動をしている。しかし、本来の用法とは異なる危険な用法で営造物を使用したからといって、それによって直ちに営造物の設置管理者が免責されるわけではない。たとえ、危険な行動であっても、例えばこれまでに類似する危険な行動をする者があり、同様の事故が発生していたという場合のように、危険な行動をとる者がいることが通常予測され、かつ、それによって重大な事故が起きる可能性がある場合には、営造物の設置管理者はそのような危険に対応しなければならないと考えられるからである。そうすると、単に、本来の利用と異なる危険な行動によって営造物が利用されていたということだけではなく、具体的な事情からそのような危険を営造物の設置管理者において予測できたかどうかがポイントとなるであろう（このような事情を指摘するものとして、牧山市治・最判解民事篇昭和 53 年度版 266 頁参照）。

(c) Aがなしうる主張

本事例に即して解答すると以下のようになる。たしかに、本件防護柵は観客の転落防止のためであれば十分な安全性を備えていたと考えてよいかもしれない。しかし、文化祭当日のコンサートは、地域の小学生や幼稚園児が多数参加して開催されるものであった。小学生や幼稚園児が多数集まるのであれば、休憩時間中には、好奇心からオーケストラピットの中を見ようとする児童が現れる可能性は十分に予測することができるものである。加えて、ピットの深さは0.7mしかないとしても、体の小さい生徒や児童がピット内に転落すると、隙間から4mの深さの地階に転落する可能性もあったのであり、非常に危険性が高かった。もちろん、高さのある丈夫な防護柵を設置すればコンサートの運営を阻害する可能性もある。しかし、そうであれば、教職員または生徒を係員としてオーケストラピットの周辺に配置しておけば、危険を防止することができたはずである。

また、体育館の床面とピットの床面の隙間にも何らかの安全策をとっておくべきであった（素材とした判決の事案では、事故後隙間に金網が張られた）。にもかかわらず、そのような危険性が予測でき、かつ、適切で容易な回避手段が存在するにもかかわらず、乙市は何の対策もとっていなかった。そのような事情を考慮すると、本件防護柵やオーケストラピットは通常有すべき安全性に欠ける状態であったということができ、営造物の設置管理に瑕疵があったと考えることができる。もちろん、Aが自ら危険な行動を行ったことは事実なので、損害賠償額の決定に関しては、**過失相殺**がなされる可能性はありうるだろう（民722条2項、国賠4条）。

3．設問2-1——Cに対する乙市の営造物管理責任

次に、乙市のCに対する営造物管理責任について考えてみよう。営造物管理責任の全体的な解説は 2 で見たとおりなので、繰り返さず、本件で問題になる点のみを検討することにする。

(1) 営造物設置後に開発された設備と営造物の瑕疵

　営造物管理責任について、Cが主張しているのは、体育館の床につき衝撃を吸収することができるような素材にしておくべきであったという点である。そのような素材は、本問の作問の都合上設定したものであるが、問題文によると、7～8年前に開発され、一方、本件体育館が10年前に建築されたとのことである。そうすると、本問は、**営造物が設置された後に開発された安全設備**を設けていないことは設置管理の瑕疵となるのかという論点に関するものであるということができる。

　営造物が安全に設置された後に開発された安全設備を設置していなくても、直ちに通常有すべき安全性を欠いているとはされないのが判例の立場である。駅における点字ブロックが設置されていないことが設置管理の瑕疵に当たるかが争点になった判例（最3小判昭61・3・25民集40巻2号472頁、百選Ⅱ239、CB19－6）によると、「その安全設備が、視力障害者の事故防止に有効なものとして、その素材、形状及び敷設方法等において相当程度標準化されて全国的ないし当該地域における道路及び駅のホーム等に普及しているかどうか、当該駅のホームにおける構造又は視力障害者の利用度との関係から予測される視力障害者の事故の発生の危険性の程度、右事故を未然に防止するため右安全設備を設置する必要性の程度及び右安全設備の設置の困難性の有無等の諸般の事情を総合考慮」して判断するとされている。すなわち、当該安全設備の普及度や必要性や設置の困難性が考慮されることになる。また、別の判例（最3小判平22・3・2裁判民集233号181頁、CB19－11）では、以上の点のほかに、事故の危険性がそれほど高くなく、また、注意喚起等の対策もとられているという状況の下ではあるが、新たな安全設備を設けることにつき「多額の費用を要すること」が、設置管理の瑕疵を否定する方向で考慮されている。

(2) 本問へのあてはめ

　では、本件での乙市には営造物管理責任はあるのだろうか。Cの立場からは、体育館の新素材は7～8年前に既に開発されていたものであり、それほど新しいものではなく、時間的には設置工事をすること

は可能であったと考えられるし、中学校の体育館では体育の授業で必要となることもあり、また、生徒間の事故が起きる危険性はあるのだから、それに対応した安全設備を備えるべきとの主張が考えられる。逆に、乙市からは、新たな床の素材は存在するが、実際には、一部のスポーツ施設で採用されているだけであり、学校の体育館ではほとんど普及していないことや、また、体育の授業においてはマット等が使用されることから危険性はあまり高くはなく、本件体育館でそのような素材を使った床に貼り替える必要性が低いとの指摘をすることになる。さらに、にもかかわらずかなりの費用がかかることから、設置が困難であるとの主張も乙市からは行われることになるであろう。本問の解答としてはこれらの争点となる主張を、上記の主要な判例に則して指摘できていれば、十分な内容である。

もっとも、実務的には、本事例からは営造物管理責任を肯定することは難しいと考えることができる。したがって、Cとしては国賠法1条1項に基づく責任についても考える必要がある。

4．設問2-2——Cに対する乙市と甲県の国家賠償責任

Cは、乙市と甲県に対する国家賠償責任を追及しようとしている。以下、被告を分けて解説する。

(1) Cに対する乙市の国賠法1条1項に基づく責任

国賠法1条の責任の要件はいくつかあるが、ここでは本問で重要な要件を中心に見ていこう。まず、「**公権力の行使**」に該当するかである。国賠法1条の「公権力の行使」については、権力的な行政活動に限定する**狭義説**も見られるが、現在の通説および判例とされる考え方は、国賠法2条の営造物管理責任に該当する場合や私経済活動を除いた行政活動が「公権力の行使」であるとする**広義説**を採用している。この考え方からすれば、本事例のような学校教育活動の一環である文化祭活動に関しても「公権力の行使」に該当すると考えてよいであろう。

(ア) 学校教育活動における過失

次に、学校教育活動に関する国家賠償責任においては、教員の注意義務違反、すなわち過失の有無が主たる争点となり、違法性が独立して争点となることはあまり見られない（参照、宇賀・概説Ⅱ449頁）。したがって、本問では、過失すなわち、生徒を損害から保護する注意義務違反の有無が主として論じるべき点ということになる。

一般的に、教員は、学校での教育活動から生じる危険から生徒を保護する義務があると考えられている（最2小判昭62・2・6判時1232号100頁、百選Ⅱ215）。もっとも、このような一般的な安全に注意する義務から、具体的にどのような義務が生じるかは、事案に応じてさらに検討が必要となる（学校での安全に関する注意義務の2段階性について、芝池・救済法52頁以下参照）。例えば、判例の中には、最2小判昭58・2・18民集37巻1号101頁のように、課外活動中に起きた生徒間のトラブルにつき、一般的な注意義務の存在を肯定しながら、課外活動の性質等を考慮して危険性が具体的に予見可能でなければ、教員がクラブ活動に立ち会う義務はないとするものもある（石井彦壽・最判解民事篇昭和58年度版56頁参照）。

(イ) 本問へのあてはめ

では、本事例の場合はどのように考えられるのであろうか。本事例では、生徒の自主性が認められる課外活動ではなく、文化祭行事とはいえ正課の一部という位置づけであった。したがって、前掲・最2小判昭58・2・18よりも、厳格な注意義務が課せられることになるはずである。しかも、Eの発言によれば、これまで同校の行事では、男子生徒を中心に悪ふざけをして騒ぐことはよくあったとのことであるから、Cからは、同校の教職員にとっては、それによって何らかの生徒間のトラブルが生じることは予測できたのではないか、と主張することになると考えられる。

その他の国賠法1条1項に関する要件である、損害や因果関係の存在については本問ではあまり争点とはならないものであり、解答にあたっては簡単に触れておけば足りる。

(2) Cに対する甲県の国家賠償責任
㋐ 国賠法3条1項

　次に甲県がCとの関係で国家賠償責任を負うかどうかを検討する。乙市立中学校は、乙市が設置しているものであるから、(1)で見たようにその教職員の活動により損害が生じた場合には、少なくとも乙市が国家賠償責任を負うことは争いがない。しかし、国賠法3条1項によると、公務員の選任もしくは監督にあたる公共団体とその費用を負担する公共団体が異なる場合には、被害者との関係ではいずれの公共団体も損害賠償責任を負う。このとき、被害者は、選任監督者の公共団体と**費用負担者**の公共団体からいずれか一方を選択して損害賠償請求してよいし、あるいは両方に対して請求をしてもよい。国賠法3条1項がこのような規定を置いたのは、どちらかの公共団体のみを被告とすると、被害者が被告の選択において誤ることがありうるから、被害者救済の充実のためと考えられている。したがって、甲県が費用負担者に該当すればCに対する国家賠償責任を負うことになる。

㋑ 本問へのあてはめ

　では、個別法の条文から甲県が費用負担者に当たるのか考えてみよう。学校教育法5条は、学校設置者が費用を負担するとしているので、甲県ではなく、学校設置者（＝乙市）が費用を負担するように考えられるかもしれない。しかし、F弁護士の発言にあるとおり、乙市立中学校の教員は、市町村立学校職員給与負担法1条1号の職員に該当する。このような教職員は地方教育行政の組織及び運営に関する法律37条1項に基づく「県費負担教職員」と呼ばれ、市立小学校で教育を行うが、その給与については県が負担する。そうすると、甲県は県費負担教職員については給料等の人件費を負担しているのであるから、国賠法3条1項における「費用を負担する者」に当たることになる。したがって、甲県は国賠法3条1項に基づいて、Cに対して損害賠償責任を負うことになると考えられる。

　本問の解答にあたっては、国賠法3条だけではなく、参考として挙げられている個別法の条文を指摘して、甲県が費用負担者に当たることを説明できていればよい。

〔関連問題〕
　Cが、乙市と甲県に対して国家賠償請求を行ったところ、甲県はCに対して損害額すべてについて損害賠償を支払った。しかし、甲県は、乙市も賠償を負担すべきではないかと考えている。甲県は、国賠法3条2項に基づいて、乙市に対して賠償の負担を求めることができるか。
　最2小判平21・10・23民集63巻8号1849頁（百選Ⅱ243、CB18-15）を参考にして検討しなさい。

［北村和生］

〔問題13〕 指定ごみ袋の規格変更をめぐる紛争

◆ 事例 ◆

次の文章を読んで、以下の設問に答えなさい。

1. 甲県乙市は、一般廃棄物の分別収集を実施するにあたり、分別の徹底を図るべく、ごみ収集袋の指定制度を採用することとした。具体的には、乙市が定める規格に適合した半透明のごみ収集袋（以下「本件指定袋」という）を、スーパーなどの販売協力店舗を通じて有料で販売し、本件指定袋を使用していない場合には収集の対象としないこと、および、犬猫防除やごみ腐敗防止等の効果がある特定の忌避剤の含有を規格要件とすることを、方針として定めた。
2. 上記の規格に適合した商品を製造・販売しているのは、国内でA社のみであった。乙市は、A社と協議し、分別収集に必要な量の本件指定袋を製造・納入する能力および意思があるか確認したうえで、指定ごみ収集袋の規格等に関する要綱（以下「本件要綱」という）を定め、本件指定袋の規格要件を具体的に規定するとともに、本件指定袋の製造にあたっては、乙市長が規格要件適合性の確認のために行う承認を要するものとした。
乙市は、2018年4月、本件要綱に基づき、A社に製造承認をし、同年7月からの分別収集実施に向け、本件指定袋700万枚について、同年6月中の店頭販売が可能なように在庫準備し、販売協力店舗に納入すること、および、同年7月の分別収集開始以降も、本件指定袋が不足しないようにすることを指示した。同年4月、A社は本件指定袋700万枚を製造した。仕入れ単価は10円、希望小売単価は18円であった。
3. 本件指定袋については、分別収集の開始前から、住民の間で、1社独占の状態で単価が高額であることや忌避剤により不快な臭気がすることに対する不満の声があがっており、分別収集の開始後は批判がさらに強くなるとともに、マスコミや市議会議員も、本件指定袋による収集を批判するようになった。

同年9月、A社は、本件指定袋の在庫切れを防ぐため新たに製造をするにあたり、本件指定袋への批判が強いことに不安を感じ、乙市に、本件指定袋を用いた分別収集の今後の見通しについて問い合わせた。乙市は、忌避剤が効果を上げているという意見もあるので、直ちに制度を変更することは考えておらず、引き続き住民等の理解を得るため努力していく方針であると説明するとともに、今後とも十分な在庫準備をするよう指示した。そこで、A社は、本件指定袋700万枚を製造した。

4. ところが、同年10月に行われた乙市長選挙で、大方の予想を覆し、本件指定袋による分別収集の見直しを公約の1つとして掲げる新人候補が当選した。新市長は、直ちに、暫定措置として、本件指定袋を使用していないごみの収集を認めるとともに、本件要綱を改正して本件指定袋の規格要件を緩和したうえ、2018年12月から、改正された要綱に基づく分別収集を開始した。その後、A社以外の会社から小売価格10円程度のごみ収集袋が販売されるようになったため、A社が製造した本件指定袋はほとんど売れなくなった。その結果、A社は、約250万枚の本件指定袋の在庫を抱え、また、これらの在庫の倉庫保管料として約800万円の費用が発生した。

〔設問〕

A社は、乙市に対して、賠償ないし補償を求めることができるか。賠償ないし補償を求めるための法的根拠、要件および賠償ないし補償の対象となる損害ないし損失の範囲に注意して論じなさい。(100点)

◆ 解説 ◆

1．出題の意図

　行政主体が、政策や計画を定めた場合において、その後の社会的・経済的状況の変化や住民の意見に基づいて政策や計画を変更する必要が生じることは少なくない。その結果、行政主体の政策や計画を前提として投資などをした私人に損害が生じる場合がある。しかし、政策や計画の変更は当初から想定しうる事態であるから、損害が生じたとしても、私人が負うべきリスクであるとして、賠償等は認められないのが原則である。もっとも、政策や計画の継続について私人に法的保護に値する信頼が生じているような場合には、損害賠償等の救済が認められるケースがある。

　本問は、ごみ収集袋の指定制度の変更によって、ごみ袋を製造・販売する事業者が損害を被った事例において、事業者が救済を求めるための法的根拠、要件および救済される損害の範囲について、判例の立場を踏まえて具体的に検討することを求めるものである。

2．検討の対象

(1)　契約違反ないし政策変更自体の違法

　本問におけるA社の損害については、次の(2)で述べる信義則（信頼保護原則）違反を理由とする損害賠償を求めることが考えられるが、その前に、より容易ないし確実に救済を求める法的根拠がないか、検討すべきである。

　まず、乙市とA社の間で何らかの**契約関係**が存在している場合は、A社は債務不履行による損害賠償を求めることができる。契約の内容にもよるが、損害賠償による救済にとどまらず、政策や計画の実施を請求できる場合もありうる。なお、契約の締結に至っていなくても契約の締結を目指した交渉が行われていれば、契約締結上の過失を理由とする賠償を求めることができる。しかし、本問の事実関係からは、

契約の締結および契約の締結を目指した交渉のいずれも認めることができないであろう。

　次に、契約関係が認められない場合でも、政策の変更自体が必要性・合理性を欠くものであるとしたら、信頼保護原則を持ち出すまでもなく、**違法な政策変更**を理由に、国賠法1条1項に基づく損害賠償を求めることが考えられる。しかし、本問の政策変更は、選挙によって示された住民の意思に基づくという点で、住民自治の原則にかなうものであり、また、価格や臭気に対する批判という実質的な変更理由も合理性を欠くものとはいえないので、変更自体を違法ということは困難であろう。

　このように、契約関係が存在せず、または、政策変更自体に違法性がない場合には、信頼保護原則に基づく損害賠償責任について検討すべきである。

(2) 信義則（信頼保護原則）違反

　行政上の法律関係にも、**信義則**（民1条2項）が法の一般原則として適用されることについては争いがない。行政主体が政策・計画を変更した場合に、政策・計画の継続への信頼を裏切られて損害を被った私人としては、信義則違反を理由に救済を求めることが考えられる。なお、このような事案においては、行政主体の具体的な言動に対する信頼の保護が問題となっているので、信義則より狭い**信頼保護原則**という法理が用いられることが多い。

　リーディングケースとして、地方公共団体の工場誘致政策の変更により、工場設置を断念せざるをえなくなったとする事業者が地方公共団体に損害の賠償を求めるための要件等について判断した最3小判昭56・1・27民集35巻1号35頁（宜野座村工場誘致政策変更事件、百選Ⅰ25、CB9-3。以下「昭和56年最判」という）がある。同判決が示した要件に照らして、本件における救済の可否を検討すべきである。

3．信頼保護原則に基づく損害賠償責任の検討

(1) 昭和 56 年最判の立場

　昭和56年最判は、以下のような要件の下で、信頼保護原則に基づく行政主体の不法行為責任が生じるとしている。まず、①行政主体が、特定の者に対し、行政主体の施策に適合する特定内容の活動をすることを促す個別的、具体的な勧告ないし勧誘を行い、かつ、②勧告・勧誘の対象である活動が、相当長期にわたる当該施策の継続を前提として初めてこれに投入する資金または労力に相応する効果を生じうる性質のものである場合には、勧告・勧誘を受けた者に、施策の継続について法的に保護すべき信頼が生じる。そして、③施策の変更により、社会観念上看過することのできない程度の積極的損害が生じ、かつ、④代償的措置が講じられていない場合には、⑤施策の変更がやむをえない客観的事情によるのでない限り、行政主体の不法行為責任が生じる。
　なお、③でいう**積極的損害**は、既存の財産が減少することを意味する。これに対し、**消極的損害**は財産の増加を妨害することを意味し、得られなかった利益を逸失利益または得べかりし利益という。

(2) 本件に即した検討
㋐ 本件における賠償請求の可否

　まず、①の要件について、乙市は、本件指定袋による分別収集という政策を実現するため、A社に、事前の協議を経て、本件指定袋の製造・在庫準備を指示しており、個別・具体的な勧告・勧誘があったと認めることができる。
　②の要件については、A社が乙市の指示に沿って大量の在庫準備をした後で、政策が変更されれば、本件指定袋の販売が困難になり、製造等に要した費用を回収できなくなることは明らかである。以上のことから、A社は、2018年9月以降の政策の継続について、法的に保護すべき信頼を有していたものということができる。
　③の要件については、政策の変更により、A社には、販売が事実上不可能となった約250万枚の本件指定袋の卸売価格に相当する約2,500万円に、倉庫保管料の約800万円を加えた、約3,300万円の積極的損

害が発生している。また、この損害額は、社会通念上看過し難いものと評価することができるであろう。なお、政策が継続された場合、A社は、さらに本件指定袋を製造・販売することにより利益を得ることができたはずであるが、このような利益が得られなかったことは消極的損害に当たるので、賠償の対象にならない。

④の要件については、代償的措置として、乙市による在庫の買取りや金銭補償などが考えられるが、そのような措置はとられていない。

⑤について、乙市は、有権者が選挙で示した意思に従う必要があることや、価格・臭気に対する批判が強かったことから、政策変更につき、やむをえない客観的事情があったと主張する可能性がある。しかし、「**やむをえない客観的事情**」とは、昭和56年最判の最高裁調査官解説で、天災、著しい財政難、予期しない重大な公害の発生等が例示されているように（加茂紀久男・最判解民事篇昭和56年度42頁）、政策の継続が不可能となるような事情に限られると解されるので、乙市による変更の理由はこれに当たらないであろう。以上のことから、A社は、乙市の政策変更は信義則（信頼保護原則）に違反する不法行為に当たるとして、上記の約3,300万円について、損害賠償を求めることができると解される。

(イ) 賠償請求の根拠法条

次に、請求の根拠とすべき法条についても検討しておこう。昭和56年最判はこの点について明示していないが、原告は、**民法709条**と**国賠法1条1項**に基づいて損害賠償請求をしていた。具体的には、村が政策の変更により工場設置への協力を拒否したこと（河川法に基づく水利権申請への不同意など）が信義則違反に当たることを理由にした賠償請求については民法709条を、また、建築確認申請を村長が県に送付しなかったことが建築基準法施行細則に違反することを理由にした賠償請求については国賠法1条1項を根拠としていた（だたし、上告審では、国賠法に基づく請求については、適法な上告がなかったとして、判断の対象とされていない）。

なぜ原告が信義則違反を理由とする賠償請求について民法709条を根拠としたのかは明らかでない。昭和56年最判の事案は、本問と同様、工場誘致政策反対を公約として当選した新村長による政策変更がなさ

れたものであり、新村長としては選挙によって示された住民の意思に従うしかないので、村そのものが不法行為の主体であると考えられたのかもしれない（地方公共団体の首長の交替に伴う政策変更につき民法709条による賠償責任を認めた近時の裁判例として、徳島地判令2・5・20判例自治464号84頁がある）。

　しかし、政策変更は、最終的には、新村長が決断して行ったものといえるし、昭和56年最判の立場を前提とすれば、政策変更をするにしても代償的措置を講じておけば不法行為となることはなかったのであるから、新村長による違法な公権力の行使があったと考えて、国賠法1条1項を適用することに差支えはないであろう。本問についても同様のことがいえる。なお、いずれの法条を適用しても、賠償責任の要件・賠償の範囲に違いは生じないであろう。

4．不法行為以外の法的根拠に基づく請求の可能性

　以上のような検討ができていれば、この問題に対する解答として十分であるが、学説においては、不法行為以外の根拠に基づく救済によるべきという見解も存在している。以下、紹介しておこう。

(1) 信義則上の義務違反（債務不履行）を理由とする賠償請求

　学説においては、④の要件（代償的措置を講じなかったこと）について、政策変更を不法行為と判断するための要件とすることは不自然であるという批判がある（例えば、藤田・行政法上379頁）。そこで、不法行為ではなく債務不履行と構成する可能性も説かれている。具体的には、①～③の要件が備わる場合には、信義則上、行政主体に、施策の変更に際して代償的措置を講じる義務が生じ、この義務を果たさなかったことが、債務不履行による損害賠償責任を生ぜしめる、と解するものである（小早川光郎「判批」法学協会雑誌99巻11号1753頁以下、宇賀克也『国家補償法』〔有斐閣、1997年〕80頁）。もっとも、この理論構成に対しては、代償的措置は金銭的補償に限られず、損害の防止・軽減のための様々な措置を含みうるので、請求の対象になるような具体性はないという批判もある（加茂・前掲43頁。小早川・前掲1754頁も参照）。

(2) 損失補償請求

　学説においては、さらに、昭和56年最判や本問のような事案においては、損失補償による救済の方が適切であるという見解が有力に唱えられている（原田尚彦「企業誘致政策の変更と信頼保護」ジュリ737号〔1981年〕18頁以下、藤田・行政法上379頁以下）。その理由として、第1に、政策変更自体が適法なのであれば、授益的行政行為の撤回の際の補償（藤田・行政法上252頁）と同様、適法行為により特別な犠牲を被った者への損失補償と解する方が素直であること、第2に、代償的措置を講ずれば違法とはならないという昭和56年最判の説示は、不法行為の要件というより、補償を義務付けるもののようにみえること、第3に、一般に、損失補償においては、不法行為に基づく損害賠償と異なり、消極的損害は補償の対象とならないという考え方がとられているところ、昭和56年最判は、積極的損害の賠償のみを認めるようであり、救済の範囲が損失補償と一致することなどがある。

　もっとも、損失補償と構成することには、以下のような問題もある。第1に、わが国の判例は、憲法29条3項に基づく損失補償の概念をかなり狭く解しており、法律に基づき財産権を権力的に剥奪・制限するような場合にほぼ限定している。したがって、本問のように、政策変更の結果、意図せざる損害が事実上生じた場合にまで憲法29条3項に基づく補償が認められる可能性は小さい。

　第2に、代償的措置は、(1)で述べたように、金銭的補償に限られないという指摘がある。

　第3に、補償内容については、損害賠償であっても、信義則違反を理由とする場合は積極的損害の賠償に限定することは不自然ではない。例えば、契約締結上の過失に基づく賠償も、信義則を根拠とするところ、賠償の対象は、**信頼利益**に限られ、**履行利益**は対象とならないと解されている。信頼利益とは、契約が有効に締結されると信頼したことによって生じる、契約を結ぶために要した費用等の賠償であり、履行利益とは、契約が有効に締結され、それに基づく義務が履行されたことによって得られたはずの利益の賠償である。昭和56年最判および本問の事案における積極的損害は、信頼利益と一致するので（前田達明「判批」民商88巻1号96頁以下）、損害賠償と構成するか損失補償と構成す

るかで、救済の対象となる損害ないし損失の範囲が異なるとはいえない。

その他、昭和 56 年最判は、法的に保護される信頼があったことを賠償の要件とするが、このような要件は、通常の損失補償の要否の基準とはかなり異なる、という指摘もある（小早川・前掲 1752 頁以下）。

〔関連問題〕

甲県乙市は、乙市工場誘致条例を制定し、乙市内における、一定の規模以上の工場の新設であって、乙市長が乙市の産業の振興や雇用の拡大に寄与すると認めたものについて、申請により、固定資産税に相当する額を、3 年間、奨励金として交付することができると定めた。さらに、乙市は、同条例に基づく奨励金の交付決定にかかる審査基準を定め、申請者が、法令上の義務を上回る、環境や景観への配慮、障害者の雇用などを行う場合には、奨励金を交付するものと定めた。

A 社は、工場を建設するにあたり、奨励金の交付を確実にするため、交付される見込みの金額の一部を用いて、工場の建物のデザインや外壁の材質を景観に配慮したものとし、また、植栽を設けるなどしたうえ、奨励金の交付を申請した。ところが、その直後に同条例が廃止され、乙市は、奨励金の交付の根拠が失われたとして、交付を拒否した。

A 社は、同条例の廃止およびそれに伴う奨励金の交付拒否は、信頼保護原則に違反しているとして、条例が廃止されなかった場合に交付されるはずであった奨励金相当額の賠償を求めたいと考えている。A 社がどのような主張をすべきか、また、A 社の請求が認められる可能性があるか、論じなさい。

［野呂　充］

第2部
行政の主要領域

〔問題１〕 土地買収価格の公開をめぐる紛争

◆ 事例 ◆

次の文章を読んで、資料を参照しながら、以下の設問に答えなさい。

I 1. 甲県の住民であるＡは、「甲県情報公開条例」に基づき、甲県土木部用地室が道路拡幅工事用地として買収した土地に関して作成された文書Ｐの公開を求めた。文書Ｐは、甲県内の道路Ｑの拡張工事のために、甲県土木部用地室が土地所有者から土地を取得した情報のうち、買収地と買収価格を記録した文書であり、以下の項目についての個別情報が記録されていた。
 ① 買収の対象となる土地の土地所有者の名前、住所または所在地
 ② 上記土地の所在、地番、地目および面積
 ③ 各土地の買収価格と単価
 2. 公開請求を受けて、甲県土木部用地室では公開の是非を検討した結果、①と②の部分は、不動産登記簿で既に公開されている情報であるので公開することにして、③の部分を非公開とすることにした。公共事業用地の買収は、損失補償基準（後掲【資料２】参照）に基づき土地を手放したくない土地所有者に対して公共事業への理解を求め、何度も足を運んで納得してもらって買収に至るという、担当公務員にとっても気の重い仕事であり、買収価格が明らかになると、今後の同種の公共事業について買収交渉をする際にも困難が予想されたからである。道路Ｑの拡幅工事のための買収はほとんど終わっていたが、一部にまだ交渉中の土地も残っていた。また、今後同種の道路工事を近くでも予定していた。そこで、甲県知事は、「③の部分は、条例８条１項４号所定の非公開情報に該当する」との理由を付したうえで、③の部分を黒塗りして、文書Ｐを部分公開とする決定をした。
 3. これに対して、Ａは、③の部分を含めた全部の公開を求めて、部分公開決定の取消訴訟（非公開部分についての非公開処分の取消訴訟。以下では「本件取消訴訟」という）を提起した。

〔設問1〕
1．あなたが、Aから依頼を受けた弁護士であるとしたら、本件取消訴訟において、非公開処分の違法性として、いかなる主張をすべきか。(20点)
2．あなたが、甲県土木部用地室から依頼を受けた弁護士であるとしたら、本件取消訴訟において、非公開処分の適法性として、いかなる主張をすべきか。なお、必要ならば、設問1-1の主張に対する反論も考えなさい。(20点)
3．上記の③の部分が、「条例8条1項4号所定の非公開情報に該当する」か否かについて、証明責任(立証責任)を負担するのは、原告か、被告か。理由とともに答えなさい。(10点)

II　本件取消訴訟が開始されてから、甲県土木部用地室ではさらに検討を重ねた結果、③の部分については、条例8条1項4号所定の非公開情報に該当するばかりではなく、条例9条1号所定の個人情報にも該当するのではないかという議論が強くなった。そこで、本件取消訴訟において、「③の部分は、条例9条1号所定の非公開情報に該当する」との理由を新たに非公開決定の理由として追加したいと考えた。

〔設問2〕
1．本件取消訴訟の途中で、新たな理由を追加することを許すべきではない、という主張をする場合に、いかなる理由が考えられるか。(15点)
2．本件取消訴訟の途中で、新たな理由を追加することを許すべきである、という主張をする場合に、いかなる理由が考えられるか。(15点)
3．もしも、本件取消訴訟と同時に公開処分の義務付け訴訟が併合提起されていた場合には、理由の追加の是非についての結論に違いはあるのか。(10点)
4．もしも、本件取消訴訟での新たな理由の追加が認められず、さらに、「③の部分は、条例8条1項4号所定の非公開情報に該当する」という当初の非公開理由も認められなかった場合には、取消訴訟が認容されることになるが、その場合、甲県知事は、「③の部分は、条例9条1号所定の非公開情報に該当する」との新たな理由に基づいて、再度、非公開決定を出すことができるのか。行訴法33条の拘束力との関係も考えながら、

答えなさい。(10点)

【資料1　甲県情報公開条例（抜粋）】

（目的）
第1条　この条例は、行政文書……の公開を求める権利を明らかにし、行政文書……の公開に関し必要な事項を定めるとともに、総合的な情報の公開の推進に関する施策に関し基本的な事項を定めることにより、県民の県政への参加をより一層推進し、県政の公正な運営を確保し、県民の生活の保護及び利便の増進を図るとともに、個人の尊厳を確保し、もって県民の県政への信頼を深め、県民の福祉の増進に寄与することを目的とする。

（定義）
第2条　この条例において、「行政文書」とは、実施機関の職員が職務上作成し、又は取得した文書、図画、写真及びスライド（これらを撮影したマイクロフィルムを含む。以下同じ。）並びに電磁的記録（電子的方式、磁気的方式その他人の知覚によっては認識できない方式で作られた記録をいう。以下同じ。）であって、当該実施機関の職員が組織的に用いるものとして、当該実施機関が管理しているものをいう。ただし、次に掲げるものを除く。
　一　実施機関が、県民の利用に供することを目的として管理しているもの
　二　官報、公報、白書、新聞、雑誌、書籍その他不特定多数のものに販売することを目的として発行されているもの（前号に掲げるものを除く。）
2　この条例において、「実施機関」とは、知事、教育委員会、選挙管理委員会、人事委員会、監査委員、公安委員会、労働委員会、収用委員会、海区漁業調整委員会、内水面漁場管理委員会、水道企業管理者及び警察本部長をいう。

（個人に関する情報への配慮）
第5条　実施機関……は、この条例の解釈及び運用に当たっては、個人に関する情報であって、特定の個人が識別され得るもののうち、一般に他人に知られたくないと望むことが正当であると認められるものをみだりに公にすることのないよう最大限の配慮をしなければならない。

（公開請求権）
第6条　何人も、実施機関に対して、行政文書の公開を請求することができる。

（公開しないことができる行政文書）
第8条　実施機関（公安委員会及び警察本部長を除く。）は、次の各号のいずれかに該当する情報が記録されている行政文書を公開しないことができる。
　一　法人（国、地方公共団体、独立行政法人等（独立行政法人等の保有する情報の公開に関する法律（平成13年法律第140号）第2条第1項に規定する独立行政法

人等をいう。以下同じ。)、地方独立行政法人、地方住宅供給公社、土地開発公社及び地方道路公社その他の公共団体(以下「国等」という。)を除く。)その他の団体(以下「法人等」という。)に関する情報又は事業を営む個人の当該事業に関する情報であって、公にすることにより、当該法人等又は当該個人の競争上の地位その他正当な利益を害すると認められるもの(人の生命、身体若しくは健康に対し危害を及ぼすおそれのある事業活動又は人の生活若しくは財産に対し重大な影響を及ぼす違法な若しくは著しく不当な事業活動に関する情報(以下「例外公開情報」という。)を除く。)
二 実施機関の要請を受けて、公にしないことを条件として任意に個人又は法人等から提供された情報であって、当該条件を付することが当該情報の性質、内容等に照らして正当であり、かつ、当該個人又は法人等の承諾なく公にすることにより、当該個人又は法人等の協力を得ることが著しく困難になると認められるもの(例外公開情報を除く。)
三 県の機関又は国等の機関が行う調査研究、企画、調整等に関する情報であって、公にすることにより、率直な意見の交換若しくは意思決定の中立性が不当に損なわれるおそれ、県民の正確な理解を妨げることなどにより不当に県民の生活に支障を及ぼすおそれ又は特定のものに不当に利益を与え若しくは不利益を及ぼすおそれがあるもの
四 県の機関又は国等の機関が行う取締り、監督、立入検査、許可、認可、試験、入札、契約、交渉、渉外、争訟、調査研究、人事管理、企業経営等の事務に関する情報であって、公にすることにより、当該若しくは同種の事務の目的が達成できなくなり、又はこれらの事務の公正かつ適切な執行に著しい支障を及ぼすおそれのあるもの
五 公にすることにより、個人の生命、身体、財産等の保護、犯罪の予防又は捜査その他の公共の安全と秩序の維持に支障を及ぼすと認められる情報
2 公安委員会又は警察本部長は、次の各号のいずれかに該当する情報が記録されている行政文書を公開しないことができる。
一 前項第1号から第4号までのいずれかに該当する情報
二 公にすることにより、犯罪の予防、鎮圧又は捜査、公訴の維持、刑の執行その他の公共の安全と秩序の維持に支障を及ぼすおそれがあると公安委員会又は警察本部長が認めることにつき相当の理由がある情報
三 前2号に掲げるもののほか、公にすることにより、個人の生命、身体、財産等の保護に支障を及ぼすおそれがある情報

(公開してはならない行政文書)
第9条 実施機関は、次の各号のいずれかに該当する情報が記録されている行政文書を公開してはならない。

一　個人の思想、宗教、身体的特徴、健康状態、家族構成、職業、学歴、出身、住所、所属団体、財産、所得等に関する情報（事業を営む個人の当該事業に関する情報を除く。）であって、特定の個人が識別され得るもの（以下「個人識別情報」という。）のうち、一般に他人に知られたくないと望むことが正当であると認められるもの
　二　法令の規定により、又は法律若しくはこれに基づく政令の規定による明示の指示（地方自治法（昭和22年法律第67号）第245条第1号への指示その他これに類する行為をいう。）により、公にすることができない情報

（行政文書の部分公開）

第10条　実施機関（公安委員会及び警察本部長を除く。）は、行政文書に次に掲げる情報が記録されている部分がある場合において、その部分を容易に、かつ、公開請求の趣旨を損なわない程度に分離できるときは、その部分を除いて、当該行政文書を公開しなければならない。
　一　第8条第1項各号のいずれかに該当する情報で、同項の規定によりその記録されている行政文書を公開しないこととされるもの
　二　前条各号のいずれかに該当する情報

2　公安委員会又は警察本部長は、行政文書に次に掲げる情報が記録されている部分がある場合において、その部分を容易に、かつ、公開請求の趣旨を損なわない程度に分離できるときは、その部分を除いて、当該行政文書を公開しなければならない。
　一　第8条第2項各号のいずれかに該当する情報で、同項の規定によりその記録されている行政文書を公開しないこととされるもの
　二　前条各号のいずれかに該当する情報

（公益上の理由による公開）

第11条　第8条の規定にかかわらず、実施機関は、公開請求に係る行政文書に同条第1項各号又は第2項各号に掲げる情報が記録されている場合であっても、公益上特に必要があると認めるときは、請求者に対し、当該行政文書の全部又は一部を公開しなければならない。

2　第9条の規定にかかわらず、実施機関は、公開請求に係る行政文書に同条第1号に掲げる情報が記録されている場合であっても、公益上特に必要があると認めるときは、請求者に対し、当該行政文書の全部又は一部を公開することができる。

3　実施機関は、前項の規定により行政文書を公開しようとする場合には、甲県個人情報保護条例（平成8年甲県条例第2号）の趣旨を勘案し、個人の権利利益が適正に保護されるよう特段の配慮をしなければならない。

（行政文書の公開の決定及び通知）

第13条　実施機関は、公開請求に係る行政文書の全部又は一部を公開するときは、その旨の決定をし、速やかに、請求者に対し、その旨及び公開の実施に関し必要な事項を書面により通知しなければならない。
2　実施機関は、公開請求に係る行政文書の全部を公開しないとき（前条の規定により公開請求を拒否するとき及び公開請求に係る行政文書を管理していないときを含む。）は、その旨の決定をし、速やかに、請求者に対し、その旨を書面により通知しなければならない。
3　実施機関は、第1項の規定による行政文書の一部を公開する旨の決定又は前項の決定をした旨の通知をするときは、当該通知に次に掲げる事項を付記しなければならない。
　一　当該通知に係る決定の理由
　二　当該通知に係る行政文書に記録されている情報が第10条第1項各号又は第2項各号に掲げる情報に該当しなくなる期日をあらかじめ明示することができる場合にあっては、その期日

（第三者に対する意見の提出の機会の付与等）
第17条　実施機関は、公開決定等をする場合において、当該公開決定等に係る行政文書に国、地方公共団体、独立行政法人等、地方独立行政法人、地方住宅供給公社、土地開発公社、地方道路公社及び請求者以外のもの（以下この条、第21条及び第22条において「第三者」という。）に関する情報が記録されているときは、あらかじめ当該情報に係る第三者に対し、公開請求に係る行政文書の表示その他実施機関の規則で定める事項を通知して、その意見を書面により提出する機会を与えることができる。ただし、次項の規定により、あらかじめ第三者に対し、その意見を書面により提出する機会を与えなければならない場合は、この限りでない。
2　実施機関は、第13条第1項の決定（以下次項、第18条第1項及び第4項並びに第22条第1号において「公開決定」という。）をする場合において、次の各号のいずれかに該当するときは、あらかじめ当該各号の第三者に対し、公開請求に係る行政文書の表示その他実施機関の規則で定める事項を書面により通知して、その意見を書面により提出する機会を与えなければならない。ただし、当該第三者の所在が判明しない場合は、この限りでない。
　一　第三者に関する情報が記録されている行政文書を公開しようとする場合であって、当該情報が例外公開情報に該当すると認められるとき。
　二　第三者に関する個人識別情報が記録されている行政文書を公開しようとする場合（第11条第2項の規定により公開しようとする場合を除く。）であって、当該個人識別情報が人の生命、健康、生活又は財産を保護するため公にすることが必要であることから第9条第1号に掲げる情報に該当しないと認

められるとき。
　三　第三者に関する情報が記録されている行政文書を第11条第1項又は第2項の規定により公開しようとするとき。
3　実施機関は、前2項の規定により意見を書面により提出する機会を与えられた第三者が当該機会に係る行政文書の公開に反対の意思を表示した書面（以下「反対意見書」という。）を提出した場合において、当該行政文書について公開決定をするときは、当該公開決定の日と公開を実施する日との間に少なくとも2週間を置かなければならない。この場合において、実施機関は、当該公開決定後ただちに、当該反対意見書を提出した第三者に対し、公開決定をした旨及びその理由並びに公開を実施する日を書面により通知しなければならない。

【資料2　損失補償基準とは】

　本問を理解するためには、公共用地の買収手続および損失補償基準についての知識が必要である。以下では、損失補償基準について説明する。

　公共用地の大部分は任意買収によって取得される。この場合には、通常の売買契約となるので、その価格も当事者間の交渉で決まるはずである。しかし、当事者間での交渉で自由に買収価格が決まるということになれば、「ごね得」といった不公平が生じ、公金の適正な使用の視点からも公共用地の迅速な獲得という視点からも適切ではない。そこで、国では「公共用地の取得に伴う損失補償基準要綱」（昭和37年6月29日閣議決定）およびその具体的要領として制定された「公共用地の取得に伴う損失補償基準」（昭和37年10月12日用地対策連絡会決定）に従って用地買収を進めることとした。これが「損失補償基準」といわれるものである。

　損失補償基準では、損失補償の統一を図るために、各補償項目ごとに補償の考え方や具体的な補償額の算定方法を定めている。1962（昭和37）年に定められた損失補償基準は、その後、社会・経済情勢の変化に応じて見直され、随時版を改めて公刊されている（補償実務研究会編『用地補償ハンドブック〔第5次改訂版〕』〔ぎょうせい、2014年〕）。損失補償基準は、国が公共用地の買収をするときのみならず、地方公共団体が公共用地の買収をする際にも基準として用いられている。

◆ 解説 ◆

1．出題の意図

　本問は、**情報公開条例の運用**において生じる法的問題について、具体的事例に即してその処理能力を問うものである。条例の解釈論、理由付記と理由の追加・差替えの可否などの行政法の中心的な論点についての知識が必要であると同時に、これらの知識を具体的な場面で適切に応用する能力も求めている。情報公開制度は、行政の一般的な制度として今日では確立しており、現実に訴訟の数も多い。法曹にとっても、情報公開制度の適切な運用力が求められているところである。以下では、設問ごとに、書くべき論点、内容を説明し、最後に、代表的な誤りについて注記したい。

2．設問1――不開示情報該当性の解釈

　【資料1】の甲県情報公開条例によれば、何人も行政文書の公開を請求する権利を有し（6条）、公開請求があれば、行政機関は、条例8条・9条に定める要件に該当する情報（以下では「**不開示情報**」という）が記録されている行政文書を除いて、行政文書を公開する義務を負う（さらに、部分公開に関する10条も参照）。このような仕組みは、国の情報公開法も甲県以外の地方公共団体の情報公開条例もほぼ同様であり、法科大学院においても情報公開制度の一般的仕組みについては教えられているところであろう。

　甲県知事は、文書Pの一部の内容が条例8条1項4号に該当する不開示情報であると判断してその部分を非公開とした。これに対して住民は非公開処分の取消訴訟を提起した。以上のシチュエーションの下で、設問1は、取消訴訟での両当事者の主張のあり方、および、証明責任の分配について問うている。

(1)　**設問1-1――原告の主張**

　設問1-1では、原告の立場に立って、非公開処分の違法性を主張す

ることが求められている。非公開処分の違法性は、実体法上の違法性と手続法上の違法性に分けて考えられる。

㋐ 実体法上の違法性

実体法上の違法性とは、非公開部分が条例の定める不開示情報に該当しないのに不開示情報に該当するとして非公開とするのは条例の解釈を誤ったもので違法であるという主張である。甲県は、本件文書を公開すれば「当該若しくは同種の事務の目的が達成できなくなり、又はこれらの事務の公正かつ適切な執行に著しい支障を及ぼすおそれのある」（条例8条1項4号）と解釈しているが、それは条例の正しい解釈ではないと主張することになる。

具体的には、例えば、以下のように主張できる。①公共事業用地の買収価格は、**損失補償基準**（**【資料2】**参照）に基づき、土地の客観的評価に基づいて行われるのが通常であって、過去の買収価格が公開されても将来の買収が困難になるということはないはずである。②本件では、道路Qの拡幅工事のための買収はほとんど終わっており、買収価格を公表しても、今後の買収等において「著しい支障」があるとはとうていいえない。③道路工事の態様や土地の特性は工事ごとに異なるので、今回の買収価格の公開が今後の同種の工事に対して「**著しい支障**」を与えるというのは単なる懸念にすぎず、非公開の根拠として薄弱である。以上のような①～③の理由は、健全な社会常識に基づけば誰でも一応は考えつくものであり、現実の情報公開訴訟においても主張されているものである。

なお、最高裁（最1小判平18・7・13判時1945号18頁〔土地買収価格公開請求事件〕）も、本問の素材とした判決において、「事業用地の取得価格は、『公共用地の取得に伴う損失補償基準』等に基づいて、公示価格との均衡を失することのないよう配慮された客観的な価格として算定された価格を上限とし、正常な取引価格の範囲内で決定され、公社による代替地の取得価格及び譲渡価格は、公示価格を規準とし、公示価格がない場合又はこれにより難い場合は近傍類地の取引価格等を考慮した適正な価格によるものとされているというのである。そうすると、当該土地の買収価格等に売買の当事者間の自由な交渉の結果が反映することは比較的少ないというべきである。……そして、上述した

ところによれば、上記部分に関する情報を公開することによって、……今後の用地買収事務の公正かつ適切な執行に著しい支障を及ぼすおそれがあるということはできないから、上記情報は、いずれも本件条例 8 条 4 号所定の非公開情報に該当しないというべきである」と述べている。

(イ) **手続法上の違法性**

手続法上の違法性としては、本件では、条例上要求される**理由付記義務**（条例 13 条 3 項）違反が考えられる。すなわち、条例によれば非公開決定には理由を付さなければならないが、その理由は、単に該当する条文を指摘するだけではなく、具体的に非公開事由に該当することを説明するものでなければならないところ、本件非公開処分には十分な理由の付記がない、と主張するものである。

(2) **設問 1-2——被告の主張**

設問 1-2 は、設問 1-1 の主張への反論も含めながら、被告甲県側の立場に立って非公開処分の適法性について主張することが求められている。実体法上の適法性、手続法上の適法性について、それぞれ次のような主張が考えられる。

(ア) **実体法上の違法性**

実体法上の適法性としては、本件文書を公開すれば「当該若しくは同種の事務の目的が達成できなくなり、又はこれらの事務の公正かつ適切な執行に著しい支障を及ぼすおそれのある」（条例 8 条 1 項 4 号）と解釈したことに誤りはないと主張することになる。

例えば、以下のように主張できる。①**公共用地の買収**は、客観的基準によって割り出された適正価格によって行われるが、実際には、土地にはそれぞれ個性があり個別の交渉に委ねられるところもある。したがって、他者に対する買収価格が公表されると、既に買収に応じた者もそれを見て不満をもつ場合があり、またこれから買収交渉を行う相手との関係でも交渉における柔軟性を失わせるなど、買収事務において「著しい支障」があるといえる。②道路 Q の拡幅工事はまだ完了しておらず、工事完了前に買収価格が公開されると、これからの買収を予定している土地所有者との交渉での著しい支障がある。③道路 Q

の拡幅工事が完了した後でも、今後同種の道路事業が行われる。そこで本件道路工事に関する買収価格が公開されると、今後の同種の道路工事の遂行においても買収が困難になることが予想され、「著しい支障」があるといえる。

(イ) **手続法上の違法性**

手続法上の適法性の主張としては、次のような主張が考えられる。①本件では処分時に該当条文を明確にしており、通常の理解力があれば、買収価格の公開による買収事務への支障という非公開理由は十分に理解できるはずであって、本件では理由付記が不十分であるとはいえない。②また、仮に本件非公開処分での理由が不十分であるとしても、本件訴訟において、条例8条1項4号に該当する所以を詳しく述べており、非公開という結論は変わらない。結論が変わらない場合には、手続的瑕疵があっても、処分の取消事由とすべきではない。

(3) **設問1-3——証明責任の分配**

設問1-3は証明責任の分配を問うものである。**証明責任の分配**とは、訴訟審理の最終段階になっても、処分の根拠となった要件事実の存否が確定できないときに、どちらの当事者が不利な法律判断を受ける危険を負うのかという問題をいう。非公開決定の取消訴訟においては、不開示情報該当性が争われる。裁判官が両当事者の主張を聞いて、なお、不開示情報該当性を支える事実について十分な確証を得ることができなかった場合には、証明責任を負っている当事者が敗訴することになる。

取消訴訟において証明責任の分配をどのように考えるべきかに関しては、学説上、様々な議論がある（芝池・救済法90～91頁、塩野・行政法Ⅱ170～175頁）が、**情報公開訴訟における証明責任**に関しては、判例・学説の立場は一致している。すなわち、情報公開法・条例の運用においては、不開示情報該当性の証明責任を負うのは被告行政側であると考えられている。その理由は以下のとおりである。①情報公開条例は、公開を原則とし、非公開事由に該当するときだけ例外的に非公開にできるとしている。このような条例の構造からすれば、例外に当たると主張する側が、例外に該当することを証明すべきである。②対象公文書を現実に所持しているのは被告であり、その内容について判断でき

るのも被告であるから、被告が当該文書の内容に即して非公開事由（不開示情報）に該当することを証明すべきである。

3．設問2——理由の追加・差替え

行政処分の取消訴訟において処分段階で示された理由とは異なる新たな理由を追加し、あるいは差し替えることができるか否かは行政法学上の重要論点である。設問2は、この点を情報公開条例の運用に即して尋ねている。**理由の追加・差替えの可否**については肯定、否定の両論があり、具体的局面における結論も論者によって異なる可能性がある。それゆえ結論もさることながら、肯定、否定のそれぞれの主張の根拠、理由をしっかりと理解することが大切である。

(1) 設問2-1——否定説

設問2-1は、新たな理由を追加することを許すべきではないという主張をする場合の理由を聞いている。否定説の根拠、理由としては、以下のような主張が考えられる（梶哲教「処分理由の提示」争点80頁以下参照）。

(ア) 理由付記義務との関係

第1は、**理由付記義務との関係**である。本件条例は処分段階での理由付記を義務付けている。その趣旨は、処分段階での判断を慎重に行わせること、処分の相手方が不服申立てや訴訟を行ううえでの便宜を与えることである（最3小判昭60・1・22民集39巻1号1頁〔旅券発給拒否処分事件、百選Ⅰ121、CB3-6〕）。訴訟の段階で処分時には主張されなかった理由を持ち出すことを許せば、条例が理由付記を義務付けている趣旨に反する結果となるので、理由の追加や差替えは許されないと考えるものである。

(イ) 調査義務との関係

第2に、行政処分の調査義務を強調する見解がある。行政処分を行う際には行政庁はその要件該当性について適切な調査をしたうえで適切な決定をすべきである。処分の取消訴訟が提起された段階で新たな理由を追加したり、理由を差し替えたりするのは、処分段階での調査・

検討が不十分であったことを自ら認めるもので、処分段階で瑕疵があったとして取り消されるべきである、というのである。

(ウ) 新たな理由に基づく再処分の禁止

この点をさらに深めてゆくと、第3に、**新たな理由に基づく再処分の禁止の主張**もある。すなわち、肯定説からは、理由の追加を許されなければ改めて新たな理由に基づき同一内容の再処分をすることになるので、理由の追加を認めるべきであるという主張があるが、それに対する反論として、行政処分時の決定基礎資料から無理なく構成できたであろう理由については、その理由を事後に持ち出すことで同一内容の処分を行うことは許されるべきではない（兼子仁『行政法総論』〔筑摩書房、1983年〕296頁・310頁、交告尚史『処分理由と取消訴訟』〔勁草書房、2000年〕231頁参照）から、肯定説に立つこの主張は当たらないと反論するものである。

(2) 設問2-2——肯定説

設問2-2は、新たな理由を追加することを許すべきであるという主張をする場合の理由を聞いている。肯定説の根拠、理由としては、以下のような主張が考えられる。

(ア) 訴訟物との関係

第1は、**訴訟物との関係**である。通説によれば、取消訴訟の訴訟物は処分の違法性一般であり、処分の違法性を支える理由は口頭弁論終結時まで自由に主張できるというのが訴訟法の原則である。したがって、処分の同一性を保持している限り、理由の追加・変更は認められるべきであるということになる（ちなみに、飲酒運転を理由とする公務員に対する懲戒処分と秘密漏洩を理由とする懲戒処分のように処分の同一性を欠くとみられる場合には、理由の追加・変更は認められない）。本件訴訟では、対象文書を公開すべきか否かが争われており、非公開理由ごとに別の処分があるというふうに理解できないと考えるとすれば、理由の追加を認めるべきであると主張できる（もっとも、行政庁が第一次的判断権を行使していない処分要件の有無については差替えを認めることができないとの見解〔司法研修所編『改訂　行政事件訴訟の一般的問題に関する実務的研究』（法曹会、2000年）142頁〕もある。この見解に対する批判として、

鶴岡稔彦「抗告訴訟の訴訟物と取消判決の効力」藤山雅行＝村田斉志編『新・裁判実務大系25行政争訟〔改訂版〕』〔青林書院、2012年〕260頁を参照）。

(イ) 紛争の一回的解決との関係

　第2は、**紛争の一回的解決の要請との関係**である。新たな理由の追加が許されず、そのために本件取消訴訟で請求認容判決がなされても、被告としては、訴訟で主張することが認められなかった新たな理由に基づいて再度非公開処分をすることになるであろう。なぜなら、本件の場合に明らかなように、たとえ行政機関が処分段階で個人情報該当性という不開示情報の主張をしていなかったとしても、個人情報の保護の趣旨からいえば、個人情報に該当する情報を公開すべきではないからである。したがって、本件においては、紛争の一回的解決のためにも、理由の追加を認めるべきであると主張できる。

(ウ) 否定説への反論

　理由付記義務との関係で理由の追加・差替えを否定する説に対しては、当初の理由が付記されていることで理由付記の機能は一応果たされているとして、理由の追加・差替問題とは別であるという反論がある。例えば、最高裁は、**情報公開条例に基づく理由付記義務の趣旨**について、「非公開の理由の有無について実施機関の判断の慎重と公正妥当とを担保してその恣意を抑制するとともに、非公開の理由を公開請求者に知らせることによって、その不服申立てに便宜を与えることを目的としていると解すべきである。そして、そのような目的は非公開の理由を具体的に記載して通知させること（実際には、非公開決定の通知書にその理由を付記する形で行われる。）自体をもってひとまず実現されるところ、本件条例の規定をみても、右の理由通知の定めが、右の趣旨を超えて、一たび通知書に理由を付記した以上、実施機関が当該理由以外の理由を非公開決定処分の取消訴訟において主張することを許さないものとする趣旨をも含むと解すべき根拠はないとみるのが相当である」と判示して、取消訴訟での新たな理由の追加を認めている（最2小判平11・11・19民集53巻8号1862頁〔逗子市情報公開事件、百選Ⅱ189、CB10-1〕)。

(エ) 不利益処分と申請に対する処分との区別

　なお、近年では、不利益処分の場合と申請に対する処分とを区別して、

前者においては理由の追加・差替えは原則として認めるべきではないが、後者については原則として認めても良いのではないかとの主張もある。申請拒否処分の場合には義務付け訴訟が併合提起されることも多く、義務付け訴訟では理由の追加・差替えを認めるべきである（次項参照）ので、このような区別にも根拠があるように思われる。

(3) 設問2-3——義務付け訴訟の場合

2004年の行訴法改正によって義務付け訴訟が法定されたので、本件のようなケースでは、非公開処分の取消訴訟に加えて**非公開部分の公開処分を求める申請満足型義務付け訴訟**を併合提起することも考えられる。設問2-3は、非公開処分の取消訴訟に加えて、公開処分の義務付け訴訟が併合提起されていた場合に、理由の追加・差替えの可非についての結論に違いがあると考えるべきか否かを尋ねたものである。

この点に関して、次のように考えるべきであろう。すなわち、取消訴訟では、裁判所は、非公開処分の理由として挙げられた不開示情報該当性の有無についてだけ判断することが求められているのであって、行政庁の判断が誤っていると判断した場合には取消請求を認容すればよいのであるから、先に述べたような、理由の追加・差替えの可否問題が生じる。しかし、義務付け訴訟の場合には、裁判所は、文書を公開すべきか否かについて判断すべき要素をすべて考慮したうえで判断すべきことが求められている。したがって、義務付け訴訟においては、行政庁が新たな非公開理由を主張してきた場合には、それを審理・判断することが当然に求められることになる。すなわち、仮に取消訴訟において処分理由の追加・差替えが許されないとしても、義務付け訴訟では認められるべきということになるであろう。

(4) 設問2-4——取消判決の拘束力

設問2-4は、理由の追加が認められずに請求認容判決（非公開処分の取消判決）が出た場合に、別の理由で再度非公開処分を出すことができるかどうか、すなわち、**取消判決の拘束力**の範囲を尋ねたものである。行訴法33条2項は「申請を却下し若しくは棄却した処分……が判決により取り消されたときは、その処分……をした行政庁は、判決の趣旨

に従い、改めて申請に対する処分……をしなければならない」と定めている。それゆえ行政庁は、取消判決の趣旨に従って改めて公開、非公開の判断をすべきことになるが、その場合、訴訟で争われなかった（したがって審理されなかった）新たな理由に基づいて非公開処分をすることは、判決の拘束力に反するものではないというのが通説的な理解である。したがって本件においても、行政庁は、個人情報該当という新たな理由に基づいて再度非公開処分が出せるということになろう。もっとも、学説では、先に述べたように、処分段階において容易に主張することができた理由については、原告の手続的権利保障の見地から、あるいは、既判力の効果として、それを理由とする同一内容の処分ができないという主張もある。

〔関連問題１〕

　本事例と同一のシチュエーションの下で、さらに、以下のような展開があった。すなわち、本件取消訴訟が進行するうちに、知事選挙があり、知事が交代した。新知事は、公共事業の見直しを選挙でも強く訴えており、就任後に、県土木部用地室に対して、県民の信頼に応えるために公共事業に関する情報はできるだけ公開すべきであるという指示も行った。そこで、甲県土木部用地室ではさらに検討を重ねた結果、公共事業のあり方に対する県民の疑問に応えるためには、この際、③の部分も含めて、すべてをオープンにすべきではないか、との意見が強くなった。しかし、他方で、買収価格の公開は、買収を受けた個人の財産（の一部）について公開することになるので、慎重に対処すべきであるとの意見もあり、とりあえず、買収の相手方であった土地所有者の意見を改めて聴取することにした。県からの意見聴取を受けた土地所有者であるＢは、県の姿勢が非公開から公開に変わろうとしていることを知り、びっくりして、とりあえず公開には反対であるとの反対意見書を提出した。

　Ｂの反対意見にもかかわらず、甲県の新知事は、当初の非公開決定を見直しすべて公開するとの決定をなし、その旨をＢに通知した。この場合に、開示を阻止するために、Ｂがとりうる法的手段は何か。

　あなたが、Ｂから依頼を受けた弁護士であるとして、答えなさい。

〔関連問題２〕

さらに、同一のシチュエーションの下で、その続きとして、以下のような展開があった。すなわち、本件訴訟が係属中に、別件で進行していた甲県の道路拡幅工事に関わる談合事件の刑事訴訟で、本件取消訴訟で争いの対象となっていた文書Ｐが、刑事事件における証拠として提出された。本件訴訟の原告Ａも、弁護士を通じて、文書Ｐを入手することができた。そこで、甲県は、対象公文書の内容が別件で公表されたので、もはや本件取消訴訟を審理する意味はなくなったとして、訴えの却下を申し立てた。このような場合に本件取消訴訟はどのように処理されるのか、説明しなさい。

答案を読んで：裁量か解釈か

本問を法科大学院学生に解かせたところ、いくつかの典型的な誤りのパターンがあった。箇条書的に羅列すれば、以下のような誤りが目立った。①設問１-１、および１-２で、非公開決定の違法性を「裁量濫用論」の枠組みで論じる誤りがあった。②設問１-３で、証明責任の分配の一般原則について述べるが、情報公開裁判の特質との関係での分析が弱いことも気になった。③設問２-１、および２-２で、理由の追加・差替えの可否において考慮されるべき要素について、一部のみを指摘するにとどまる答案が多かった。④設問２-３で、義務付け訴訟と取消訴訟とで審理範囲が異なりうることの理解が不十分であるという誤りがあった。⑤設問２-４で、取消判決の拘束力と既判力を混同している誤りがあった。⑥設問１で、一般論または憲法論だけで、具体的な不開示情報該当性の有無を条文に照らして論じていない誤りがあった。

以上の誤りの中でも、非公開決定の違法性を「裁量濫用論」の枠組みで論じる誤りについては、いささか考えさせられることがあったので、以下で少し考察しておきたい。

非公開処分の取消訴訟における非公開事由該当性の審理、判断は、不開示情報を定めた条文の解釈論として展開されているのが、これまでの情報公開裁判例の大勢であり、これを裁量濫用で論じるのは判例法理ではない。裁判例の多くは、原則公開を定める情報公開法・条例の下で、不開示情報該当性を極めて厳格に解している。例えば本問での争点である「事務の公正かつ適切な執行に著しい支障を及ぼすおそれ」があるかどうかについても、裁判所は、支障のあることを具体的、客観的に示すべきとして、単なる抽象的な支障のおそれの主張だけでは非公開とするに十分ではないとして、非公開決定を取り消しているものが多い。このような裁判例の動向は、行政法を研究している研究者にとってはいわば常識に属すことであるが、学生にとってはそうでなかったようである。学生の答案では、これを裁量濫用の枠組みで論じ、裁量権の逸脱・濫用がある場合に限って違法とする

ものが多数出現したわけである。

学生が不開示情報該当性判断を裁量とした理由を聞いてみると、2点あるようであった。第1は、「著しい支障を及ぼすおそれ」という文言が抽象的であり、これは行政機関に裁量を与えた規定であると読めること、第2は、不開示情報を定めた条例8条の規定の仕方が「次の各号のいずれかに該当する情報が記録されている行政文書を公開しないことができる」となっており、これは公開するか否かの裁量を行政機関に認めたものと解されることである。なるほどこれで学生の誤解の理由は理解できたが、これがなぜ誤解なのかを説明することはなかなか難しい。

私の説明は大要以下のようなものである。①そもそも、行政裁量を付与した規定であるのかどうかは、文言（「公益」などの多義的概念により行政機関に判断の余地を認めていると解されるかどうか）だけではなく、裁量を認める実質的な理由（行政の判断を尊重すべしとする国会・議会の判断があること、さらに行政判断を尊重する必要性や根拠があること）によっても決められるべきである。既に本文で述べたとおり情報公開制度では行政文書は原則として公開されることになっており、非公開にするか否かの行政裁量は否定されているのが原則である。②不開示情報該当性の判断は法律・条例の解釈問題であると考えられており、ここには行政の裁量は認められていないが、情報公開法5条1項3号や4号のように、「おそれがあると行政機関の長が認めることにつき相当の理由がある情報」などの文言で行政判断を尊重することを明文で認めている場合（甲県情報公開条例8条2項2号も同様）には、例外的に行政裁量を認めているということができる。③情報公開制度においては、原則公開の下で非公開にできる場合を限定列挙しており、不開示情報に該当しない場合には公開することが義務付けられている。本件条例8条が不開示情報に該当する情報を「公開しないことができる」と規定しているのも、不開示情報でないものを非公開にする裁量を認めたものではなく、不開示情報であっても公開する余地があることを認めたものである。もっとも、④情報公開法は不開示情報について、「次の各号に掲げる情報（以下「不開示情報」という。）のいずれかが記録されている場合を除き、開示請求者に対し、当該行政文書を開示しなければならない」（情報公開5条1項）と定めており、本事例の甲県情報公開条例とは異なる規定の仕方になっている。法令の規定の仕方としては、情報公開法のような規定の仕方の方がベターかもしれない。

行政処分の取消訴訟において、裁判所が行政機関のとった解釈にいかなる態度で臨むのかは行政法学の中心問題の1つである（ミニ講義3参照）。ここで、法律の文言が抽象的、多義的であって解釈の余地を含むときに、これを法令の解釈（すなわち裁判所が自己の判断で置き換えることができる）と捉えるのか、行政に裁量を与えたものとして行政裁量の逸脱・濫用の枠組みで捉えるのかは、学説でも明確な基準がないように思われる。しかしながら、情報公開法や情報公開条例の運用においては、不開示情報該当性判断は、法令の解釈として考えられ、裁判所が自己の判断を置き換える審査手法が確立している。

［曽和俊文］

〔問題２〕耐震偽装マンションをめぐる紛争

◆ 事例 ◆

次の文章を読んで、資料を参照しながら、以下の設問に答えなさい。

建設会社であるＰは、甲県乙市内の、都計法上の都市計画区域に指定された地域において、地上 15 階建て、高さ約 45m の高層分譲マンション（以下「本件マンション」という）を建設することを計画し、建基法に基づく建築確認を申請することにした。乙市には建基法 4 条にいう建築主事が置かれており、建基法 6 条により乙市建築主事に建築確認を申請することもできるが、Ｐは、建基法 6 条の 2 により、国土交通大臣によって指定確認検査機関としての指定を受けた株式会社Ｃに建築確認を申請することにした。また、Ｐは、建基法 18 条の 2 による構造計算適合性判定を、甲県知事の委任を受けた指定構造計算適合性判定機関である株式会社Ｄに申請した。Ｐは、2019 年 4 月 8 日、Ｄから構造計算適合性判定（以下「本件構造計算適合性判定」という）を受けて、建基法 6 条の 3 第 7 項に従って適合判定通知書をＣに提出し、同月 15 日、Ｃから建築確認（以下「本件建築確認」という）を受けた。Ｐは、同月 22 日、建基法 89 条に従い、本件建築確認を受けていることを示す表示板（以下「本件表示板」という）を現場に設置したうえで、工事に着手した。

ところが、本件マンション建設中の同年 11 月 1 日に、Ｐが手がけた、本件マンション以外の一連のマンションについて、Ｐによるコストダウンの要求に応えようとした一級建築士Ｑが耐震強度に関する構造計算書を偽造していたことが発覚し、専門家から、それらのマンションは震度 5 強の地震で倒壊するおそれがあるという指摘がなされた。また、同月 11 日に、本件マンションについても、構造計算書の偽造が行われている可能性が高いという内部告発もあったが、Ｐは、このマンションについては偽造はなされていないとして工事を続行している。

本件マンションの近隣住民であるＡらは、同月 20 日に、この問題に関する対策会議を開催し、本件マンションが建設されれば、その倒壊のおそれ

により、Aらの生命・財産に対する重大な危険が生じると考え、建設の中止を求めるために法的手段を用いることにした。

〔設問〕
1．Aらは、建設工事差止めの民事訴訟を提起するほか、行訴法が定める訴訟を用いることを検討している。2019年11月20日の段階で、Aらが用いることのできる行政訴訟を挙げ、その訴訟要件について論じなさい。なお、仮の救済や本案における主張については論じなくてよい。（50点）
2．その後、Aらは、設問1で検討した訴訟を提起したが、仮の救済は認められず、訴訟係属中に本件マンションが完成し、Pは、建基法7条の2第5項による検査済証の交付を受けるため、Cに検査を引き受けさせた。この段階において、設問1で検討した訴訟につき、訴えの客観的利益が認められるか。（25点）
3．本件マンションが完成し、検査済証が交付された段階で、Aらが救済を求めるために提起しうる行政訴訟を挙げ、その訴訟要件について論じなさい。なお、仮の救済や本案における主張については論じなくてよい。（25点）

【資料　建築基準法（抜粋）】
（目的）
第1条　この法律は、建築物の敷地、構造、設備及び用途に関する最低の基準を定めて、国民の生命、健康及び財産の保護を図り、もって公共の福祉の増進に資することを目的とする。
（用語の定義）
第2条　この法律において次の各号に掲げる用語の意義は、それぞれ当該各号に定めるところによる。
　　一〜三十四　（略）
　　三十五　特定行政庁　建築主事を置く市町村の区域については当該市町村の長をいい、その他の市町村の区域については都道府県知事をいう。（ただし書略）
（建築主事）
第4条　政令で指定する人口25万以上の市は、その長の指揮監督の下に、第6条第1項の規定による確認に関する事務をつかさどらせるために、建築主事

を置かなければならない。
2　市町村（前項の市を除く。）は、その長の指揮監督の下に、第6条第1項の規定による確認に関する事務をつかさどらせるために、建築主事を置くことができる。
3～7　（略）
（建築物の建築等に関する申請及び確認）
第6条　建築主は、第1号から第3号までに掲げる建築物を建築しようとする場合……又は第4号に掲げる建築物を建築しようとする場合においては、当該工事に着手する前に、その計画が建築基準関係規定（この法律並びにこれに基づく命令及び条例の規定（以下「建築基準法令の規定」という。）その他建築物の敷地、構造又は建築設備に関する法律並びにこれに基づく命令及び条例の規定で政令で定めるものをいう。以下同じ。）に適合するものであることについて、確認の申請書を提出して建築主事の確認を受け、確認済証の交付を受けなければならない。（以下略）
　一～二　（略）
　三　木造以外の建築物で2以上の階数を有し、又は延べ面積が200平方メートルを超えるもの
　四　前3号に掲げる建築物を除くほか、都市計画区域若しくは準都市計画区域（いずれも都道府県知事が都道府県都市計画審議会の意見を聴いて指定する区域を除く。）若しくは景観法（平成16年法律第110号）第74条第1項の準景観地区（市町村長が指定する区域を除く。）内又は都道府県知事が関係市町村の意見を聴いてその区域の全部若しくは一部について指定する区域内における建築物
2～3　（略）
4　建築主事は、第1項の申請書を受理した場合においては、同項第1号から第3号までに係るものにあってはその受理した日から35日以内に、同項第4号に係るものにあってはその受理した日から7日以内に、申請に係る建築物の計画が建築基準関係規定に適合するかどうかを審査し、審査の結果に基づいて建築基準関係規定に適合することを確認したときは、当該申請者に確認済証を交付しなければならない。
5～6　（略）
7　建築主事は、第4項の場合において、申請に係る建築物の計画が建築基準関係規定に適合しないことを認めたとき、又は建築基準関係規定に適合するかどうかを決定することができない正当な理由があるときは、その旨及びその理由を記載した通知書を同項の期間（……）内に当該申請者に交付しなければならない。

8　第1項の確認済証の交付を受けた後でなければ、同項の建築物の建築、大規模の修繕又は大規模の模様替の工事は、することができない。
9　（略）
（国土交通大臣等の指定を受けた者による確認）
第6条の2　前条第1項各号に掲げる建築物の計画（……）が建築基準関係規定に適合するものであることについて、第77条の18から第77条の21までの規定の定めるところにより国土交通大臣又は都道府県知事が指定した者の確認を受け、国土交通省令で定めるところにより確認済証の交付を受けたときは、当該確認は前条第1項の規定による確認と、当該確認済証は同項の確認済証とみなす。
2　前項の規定による指定は、2以上の都道府県の区域において同項の規定による確認の業務を行おうとする者を指定する場合にあっては国土交通大臣が、一の都道府県の区域において同項の規定による確認の業務を行おうとする者を指定する場合にあっては都道府県知事がするものとする。
3　第1項の規定による指定を受けた者は、同項の規定による確認の申請を受けた場合において、申請に係る建築物の計画が次条第1項の構造計算適合性判定を要するものであるときは、建築主から同条第7項の適合判定通知書又はその写しの提出を受けた場合に限り、第1項の規定による確認をすることができる。
4　第1項の規定による指定を受けた者は、同項の規定による確認の申請を受けた場合において、申請に係る建築物の計画が建築基準関係規定に適合しないことを認めたとき、又は建築基準関係規定に適合するかどうかを決定することができない正当な理由があるときは、国土交通省令で定めるところにより、その旨及びその理由を記載した通知書を当該申請者に交付しなければならない。
5　第1項の規定による指定を受けた者は、同項の確認済証又は前項の通知書の交付をしたときは、国土交通省令で定める期間内に、国土交通省令で定めるところにより、確認審査報告書を作成し、当該確認済証又は当該通知書の交付に係る建築物の計画に関する国土交通省令で定める書類を添えて、これを特定行政庁に提出しなければならない。
6　特定行政庁は、前項の規定による確認審査報告書の提出を受けた場合において、第1項の確認済証の交付を受けた建築物の計画が建築基準関係規定に適合しないと認めるときは、当該建築物の建築主及び当該確認済証を交付した同項の規定による指定を受けた者にその旨を通知しなければならない。この場合において、当該確認済証は、その効力を失う。

7　前項の場合において、特定行政庁は、必要に応じ、第9条第1項又は第10項の命令その他の措置を講ずるものとする。

（構造計算適合性判定）
第6条の3　建築主は、第6条第1項の場合において、申請に係る建築物の計画が第20条第1項第2号若しくは第3号に定める基準（同項第2号イ又は第3号イの政令で定める基準に従った構造計算で、同項第2号イに規定する方法若しくはプログラムによるもの又は同項第3号イに規定するプログラムによるものによって確かめられる安全性を有することに係る部分に限る。以下「特定構造計算基準」という。）……に適合するかどうかの確認審査（第6条第4項に規定する審査又は前条第1項の規定による確認のための審査をいう。以下この項において同じ。）を要するものであるときは、構造計算適合性判定（当該建築物の計画が特定構造計算基準……に適合するかどうかの判定をいう。以下同じ。）の申請書を提出して都道府県知事の構造計算適合性判定を受けなければならない。ただし、当該建築物の計画が特定構造計算基準（第20条第1項第2号イの政令で定める基準に従った構造計算で同号イに規定する方法によるものによって確かめられる安全性を有することに係る部分のうち確認審査が比較的容易にできるものとして政令で定めるものに限る。）……に適合するかどうかを、構造計算に関する高度の専門的知識及び技術を有する者として国土交通省令で定める要件を備える者である建築主事が第6条第4項に規定する審査をする場合又は前条第1項の規定による指定を受けた者が当該国土交通省令で定める要件を備える者である第77条の24第1項の確認検査員に前条第1項の規定による確認のための審査をさせる場合は、この限りでない。

2〜3　（略）

4　都道府県知事は、第1項の申請書を受理した場合においては、その受理した日から14日以内に、当該申請に係る構造計算適合性判定の結果を記載した通知書を当該申請者に交付しなければならない。

5〜6　（略）

7　建築主は、第4項の規定により同項の通知書の交付を受けた場合において、当該通知書が適合判定通知書（当該建築物の計画が特定構造計算基準又は特定増改築構造計算基準に適合するものであると判定された旨が記載された通知書をいう。以下同じ。）であるときは、第6条第1項又は前条第1項の規定による確認をする建築主事又は同項の規定による指定を受けた者に、当該適合判定通知書又はその写しを提出しなければならない。ただし、当該建築物の計画に係る第6条第7項又は前条第4項の通知書の交付を受けた場合は、この限りでない。

8　建築主は、前項の場合において、建築物の計画が第6条第1項の規定による建築主事の確認に係るものであるときは、同条第4項の期間（……）の末日

の3日前までに、前項の適合判定通知書又はその写しを当該建築主事に提出しなければならない。

9　（略）

（建築物に関する完了検査）
第7条　建築主は、第6条第1項の規定による工事を完了したときは、国土交通省令で定めるところにより、建築主事の検査を申請しなければならない。

2～4　（略）

5　建築主事等は、前項の規定による検査をした場合において、当該建築物及びその敷地が建築基準関係規定に適合していることを認めたときは、国土交通省令で定めるところにより、当該建築物の建築主に対して検査済証を交付しなければならない。

（国土交通大臣等の指定を受けた者による完了検査）
第7条の2　第77条の18から第77条の21までの規定の定めるところにより国土交通大臣又は都道府県知事が指定した者が、第6条第1項の規定による工事の完了の日から4日が経過する日までに、当該工事に係る建築物及びその敷地が建築基準関係規定に適合しているかどうかの検査を引き受けた場合において、当該検査の引受けに係る工事が完了したときについては、前条第1項から第3項までの規定は、適用しない。

2　前項の規定による指定は、2以上の都道府県の区域において同項の検査の業務を行おうとする者を指定する場合にあっては国土交通大臣が、一の都道府県の区域において同項の検査の業務を行おうとする者を指定する場合にあっては都道府県知事がするものとする。

3　第1項の規定による指定を受けた者は、同項の規定による検査の引受けを行ったときは、国土交通省令で定めるところにより、その旨を証する書面を建築主に交付するとともに、その旨を建築主事に通知しなければならない。

4　第1項の規定による指定を受けた者は、同項の規定による検査の引受けを行ったときは、当該検査の引受けを行った第6条第1項の規定による工事が完了した日又は当該検査の引受けを行った日のいずれか遅い日から7日以内に、第1項の検査をしなければならない。

5　第1項の規定による指定を受けた者は、同項の検査をした建築物及びその敷地が建築基準関係規定に適合していることを認めたときは、国土交通省令で定めるところにより、当該建築物の建築主に対して検査済証を交付しなければならない。この場合において、当該検査済証は、前条第5項の検査済証とみなす。

6　第1項の規定による指定を受けた者は、同項の検査をしたときは、国土交通省令で定める期間内に、国土交通省令で定めるところにより、完了検査報

告書を作成し、同項の検査をした建築物及びその敷地に関する国土交通省令で定める書類を添えて、これを特定行政庁に提出しなければならない。

7　特定行政庁は、前項の規定による完了検査報告書の提出を受けた場合において、第１項の検査をした建築物及びその敷地が建築基準関係規定に適合しないと認めるときは、遅滞なく、第９条第１項又は第７項の規定による命令その他必要な措置を講ずるものとする。

（検査済証の交付を受けるまでの建築物の使用制限）

第７条の６　第６条第１項第１号から第３号までの建築物を新築する場合……においては、当該建築物の建築主は、第７条第５項の検査済証の交付を受けた後でなければ、当該新築に係る建築物……を使用し、又は使用させてはならない。（ただし書略）

　一～三　（略）

２～４　（略）

（違反建築物に対する措置）

第９条　特定行政庁は、建築基準法令の規定又はこの法律の規定に基づく許可に付した条件に違反した建築物又は建築物の敷地については、当該建築物の建築主、当該建築物に関する工事の請負人（請負工事の下請人を含む。）若しくは現場管理者又は当該建築物若しくは建築物の敷地の所有者、管理者若しくは占有者に対して、当該工事の施工の停止を命じ、又は、相当の猶予期限を付けて、当該建築物の除却、移転、改築、増築、修繕、模様替、使用禁止、使用制限その他これらの規定又は条件に対する違反を是正するために必要な措置をとることを命ずることができる。

２～15　（略）

（指定構造計算適合性判定機関による構造計算適合性判定の実施）

第18条の２　都道府県知事は、第77条の35の２から第77条の35の５までの規定の定めるところにより国土交通大臣又は都道府県知事が指定する者に、第６条の３第１項及び前条第４項の構造計算適合性判定の全部又は一部を行わせることができる。

２　（略）

３　都道府県知事は、第１項の規定による指定を受けた者に構造計算適合性判定の全部又は一部を行わせることとしたときは、当該構造計算適合性判定の全部又は一部を行わないものとする。

４　第１項の規定による指定を受けた者が構造計算適合性判定を行う場合における第６条の３第１項及び第３項から第６項まで並びに前条第４項及び第６項から第９項までの規定の適用については、これらの規定中「都道府県知事」とあるのは、「第18条の２第１項の規定による指定を受けた者」とする。

（構造耐力）
第20条　建築物は、自重、積載荷重、積雪荷重、風圧、土圧及び水圧並びに地震その他の震動及び衝撃に対して安全な構造のものとして、次の各号に掲げる建築物の区分に応じ、それぞれ当該各号に定める基準に適合するものでなければならない。
一　高さが60メートルを超える建築物　当該建築物の安全上必要な構造方法に関して政令で定める技術的基準に適合するものであること。この場合において、その構造方法は、荷重及び外力によって建築物の各部分に連続的に生ずる力及び変形を把握することその他の政令で定める基準に従った構造計算によって安全性が確かめられたものとして国土交通大臣の認定を受けたものであること。
二　高さが60メートル以下の建築物のうち、第6条第1項……第3号に掲げる建築物（地階を除く階数が4以上である鉄骨造の建築物、高さが20メートルを超える鉄筋コンクリート造又は鉄骨鉄筋コンクリート造の建築物その他これらの建築物に準ずるものとして政令で定める建築物に限る。）　次に掲げる基準のいずれかに適合するものであること。
　　イ　当該建築物の安全上必要な構造方法に関して政令で定める技術的基準に適合すること。この場合において、その構造方法は、地震力によって建築物の地上部分の各階に生ずる水平方向の変形を把握することその他の政令で定める基準に従った構造計算で、国土交通大臣が定めた方法によるもの又は国土交通大臣の認定を受けたプログラムによるものによって確かめられる安全性を有すること。
　　ロ　前号に定める基準に適合すること。
三～四　（略）
2　（略）

（工事現場における確認の表示等）
第89条　第6条第1項の建築、大規模の修繕又は大規模の模様替の工事の施工者は、当該工事現場の見易い場所に、国土交通省令で定める様式によって、建築主、設計者、工事施工者及び工事の現場管理者の氏名又は名称並びに当該工事に係る同項の確認があった旨の表示をしなければならない。
2　（略）

（不服申立て）
第94条　建築基準法令の規定による特定行政庁、建築主事若しくは建築監視員、都道府県知事、指定確認検査機関又は指定構造計算適合性判定機関の処分又はその不作為についての審査請求は、行政不服審査法第4条第1号に規定する処分庁又は不作為庁が、特定行政庁、建築主事若しくは建築監視員又は都

道府県知事である場合にあっては当該市町村又は都道府県の建築審査会に、指定確認検査機関である場合にあっては当該処分又は不作為に係る建築物又は工作物について第6条第1項（……）の規定による確認をする権限を有する建築主事が置かれた市町村又は都道府県の建築審査会に、指定構造計算適合性判定機関である場合にあっては第18条の2第1項の規定により当該指定構造計算適合性判定機関にその構造計算適合性判定を行わせた都道府県知事が統括する都道府県の建築審査会に対してするものとする。（以下略）

2〜4　（略）

第95条　建築審査会の裁決に不服がある者は、国土交通大臣に対して再審査請求をすることができる。

◆ 解説 ◆

1．出題の意図

　耐震強度を偽装しているおそれのあるマンションの建設により、生命・財産を侵害される危険があると考える周辺住民が、この危険を防止・除去するために用いることができる行訴法上の法的手段について問うものであり、工事中の段階と工事完了後の段階のそれぞれについて、訴訟類型の選択や訴えの主観的・客観的利益などの訴訟要件について的確に検討することが求められる。

2．設問1——建設工事の中止を求めるための法的手段

(1) 本件建築確認の取消訴訟
(ア) 出訴期間以外の訴訟要件

　まず、本件建築確認の取消訴訟（行訴3条2項）を提起することが考えられる。これについては、出訴期間（行訴14条）が徒過しているのではないかという問題があるが、先に他の訴訟要件から検討していこう。なお、設問の対象ではないが、訴訟の提起によっては処分の効力は停止せず、工事を中止させることができないので（行訴25条1項）、現実の紛争においては、仮の救済として**執行停止**、厳密に言えば、処分の効力の停止（行訴25条2項）を申し立てることが不可欠である。

　本件建築確認は株式会社であるＣが行ったものであるが、建基法6条の2第1項により建築主事による建築確認と同じ法的効果を与えられた行為であるから、**処分性**は争いの余地なく認められる。被告は指定確認検査機関たるＣである（行訴11条2項）。Ａらの**原告適格**（行訴9条）は、建築確認制度によって保護されている利益や建基法の目的規定に鑑み、本件マンションの倒壊によって生命・財産の被害を受けるおそれのある範囲に居住している場合には、当然認められるであろう（建築確認に関するものではないが、最3小判平14・1・22民集56巻1号46頁〔千代田生命総合設計許可事件、百選Ⅱ164、CB12-9〕が参考になる。

また、最1小判平21・12・17民集63巻10号2631頁〔東京都建築安全条例事件、百選Ⅰ84、CB2-9〕は、周辺住民が原告適格を有することを前提に建築確認を取り消している）。**訴えの客観的利益**についても建築確認が取り消されればPは適法に工事を継続することができなくなるので、問題なく認められる（最2小判昭59・10・26民集38巻10号1169頁〔仙台市建築確認取消請求事件、百選Ⅱ174、CB13-4〕)。なお、建築確認の取消訴訟についてはかつては**審査請求前置主義**（行訴8条1項ただし書）がとられていたが、2014年の行審法改正の際の建基法改正により廃止されているため問題にならない。

(イ) 出訴期間

問題は**出訴期間**である。2019年11月20日の時点では、本件建築確認が行われた2019年4月15日から客観的出訴期間の1年（行訴14条2項）は徒過していない。しかし、同月22日に、Pは、本件表示板を設置して工事に着手しており、これをもって、マンションの倒壊によって直接被害を受ける範囲に居住する住民との関係で、社会通念上処分のあったことを知りうべき状態に置かれたときに当たると解する場合には、反証のない限り、その処分のあったことを知ったものと推定される（最1小判昭27・11・20民集6巻10号1038頁を参照）。そうすると、2019年11月20日の時点では、主観的出訴期間（行訴14条1項）の6カ月の期間が徒過していることになる。このように解する場合において、本件表示板が設置されてもAらは処分のあったことを知ることができなかったという反証ができないときは、取消訴訟を提起するためには、2019年11月1日ないし11日になって初めて本件マンションの危険性を認識することができるようになったのであるから出訴期間徒過後に訴えを提起することにつき「正当な理由があるとき」（行訴14条1項ただし書）に当たると主張することが考えられる。

(2) **本件構造計算適合性判定の取消訴訟（行訴3条2項）**

(ア) **本件構造計算適合性判定から本件建築確認への違法性の承継**

本件建築確認の取消訴訟を適法に提起しうるとしても、それだけで十分な救済手段になるとは言い切れない。本件において、建基法20条が定める耐震構造について判断するのは、建築主事ないし指定確認検査機関（本件ではC）ではなく、知事または指定構造計算適合性判定機

関（本件ではD）である。また、建基法6条の3第8項によれば、建築主事が建築確認を行う場合には、建築主は、適合判定通知書またはその写しを、建築確認を行うべき法定期間の末日の3日前までに提出すればよいという仕組みになっている。以上の仕組みからすると、Cは、適合判定通知書について形式的なチェックができるにとどまり、構造計算適合性判定の審査事項を重ねて審査する権限は有していないと解される。そうすると、本件構造計算適合性判定が耐震偽装を見落としており違法であるとしても、これが行政処分である場合には、本件構造計算適合性判定から本件建築確認への**違法性の承継**が認められず、本件建築確認の違法性が否定される可能性がある（違法性の承継について詳しくは、コラム「行政処分の違法性の承継」を参照）。

　そこで、本件構造計算適合性判定の**処分性**について検討すると、それ自体として建築を可能にするという法的効果は有しないものの構造計算適合性判定がないと建築主が建築確認を受けられず、適法に建築ができないという意味で、建築主の権利に影響を及ぼしていること、建築主の申請に基づき建築主に対してなされる行為であること、建基法94条1項が、「指定構造計算適合性判定機関の処分」について審査請求ができる旨の定めを置いていることからすると、処分性が認められることについて争いはないであろう。

　そうすると、次に、構造計算適合性判定から建築確認への違法性の承継が認められるかどうかが問題になる。構造計算適合性判定と建築確認との関係は、前掲・最1小判平21・12・17において違法性の承継が認められた安全認定と建築確認との関係に類似しており、ほぼ同様の理由で、違法性の承継を認めることができるであろう。すなわち、①構造計算適合性判定は、建築確認と同一の目的を有し、建築確認と結合して1つの効果をもたらすものであり、②構造計算適合性判定は、周辺住民には告知されず周辺住民がその存在を速やかに知ることができず、さらに、③周辺住民が建築確認により不利益が現実化するまで訴訟を提起しないという判断をすることが不合理とはいえない。もっとも、違法性の承継が確実に認められるとは限らないので、本件構造計算適合性判定の取消訴訟の提起が可能であれば提起すべきである。そこで、以下、本件構造計算適合性判定の取消訴訟の他の訴訟要件に

ついて検討しよう。

(イ) **本件構造計算適合性判定の取消訴訟の訴訟要件**

　被告は指定構造計算適合性判定機関たるDである（行訴11条2項）。Aらの**原告適格**（行訴9条）は、本件建築確認取消訴訟と同様に認められるであろう。**訴えの客観的利益**についても、本件構造計算適合性判定が取り消されれば、本件建築確認が当然に失効するか、当然には失効しないとしても、判決の拘束力（行訴33条1項）により、Cにおいて本件建築確認を取り消す義務および特定行政庁において建基法6条の2第6項が定める不適合通知により本件建築確認を失効させる義務が生じると考えられるので、問題なく認められる。**審査請求前置主義**の定めはない。

　問題になるのは、本件建築確認取消訴訟と同様、**出訴期間**である。本件構造計算適合性判定が行われた2019年4月8日から客観的出訴期間は徒過しておらず、本件建築確認と異なり表示板が設置されたわけでもないので、主観的出訴期間も徒過していないと言いやすい。ただし、本件建築確認に係る表示板の設置や工事の開始によって本件構造計算適合性判定がなされたことも知ることができたと解する場合や、その他本件構造計算適合性判定がなされたことをAらが知っていたという特別な事情がある場合には、本件建築確認取消訴訟と同様、出訴期間徒過後に訴えを提起することにつき「正当な理由があるとき」に当たると主張する必要がある。

　本件構造計算適合性判定取消訴訟を提起できる場合、請求が認められれば、本件建築確認が当然に失効し、または判決の拘束力により取り消される可能性が高いが、本件建築確認の効力を確実に消滅させるため、本件構造計算適合性判定の取消請求が認容されることを条件として本件建築確認の取消しまたは無効確認を求める訴えも提起すべきであろう。

コラム　行政処分の違法性の承継

ある行政処分が行われたことを前提にして後続の行政処分が行われる場合にお

いて、先行する行政処分（以下「先行行為」という）の違法が、後続の行政処分（以下「後行行為」）の違法をもたらすことを、行政処分の違法性の承継という。違法性の承継を認める実益は、先行行為の出訴期間が徒過して取消訴訟を提起することができない場合においても、後行行為の取消訴訟において、先行行為の違法性を後行行為の取消事由として主張しうる点にある。しかし、違法性の承継を無制限に認めると、先行行為の出訴期間の制限を潜脱することになるため、違法性の承継は例外的にのみ認められると解されている。

最高裁が、違法性の承継を実質的に初めて認めた判例が、前掲・最 1 小判平 21・12・17 である。事案は、建築主が、東京都建築安全条例に基づく安全認定を受け、これを前提として建築確認を受けたところ、周辺住民が、安全認定が違法であるとして、安全認定と建築確認の取消しを求めたというものである。安全認定についての取消訴訟の出訴期間が徒過しており、不適法とされたことから、安全認定から建築確認への違法性の承継の有無が重要な争点となった。

前提となっている法令の仕組みは以下のようなものである。東京都建築安全条例は、建基法 43 条 2 項（現 3 項）の委任に基づき、建基法が定める接道要件（建築物の敷地が原則として幅員 4 m 以上の道路に 2 m 以上接していなければならないという要件）よりも厳しい接道要件を、大規模な建築物について定めていた。安全認定は、知事が、安全上支障がないと認めて、条例が付加した制限を不適用とする処分である。つまり、建築主は、条例が付加した接道要件を満たさない建築物であっても、安全認定を受ければ建築確認を受けて建築することができる。

最高裁は、以下の 3 つの事情を考慮して、違法性の承継を認めた。

① 「建築確認における接道要件充足の有無の判断と、安全認定における安全上の支障の有無の判断は、異なる機関がそれぞれの権限に基づき行うこととされているが、もともとは一体的に行われていたものであり、避難又は通行の安全の確保という同一の目的を達成するために行われるものである。そして、……安全認定は、建築主に対し建築確認申請手続における一定の地位を与えるものであり、建築確認と結合して初めてその効果を発揮する」。

② 「安全認定があっても、これを申請者以外の者に通知することは予定されておらず、建築確認があるまでは工事が行われることもないから、周辺住民等これを争おうとする者がその存在を速やかに知ることができるとは限らない……。そうすると、安全認定について、その適否を争うための手続的保障がこれを争おうとする者に十分に与えられているというのは困難である」。

③ 「仮に周辺住民等が安全認定の存在を知ったとしても、その者において、安全認定によって直ちに不利益を受けることはなく、建築確認があった段階で初めて不利益が現実化すると考えて、その段階までは争訟の提起という手段は執らないという判断をすることがあながち不合理であるともいえない」。

以上の 3 つの事情のうち、①は、先行行為と後行行為の実体的な関係を問題にしており、両処分が同一の目的を有し、両処分が結合して 1 つの効果をもたらすことを、違法性の承継を認める前提とするようである。伝統的な通説や従来の多くの裁判例は、これを違法性の承継の主たる要件としていた。②および③は、それぞれ、手続的な観点から、先行行為の違法性を先行行為の取消訴訟でしか争え

ないとすることが権利救済上適切ではないという事情を指摘している。同様の考え方は、比較的新しい学説によって提起されており、下級審裁判例にもこの考え方を援用するものがあった。本判決は事例判断を行ったものであって、違法性の承継に関する一般的な基準を定立したわけではないが、①～③で示されている内容は、従来の学説・裁判例の判断基準とかなり共通しており、他の事例にも応用できるであろう。

　従来の通説・下級審裁判例は、土地収用法上の事業認定と収用裁決の間では違法性の承継が認められるが、課税処分と滞納処分のような、義務賦課行為と強制執行行為との間では承継が認められないと解してきた。これらを最高裁の判断に照らして検討してみよう。事業認定と収用裁決の関係には、判例の①と③はあてはまるが、②は、土地収用法の2001年改正により、事業認定の段階での事業説明会が義務付けられるなど、手続が充実していることから、あてはまらないのではないかとも思われる。もっとも、最高裁は、周辺住民等が先行行為の存在を知っていても、③の基準により違法性の承継が認められるとしているから、②があてはまらないからといって直ちに違法性の承継が否定されることにはならないであろう。他方、課税処分と滞納処分については、①～③のいずれもあてはまらず、違法性の承継は認められないであろう。

　最後に、上記①～③のような基準を用いて違法性の承継の有無を論じる必要がない事例について指摘しておこう。第1に、先行行為が、行政立法や行政計画などの行為で、処分性が認められない場合には、当該行為を前提として行われる行政処分の取消訴訟において、先行行為の違法性を主張できる。第2に、先行行為が行政処分である場合であっても、先行行為が無効である場合には、当該行為を前提として行われる後行行為は違法（または無効）となる。つまり、以上のような場合には、違法性の承継の有無を論じるまでもなく、当然に、先行行為の違法を後行行為の取消訴訟で主張できる。さらに、先行行為が一定の処分要件に違反している場合において、当該要件と同様の要件が後行行為についても定められているときは、違法性の承継を認めなくても、後行行為の処分要件に基づいて後行行為の違法を主張できるから、違法性の承継について論じる意味はない。

(3) 本件建築確認・本件構造計算適合性判定の無効確認訴訟

　出訴期間の徒過により、本件建築確認・本件構造計算適合性判定の取消訴訟を提起できないと解される場合には、無効確認訴訟（行訴3条4項）を提起することが考えられる。ちなみに、この場合も、仮の救済の手段は**執行停止**（処分の効力の停止）である（行訴25条・38条3項）。無効確認訴訟の固有の訴訟要件としては、建設工事の民事差止訴訟を提起できることとの関係で、行訴法36条の定める**原告適格**が認められるか否かが問題になるが、本件における民事差止訴訟は、人格権侵害のおそれを理由とする訴えであり、本件建築確認・本件構造計

適合性判定の無効を先決問題としていないから、無効確認訴訟提起の支障にならない（最3小判平4・9・22民集46巻6号1090頁〔もんじゅ行政訴訟、百選Ⅱ 181、CB15 - 3〕）。

　なお、設問の対象ではないが、無効確認訴訟を提起する場合の本案勝訴要件について補足しておこう。通説・判例によれば、処分の無効は、原則として**重大かつ明白な瑕疵**を要件とするが、本件において、処分時に明白な瑕疵があったと主張することはかなり困難であろう。そこで、違法処分によって生命・身体等が侵害される危険があることを理由に、処分の無効の認定に際して明白性要件を不要とした下級審裁判例（名古屋高金沢支判平15・1・27判時1818号3頁〔もんじゅ行政訴訟差戻後控訴審判決、CB2 - 7〕）の考え方を援用することが考えられる。

(4) 工事施工停止命令の義務付け訴訟

　もう1つの可能性として、当該工事が違法な建築物を建設しようとするものであることを理由に、建基法9条1項に基づくPに対する工事施工停止命令の発付を求める**直接型義務付け訴訟**（行訴3条6項1号）を提起することも考えられる。ちなみに、この場合の仮の救済の手段は**仮の義務付け**（行訴37条の5）である。

　工事施工停止命令が処分であることについては争いの余地はない。被告は、乙市において建基法9条1項に基づく命令を発する権限を有する特定行政庁が乙市長であることから（建基9条1項・2条35号）、行訴法11条1項1号・38条1項により、乙市である。他の訴訟要件のうち、原告適格については、本件建築確認とあまり異なる問題はないであろう。

　直接型義務付け訴訟の固有の訴訟要件として、行訴法37条の2第1項が定める、**重大な損害**および**補充性**の要件について触れるべきである。重大な損害の要件が満たされることの主張は比較的容易であろう。補充性要件については、工事差止めの民事訴訟や本件建築確認・本件構造計算適合性判定の取消・無効確認訴訟（以下「本件建築確認等の取消訴訟等」という）との関係が問題になる。民事訴訟が他の適当な方法に当たらないことについてはほぼ争いがない（塩野・行政法Ⅱ 250頁、芝池・救済法144頁、宇賀・概説Ⅱ 356頁）。また、本件建築確認等の取

消訴訟等は、同じく建築をストップすることを目的とした抗告訴訟ではあるが、工事施工停止命令義務付け訴訟とは、争点・役割が異なる。本件建築確認等の取消訴訟等の審査対象が、建築計画が建築基準関係規定に適合しているか否かであるのに対し、ここでの工事施工停止命令義務付け訴訟は、建築工事そのものの違法性に着目して、その停止を命ずる処分の義務付けを求める訴えであるため、例えば、建築計画が法令に適合しており、本件建築確認等の取消し等を求めることができない場合であっても、その後、計画を無視して、違法な工事がなされている場合には、工事施工停止命令の義務付けの請求が認容される可能性があるからである。したがって、本件建築確認等の取消訴訟等を提起できるとしても、工事施工停止命令義務付け訴訟を提起する支障にはならないと解される。もっとも、建築計画どおりに行われている工事が違法であると主張して命令の義務付けを求める場合には、建築確認等の取消訴訟等との間で争点が実質的に重複しているため、義務付け訴訟は不適法であるとされる可能性も、完全に否定することはできないであろう。

　その他、上記の義務付け訴訟に加えて、本件建築確認等の取消訴訟等による請求が認容されることを条件として、本件建築確認が効力を有しなくなったことを理由にした工事施工停止命令の義務付け請求を追加することも考えられる。さらに、提起の段階で工事が既に相当程度進捗しており、それ自体として危険が存在する場合には、工事の停止のみならず、完成部分の撤去等を求める命令の義務付けを求めることも必要となるであろう。

コラム 答案を読んで①：不適合通知の義務付け訴訟？

　法科大学院で類似問題を出題した際に、建基法6条の2第6項による不適合通知を特定行政庁が発することを求める直接型義務付け訴訟を提起できるという解答がかなりあった。面白い点に気づいたとは思うが、同じ目的を本件建築確認の取消訴訟によってよりストレートかつ容易に達成できるから、補充性要件（行訴37条の2第1項）が満たされないだろう。

3．設問2——工事完成後における設問1で検討した訴訟の帰趨

(1) 取消訴訟および無効確認訴訟

判例（前掲・最2小判昭59・10・26）の趣旨によれば、建築確認取消訴訟の**訴えの客観的利益**は、工事が完成すれば、検査済証交付がまだ行われていない段階であっても消滅する。この判例の立場には学説による批判もあるが、まずは、判例の論理、すなわち、建築確認の存在は検査済証交付の拒否や違反是正命令の発付の法的障害とならず、また、建築確認の取消しによって検査済証交付の拒否や違反是正命令の発付をすべき法的拘束力は生じないから、工事完了後に建築確認を取り消すことに意味はない、という理屈を正確に理解しておく必要がある。

以上のことは、本件構造計算適合性判定の取消訴訟にも妥当し、また、本件建築確認・本件構造計算適合性判定の無効確認訴訟にも妥当する。

(2) 工事施工停止命令の義務付け訴訟

工事完成により工事施工停止命令義務付け訴訟の訴えの利益が失われることは当然である。

答案を読んで②：建築確認取消訴訟の訴えの利益

法科大学院で類似問題を出題した際に、時間が足りなかったのかもしれないが、本件建築確認取消訴訟の訴えの利益を否定する理由づけとして、建築確認の法的効果はそれを受けなければ適法に工事をすることができないというものであるから、という説明で済ませているものが少なくなかった。しかし、行訴法9条1項かっこ書に照らせば、それでは不十分であり、本文で述べたように、工事完了後において、建築確認が存続することまたは建築確認を取り消すことが、検査済証の交付や違反是正命令の発付に及ぼす影響についても論じないと、十分な解答にならない。

4．設問3——工事完成後に提起しうる訴訟

(1) 検査済証交付の取消訴訟

まず、検査済証交付の取消訴訟を提起することが考えられる。処分

性については、検査済証の交付を受けなければその建築物を居住のために使用できないという効果があるので（建基7条6）、**処分**であることについては争いがない。問題は、Ａらが検査済証交付の取消しを求める**原告適格**を有するかどうかである。検査済証交付の上記の法効果は、マンションの倒壊による生命・財産の侵害というＡらの不利益とは直接関係しないので、原告適格が否定される可能性がある。また、検査済証交付が取り消された場合、マンションが違法建築であることが確定するが、建基法9条1項に基づく違反是正命令の発付には裁量が認められるので、判例（前掲・最2小判昭59・10・26）の立場を前提とすれば、訴えの利益を認める根拠にはならないであろう。

なお、Ａらが、地震による被害とは別に、マンションの使用によるプライバシーの侵害や道路の混雑等の不利益を主張することも考えられるが、この種の不利益は建基法によって保護された利益に当たらないとするのが判例の傾向である（前掲・最3小判平14・1・22も参照）。

(2) 本件マンションの除却等の命令の義務付け訴訟

ほかに考えられるのは、建基法9条1項に基づく違反是正命令として本件マンションの建物の除却等の命令を発付することを求める直接型義務付け訴訟である。訴訟要件のうち、処分性、被告適格、原告適格、重大な損害要件のいずれについても、上記**2**(4)で論じた義務付け訴訟とあまり異なる問題はない。**補充性要件**については、マンション撤去を求める民事訴訟との関係が一応問題になりうるが、これについても、上記**2**(4)で述べたことがあてはまり、義務付け訴訟の提起は妨げられないであろう。

他方、本件マンションによる危険を除去するための措置は、除却以外にも耐震補強など複数ありうることから、工事施工停止命令の場合と異なり、「**一定の処分**」（行訴37条の2第1項）の充足についても検討しておく必要がある。この要件については、処分の一義的な特定は必要なく、裁判所の判断が可能な程度に特定されておればよいと解されているから（芝池・救済法143頁、宇賀・概説Ⅱ354頁）、「建基法9条1項に基づき本件マンションの除却その他違反を是正するために必要な措置をとることの命令」といった程度の特定で十分であろう。

〔関連問題〕
　本事例と同様のシチュエーションの下で、Pが構造計算書を偽造していたマンションを購入し、居住していたBらは、構造計算書の偽造が判明したため、転居を余儀なくされるとともに、購入したマンションの資産価値が失われるという損害を被った。Bらは、「住宅の品質確保の促進等に関する法律」に基づいてPの瑕疵担保責任を追及しようと考えているが、Pの負担能力の限界を超えるおそれがあるため、建基法上のチェックが適正に行われなかったことを理由に、P以外の者に対しても損害賠償を求めたいと考えている。Bらは、どのような請求原因により、誰を被告として賠償請求をすべきか。

ワンポイント解説：指定確認検査機関制度と建基法の改正

1．指定確認検査機関制度
　指定確認検査機関の制度は、1998年の建基法改正により、「建築確認・検査の民間開放」というキャッチフレーズの下で導入された。指定確認検査機関とは、従来、都道府県や市町村の建築主事のみが行っていた、建基法上の建築確認や完了検査を行う権限を与えられた民間機関であり (以下、指定確認検査機関を便宜的に「民間機関」という)、講学上の指定法人に当たる (指定法人について、塩野宏「指定法人に関する一考察」同『法治主義の諸相』〔有斐閣、2001年〕449頁以下を参照)。この制度の導入の主な理由として、立案者サイドからは、阪神・淡路大震災をきっかけにして中間検査の制度を導入することになったが、建築主事だけではマンパワーが不足するので、民間のリソースを活用するため、といった説明がされていたが、営利法人も民間機関として指定されうることから、公正中立な審査が確保されないのではないか、等の批判もあった。事実、業界最大手の民間機関においては、主要な株主に建設会社が名前を連ねている (五十嵐敬喜＝小川明雄『建築紛争——行政・司法の崩壊現場』〔岩波新書、2006年〕を参照)。また、当初から予想されていたとおり、民間機関が官僚の天下り先になっている例も少なくないようである。

2．最2小決平17・6・24と市町村の国家賠償責任
　近年に至り、民間機関の制度をめぐり、いくつかの重大な問題が生じた。1つは、最2小決平17・6・24判時1904号69頁 (東京建築検査機構事件、CB18-13) である。この決定は、建築主事が置かれた市町村の区域で民間機関が行う建築確認の事務は当該市町村に帰属するとして、行訴法21条1項により、民間機関を被告とする建築確認の取消訴訟を市町村を被告とする国家賠償請求訴訟へと変更することを認めたものである。同決定を前提にすると、建築主事を置く市町村の区域

内で民間機関のミスによって違法な建築確認がなされた場合、当該建築確認によって生じた損害については、市町村が国家賠償責任を負うのか、という問題がある。前掲・最２小決平 17・6・24 以後の下級審裁判例においては、肯定するものと否定するものがあり、混乱が生じている。学説においては、民間機関の指定をするのは、市町村ではなく国または都道府県であること、また、建築主事を置く市町村の特定行政庁（市町村長）には、民間機関による違法な建築確認を失効させる権限が与えられているものの、民間機関の建築確認の内容を十分にチェックしうるような仕組みになっていないことなどから、市町村が国家賠償責任主体とされることに対しては反対説が有力である（例えば、金子正史『まちづくり行政訴訟』〔第一法規、2008 年〕269 頁以下、米丸恒治「建築基準法改正と指定機関制度の変容」政策科学 7 巻 3 号〔2000 年〕253 頁以下、塩野・行政法Ⅲ 181 頁以下を参照。異なる見解として、櫻井敬子『行政法講座』〔第一法規、2010 年〕250 頁以下）。

3．耐震偽装問題と建基法改正

　もう１つは、2005 年 11 月に公表され、衝撃を与えたいわゆる耐震偽装問題である。この問題は、複数の建築士が、国土交通大臣認定の構造計算プログラムによる構造計算を偽装し、これが見落とされたまま建築確認・中間検査・完了検査が行われた、というものであった。耐震偽装は民間機関制度の導入の前から行われており、この問題の主要な原因を民間機関の制度に求めることは妥当ではないかもしれないが、同様の問題の再発を防ぐことを主たる目的として、2006 年に建基法と建築士法が改正され（2007 年 6 月施行）、民間機関の制度についてもいくつかの重要な変更が加えられた（改正の概要につき、櫻井・前掲 248 頁以下、国土交通省住宅局建築指導課監修／建築法規研究会編『Ｑ＆Ａ　改正建築基準法・建築士法』〔新日本法規、2007 年〕を参照）。

　2006 年改正の主な内容は、次のとおりである。第 1 に、構造計算適合性判定制度が導入され、一定規模以上の建築物について、建築主事または民間機関が、建築確認手続中に、都道府県知事またはその指定する構造計算適合性判定機関による判定を受けることが義務付けられた。いわゆるピアチェックのシステムである。また、その分、建築確認の審査期間が延長された。第 2 に、民間機関に対するチェックが強化された。具体的には、指定要件の厳格化、指定の際の特定行政庁からの意見聴取、民間機関に対する特定行政庁の立入検査権限の創設、民間機関が建築確認等を行った場合における特定行政庁への報告事項の拡充などである。しかし、この改正による建築確認の審査日数の長期化などが原因となって住宅着工数が減少し、建基法不況といわれるような状況が生じた。

　その後、建基法 2014 年改正では、建築確認と構造計算適合性判定の並行審査をしやすくするため、建築主が構造計算適合性判定を直接申請しうる仕組みが導入され、また、構造計算適合性判定の対象となる建築の範囲が狭められた。

〔野呂　充〕

〔問題3〕 公共施設管理者の不同意をめぐる紛争

◆ 事例 ◆

次の文章を読んで、資料を参照しながら、あなたが、Mの依頼を受けたP法律事務所の若手弁護士Qであるとして、以下の設問に答えなさい。

1．Mは、介護保険法に基づく居宅介護支援事業などを目的として設立された株式会社である。2019年4月26日、Mは、甲県乙市内にある本件土地をBから購入し、そこに、老人デイサービスセンターを設置することを計画した。

 本件土地は市街化調整区域にあり、開発・建築が原則として禁止されているところであったが、老人福祉施設である老人デイサービスセンターの経営は第2種社会福祉事業に該当し、その施設は「当該開発区域の周辺の地域において居住している者の利用に供する政令で定める公益上必要な建築物」（都計34条1項1号）に該当するので、都計法29条に基づく開発許可を得て開発工事および建築をすることができるものであった。そこでMは、甲県知事から開発許可を得るための準備を始めた。

2．ところで、開発許可申請を行うについては、当該開発行為に関係がある公共施設の管理者の同意（都計32条）が必要とされている。本件土地の東側には、開発行為に関係がある公共施設として市道丙号線（以下「本件道路」という）および水路（以下「本件水路」という）が存在していた（なお、本件で「関係がある」と言えるかどうかも問題となりうるが、「関係がある」ことについて争いがないものとする）。そこでMは、本件道路および本件水路の管理者である乙市の市長に対して、公共施設管理者の同意願（以下「本件同意願」という）を提出した。

3．乙市市長は、Mに対して、2019年8月20日付けで、本件同意願に対して同意しない旨の通知（以下「本件不同意通知」という）をした。しかし、Mとしては、この不同意通知にはとうてい納得がゆかなかった。本件道路は、老人デイサービスセンターが設置された場合の送迎車両等の頻繁な通行に対しても十分な幅員を有しており、本件道路との関係で乙市

長が不同意をする理由はないはずであった。また、Mが計画している老人デイサービスセンターでは、法律の規制に適合した合併浄化槽を設置することを計画しており、飲用に耐えうる水質の排水がされ、汚水等が流れる可能性は全くないように工夫されていた。それゆえ本件開発行為による本件水路への排水によって放流先である本件水路の適切な管理に何ら支障も弊害も生じるおそれがないはずであった。

4．そこでMは、2019年10月13日付けで、甲県開発審査会に対して本件不同意通知についての審査請求を行った。しかし、甲県開発審査会は、公開による口頭審理を実施したうえ、2020年1月6日付けで、本件審査請求を却下する旨の裁決を行った。却下裁決の理由は、開発審査会に与えられた審査権限が都計法50条に掲げる処分についての審査請求に対するものであり、法32条の同意ないしこれを拒否する行為は、法50条に掲げられた処分に当たらないことから、これに対する審査権限を有しないというものであった。

5．Mは、開発審査会に対する審査請求と並行して、2019年10月19日付けで、甲県知事に対して、乙市の同意書のないままに本件開発行為に係る開発許可を申請した。しかし、甲県知事は、2020年1月15日付けで、本件開発行為に関係のある公共施設の管理者である乙市の同意を得たことを証する書面が開発許可申請に添付されていないことを理由として不許可処分を行った。

6．Mは、乙市の不同意通知に対して強い不満があり、また、同意書がないことを理由とする甲県知事の開発不許可処分に対しても納得がゆかない。そこで、訴訟を提起して、これらの違法性を争いたいと考えて、2020年1月20日、P法律事務所を訪ねた（P法律事務所でのやりとりの一部については後掲【資料1】を参照）。

〔設問1〕

1．Mが、不同意の違法性を争い、公共施設管理者の同意を得るためには、いかなる訴訟を提起すればいいのか。また、その場合に、訴訟要件において特に留意すべきことは何か。（40点）

2．Mが、不許可処分の違法性を争い、開発許可を得るためには、いかなる訴訟を提起すればいいのか。また、その場合に、訴訟要件において

特に留意すべきことは何か。（10点）

〔設問2〕
上記の設問1-1、1-2の訴訟の本案において、被告の行為の違法性をどのように主張すればいいのか。（各々25点）

【資料1　P法律事務所における弁護士P、QとMのやりとり】

P：まず、甲県知事があなたの開発許可申請に対して不許可の決定をした理由は何と説明されていますか？

M：ご覧いただいているとおり、不許可決定書には、「本件開発行為に関係のある公共施設の管理者である乙市の同意を得たことを証する書面が開発許可申請に添付されていないため」と書かれていますが、担当職員にさらに尋ねると、「開発許可のために必要なその他の要件は満たしているが、法律上要求されている公共施設管理者の同意がなければ、そもそも開発は認めるわけにはゆかない」ということでした。

P：不許可の理由は専ら乙市の同意がないということで、その他の要件は満たしているということですね。では、その他の要件充足性については争いがないということで進めましょう。次に、乙市は不同意の理由をどう説明していますか？

M：不同意の理由としては、①放流先の水路を実質的に管理している丙町協議会の排水同意を得ていないこと、②丙堰土地改良区から本件開発行為に反対する陳情書および反対署名が提出されていること、③丙町協議会から本件開発行為に反対する要望書および反対署名が提出されていることの3点が挙げられています。

Q：丙町協議会とはいかなる組織ですか？

M：本件水路を実際に日常的に管理している住民団体のようです。本件水路の管理者は乙市ですが、実質的な管理は丙町協議会が担っています。

Q：丙町協議会が本件老人デイサービスセンターの設置に反対している理由は何ですか？

M：明確な理由はないと思っています。反対署名の文言などを見ますと、本件土地の周辺が農地であって用水への影響に十分な配慮が必要であるとか、本件計画に基づき老人デイサービスセンターが設置された場合に送迎車両等が頻繁に通行するが、これに対して十分な幅員の道路が整備されていないとかいうようなことが書かれています。しかし私は、老人デイサービスセンターに対する偏見があるのではないかと推測しています。

P：法律上、本件水路や道路の管理者は乙市ですよね。乙市は、以上のような

丙町協議会の反対に対してどのように言っているのですか？
M：乙市は、私どもの出した質問書への回答の中で次のように述べています。「多くの地方公共団体において公共施設の管理は、事実上、これを日常的に利用する地元協議会や水利組合に委ねられ、これらの協力なく公共施設を維持管理することは困難であり、本件公共施設についても同様である。これらの反対を無視して法32条の同意をすれば、その後の維持管理上の不都合なども予想されることから、法32条の同意をするかについて、これら事情を勘案して判断することには合理的理由がある」。しかしこれでは、自ら判断すべき事柄を、単なる住民団体の判断に全面的に委ねることになり、責任放棄だと思います。
P：なるほど、丙町協議会の反対理由の真意がどこにあるのかはさておき、乙市が不同意の理由を丙町協議会等の反対署名があることだけに求めているとすれば問題がありそうですね。ところで、Q弁護士、たしか、公共施設管理者の同意に関しての最高裁判決がありましたよね。
Q：はい。最高裁第1小法廷平成7年3月23日判決（民集49巻3号1006頁。以下「平成7年判決」という）。は、公共施設管理者の同意が行政処分ではないと判示しています。甲県開発審査会が本件不同意通知についての審査請求を却下したのも、この最高裁判決に依拠しています。
P：平成7年判決の論理をもう少し詳しく説明してくれませんか？
Q：はい。平成7年判決は次のように述べています。公共施設の管理者が「同意を拒否する行為は、公共施設の適正な管理上当該開発行為を行うことは相当でない旨の公法上の判断を表示する行為ということができる。この同意が得られなければ、公共施設に影響を与える開発行為を適法に行うことはできないが、これは、法が前記のような要件を満たす場合に限ってこのような開発行為を行うことを認めた結果にほかならないのであって、右の同意を拒否する行為それ自体は、開発行為を禁止又は制限する効果をもつものとはいえない。したがって、開発行為を行おうとする者が、右の同意を得ることができず、開発行為を行うことができなくなったとしても、その権利ないし法的地位が侵害されたものとはいえないから、右の同意を拒否する行為が、国民の権利ないし法律上の地位に直接影響を及ぼすものであると解することはできない。……公共施設の管理者である行政機関等が法32条所定の同意を拒否する行為は、抗告訴訟の対象となる処分には当たらない」。
P：なるほど。しかし、同意がなければたとえ自分の所有地であっても開発行為ができないわけですね。にもかかわらず、「同意を拒否する行為それ自体は、開発行為を禁止又は制限する効果をもつものとはいえない」というのは、わかりにくい理屈ですね。

Q：はい。平成7年判決に対して批判的な学説もかなりみられます。最高裁も、その後に、処分性を広く認める判決（例えば、冷凍マグロの輸入許可申請に先立つ検疫所長の食品衛生法に違反するとの通知の処分性を認めた最高裁第1小法廷平成16年4月26日判決〔民集58巻4号989頁〕）を出しているので、この平成7年判決が今日でも維持されるかどうかは1つの問題だと言えそうです。

P：そうですか。それでは、Qさん、最高裁での判例変更も狙って、同意の処分性を肯定する理屈を考えてくれませんか？

Q：はい。頑張ってみます。

P：次に、やはり実務家として最高裁判決を無視できないとなれば、平成7年判決を前提にした議論も組み立てる必要がありますね。平成7年判決を前提とすれば、本件のように同意がされるべきであるのに同意がなされないとき、開発許可を得たい者はどうすればいいのか？　これも考えてみてくれますか？

Q：はい。考えてみます。

【資料2　都市計画法（抜粋）】

（開発行為の許可）

第29条　都市計画区域又は準都市計画区域内において開発行為をしようとする者は、あらかじめ、国土交通省令で定めるところにより、都道府県知事（……）の許可を受けなければならない。（ただし書略）

　一～十一　（略）

2～3　（略）

（許可申請の手続）

第30条　前条第1項又は第2項の許可（以下「開発許可」という。）を受けようとする者は、国土交通省令で定めるところにより、次に掲げる事項を記載した申請書を都道府県知事に提出しなければならない。

　一　開発区域（開発区域を工区に分けたときは、開発区域及び工区）の位置、区域及び規模

　二　開発区域内において予定される建築物又は特定工作物（以下「予定建築物等」という。）の用途

　三　開発行為に関する設計（以下この節において「設計」という。）

　四　工事施行者（開発行為に関する工事の請負人又は請負契約によらないで自らその工事を施行する者をいう。以下同じ。）

　五　その他国土交通省令で定める事項

2　前項の申請書には、第32条第1項に規定する同意を得たことを証する書面、

同条第2項に規定する協議の経過を示す書面その他国土交通省令で定める図書を添付しなければならない。

(公共施設の管理者の同意等)

第32条　開発許可を申請しようとする者は、あらかじめ、開発行為に関係がある公共施設の管理者と協議し、その同意を得なければならない。

2　開発許可を申請しようとする者は、あらかじめ、開発行為又は開発行為に関する工事により設置される公共施設を管理することとなる者その他政令で定める者と協議しなければならない。

3　前2項に規定する公共施設の管理者又は公共施設を管理することとなる者は、公共施設の適切な管理を確保する観点から、前2項の協議を行うものとする。

(開発許可の基準)

第33条　都道府県知事は、開発許可の申請があった場合において、当該申請に係る開発行為が、次に掲げる基準（第4項及び第5項の条例が定められているときは、当該条例で定める制限を含む。）に適合しており、かつ、その申請の手続がこの法律又はこの法律に基づく命令の規定に違反していないと認めるときは、開発許可をしなければならない。

　一〜十四　　（略）

2〜8　　（略）

第34条　前条の規定にかかわらず、市街化調整区域に係る開発行為（主として第2種特定工作物の建設の用に供する目的で行う開発行為を除く。）については、当該申請に係る開発行為及びその申請の手続が同条に定める要件に該当するほか、当該申請に係る開発行為が次の各号のいずれかに該当すると認める場合でなければ、都道府県知事は、開発許可をしてはならない。

　一　主として当該開発区域の周辺の地域において居住している者の利用に供する政令で定める公益上必要な建築物又はこれらの者の日常生活のため必要な物品の販売、加工若しくは修理その他の業務を営む店舗、事業場その他これらに類する建築物の建築の用に供する目的で行う開発行為

　二〜十四　　（略）

(許可又は不許可の通知)

第35条　都道府県知事は、開発許可の申請があったときは、遅滞なく、許可又は不許可の処分をしなければならない。

2　前項の処分をするには、文書をもって当該申請者に通知しなければならない。

(不服申立て)

第50条　第29条第1項若しくは第2項……についての審査請求は、開発審査

会に対してするものとする。この場合において、不作為についての審査請求は、開発審査会に代えて、当該不作為に係る都道府県知事に対してすることもできる。
2　開発審査会は、前項前段の規定による審査請求がされた場合においては、当該審査請求がされた日（……）から2月以内に、裁決をしなければならない。
3　開発審査会は、前項の裁決を行う場合においては、行政不服審査法第24条の規定により当該審査請求を却下する場合を除き、あらかじめ、審査請求人、処分をした行政庁その他の関係人又はこれらの者の代理人の出頭を求めて、公開による口頭審理を行わなければならない。
4　第1項前段の規定による審査請求については、行政不服審査法第31条の規定は適用せず、前項の口頭審理については、同法第9条第3項の規定により読み替えられた同法第31条第2項から第5項までの規定を準用する。

（開発審査会）
第78条　第50条第1項前段に規定する審査請求に対する裁決その他この法律によりその権限に属させられた事項を行わせるため、都道府県及び指定都市等に、開発審査会を置く。
2　開発審査会は、委員5人以上をもって組織する。
3　委員は、法律、経済、都市計画、建築、公衆衛生又は行政に関しすぐれた経験と知識を有し、公共の福祉に関し公正な判断をすることができる者のうちから、都道府県知事又は指定都市等の長が任命する。
4〜8　（略）

◆ **解説** ◆

1．出題の意図

　開発許可を得るための前提となる「公共施設管理者の同意」について、平成7年判決は処分性を否定している。しかしこの判決の論理・結論に対しては、学説上の批判も多く寄せられている。すなわち、平成7年判決によれば、不同意が恣意的になされた場合の救済が困難になるのではないかというのである。そうした中で、近年、公共施設管理者の不同意の処分性を正面から肯定した高裁判決（高松高判平25・5・30判例自治384号64頁）が登場している（ただし第1審である徳島地判平24・5・18判例自治384号70頁は処分性を否定している）。本問はこの下級審判決の事例を素材として出題したものである。

　出題の形式は、設問1で争い方（訴訟選択）を問い、設問2で本案での違法性主張を聞く、オーソドックスなものである。しかし、設問1は、問題文でも紹介されている最高裁平成7年判決をどう受け止めるのかに関連して、かなりややこしい論点を含んでいる。

　すなわち、一方で、平成7年判決を前提として**「不同意」の処分性を否定した場合**には、取消訴訟以外に「不同意」の違法性を争う方法があるのか、また、不同意が違法である場合に、開発不許可処分の違法性をどう争うのかという問題があり、他方で、平成7年判決の判例変更を狙って**「不同意」の処分性を肯定する場合**に、「不同意」の処分性の理由をどう主張すべきか、さらに「不同意」の処分性を肯定した場合には開発不許可処分の取消訴訟で違法性の承継はあるのかなど、結構難しい問題が潜んでいる。

　設問2では、本案での違法性主張のあり方が問われている。ここでは、「公共施設管理者の同意」の意義、「公共施設管理者の同意」と開発許可との関係、開発許可申請における知事の審査範囲と不許可処分取消訴訟における裁判所の審査範囲との関係などに対する正確な理解が求められる。

コラム　市街化調整区域内での開発

都市計画には様々な種類があるが、その中に都市計画区域を市街化区域と市街化調整区域とに線引きする都市計画がある。市街化区域とは「すでに市街地を形成している区域及びおおむね10年以内に優先的かつ計画的に市街化を図るべき区域」（都計7条2項）であり、市街化調整区域とは「市街化を抑制すべき区域」（同条3項）である。市街化調整区域内では、原則として、開発行為が認められない。市街化区域と市街化調整区域の区分をなすことにより、公共施設の建設等を市街化区域に集中して行い、秩序あるまちづくりを実現しようとしているのである。

都市計画区域内において開発行為をなそうとする者は、あらかじめ都道府県知事の許可（開発許可）を受けなければならない（都計29条）。開発行為とは「主として建築物の建築又は特定工作物の建設の用に供する目的で行なう土地の区画形質の変更」（都計4条12項）をいう。もっとも、「開発行為」に当たる行為であっても、市街化区域における小規模な開発行為（29条1項1号）や市街化調整区域における「農業、林業若しくは漁業の用に供する政令で定める建築物」（同条同項2号）など、法令により、開発許可がなくてもよい開発行為もある（都計43条も参照）。

開発許可の基準は、都計法33条および34条に定められている。33条の基準は、市街化区域・市街化調整区域の区分にかかわらず、すべての開発行為について適用される基準であり、市街地として最小限必要とされる技術基準である。34条の基準は、原則として開発行為が認められない市街化調整区域において、例外的に開発を許容する基準を定めたものである。本問で問題となっている「老人デイサービスセンター」施設は、都計法34条1項1号の「当該開発区域の周辺の地域において居住している者の利用に供する政令で定める公益上必要な建築物」に該当するので、例外的に認められ、33条の開発許可の基準に適合したならば（知事の開発許可を得たならば）、建設することができる。

2．設問1──争い方

(1) 設問1-1──不同意の違法性を争い、同意を得るための争い方

設問1-1は、公共施設管理者の不同意に対して、不同意の違法性を争い、同意を得るための争い方を問うている。平成7年判決に従って同意（不同意）の処分性を否定する見解に立つ場合(ア)と、平成7年判決を批判して同意（不同意）の処分性を肯定する見解に立つ場合(イ)とに分けて考えてみたい。

㋐ 同意（不同意）の処分性を否定する場合

都計法は、開発許可申請に必要な書類として公共施設管理者の「同意を得たことを証する書面」（30条2項）を要求しているので、同意書を得られない場合には開発許可の申請自体ができず、同意書のないままに開発許可申請を行ったとしても不許可処分がなされることになる。このような法的仕組みの中で、平成7年判決は、公共施設管理者の同意の処分性を否定している。その論理をどう理解すればいいのであろうか。

平成7年判決が不同意の処分性を否定した決定的な理由は、【資料1】に引用された判示部分にある。そして、その部分の理解としては、以下の2つの見解があるように思われる。

(a) 第1の見解

第1の見解は、平成7年判決が不同意の処分性を否定した根拠を、不同意が法的効果のない「判断の表示」であることに求める。すなわち平成7年判決は、公共施設の管理者が「同意を拒否する行為は、公共施設の適正な管理上当該開発行為を行うことは相当でない旨の公法上の判断を表示する行為」であるとしている。これは、不同意がそれ自体で開発行為を認めないという法的効果をもつ決定ではない（開発行為に対する制限は開発不許可決定で明確となる）がゆえに、不同意は行政処分ではないとしたものであろう。

平成7年判決をこのように理解すれば、Mが**不同意の違法性を争う方法**としては、次の(i)(ii)2つの方法が考えられる。

(i) 第1は、同意書を添付しないまま甲県知事に対して開発許可申請を行い、開発不許可決定が出た段階で、甲県を被告として**不許可決定の取消訴訟**を提起し、その中で不同意の違法性を争うという方法である（このような見解に立つ学説として、金子正史『まちづくり行政訴訟』〔第一法規、2008年〕30～61頁参照）。もっとも、この方法は、本案ではたして不同意の違法性を争うことができるのか（必要書類の添付がない以上不許可処分は当然といわれないか）という問題が残る。この点は設問2の解説で検討する。

(ii) 第2に、乙市を被告として、当事者訴訟として、**同意義務があることの確認訴訟**（あるいは同意を受ける地位にあることの確認訴訟）を

提起するという方法も考えられる。都計法32条3項は「公共施設の管理者又は公共施設を管理することとなる者は、公共施設の適切な管理を確保する観点から、前2項の協議を行うものとする」と定めており、公共施設管理者の同意が「公共施設の適切な管理を確保する観点から」行われるべきことを定めている。本件不同意がこの「公共施設の適切な管理を確保する観点から」みて適法と言えるのかどうか、すなわち同意義務があるのか否かが確認訴訟における争点である。

確認訴訟では「確認の利益」があることが必要であるが、①**対象選択の適否**（同意義務の有無の確認は現在の法律関係の確認であるからこの要件を満たす）、②**方法選択の適否**（同意の処分性が否定された場合には抗告訴訟で争えない。ほかに適切な救済手段がないからこの要件を満たす）、③**即時確定の利益**（同意が得られない場合には開発許可申請ができず、同意義務があるのかないのかを現時点で確認することが紛争の解決に必要であるからこの要件も満たす）のいずれも本件では肯定できると考えられるので、「確認の利益」はあると言えよう。

(b) 第2の見解

平成7年判決の趣旨についての**第2の見解**は、平成7年判決が不同意の処分性を否定した根拠を、公共施設管理者の同意があって初めて開発する権利が生じるからとみる。すなわち平成7年判決は、「同意が得られなければ、公共施設に影響を与える開発行為を適法に行うことはできないが、これは、法が前記のような要件を満たす場合に限ってこのような開発行為を行うことを認めた結果にほかならないのであって、右の同意を拒否する行為それ自体は、開発行為を禁止又は制限する効果をもつものとはいえない」と判示している。この判決の論理に従えば、そもそも不同意を理由に開発が認められなくてもやむをえない（そのような法制度になっている）ということになる。不同意による権利侵害がないとされる以上、不同意の違法性を争い、同意を得るための法的手段はないということになろう。

たしかに、土地利用の公共的性質に鑑みると、開発行為によって開発区域内にある道路、下水道、水路などの公共施設に影響を受ける場合に、開発許可申請の前提に公共施設管理者の同意を求め、同意がない限り開発を認めないとすることには十分な理由があるように思われ

る。しかし、以上の制度的枠組みは公共施設管理者の同意が適切になされる場合には何ら問題がないとしても、本事例で問題となっているように、不同意が恣意的になされた疑いがある場合には、問題が残るように思われる。

　平成7年判決についての調査官解説は、「行政機関等が裁量権の範囲を逸脱又は濫用して同意を拒否した場合でも、国民は、適法な開発許可の申請ができないことにならざるをえない。このような場合における国民の救済方法としては、適法に裁量権の行使がされることを信頼して行動したことによって損害を受けたことを理由とする国家賠償請求が残されるにとどまることになろう」(綿引万里子・最判解民事篇平成7年度(上)395頁)と指摘している。おそらく、平成7年判決の趣旨は、この調査官解説が述べるような、第2の見解に立つとみるのが素直なように思われる。

　しかし、不同意が恣意的になされる場合もありうるとすれば、事後的な金銭賠償だけでは救済としては不十分であろう。やはり、**不同意の違法性を事前に争う仕組み**が必要なのではなかろうか。このように考えると、次にみるように、平成7年判決を見直して、不同意の行政処分性を肯定すべきであるとの見解にも十分な根拠があるように思われる。

(イ)　同意(不同意)の行政処分性を肯定する場合

　以上のように、平成7年判決の存在にもかかわらず、同意(不同意)の処分性を肯定すべきであるという考え方も十分に成り立つ。この見解に基づけば、本件では、乙市市長の不同意を行政処分とみて、乙市を被告として**不同意の取消訴訟**を提起し、同時に、**同意の義務付け訴訟**を提起するという方法が考えられる。

　(a)　処分性を肯定する理屈

　不同意がなぜ行政処分であるといえるのか。その理屈としては以下のような主張が考えられる。都計法は、開発行為に関係がある公共施設管理者の同意書を開発許可申請の添付書類として要求している。それゆえ、同意が得られない場合には、開発許可申請を適法に行うことができない。しかし、自己の所有地において開発行為を行うのは、憲法により保障された財産権の行使であり、それが公共の福祉の視点か

ら法令上の制限に服す場合があるとしても、当該法令上の制限に適合しているのか否かの判定を受ける機会は保障されるべきである。しかし不同意の場合には、開発許可の申請手続を適法に行うことができず、開発許可の適否の判断を受ける機会自体が得られない。このような法制度の下では、公共施設管理者の不同意は、「**開発許可申請を適法に行う地位**」を侵害するものであり、行政処分と解すべきである。

不同意の処分性の根拠として、同意が得られない場合には開発許可を受けることができないこと、すなわち**開発許可を受ける権利の侵害**があることに求めることも考えられる。しかし、開発許可を受ける権利の侵害に対しては、開発許可の不許可決定の取消訴訟によって争えばよいとの反論も考えられる。それゆえ不同意の処分性の根拠としては、上記のように「開発許可申請を適法に行う地位」の侵害を理由とする方が良いと思われる。

(b) 平成7年判決との関係

もっとも、以上のような理屈で不同意の処分性を主張する場合には、**不同意の処分性を否定した平成7年判決との関係**を整理する必要がある。平成7年判決の趣旨の理解は先に見たように2通りあるとしても、いずれにしても本件と同様の事案で不同意の処分性を否定しており、事案の違いによる区別論を展開することが困難である。そこで、不同意を処分と主張する立場からは、平成7年判決の論理と結論は、本件の事実状況に照らしてもはや妥当ではないとして、正面から判例変更を迫るほかないであろう。

(c) 高松高判の判断

ちなみに、本問の素材とした事例で、前掲・高松高判平25・5・30は、「〔都市計画〕法32条所定の公共施設の管理者による同意が不当になされなかった場合には、正当に開発行為の許可を求める国民は、開発行為の途を閉ざされる結果となり、そのような場合にも法律の規定がない限りは救済されないとすることは、ひいては憲法29条あるいは22条1項の趣旨に反することとなる。……したがって、上記の不同意が開発許可に及ぼす影響及びその意義を考えると、法32条所定の同意をしない旨の措置は、行政事件訴訟法3条2項にいう『行政庁の処分その他公権力の行使に当たる行為』に当たると解するのが相当である」

と判示して、不同意の処分性を肯定している。

さらに高松高判は、平成7年判決との関係について、「法32条所定の同意を拒否する行為が抗告訴訟の対象となる処分に当たらないとした最判平成7年3月23日第1小法廷判決（……）は、本件とは事案を異にする上、当該行為自体について国民の権利ないし法律上の地位に影響を与えるかどうか、法令に直截に争訟の対象となる旨明記されているかを厳格に考えることを所与のものとしているところ、その後、上記の厳格性を緩和し、当該行為の及ぼす効果や意義に着目して法の欠缺を補充し、処分性の範囲をいくらか拡げてきた最判平成17年7月15日第2小法廷判決（民集59巻6号1661頁）、最判平成17年10月25日第3小法廷（裁判集民事218号91頁）、最判平成20年9月10日大法廷判決（民集62巻8号2029頁）等の流れや、最判平成7年3月23日判決後、『公共施設の管理者又は公共施設を管理することとなる者は、公共施設の適切な管理を確保する観点から、第2項の協議を行うものとする。』と法32条3項が付加されたことなどに鑑みると、最判平成7年3月23日判決は、本件において、そのまま妥当しないものというべきである」と述べている（なお、高松高裁は本件と平成7年判決とは「事案を異にする」としているが、本文で述べたように疑問である）。

(ウ) **小 括**

以上の検討結果から見れば、Mが不同意の違法性を争い、同意を得るための訴訟としては、第1に、乙市を被告として、**不同意の取消訴訟**を提起し、同時に、同意の義務付け訴訟を併合提起するという手段が最も妥当ではないかと思われる。ただ、この手段は平成7年判決と正面から抵触する。平成7年判決との抵触を避ける手段としては、第2に、乙市を被告として、**同意義務があることの確認訴訟**を提起するということが考えられる。

(2) **設問1-2——不許可決定の違法性を争い、開発許可を得るための争い方**

Mが不許可決定の違法性を争い、開発許可を得るための争い方は、甲県を被告として、**不許可処分の取消訴訟**を提起し、同時に、**許可の義務付け訴訟**を併合提起することである。

不許可決定が行政処分であることは誰も争わないであろうし、出訴期間や被告適格や管轄の問題もない。Mは不許可処分の相手方なので原告適格も満たす。以上のように、不許可処分の取消訴訟を提起するうえでの訴訟要件に問題はない。

さらに、許可の義務付け訴訟についてみれば、Mは法令（都計法）に基づく申請をした者であり、不許可処分を受けてその取消訴訟を併合提起している。後述するように不許可処分の取消訴訟が認容されるべきであるから、許可の義務付け訴訟の訴訟要件も満たしている。

なお、本問の素材とした、前掲・高松高判平25・5・30の事例では、事件当時の都計法が審査請求前置主義をとっており、原告が不許可処分に対して開発審査会に審査請求せずに取消訴訟を提起したため、審査請求前置の要件を欠くとして却下されている。その後、2014年6月の行審法改正に伴う審査請求前置主義の見直しにより、審査請求前提主義を定めていた都計法52条は削除され、審査請求を経ないでも取消訴訟が提起できるようになった。

3．設問2——本案での違法性主張

(1) 設問2-1——不同意の違法性

公共施設管理者の同意は「公共施設の適切な管理を確保する観点から」（都計32条3項）行われなければならない。そこで、**不同意の違法性の主張**としては、以下の2点が考えられる。

第1に、本件では公共施設の適切な管理を妨げるような事情は存在しないので同意すべきであり、不同意は違法であると主張することができる。すなわち、本事例によれば、①施設からの排水は、合併処理浄化槽で浄化された清水であり、放流先である水路の適切な管理に何ら支障も弊害も生じるおそれがない。また、②本件道路は、センターへの送迎車両等の頻繁な通行に対しても十分な幅員を有しているので市道の適切な管理に対する支障もないことが確認できる。このように**公共施設の適切な管理に支障を及ぼすおそれがない**以上、乙市市長は同意をなすべきであり、不同意は違法である、と主張できる。

第2に、乙市の不同意理由は、事実の裏づけをもった合理的なもの

ではなく、むしろ、本来考慮すべきでないことを考慮している点で、これらを理由とする不同意は違法である、と主張できる。すなわち、①丙町協議会の排水同意は法律にはない要件であり、これがないことを不同意の理由とすることはできないこと、②同意は「公共施設の適切な管理を確保する観点から」行われるべきであり、地元団体からの反対署名があることを考慮して不同意とするのは他事考慮であること、③公共施設の適正な管理の支障が認められるかについて事実でもって検証、検討することなく、住民団体の反対を理由に不同意とするのは公共管理者としての責任を放棄したものであること、などから、本件で不同意とするのは違法であり、仮に同意・不同意に市長の裁量があるとしても、**裁量権の範囲を逸脱しまたは濫用**したもので違法である、と主張できる。

(2) **設問 2 - 2――不許可処分の違法性**

本件不許可処分の理由は、開発許可申請において必要な添付書類である公共施設管理者の同意書がないことであった（開発許可に必要な他の要件は満たされていた）。それゆえ、公共施設管理者の不同意が違法であり、本来ならば同意書が出されるべきであったとするならば、不許可処分ではなく、許可処分がなされるべきであるということになろう。そして、不同意の違法性は、先の(1)で述べたとおりであって、ここで繰り返す必要はないであろう。

(ア) **不許可処分の取消訴訟における裁判所の審査範囲**

ここで1つの論点は、開発許可の不許可処分の取消訴訟で公共施設管理者の同意（不同意）の適否を審査できるのかどうかということである。以下、開発許可の適否を判断する甲県知事の審査範囲と、不許可処分の取消訴訟における裁判所の審査範囲に分けて考えてみる。

まず、**甲県知事の審査範囲**が公共施設管理者の同意・不同意の実体判断の適否にまで及ぶのかといえば、法律の仕組みを前提にすれば否定的に解せざるをえないであろう。すなわち、都計法は公共施設管理者の同意書を開発許可申請の添付書類として要求しており、その趣旨は、同意・不同意の判断を公共施設管理者に委ね、知事としては同意書の有無の形式審査をするだけで足りるということであろう。それゆ

え、同意書がないことを理由に知事が不許可処分をしたのは、法律の仕組み上は当然ということになる。

　それでは、不許可処分の取消訴訟における**裁判所の審査範囲**はどうであろうか。第1の見解としては、不許可処分の取消訴訟における裁判所の審査範囲は知事の判断の適否であるので、知事と同様に公共施設管理者の同意・不同意の実体判断の適否には及ばないというものがありうる。この見解によれば、不許可処分の取消訴訟の中では不同意の違法性は争うことができず、原告としては、2で検討した訴訟手段のうち、不同意処分の取消訴訟（＋同意の義務付け訴訟）か、同意義務のあることの確認訴訟で不同意の違法性を争い、公共施設管理者の同意書を得てから、再度開発許可申請を行うべきであるということになるであろう。

　しかしながら、第2の見解として、**知事の審査権限の範囲と裁判所の審査権限の範囲とは必ずしも同一である必要はなく**、開発許可の不許可処分の取消訴訟における裁判所の審査範囲としては公共施設管理者の同意・不同意の実体判断の適否にまで及ぶというものも十分に成り立つと思われる。この見解によれば、原告としては、不許可処分の取消訴訟の中で、本件許可申請には公共施設管理者の同意書が添付されていないが、それは公共施設管理者が本来同意すべきところを違法に不同意としたためであるとして、不同意の違法性を主張し（(1)参照）、不同意が違法であるから同意書がないことを理由とする不許可処分も違法である、と主張することができよう。

　平成7年判決は、不同意の処分性を否定していた。調査官解説は救済手段として国家賠償請求訴訟が残されているのみであるとするが、それが不当であるとすれば、同意書の添付がないままに開発許可の申請を行い、不許可処分の取消訴訟の中で不同意の違法性を争うことを認めるというのも、1つの争い方として認めるべきであろう。

(イ)　**違法性の承継**

　また、平成7年判決を批判して不同意の処分性を肯定する立場に立つ場合には、別個に考察すべき問題として、**違法性の承継の問題**（第2部〔問題2〕コラム「行政処分の違法性の承継」を参照）がある。すなわち、不同意の処分性を肯定するのであれば、不同意の違法性は不同

意の取消訴訟で争うべきであり、開発許可の不許可処分の取消訴訟では不同意の違法性はもはや争えないという考え方（違法性の承継を否定する考え方）もありうるかもしれない。

しかし、公共施設管理者の同意は開発許可の前提として要求される行為であってそれ自体独立した意味をもつ行為ではなく、また、不同意が処分であるのかどうかが不明確な本件のような場合には、不同意の処分性を認めたからといって不同意の違法性は不同意の取消訴訟でしか争えないと考えるべきではなく、違法性の承継を認めて、不許可処分の取消訴訟においても不同意の違法性は争えると解すべきであろう。

もっとも、現実には不同意の取消訴訟と不許可処分の取消訴訟とが併行して提起されるであろうから、違法性の承継を論ずる実益はあまりないかもしれない。

コラム　答案を読んで：平成7年判決との関係など

本問を本務校で出題した時に、学生の答案を見ていて気になった誤りについて少し書いてみよう。

①平成7年判決に触れていない答案

設問1では、不同意の処分性を肯定して、不同意の取消訴訟と同意の義務付け訴訟を併合提起すべきであるという答案が多数を占めた。もちろんこれは誤りではないが、平成7年判決が不同意の処分性を否定していることも弁護士事務所の対話で示しているのであるから、平成7年判決との関係をどう整理すべきかについても論述する必要がある。実務家であれば先例をどう克服するのかが最重要課題となるはずであるが、平成7年判決に一切触れていない答案が散見された。平成7年判決をどう理解すべきかについては、解説でも書いたように2通りの見解があり、なかなかにやっかいであるが、全く無視するのは適切ではない。

②同意の処分性を否定された場合の争い方

同意の処分性を主張するだけで、処分性が否定された場合の争い方がない答案も多かった。不同意が処分であるかどうかは、処分性を否定している最高裁判決があるので、かなり微妙なケースである。したがって、同意の処分性が否定された場合の争い方も考えるべきであろう。

③公共施設管理者の同意における裁量

設問2では、公共施設管理者の同意には裁量がある、と何ら説明なく前提とする答案が多いことに驚いた。被告であればともかく原告の立場からは、裁量を否

定する主張をまずは展開すべきであろう。すなわち、同意があることが開発許可申請の前提となっていることに鑑みると、不同意は公共施設の適切な管理に支障がある場合に限定されるべきであり、裁判所がその支障の有無について独自に最終的に判断できるはずであるとすると、司法審査との関係で認められる行政裁量はないということになる。原告としてはまずはこのように主張し、次に、仮に裁量があるとしてもそれは無制限ではなく、裁量権の範囲を逸脱しまたは濫用すれば違法であると論じていくべきであろう。

〔関連問題〕

本事例と同様のシチュエーションの下で、Mによる老人デイサービスセンターの設置に対して、乙市市長が、丙堰土地改良区や丙町協議会の反対にもかかわらず、公共施設管理者の同意を与え、甲県知事も開発許可を与えたとしよう。このとき、丙町協議会の会長であり、老人デイサービスセンターのすぐそばに居住して農業に従事している住民Pが、デイサービスセンターの設置により水路に汚水が流れ出て、農業に支障を及ぼすおそれがあるのに、乙市市長が公共施設管理者の同意を与えたのは違法であるとして、乙市を被告として公共施設管理者の同意の取消訴訟を、甲県を被告として開発許可の取消訴訟を提起した。この場合、Pの原告適格は認められるのか。手元にある六法で都計法の関係規定を参照しながら答えよ。

〈ヒント〉

周辺住民が公共施設管理者の同意の取消訴訟と開発許可の取消訴訟を提起した場合に、周辺住民が原告適格を認められるかどうかは、第1に、周辺住民（当該原告）が主張する利益が都計法により保護されている利益であるのかどうか、第2に、当該利益が一般的公益に吸収・解消されず個別的利益としても保護されているかどうか、による（ミニ講義2参照）。開発行為によって起こりうる崖崩れ等によってその生命・身体等を侵害されるおそれがある者の原告適格を認めた最高裁判決（最3小判平9・1・28民集51巻1号250頁）があるが、本関連問題では、公共施設管理者の同意制度の運用が問題となっているので、最高裁判例がぴたりとあてはまる事例ではなく、公共施設管理者の同意制度の制度趣旨や、その他の開発許可基準を定める法規定の解釈が問われることになる。

〔曽和俊文〕

〔問題4〕道路位置指定の廃止をめぐる紛争

◆ 事例 ◆

次の文章を読んで、資料を参照しながら、以下の設問に答えなさい。

Aは、甲県乙市内の住宅地の中を東西に走る長さ約30m・幅員4mの私道（私人が築造し、管理している道。以下「本件私道」という）の敷地およびその北側に面した土地をすべて取得した。当該私道の南側には、西から東に向かってそれぞれB、C、Dの所有地があった。Bの所有地の西側は国道に接しており、Dの所有地の東側は県道に接していたが、Cの所有地は本件私道以外の道路に接していなかった（【資料1　位置関係】を参照）。

本件私道は、建基法にいう特定行政庁に該当する乙市長によって同法42条1項5号に基づく道路位置指定を受けて築造されたものであり（以下、本件私道に関わる道路位置指定を「本件道路位置指定」という）、同法上の道路（位置指定道路）に該当する。同法によると、建築物の敷地は道路に2m以上接しなければならないが（接道義務。同法43条1項本文）、本件私道が位置指定道路に該当するため、Cの所有地は道路に2m以上接することとなっていた。本件私道は、Cの所有地について接道義務違反が生じないようにすることを目的の1つとして築造されたものであった。

以上の事実を前提にして、以下のⅠ、Ⅱの2つの事案に関する各設問に答えなさい（なお、Ⅰ、Ⅱの事案は連続しているわけではなく、それぞれ別々の事案である）。

Ⅰ 1. その後Aは、Cの所有地を取得した。Aは、本件私道を廃止して、その所有する土地上に1棟の建物を建築することを計画し、乙市の担当者と事前相談を行った。その際乙市の担当者は、本件私道は本件道路位置指定を受けて築造されたものであり、本件私道を廃止する場合には、それに先立って乙市長が本件道路位置指定の廃止を決定することが必要であるとの説明をした。そこでAは、乙市長に対して、本件道路位置指定の廃止決定を求める申請書を提出した。

2. Aの申請を知ったDは、自ら乙市役所に出向いて苦情を申し立てた。Dはその所有地に一戸建て住宅を建築してそこで居住している。当該土地はその東側で県道に2m以上接していたが、当該土地と県道との間には約60〜80cmの段差があり、県道側に出入口は設けられていなかった。当該土地の北側には車庫が設置されており、Dはその所有する自家用車で本件私道を通って国道に出ることによって通勤していた。Dは、本件道路位置指定の廃止決定が出されると、自己の所有地が法律上道路に2m以上接していないことになるのではないか、また、本件私道が廃止されると、自家用車で通勤することが困難になり、日常生活に著しい支障が生ずるのではないかという点を危惧していた。
3. それに対して乙市の担当者は、乙市の取扱基準では、敷地が1m以上の段差をもって接道している場合には、階段またはスロープを設けることとされているところ、Dの所有地と県道との間の段差は1m未満であり、階段等を設置しなくても接道義務は満たされると解される余地がある旨の説明をした。さらに乙市の担当者は、自家用車での通勤に関しては、新たに駐車場を契約したり、県道側に出入口を設けることも可能ではないかとの発言をした。
4. 乙市の担当者が本件道路位置指定の廃止に肯定的ともいえる発言をしたことに納得できないDは、本件道路位置指定の廃止決定を阻止するため、行訴法に所定の差止訴訟を提起することを決意した。

〔設問1〕
Dが本件道路位置指定の廃止決定の差止訴訟(行訴3条7項)を提起した場合、この訴訟が訴訟要件を満たす適法なものであるかどうかを検討しなさい。(50点)

II 1. Cの所有地は、以前は建物が建てられていたが、その後は空き地の状態が続いている。Aは、Cの所有地では今後も建物が建てられる見込みはなく、本件私道の必要性がなくなったと考えた。そこでAは、乙市長に対して、本件道路位置指定の廃止決定を求める申請書を提出した。
2. Aの申請を受けた乙市の担当者は、Aに対して、本件私道の南側の

土地所有者であるB、C、Dが本件道路位置指定の廃止に同意していることを証する書面（以下「同意書」という）を提出することを求めた。Aは、乙市の担当者に対して、同意書の提出は法律上必要なのかどうかを尋ねた。乙市の担当者は、法律上必須とされているわけではないが、無用の紛争を避けるため、可能な限り提出してほしいとの回答をした。

3．Aは、Dの同意書を取得することはできたものの、BおよびCの同意書を得ることはできなかった。Bは、本件私道の西端にあるその所有地に建物を建築している。当該土地は、その北側で本件私道に接するとともに、その西側で国道に接している角地である。当該土地上の建物は、建基法53条3項2号にいう「街区の角にある敷地又はこれに準ずる敷地で特定行政庁が指定するものの内にある建築物」に該当し、10％の建ぺい率規制の緩和を受けていた。本件道路位置指定の廃止決定が出されると、当該建物が同法53条3項2号の建築物に該当しなくなり、建ぺい率規制に適合しなくなるので、Bは本件道路位置指定の廃止に反対していた。

4．一方Cは、本件道路位置指定の廃止決定が出されると、その所有地が建基法上の道路に接しない土地になり、当該土地で建築物を建築することができなくなるので、本件道路位地指定の廃止に反対していた。もっともCは、その所有地における建築物の建築のために建築確認を申請しているわけではなく、それどころか現実的・具体的な建築計画も有していない模様であった。

5．このような状況の中、Aは再び乙市の担当者と面談した。Aは、BおよびCの同意書を得ることはできなかったが、同意書の提出は法律上必須ではないはずであるから、本件道路位置指定の廃止申請について乙市長の判断を求めたいとの発言をした。乙市の担当者は、Aに対して、BおよびCと引き続き協議して同意書を取得するよう努力することを促したが、Aはこれを拒否して、改めて乙市長の判断を求めたい旨の意思を表明した。

6．乙市ではAの申請の審査が行われ、その結果、乙市長は、Aの申請に対して本件道路位置指定を廃止しない旨の決定をした（以下「本件決定」という）。本件決定の理由は、BおよびCが本件道路位置指定の

廃止に同意していないことに加えて、本件道路位置指定の廃止を決定すると、Bの建物が建ぺい率規制に適合しなくなり、Cの所有地が建基法上の道路に接しない土地になる、ということであった。

〔設問2〕
Aの立場に立って、乙市からの反論に留意しながら、本件決定が違法であることを主張しなさい（本件決定が処分に当たることを前提にしなさい。手続上の違法を検討する必要はない）。（50点）

【資料1　位置関係】

【資料2　建基法にいう道路・私道・道路位置指定】
　建基法によれば、建築物の敷地は道路に2m以上接しなければならない（接道義務。同法43条1項本文）。道路に十分接していない場所に建築物が建築されると、日常生活に支障が生ずることはもちろん、防火や安全面でも問題があるからである。接道義務を満たさない場合には、建築確認を受けて建築をすることはできない。どのような道路が建基法上の道路に当たるかについては、同法42条で規定されている。道路法による道路である国道・県道・市町村道は、建基法にいう道路に該当する（同法42条1項1号）。また、道路法による道路以外の道も、建基法にいう道路に該当することがある。同法42条1項5号は、「土地を建築物の敷地として利用するため、道路法……によらないで築造する政令で定める基準に適合する道で、これを築造しようとする者が特定行政庁からその位置の指定を受けたもの」が、建基法にいう道路に該当しうることを規定している。この規定による特定行政庁の指定は道路位置指定と呼ばれており、この指定を受けている道路は位置指定道路と呼ばれる。
　同法42条1項5号は、「土地を建築物の敷地として利用するため」に、道を築造しようとする者が道路位置指定を受けることを予定している。「土地を建築物の敷地として利用するため」というのは、上記の接道義務との関連がある。同法上の道路と2m以上接しない土地を建築物の敷地として利用することはできないので、道路の敷地となる土地の所有者が道路位置指定を受けて道を築造することがある。一筆の土地を複数の宅地として分譲しようとす

る場合において、道路と接しない宅地が生ずることのないように、当該土地の所有者がその一部に道路位置指定を受けて道を築造するというのが典型例である。この場合、私人がその所有する土地の上に道を築造して、道路の管理も私人が行うことになる。このように、私人が自らの費用負担で築造し、道路敷を所有し、管理している道路を「私道」という（安本典夫『都市法概説〔第3版〕』〔法律文化社、2017年〕123頁）。

　建基法45条は、私道を変更・廃止すると、当該私道に接した敷地が接道義務（同法43条）を満たさなくなる場合には、当該私道の変更・廃止を行政庁が禁止・制限できると定めている。私人が管理する私有地であっても、建基法上の道路である場合には、私人が道路を勝手に変更・廃止することができないようにしているのである。このように、同法45条は、私人による物理的な私道の変更・廃止（事実行為としての私道の変更・廃止）を制限する規定である。事実行為としての私道の変更・廃止の例としては、私道の所有者等が、私道敷内に建物を建てたり、塀を建てたり、杭を打ったり、垣根を作ったりすることが考えられる（安藤一郎『私道の法律問題〔第6版〕』〔三省堂、2013年〕506頁）。

【資料3　建築基準法等（抜粋）】

○　**建築基準法**
（用語の定義）
第2条　この法律において次の各号に掲げる用語の意義は、それぞれ当該各号に定めるところによる。
　一～三十四　（略）
　三十五　特定行政庁　建築主事を置く市町村の区域については当該市町村の長をいい、その他の市町村の区域については都道府県知事をいう。ただし、第97条の2第1項又は第97条の3第1項の規定により建築主事を置く市町村の区域内の政令で定める建築物については、都道府県知事とする。
（道路の定義）
第42条　この章の規定において「道路」とは、次の各号のいずれかに該当する幅員4メートル（……）以上のもの（地下におけるものを除く。）をいう。
　一　道路法（昭和27年法律第180号）による道路
　二　（略）
　三　都市計画区域若しくは準都市計画区域の指定若しくは変更又は第68条の9第1項の規定に基づく条例の制定若しくは改正によりこの章〔注：建築基準法第3章〕の規定が適用されるに至った際現に存在する道

四　（略）
五　土地を建築物の敷地として利用するため、道路法、都市計画法、土地区画整理法、都市再開発法、新都市基盤整備法、大都市地域における住宅及び住宅地の供給の促進に関する特別措置法又は密集市街地整備法によらないで築造する政令で定める基準に適合する道で、これを築造しようとする者が特定行政庁からその位置の指定を受けたもの

2～6　（略）

（敷地等と道路との関係）
第43条　建築物の敷地は、道路（……）に2メートル以上接しなければならない。
　一～二　（略）
2　（略）
3　地方公共団体は、次の各号のいずれかに該当する建築物について、その用途、規模又は位置の特殊性により、第1項の規定によっては避難又は通行の安全の目的を十分に達成することが困難であると認めるときは、条例で、その敷地が接しなければならない道路の幅員、その敷地が道路に接する部分の長さその他その敷地又は建築物と道路との関係に関して必要な制限を付加することができる。
　一～五　（略）

（道路内の建築制限）
第44条　建築物又は敷地を造成するための擁壁は、道路内に、又は道路に突き出して建築し、又は築造してはならない。ただし、次の各号のいずれかに該当する建築物については、この限りでない。
　一～四　（略）
2　（略）

（私道の変更又は廃止の制限）
第45条　私道の変更又は廃止によって、その道路に接する敷地が第43条第1項の規定又は同条第3項の規定に基づく条例の規定に抵触することとなる場合においては、特定行政庁は、その私道の変更又は廃止を禁止し、又は制限することができる。
2　（略）

（建蔽率）
第53条　建築物の建築面積（……）の敷地面積に対する割合（以下「建蔽率」という。）は、次の各号に掲げる区分に従い、当該各号に定める数値を超えてはならない。
　一～六　（略）
2　（略）

3 前2項の規定の適用については、第1号又は第2号のいずれかに該当する建築物にあっては第1項各号に定める数値に10分の1を加えたものをもって当該各号に定める数値とし、第1号及び第2号に該当する建築物にあっては同項各号に定める数値に10分の2を加えたものをもって当該各号に定める数値とする。
　一　（略）
　二　街区の角にある敷地又はこれに準ずる敷地で特定行政庁が指定するものの内にある建築物
4～9　（略）

○　建築基準法施行規則
（道路の位置の指定の申請）
第9条　法第42条第1項第5号に規定する道路の位置の指定を受けようとする者は、申請書正副2通に、それぞれ次の表に掲げる図面及び指定を受けようとする道路の敷地となる土地（以下この条において「土地」という。）の所有者及びその土地又はその土地にある建築物若しくは工作物に関して権利を有する者並びに当該道を令第144条の4第1項及び第2項に規定する基準に適合するように管理する者の承諾書を添えて特定行政庁に提出するものとする。

図面の種類	明示すべき事項
附近見取図	方位、道路及び目標となる地物
地籍図	縮尺、方位、指定を受けようとする道路の位置、延長及び幅員、土地の境界、地番、地目、土地の所有者及びその土地又はその土地にある建築物若しくは工作物に関して権利を有する者の氏名、土地内にある建築物、工作物、道路及び水路の位置並びに土地の高低その他形上特記すべき事項

（指定道路等の公告及び通知）
第10条　特定行政庁は、法第42条第1項第4号若しくは第5号、第2項若しくは第4項又は法第68条の7第1項の規定による指定をしたときは、速やかに、次の各号に掲げる事項を公告しなければならない。
　一　指定に係る道路（以下この項及び次条において「指定道路」という。）の種類
　二　指定の年月日
　三　指定道路の位置
　四　指定道路の延長及び幅員

2　（略）

3　特定行政庁は、前条の申請に基づいて道路の位置を指定した場合においては、速やかに、その旨を申請者に通知するものとする。

【資料4　乙市建築基準法施行細則（抜粋）】
（道路の位置の指定の変更等）

第12条　法第42条第1項第5号の規定により位置の指定を受けた道路の位置の指定の変更又は廃止を受けようとする者は、道路位置指定変更（廃止）申請書正本及び副本を市長に提出しなければならない。

2〜3　（略）

（建ぺい率の緩和）

第16条　法第53条第3項第2号の規定により、市長が指定する街区の角にある敷地又はこれに準ずる敷地は、次の各号に掲げるものとする。

　一　街区の角（内角120度以内で交わる角地をいう。）にある敷地で道路（現に幅員がそれぞれ4メートル以上のもの。以下この条において同じ。）の幅員の合計が10メートル以上あり、かつ当該道路に接する長さの合計がその周囲の長さの3分の1以上あるもの

　二〜三　（略）

◆ 解説 ◆

1．出題の意図

　建基法42条1項5号に基づく道路位置指定の廃止に関して、①廃止決定によって不利益を受ける者がこれを阻止するために行訴法3条7項の**差止訴訟**を提起することができるかという問題（差止訴訟の訴訟要件充足性。設問1）と、②廃止を拒否する決定がされた場合にこれに不服がある者がその違法性についてどのような主張をするべきかという問題（道路位置指定を廃止しない旨の決定の違法性。設問2）を出題している。①に関しては、処分性・原告適格のほか、差止訴訟に特有の訴訟要件の充足性を論じる必要がある。②に関しては、処分の実体的な違法性について、これを適法とする見解にも言及しながら論ずることが求められる。

2．設問1——道路位置指定の廃止決定の差止訴訟

(1) **処分性**

　道路位置指定の廃止決定の差止訴訟の訴訟要件充足性に関しては、まず、当該行為の**処分性**を検討するべきである。処分性の有無は、その行為について定めた法令の規定に着目して判断するのが基本である。建基法および同法施行規則には、道路位置指定の廃止について直接定めた規定はないものの、道路位置指定および道路（位置指定道路を含む）にかかる行為制限に関しては、複数の規定がある。

　道路位置指定を受けて築造された私道で同法42条所定の要件を充足するものは同法上の道路となるところ、同法44条1項本文により、道路内においては建築物の建築等は禁止される。また同法45条1項により、私道の廃止によってその道路に接する敷地が同法43条1項等の規定に抵触することとなる場合においては、私道の廃止が禁止されることもある。したがって、私道の敷地の所有者の私権が制限されるといえる。同法施行規則が、道路位置指定の申請（9条）および申請者への

通知（10条3項）について定めていることをも考慮すれば、道路位置指定は、個人の権利義務に直接影響を及ぼす法的効果を有する公権力の行使であるといえよう（最3小判昭47・7・25民集26巻6号1236頁も、道路位置指定が処分であるという立場に立っている）。したがって、本件道路位置指定も処分であるということができる。そして、本件道路位置指定が処分であるとすると、乙市長による本件道路位置指定処分の廃止決定は、後発的事情を理由とする行政処分の**撤回**とみることができ、廃止決定も処分であるということができる。

　そのほかの構成として、道路位置指定の廃止決定は、位置指定道路の敷地について発生した私権制限を直接消滅させる法的効果を有するから処分性を有する、という主張も考えられる。いずれにしても、本件道路位置指定の廃止決定は抗告訴訟の対象となる処分であるといえる。

(2)　原告適格
(ア)　権利侵害のおそれ

　本件道路位置指定の廃止決定が処分性を有する場合、当該処分の第三者であるDが**原告適格**を有するかどうかが問題となる。本件道路位置指定の廃止決定がなされた場合、Dの所有地は県道にのみ接することになる。当該土地は物理的には県道と2m以上接しているものの、両者の間には段差があり、建基法43条1項の解釈上は道路と接しているとはいえないとも考えられる。仮に本件道路位置指定の廃止決定によって、Dの所有地は道路に接しないと法律上評価されることになるとすれば、その所有地上で建築物を建築するというDの権利（私権）が制限されるとみることもできる。このような立場からは、Dは処分によって自己の権利を侵害されるおそれがある者に該当し、原告適格を有するという構成が考えられる（共有不動産の差押処分によって自己の権利を侵害されまたは必然的に侵害されるおそれのある者の原告適格を認めた判例として、最2小判平25・7・12判時2203号22頁）。

　別の構成として、Dが本件私道の通行に関する権利（私権）を有する可能性に着目することも考えられる。最1小判平9・12・18民集51巻10号4241頁は、道路位置指定を受け現実に開設されている道路を

通行することについて日常生活上不可欠の利益を有する者は、その敷地の所有者に対して道路の通行を妨害する行為の排除および将来の妨害行為の禁止を求める権利（人格権的権利）を有すると判示している。本件道路を通行して通勤しているＤは、本件道路位置指定の廃止決定がなされることによって、上記の権利を有する可能性を失うとも考えられる。このような立場からは、Ｄは処分によって自己の権利を侵害されるおそれがある者に該当するという理由で、原告適格を認められる余地がある。

(イ) 法律上保護された利益の侵害のおそれ

権利侵害のおそれを理由にするほか、法律上保護された利益の侵害のおそれを理由にして、Ｄの原告適格を肯定することも考えられる。

建基法45条1項は、私道の廃止によって、その道路に接する敷地が同法43条1項の規定に抵触することとなる場合には、特定行政庁はその私道の廃止を制限することができる旨規定している。この規定は、本来的には物理的な私道の廃止（事実行為としての私道の廃止）を念頭に置いたものであるが、接道義務を満たさない建築物の敷地が発生することを防止するというその趣旨からすると、道路位置指定の廃止決定によって接道義務違反が生ずる場合には道路位置指定の廃止決定は許されないと解することもできる。

東京高判平28・11・30判時2325号21頁は、「法45条の規定の趣旨からすると、……道路位置指定の取消処分についても、取消処分により接道義務を満たさない建物敷地が新たに発生しないことが、道路位置指定の取消処分の要件になると解される」と判示している（前掲・最3小判昭47・7・25も、同法43条1項違反の結果を生ずることを看過してなされた道路位置廃止処分は違法である旨述べている）。このように考えると、建基法42条1項5号・43条1項・45条1項の規定は、道路位置指定の廃止決定によって接道義務違反が生ずるおそれがある建築物の敷地について権利を有する者の利益を保護していると解することもできるだろう（同法42条1項3号の道路の廃止処分が問題になった事件で、京都地判平11・11・24判例自治204号73頁は、同法45条1項は廃止申請のあった私道に沿接する土地の所有者やその賃借人らの私道利用についての利益を保護すべきものとする趣旨を含むと述べている）。

この立場からは、Dは道路位置指定および接道義務に関する同法の規定により保護された利益を侵害されるおそれがあるので、原告適格を有することになる。

　なお、建築物の敷地と道路の間に高低差がある場合の取扱いについては建基法に明文の規定はない。乙市の担当者は、本件道路位置指定が廃止されたとしても、接道義務は満たされていると解される余地があることを指摘している。もっとも、原告適格を肯定するためには、権利または法律上保護された利益の侵害が確実であることは必要ではなく、そのおそれがあれば足りる。したがって、接道義務違反が生ずることが確実ではないことのみを理由として、Dの原告適格を否定することは適切ではないだろう（前掲・京都地判平11・11・24も、本案では接道義務違反を否定しているが、問題の道路に沿接する土地の所有者および賃借人の原告適格は認めている）。

(3) 差止訴訟に特有の訴訟要件
(ア) 一定の処分がされる蓋然性
　処分の差止訴訟は、一定の処分がされようとしている場合の訴訟であることから（行訴3条7項）、行政庁によって一定の処分がされる**蓋然性**があることが、訴訟要件として必要とされる（最1小判平24・2・9民集66巻2号183頁〔東京都教職員国旗国歌訴訟、百選Ⅱ207、CB15-5〕）。本問の事実関係では、Aが乙市長に対して本件道路位置指定の廃止決定を求める申請をしており、しかも乙市の担当者が、本件道路位置指定の廃止に肯定的ともいえる発言をしているから、乙市長によって本件道路位置指定の廃止決定がされる蓋然性はあるといえよう。

(イ) 「重大な損害」要件
　処分の差止訴訟は、一定の処分がされることにより「**重大な損害**」を生ずるおそれがある場合に限り、提起することができる（行訴37条の4第1項本文）。本件道路位置指定の廃止決定がなされた場合、Dの所有地における建築物の建築が制限される可能性があることに加えて、Aが本件私道を物理的に廃止する蓋然性が高く、そうなればDは本件私道を通行して通勤することが不可能になる。このような事情を考慮すれば、常識的な意味では重大な損害を生ずるおそれがあるといえ

だろう。

　ただし判例によれば、処分がされることにより生ずるおそれのある損害が、処分がされた後に取消訴訟等を提起して執行停止の決定を受けることなどにより容易に救済を受けることができるものである場合には、「重大な損害」要件の充足は認められない（前掲・最1小判平24・2・9。最1小判平28・12・8民集70巻8号1833頁〔第4次厚木基地訴訟、百選Ⅱ150、CB15-6〕も同旨）。

　Dの所有地における建築物の建築が制限されることに関しては、本件道路位置指定の廃止決定がなされた後に取消訴訟を提起して執行停止の申立てを受けることができれば、特に不利益は生じないとも考えられる。しかしながら本件私道の通行との関係では、本件道路位置指定の廃止決定がなされた場合、Aが本件私道の通行を物理的に制限してしまい、執行停止の決定が出るまで本件私道を通行することができないという事態が生ずるおそれがある。このような立場からは、取消訴訟および執行停止制度によって容易に救済を受けられるとはいえない損害があるものとして、「重大な損害」要件の充足が認められることになる。

(ウ)　補充性の要件

　「重大な損害」要件の充足を肯定する立場では、**補充性**の要件（行訴37条の4第1項ただし書）を検討する必要がある。「損害を避けるため他に適当な方法があるとき」とは、差止訴訟の対象となる処分（処分①）の前提となる処分（処分②）があって、処分②の取消訴訟を提起すれば当然に処分①をすることができないことが法令上定められているような場合を意味する（例えば国税徴収法90条3項は、差押処分等の取消訴訟が係属する間は、換価処分をすることができない旨定めている。小林久起『司法制度改革概説3　行政事件訴訟法』〔商事法務、2004年〕191頁参照）。道路位置指定の廃止決定については、そもそも先行する処分がなく、上記のような仕組みは採用されていない。そうすると、補充性の要件によって本件道路位地指定の廃止決定の差止訴訟の提起が制限されることはないといえよう。

3．設問2——道路位置指定を廃止しない旨の決定の違法性

　設問1とは異なる事実関係の下で、乙市長が本件道路位置指定を廃止しない旨の決定（本件決定）をしたことを前提に、Aの立場から本件決定の実体的違法性を主張させる出題である。問題文に記載されているとおり、本件決定が適法であるとする乙市の主張にも言及する必要がある。

(1)　利害関係人の同意の要否

　乙市の担当者は、Aに対して同意書の提出を要求しており、本件決定の理由の1つとして、BおよびCが本件道路位置指定の廃止に同意していないことが指摘されている。同意書の提出は、乙市の担当者も認めているとおり、法律上必要とされるものではない。建築基準法施行規則9条は、道路位置指定の申請にあたって、道路の敷地となる土地について権利を有する者の承諾書を提出することを定めているが、この規定は道路位置指定の廃止については定めておらず、そもそも道路の敷地について権利を有する者以外の者の承諾書は要求されていない。乙市の担当者が同意書の提出を求めた行為は、法令上の根拠を欠く**行政指導**である。

　一般的に、行政指導に従わなかったことのみを理由として処分をすることは許されず、法令上必要とされていない利害関係人の同意を処分の要件とすることにも大きな問題がある。前掲・東京高判平28・11・30は、新宿区建築基準法施行細則および取扱基準に基づいて、道路隣地およびその土地上にある建物の権利者の承諾印の提出を道路位置指定取消処分の必須の要件とする運用がなされていた事案で、そのような取扱いは国民に過度な負担を負わせるものとして不適当である旨述べている。原審である東京地判平28・6・17判時2325号30頁も、道路位置指定の廃止申請について、これを拒否することが指定によって制約された権利の回復を制限することとなる場合には、承諾を必要とする者の範囲を定めた建築基準法施行細則および取扱基準に基づき、これらの者の承諾がないことをもって当該申請を拒否することはできないものと解すべきであると述べている。

もっとも本問の場合、BおよびCの同意がないことのみを理由として本件決定がなされたわけではない。したがって乙市としては、道路位置指定の廃止については建基法に明文の規定がなく、特定行政庁が諸般の事情を総合的に考慮して判断すべきところ、利害関係人の同意の有無を**考慮事項**の1つとして考慮すること自体は特定行政庁の裁量権の範囲に含まれると主張することが考えられる。それに対してAとしては、利害関係人の同意を道路位置指定廃止の要件とすることは許されないのであるから、これを考慮事項の1つとして考慮すること自体、考慮すべきでない事項を考慮するものであって違法であると主張することが考えられる。

(2)　建ぺい率規制をめぐる問題

　本件決定の理由の1つとして、本件道路位置指定の廃止決定がなされると、Bの建物が建ぺい率規制に適合しなくなるという点が挙げられている。Aとしては、建基法45条1項が、接道義務違反が生ずる場合にのみ私道の廃止を制限することができるものとしている点を重視して、同法45条1項の趣旨からすれば、接道義務違反が生ずる場合には道路位置指定を廃止しない旨の決定をすることも許されるものの、接道義務以外の建築規制に対する違反が生ずることを理由として道路位置指定を廃止しない旨の決定をすることは許されないと主張することが考えられる。

　それに対して乙市としては、建基法には道路位置指定の廃止の要件を定めた明文の規定はないから、接道義務違反が生ずる場合だけでなく、隣接地上の建築物がその他の建築規制に適合しなくなる場合においても、そのことを考慮して、道路位置指定を廃止しない旨の決定をすることも許されると主張することが考えられる。同法に定める多様な建築規制のうち、接道義務だけが考慮されるというのはおかしいというわけである。

　他方でAとしては、特定行政庁が道路位置指定を廃止するかどうかを判断するにあたって接道義務違反以外の事項を考慮することが許される余地があるとしても、道路位置指定に関する建基法の規定によって保護されているのは、せいぜい道路の通行に関する利益であって、

建ぺい率規制の緩和を受けられるという利益は、法律上保護されていない**反射的利益**であるから、このような利益を考慮して道路位置指定を廃止しない旨の処分をすることは違法であると主張することが考えられる（大阪高判平15・2・18LEX/DB25410304は、位置指定道路が存在することによる容積率および道路斜線制限の緩和は反射的な利益にすぎないと述べている）。

(3) 接道義務違反が生ずるおそれ

本件処分の理由の1つとして、本件道路位置指定の廃止決定がなされると、Cの所有地が建基法上の道路に接しない土地になるという点が挙げられている。Aとしては、Cの所有地は空き地の状態が続いていることに着目して、Cの所有地は建基法43条1項にいう「建築物の敷地」には該当しないと主張することが考えられる。Cの所有地が「建築物の敷地」に該当しないとすると、当該土地が道路に接していないとしても接道義務違反は生じないことになる。

それに対して乙市としては、物理的に建築物が建築できないような（例えば細長い）土地は「建築物の敷地」には該当しないが、反対に建築物が建築可能な土地は「建築物の敷地」に該当すると主張することが考えられる（岡山地判平11・12・21判例自治201号96頁は、建物の建築が物理的に不可能な形状の土地について接道義務違反の可能性を否定している）。このような立場では、かつては建物が建てられていたCの所有地は「建築物の敷地」に該当し、当該土地が道路に接していなければ接道義務違反が生ずるので、本件道路位置指定を廃止しない旨の処分をすることは適法である、ということになる。

他方でAとしては、Cがその所有地における建築物の建築について建築確認を申請しているような場合であればともかく、そのような事情がないにもかかわらず、接道義務違反が生ずるおそれがあることを理由として道路位置指定を廃止しない旨の処分をすることは許されないと主張することが考えられる。私道に面して建築物が建築可能な土地がある限り、当該私道を廃止することができなくなるとすると、当該私道の敷地の所有者の利益が必要以上に制限されるようにも思われる（前掲・京都地判平11・11・24は、この問題を指摘して、同法45条1項

にいう敷地とは現に建物が存する土地を意味するという解釈を示している）。Aとしては、Cは建築確認申請をしていないどころか現実的・具体的な建築計画さえ有していないのであるから、Cの利益を重視して本件道路位置指定を廃止しない旨の処分をすることは、重視すべきでない事項を重視するものであって違法であると主張することも考えられる。

〔関連問題〕

　甲県丙市では、丙市道路位置指定申請指導要綱が定められている。この指導要綱では、建基法42条1項3号のいわゆる現存道路に関して、土地所有者等が、対象となる土地について現存道路の指定を求める申請をすることができるものとされている。丙市内の宅地を所有しているEは、2020年1月、当該宅地に隣接する土地（以下「本件土地」という）について、現存道路の指定を求める旨の申請書を提出した。本件土地が現存道路ではないとすると、接道義務違反が生ずるおそれがあったからである。丙市長は、同年2月1日、当該申請書の備考欄に「法第42条第1項3号による道路取扱い年月日令和2年2月1日」と印字し、その旨の道路指定台帳を調製した。それに対して、本件土地の所有者であるFは、本件土地は同法第3章の規定が適用されるに至った1950年11月23日の時点において同法所定の道路の現況にはなかったもので、現存道路には該当しないと考えている。この場合において、Fとしては、どのような行政訴訟を提起して争えばよいか。訴訟要件も含めて論じなさい。

　参考裁判例：札幌地判平25・4・15判時2197号20頁。

〔湊　二郎〕

! ミニ講義4 !

規制法律の読み方

　行政活動は、大きく分けて規制行政と給付行政に分けることができる。規制行政とは公共的な目的を達成するために個人の権利・自由を制限する行政活動であって、環境規制、営業規制、土地利用規制などの領域で個別の規制法律（個別法）に基づいて展開されている。行政法の問題は、これらの個別法制度の運用をめぐって生じる。したがって、行政法の問題を解決するためには、行政法の一般理論についての知識だけではなく、個別の法制度の構造に関する知識も不可欠である。ここでは、水質汚濁防止法を素材として、**規制法律の構造**、読み方などについてまとめて説明しておきたい。なお、給付法律の読み方については、「ミニ講義5」を参照されたい。

1. 規制法律の必要性と立法事実

　まず、規制行政がなぜ必要とされるのかを考えてみよう。水質汚濁防止法等による規制が導入される以前（といってもそれほど前ではない）には、公共水域への家庭排水、工場排水の排出は、基本的に自由であった。しかし、私人の活動をその自由に任せておけば、河川の汚染が進み、さらには周辺住民の生命や身体に重大な被害を与える事態が生じる（水俣病、イタイイタイ病など）。私人相互間においては、原則として、行動の自由は最大限に尊重されるべきであるとはいえ、他人の生命や身体を傷つける自由はないはずである。そこで被害を受けた住民は、有害物質を公共水域に排出した工場等を被告として損害賠償を求め（民709条）、最終的に勝訴してゆくことになる（四大公害裁判など）。また、場合によっては、公共領域への水質汚染が業務上過失致死傷罪（刑211条）に問われることもある。

　しかしこのような民刑事法による救済だけでは不十分である。民刑事法による裁判的救済は、時間や費用がかかるうえ、原則として、被害が生じてからの事後救済にとどまるという限界をもっている。より重要なことは、身体的な被害が生じないように事前に工場等の活動を規制することであろう。しかし、工場等の営業活動を規制するためには、法律の根拠がなければならない。かくして、水質汚濁防止法（以下「本法律」という。先立つ法律として水質二法がある）による事前規制が導入されることになる。

　なお、今日では、水質汚濁防止法は環境保護の一翼を担う法律であり、環境基本法を中心とする環境法体系を形成する法律の1つである。

（目的）
第1条　この法律は、工場及び事業場から公共用水域に排出される水の排出及び地下に浸透する水の浸透を規制するとともに、生活排水対策の実施を推進すること等によって、公共用水域及び地下水の水質の汚濁（水質以外の水の状態が悪化することを含む。以下同じ。）の防止を図り、もって国民の健康を保護するとともに生活環境を保全し、並びに工場及び事業場から排出される汚水及び廃液に関して人の健康に係る被害が生じた場合における事業者の損害賠償の責任について定めることにより、被害者の保護を図ることを目的とする。
　第1条では、国民の健康を保護するとともに生活環境を保全することを究極の

目的とし、工場等からの排水規制のほかに、家庭からの排水規制、地下水の水質汚濁防止をも直接的な目的として挙げられている。後二者は社会の発展のなかで加えられたものである。また健康被害者の保護を図ることを目的として損害賠償責任についての規定も含んでいる。民事訴訟での救済では、被害を受けた住民が加害企業の過失を立証しなければならないが、本法によって無過失責任での賠償責任を認めているのである。

本法律による規制のすべてについてみてゆくスペースはないので、以下では、工場からの排水規制に絞って、本法律の構造をさらに検討してゆきたい。

2. 規制法律の構造と運用

(1) 規制対象の特定

何らかの公共目的（本法律の場合には国民の健康を保護するとともに生活環境を保全することを目的とした公共水域での水質汚濁の防止）のために規制をかけようとすれば、まず、規制の対象（対象者と対象行為）を明らかにする必要がある。本法律はそれを「特定施設」を有する工場・事業場（特定事業場）からの「排出水」として定め、特定事業場の設置段階での規制（届出制）と特定施設からの有害物質の排出規制を定めている。

それでは「特定施設」とは何か。関係条文を見てみよう（以下、引用は関係部分のみ）。

(定義)
第2条　この法律において「公共用水域」とは、河川、湖沼、港湾、沿岸海域その他公共の用に供される水域及びこれに接続する公共溝渠、かんがい用水路その他公共の用に供される水路（下水道法（昭和33年法律第79号）第2条第3号及び第4号に規定する公共下水道及び流域下水道であって、同条第6号に規定する終末処理場を設置しているもの（その流域下水道に接続する公共下水道を含む。）を除く。）をいう。
2　この法律において「特定施設」とは、次の各号のいずれかの要件を備える汚水又は廃液を排出する施設で政令で定めるものをいう。
　一　カドミウムその他の人の健康に係る被害を生ずるおそれがある物質として政令で定める物質（以下「有害物質」という。）を含むこと。
　二　化学的酸素要求量その他の水の汚染状態（熱によるものを含み、前号に規定する物質によるものを除く。）を示す項目として政令で定める項目に関し、生活環境に係る被害を生ずるおそれがある程度のものであること。
3　この法律において「指定地域特定施設」とは、第4条の2第1項に規定する指定水域の水質にとって前項第2号に規定する程度の汚水又は廃液を排出する施設として政令で定める施設で同条第1項に規定する指定地域に設置されるものをいう。
4　この法律において「指定施設」とは、有害物質を貯蔵し、若しくは使用し、又は有害物質及び次項に規定する油以外の物質であって公共用水域に多量に排出されることにより人の健康若しくは生活環境に係る被害を生ずるおそれがある物質として政令で定めるもの（第14条の2第2項において「指定物質」という。）を製造し、貯蔵し、使用し、若しくは処理する施設をいう。
5　この法律において「貯油施設等」とは、重油その他の政令で定める油（以下単に「油」という。）を貯蔵し、又は油を含む水を処理する施設で政令で定めるものをいう。
6　この法律において「排出水」とは、特定施設（指定地域特定施設を含む。以下同じ。）

を設置する工場又は事業場（以下「特定事業場」という。）から公共用水域に排出される水をいう。
7　この法律において「汚水等」とは、特定施設から排出される汚水又は廃液をいう。
8～9　（略）

　特定施設とは何か、この条文だけでは明確ではない。詳細は政令に委任されているからである。そこで「水質汚濁防止法施行令」1条を見ると、「水質汚濁防止法（以下「法」という）。第2条第2項の政令で定める施設は、別表第1に掲げる施設とする」となっており、別表第1に、鉱業または洗炭業の用に供する施設から排水施設に至るまで枝番号を含めると102の施設カテゴリーが列挙されている（各自、確かめられたい）。また、施行令2条では「法第2条第2項第1号の政令で定める物質は、次に掲げる物質とする」として、カドミウム、シアン化合物、有機燐化合物など28種の物質が挙げられている。
　生活環境項目に係る特定事業場の定義については、規模も問題である。法は「指定地域にあっては、指定地域内の特定事業場で環境省令で定める規模以上のもの」（法4条の5第1項）とされ、「1日当たりの平均的な排出水の量（……）が50立方メートルであるものとする」（法施行規1条の4）とされているため、生活環境項目について排水規制がされるのは、日平均排水量が50立方メートル以上の事業場に限定されている。これは規制の効率性と行政の資力から汚濁に寄与する割合の大きい大規模施設を規制し、それ以下の中小施設は規制対象から外れることを意味する。このため、瀬戸内海環境保全特別措置法や地方公共団体の条例では、水質汚濁防止法の規制対象から外れる小規模事業場で一定規模以上のものを規制対象と定めている（いわゆる裾出し規制）。このように、法律の正確な意味を知ろうとすれば、政省令などの法規命令の内容まで見る必要がある。

(2)　届出制
　特定施設に対する規制としては届出制がとられている（5条）。届出とは、一般に行政庁に対して一定事項を通知する行為であって、行政庁の諾否の応答を予定していないものをいう（行手2条7号参照）が、届出に伴って一定の法的効果が発生するものもある。
　届出制は、許可制に比べて緩やかな規制であるといわれることがあるが、本法律では、届出により情報を収集し、届出を受けた行政庁で特定施設が規制基準を遵守しうるかどうかを審査し、違反のおそれがある場合には計画変更命令（法8条）を出せることになっており、許可制に近い運用が可能となっている。
　届出義務違反、および、計画変更命令違反等に対しては罰則の定めがある（30条～35条）。事業者は届出受理日から60日を経過した後でないと特定施設を設置できない（9条）。

（特定施設等の設置の届出）
第5条　工場又は事業場から公共用水域に水を排出する者は、特定施設を設置しようとするときは、環境省令で定めるところにより、次の事項（……）を都道府県知事に届け出なければならない。

一　氏名又は名称及び住所並びに法人にあっては、その代表者の氏名
　二　工場又は事業場の名称及び所在地
　三　特定施設の種類
　四　特定施設の構造
　五　特定施設の設備
　六　特定施設の使用の方法
　七　汚水等の処理の方法
　八　排出水の汚染状態及び量（指定地域内の工場又は事業場に係る場合にあっては、排水系統別の汚染状態及び量を含む。）
　九　その他環境省令で定める事項
2～3　（略）
（計画変更命令等）
第8条　都道府県知事は、第5条第1項若しくは第2項の規定による届出又は前条の規定による届出（……）があった場合において、排出水の汚染状態が当該特定事業場の排水口（排出水を排出する場所をいう。以下同じ。）においてその排出水に係る排水基準（……）に適合しないと認めるとき、又は特定地下浸透水が有害物質を含むものとして環境省令で定める要件に該当すると認めるときは、その届出を受理した日から60日以内に限り、その届出をした者に対し、その届出に係る特定施設の構造若しくは使用の方法若しくは汚水等の処理の方法に関する計画の変更（前条の規定による届出に係る計画の廃止を含む。）又は第5条第1項若しくは第2項の規定による届出に係る特定施設の設置に関する計画の廃止を命ずることができる。
2　（略）
（実施の制限）
第9条　第5条の規定による届出をした者又は第7条の規定による届出をした者は、その届出が受理された日から60日を経過した後でなければ、それぞれ、その届出に係る特定施設若しくは有害物質貯蔵指定施設を設置し、又はその届出に係る特定施設若しくは有害物質貯蔵指定施設の構造、設備若しくは使用の方法若しくは汚水等の処理の方法の変更をしてはならない。
2　都道府県知事は、第5条又は第7条の規定による届出に係る事項の内容が相当であると認めるときは、前項に規定する期間を短縮することができる。

(3) 排出規制

　本法律は、公共水域の水質の汚濁を防止するという目的で、特定事業場からの排出水を規制している。**規制基準**は、排水基準として環境省令で定められている。汚染が進み、回復が難しい指定地域では総量規制基準も定められる。また、環境省令で定める一律基準では人の健康を保護し、生活環境を保全するうえで十分ではないと認められる区域では都道府県条例によってより厳しい排水基準を定めることができる（条例による上乗せ規制）。主な関係条文は以下のとおりである。

（排水基準）
第3条　排水基準は、排出水の汚染状態（熱によるものを含む。以下同じ。）について、環境省令で定める。
2　前項の排水基準は、有害物質による汚染状態にあっては、排出水に含まれる有害物質の量について、有害物質の種類ごとに定める許容限度とし、その他の汚染状態にあっては、前条第2項第2号に規定する項目について、項目ごとに定める許容限度とする。
3　都道府県は、当該都道府県の区域に属する公共用水域のうちに、その自然的、社会的条件から判断して、第1項の排水基準によっては人の健康を保護し、又は生活環境を保

全することが十分でないと認められる区域があるときは、その区域に排出される排出水の汚染状態について、政令で定める基準に従い、条例で、同項の排水基準にかえて適用すべき同項の排水基準で定める許容限度よりきびしい許容限度を定める排水基準を定めることができる。
4　前項の条例においては、あわせて当該区域の範囲を明らかにしなければならない。
5　都道府県が第3項の規定により排水基準を定める場合には、当該都道府県知事は、あらかじめ、環境大臣及び関係都道府県知事に通知しなければならない。
（排出水の排出の制限）
第12条　排出水を排出する者は、その汚染状態が当該特定事業場の排水口において排水基準に適合しない排出水を排出してはならない。
2～3　（略）

　水質汚濁防止という目的の達成にとって、いかなる物質に関していかなる排水基準を定めるかは重要である。**規制対象**となる工場等にとっては、排水基準は営業の自由を規制する法的基準となる。周辺住民にとっても、排水基準が人の健康を保護するうえで十分に厳しい基準であるかどうかは重大な関心事である。排水基準を定めるのは環境省であるが、このような法規命令の制定手続に対する法的規律として、行手法は意見公募手続（行手38条～45条参照）を定めている。

(4)　排出規制の実効性①――改善命令等
　排水基準を遵守させるために、本法律は、排水基準に違反する排出をなした事業者に対する刑罰を定める（直罰主義）とともに、違反状態を是正するために行政庁が改善命令等を出せることを定めている。改善命令等に違反した場合にも罰則がある（30条以下）。さらに、事業者が改善命令を任意に履行しない場合に、代執行によって強制的に命令を実現することもできる。これは、水質汚濁防止法ではなく、行政代執行法という一般法によって授権された権限であり、行政代執行法の定める要件、手続に従って行使されなければならない。

（改善命令等）
第13条　都道府県知事は、排出水を排出する者が、その汚染状態が当該特定事業場の排水口において排水基準に適合しない排出水を排出するおそれがあると認めるときは、その者に対し、期限を定めて特定施設の構造若しくは使用の方法若しくは汚水等の処理の方法の改善を命じ、又は特定施設の使用若しくは排出水の排出の一時停止を命ずることができる。
2～4　（略）

　改善命令等の発動をめぐっては、「排水基準に適合しない排出水を排出するおそれ」の有無を認定する手続が必要である。また、「おそれ」があると認定された場合に、いかなる改善命令を出すのか、あるいは、そもそも改善命令を出すのか否かについて、行政には判断の余地があり、これを**行政裁量**と呼んでいる。いかなる条件を満たす場合に改善命令を出すことが義務になるのかについて争われることもある。

(5) 排出規制の実効性②――行政指導

　実務では、排水基準に違反する排出があった場合に、いきなり罰則を適用したり、改善命令を発したりすることはまずない。正式の処分を課す前に、通常は、工場等の任意の努力で違反状態が是正されるように**行政指導**を行う。行政指導は、相手方の協力を得て行う非権力的な手段であるので、行政機関の所掌事務の範囲内であれば、特別の法律の根拠がなくとも行うことができるというのが通説である。本法律には、以下に見るような行政指導の条文があるが、行政指導を行える場面が当該条文の場面に限定されるわけではない。

(指導等)
第13条の4　都道府県知事は、指定地域内事業場から排出水を排出する者以外の者であって指定地域において公共用水域に汚水、廃液その他の汚濁負荷量の増加の原因となる物を排出するものに対し、総量削減計画を達成するために必要な指導、助言及び勧告をすることができる。

　行政指導に従うかどうかは事業者の任意であるが、現実には、行政との良好な関係を維持することを求めて、事業者は行政指導に従うことが多いといえる。行政指導に従わない場合に、法に違反しているという事実や行政指導に従っていないという事実を広く公表することによって間接的に事業者に圧力を加えることも、実際には時にみられることであるが、このような手法についての法的評価は様々である。

(6) 排出規制の実効性③――調査

　排出規制の実効性を現実に担保するうえで重要なのが、違反情報の収集、調査の仕組みである。本法律は、事業者に対して排水の汚染状態についての測定・記録義務を課す（14条）と同時に、都道府県知事に常時監視義務（15条）を課し、調査権（立入検査、報告要求）を与えている（22条）。正当な理由なく調査を拒む者に対しても罰則の定めがある（33条4項）。立入検査が実力での立入り（すなわち即時強制）まで認めたものであるか否かに関しては議論がある。

(排出水の汚染状態の測定等)
第14条　排出水を排出し、又は特定地下浸透水を浸透させる者は、環境省令で定めるところにより、当該排出水又は特定地下浸透水の汚染状態を測定し、その結果を記録し、これを保存しなければならない。
2　総量規制基準が適用されている指定地域内事業場から排出水を排出する者は、環境省令で定めるところにより、当該排出水の汚濁負荷量を測定し、その結果を記録し、これを保存しなければならない。
3　前項の指定地域内事業場の設置者は、あらかじめ、環境省令で定めるところにより、汚濁負荷量の測定手法を都道府県知事に届け出なければならない。届出に係る測定手法を変更するときも、同様とする。
4　排出水を排出する者は、当該公共用水域の水質の汚濁の状況を考慮して、当該特定事業場の排水口の位置その他の排出水の排出の方法を適切にしなければならない。
5　（略）
(常時監視)
第15条　都道府県知事は、環境省令で定めるところにより、公共用水域及び地下水の水

質の汚濁（放射性物質によるものを除く。第17条第1項において同じ。）の状況を常時監視しなければならない。
2　都道府県知事は、環境省令で定めるところにより、前項の常時監視の結果を環境大臣に報告しなければならない。
3　環境大臣は、環境省令で定めるところにより、放射性物質（環境省令で定めるものに限る。第17条第2項において同じ。）による公共用水域及び地下水の水質の汚濁の状況を常時監視しなければならない。

（報告及び検査）
第22条　環境大臣又は都道府県知事は、この法律の施行に必要な限度において、政令で定めるところにより、特定事業場若しくは有害物質貯蔵指定事業場の設置者若しくは設置者であった者に対し、特定施設若しくは有害物質貯蔵指定施設の状況、汚水等の処理の方法その他必要な事項に関し報告を求め、又はその職員に、その者の特定事業場若しくは有害物質貯蔵指定事業場に立ち入り、特定施設、有害物質貯蔵指定施設その他の物件を検査させることができる。
2　環境大臣又は都道府県知事は、この法律の施行に必要な限度において、指定地域において事業活動に伴って公共用水域に汚水、廃液その他の汚濁負荷量の増加の原因となる物を排出する者（排出水を排出する者を除く。）で政令で定めるものに対し、汚水、廃液等の処理の方法その他必要な事項に関し報告を求めることができる。
3　前2項の規定による環境大臣による報告の徴収又はその職員による立入検査は、公共用水域及び地下水の水質の汚濁による人の健康又は生活環境に係る被害が生ずることを防止するため緊急の必要があると認められる場合に行うものとする。
4　第1項の規定により立入検査をする職員は、その身分を示す証明書を携帯し、関係人に提示しなければならない。
5　第1項の規定による立入検査の権限は、犯罪捜査のために認められたものと解釈してはならない。

(7)　規制の三極構造

　水質汚濁防止法は、公共水域の水質汚濁防止という公共目的で工場等の営業活動を規制するという基本構造をもっている。ここでは、一方に規制権限をもつ（公益を代表する）行政機関があり、他方で規制対象となる（営業の自由を有する）私人があって、両者が対立する構造をもっている。

　私人の営業の自由を制限するには、それにふさわしい目的の正当性と手段の相当性が求められ、従来の行政法学は、規制対象の権利利益を保護する視点から規制権限が濫用されないように行政機関を統制することに関心を寄せてきた。しかし、このような二元的な規制関係の把握は、近年、再検討されつつある。

　水質汚濁防止法が目的とする「公共用水域の水質汚濁防止」は、公益であるが、同時に、周辺住民の生命・身体の利益を保護しようとしているということができる。工場等からの有害物質の排出が適切に規制されない場合には、工場周辺の住民の生命・身体が脅かされている。したがって、周辺住民は、水質汚濁防止法に基づく規制権限が適切に発動されているかどうかについて無関心ではいられない。すなわち、ここでは行政、工場（私人）、周辺住民（私人）の三者の三極的対立構造がみられる。

　行政権限の濫用の防止は、規制対象の権利利益保護の視点からだけではなく、行政規制によって保護されるべき権利利益保護の視点からも考えられなければならない。しかし、水質汚濁防止法は、周辺住民のこのような関心に直接応える規定をもっていない。行訴法は2004年の改正で、このような場合の対応として、周辺住

民が工場に対する規制措置の発動を求める義務付け訴訟という訴訟類型を新設した。また、2014 年改正で追加された行手法 36 条の 3 は法令違反事実があった場合に何人もその是正のための行政処分の発動を求めることができることを定めた。これらの規定を活用して、規制法律が適切に運用され、その本来の規制の実効性が確保されることが求められている。

3. 規制法律の解釈

行政法学では、以上に略述したような水質汚濁防止法の構造を正しく理解すると同時に、以上の規定が具体的な場面でいかに適用されるのかについても考察することが求められる。具体的事例として水質汚濁防止法の解釈を問う問題としては、例えば、以下のようなものが考えられる。

これは、水質汚濁防止法の適用が問題となる仮想事例を問題形式にしたものである。かなり難しい問いも含まれているが、本ミニ講義の解説をきちんと理解できたならば、概ね解答を導くことができるであろう。ここではあえて問題の解説はしないので、各自で考えてほしい。

> 株式会社Xは、A県内のB工場において、数年前から施設C・Dを設置・操業しており、施設Cは水質汚濁防止法上の特定施設に当たる。一方、施設Dは事務所兼従業員用食堂であるが、排水量が少ないため特定事業場には該当しない。
> 2018 年 5 月に施設Cで排水基準に適合しない排出水を甲川に排出しているとの情報がもたらされた。そこでA県の水質課の職員が立入調査をしたところ、Xは、排水基準に適合していない排出水を排出していたことを認め、直ちに施設の改善をするとの申出をしたので、担当職員は、30 日以内に施設の改善を行うよう行政指導をすることにとどめた。Xからは施設改善計画の届出があり、工事がなされ、同年 6 月 10 日に改めて調査したところ施設は改善されていた。
> ところが、改善後も時々工場の排水口の下流の甲川で魚が浮いているとの噂があった。2019 年 3 月 1 日にやはり甲川で魚が浮いているとの情報があったので、同日、県の水質課の職員が施設Cの排水口から排出水を採取して検査したところ、排水基準を大幅に上回る濃度の有害物質を含む排出水が排出されていることが判明した。
>
> 〔設問〕
> 1. A県知事Yは、Xに対して、どのような措置をとることができ、あるいはとらなければならないか。
> 2. Yは、設問 1 でXに対して命じた措置をXが履行しない、または履行が不十分である場合には、どのような手段をとることができるか。さらに、Xが命じられた措置を履行しない、または履行が不十分である場合に、その旨をXの名称と共に公表できるか。

3．2020年3月1日に、水質課の職員がB工場の敷地内に新しい施設Eが建設されていることを発見し、その場で質問したところ、Xの従業員から2019年3月頃から建設が始まって、2019年10月から操業を始めているとの回答があった。YはこのEが、水質汚濁防止法にいう特定施設に該当するにもかかわらず、届出もされずに操業されていること、および排水については排水基準に適合していることを確認した。この場合、Yは、Xに対して、どのような措置をとることができ、あるいはとらなければならないか。
4．Xは、設問1、設問2および設問3でとられた措置および手段等に対して不服をもつ場合に、誰を相手としてどのような法的手段で争うことができるか。
5．B工場の付近に居住するSは、現在のところ直接の身体的な被害は受けていないが、趣味にしていた甲川でのボラ釣りが上記の排水によりできなくなった。Sは、A県およびXに対して、訴訟を起こして排水を停止するか、または排水基準に適合するように求めることができるか。

　本書に収められた多数の事例問題は、それぞれの行政分野での個別法律が具体的な局面でいかに解釈されるべきかを問うている。解答に際しては、個別法律の構造の理解が不可欠となる。水質汚濁防止法を素材にして規制法律の構造を説明した本ミニ講義を参考にして、個別法律の構造の正確な理解と適切な解釈に努めてほしい。

〔曽和俊文〕

〔問題5〕条例によるパチンコ店の規制をめぐる紛争

◆ 事例 ◆

次の文章を読んで、資料を参照しながら、以下の設問に答えなさい。

1. 甲県に所在する乙市においては、パチンコ店の立地については、風営法に基づく規制と自主条例である「乙市パチンコ店等、ゲームセンター及びラブホテルの建築等に関する条例」（以下「乙市条例」という）による規制とが行われている。

    まず、風営法に基づく規制は以下のとおりである。風営法は、パチンコ店等の風俗営業を都道府県公安委員会の許可にかからしめるとともに（風営3条1項）、立地にかかる許可要件は、政令（風営法施行令）が定める基準に従って都道府県条例によって具体化する、という仕組みを設けている（風営4条2項2号）。甲県は、風営法4条2項2号に基づく条例として、「甲県風俗営業等の規制及び業務の適正化等に関する法律施行条例」（以下「甲県条例」という）を定め、「第1種地域」での営業を禁止している。「第1種地域」とは、風営法施行令6条1号イにいう「住居集合地域」を具体化したものであり、第1種低層住居専用地域をはじめとする、都計法上の住居系用途地域が、第1種地域に指定されている（甲県条例別表〔第1条関係〕を参照）。なお、乙市内の用途地域は、都計法および同法施行令により、甲県が定めるものとされている。

    他方、乙市は、ベッドタウンとして知られる都市であり、都計法上の住居系用途地域以外の地域であっても住宅の比率が高いことから、乙市の良好な住環境の保全のためには、より広範な地域に風俗営業の規制を及ぼす必要があると考え、独自に、「乙市パチンコ店等、ゲームセンター及びラブホテルの建築等に関する条例」（以下「乙市条例」という）を制定し、甲県条例にいう第1種地域に当たらない地域についても、パチンコ店等の建築等を規制している。

2. Xは、乙市内における、都計法上の準工業地域に当たる地域において、パチンコ店を開業しようと考え、乙市条例3条による乙市市長Pの同意

を求めたところ、Pは、Xに対し、2018年4月に、同条例4条により同意することはできない旨の通知をした。これに対し、Xが、Pの同意を得ないままパチンコ店の建築工事を開始したため、Pは、Xに対し、建築を中止するよう指導し、Xがこれに応じないため、乙市条例8条に基づき建築の中止を命じたが、Xはこれを無視して建築を続け、工事を完成させた。
3．乙市条例に基づく規制を無視してパチンコ店の建築を強行した者はXが初めてであり、Xの建築・営業を放置しておくと乙市条例による規制が骨抜きになってしまうおそれがあること、また、条例を遵守している他の業者や市民による批判も高まってきたことから、Pは、Xに対して強硬な姿勢で臨むことにし、同年7月、Xが建築したパチンコ店用の建築物につき、乙市行政手続条例が定める手続を経て、1カ月の履行期限を定めて、乙市条例8条に基づき、原状回復措置としてパチンコ店の建物の除却を命じた。Xがこれに従わなったため、Pは、除却命令の代執行をすることを決意し、同年8月に、1カ月の履行期限を定めて、行政代執行法（以下「代執行法」という）3条1項に基づく戒告を行った。

〔設問〕
1．Xが代執行を阻止するためには、行政機関のいかなる行為を捉えて、いかなる訴訟を提起すべきか。仮の救済の手段を含めて論じなさい（いずれも、行訴法に定められたものに限る）。(40点)
2．Xが勝訴するためには、本案においてどのような主張をすべきか。複数の訴訟を提起しうると考える場合には、それぞれの訴訟ごとに検討せよ。なお、乙市条例が都計法・建基法に違反するという主張も考えられるが、この点については論じなくてもよい。(60点)

【資料1　風俗営業等の規制及び業務の適正化等に関する法律等（抜粋）】

○　風俗営業等の規制及び業務の適正化等に関する法律
（目的）
第1条　この法律は、善良の風俗と清浄な風俗環境を保持し、及び少年の健全な育成に障害を及ぼす行為を防止するため、風俗営業及び性風俗関連特殊営

業等について、営業時間、営業区域等を制限し、及び年少者をこれらの営業所に立ち入らせること等を規制するとともに、風俗営業の健全化に資するため、その業務の適正化を促進する等の措置を講ずることを目的とする。
(用語の意義)
第2条　この法律において「風俗営業」とは、次の各号のいずれかに該当する営業をいう。
　一〜三　(略)
　四　まあじゃん屋、ぱちんこ屋その他設備を設けて客に射幸心をそそるおそれのある遊技をさせる営業
　五　(略)
2〜13　(略)
(営業の許可)
第3条　風俗営業を営もうとする者は、風俗営業の種別(前条第1項各号に規定する風俗営業の種別をいう。以下同じ。)に応じて、営業所ごとに、当該営業所の所在地を管轄する都道府県公安委員会(以下「公安委員会」という。)の許可を受けなければならない。
2　(略)
(許可の基準)
第4条　(略)
2　公安委員会は、前条第1項の許可の申請に係る営業所につき次の各号のいずれかに該当する事由があるときは、許可をしてはならない。
　一　(略)
　二　営業所が、良好な風俗環境を保全するため特にその設置を制限する必要があるものとして政令で定める基準に従い都道府県の条例で定める地域内にあるとき。
　三　(略)
3〜4　(略)

○　風俗営業等の規制及び業務の適正化等に関する法律施行令
(風俗営業の許可に係る営業制限地域の指定に関する条例の基準)
第6条　法第4条第2項第2号の政令で定める基準は、次のとおりとする。
　一　風俗営業の営業所の設置を制限する地域(以下この条において「制限地域」という。)の指定は、次に掲げる地域内の地域について行うこと。
　　イ　住居が多数集合しており、住居以外の用途に供される土地が少ない地域(以下「住居集合地域」という。)
　　ロ　その他の地域のうち、学校、病院その他の施設でその利用者の構成その

他のその特性に鑑み特にその周辺における良好な風俗環境を保全する必要がある施設として都道府県の条例で定めるもの（以下「保全対象施設」という。）の周辺の地域

二　前号ロに掲げる地域内の地域につき制限地域の指定を行う場合には、当該保全対象施設の敷地（これらの用に供するものと決定した土地を含む。）の周囲おおむね100メートルの区域を限度とし、その区域内の地域につき指定を行うこと。

三　前2号の規定による制限地域の指定及びその変更は、風俗営業の種類及び営業の態様、地域の特性、保全対象施設の特性、既設の風俗営業の営業所の数その他の事情に応じて、良好な風俗環境を保全するため必要な最小限度のものであること。

【資料2　甲県風俗営業等の規制及び業務の適正化等に関する法律施行条例（抜粋）】

(定義)
第1条　この条例において「第1種地域」、「第2種地域」、及び「第3種地域」とは、別表に掲げる地域をいう。

(風俗営業の営業場所に係る許可の基準)
第3条　風俗営業等の規制及び業務の適正化等に関する法律（昭和23年法律第122号。以下「法」という。）第4条第2項第2号に規定する地域は、次のとおりとする。

一　第1種地域

二　次の表の左欄に掲げる施設の敷地（当該施設の用に供するものとして決定した土地を含む。）から、同欄に掲げる区分に応じ、それぞれ、営業所が、第2種地域にある場合にあっては同表の中欄、第3種地域にある場合にあっては同表の右欄に掲げる距離以内の地域

1　学校（学校教育法（昭和22年法律第26号）第1条に規定する学校のうち大学以外の学校をいう。） 2　児童福祉施設（児童福祉法（昭和22年法律第164号）第7条第1項に規定するものをいう。） 3　病院（医療法（昭和23年法律第205号）第1条の5第1項に規定する病院をいう。）及び診療所（同法第1条の5第2項に規定する診療所のうち患者を入院させるための施設を有する診療所をいう。） 4　図書館（図書館法（昭和25年法律第118号）第2条第1項に規定するものをいう。）	100メートル（法第2条第1項第1号の営業及び同項第5号の営業（以下「第1号営業等」という。）にあっては、70メートル）	70メートル（第1号営業等にあっては、50メートル）

1　大学（学校教育法第1条に規定する学校のうち大学をいう。） 2　保健所 3　博物館（博物館法（昭和26年法律第285号）第2条第1項に規定するものをいう。）	70メートル（第1号営業等にあっては、50メートル）	50メートル（第1号営業等にあっては、30メートル）

2〜3　（略）

別表（第1条関係）

第1種地域	都市計画法（昭和43年法律第100号）第8条第1項第1号の規定により指定された第1種低層住居専用地域、第2種低層住居専用地域、第1種中高層住居専用地域、第2種中高層住居専用地域、第1種住居地域、第2種住居地域、準住居地域及び田園住居地域。ただし、次項の2及び3の地域並びに第3種地域を除く。
第2種地域	1　都市計画法第8条第1項第1号の規定により指定された近隣商業地域、商業地域、準工業地域、工業地域及び工業専用地域。ただし、第3種地域を除く。 2　第1種住居地域、第2種住居地域及び準住居地域のうち国道又は県道の側端から25メートル以内の地域 3　第1種住居地域、第2種住居地域及び準住居地域のうち鉄道事業法（昭和61年法律第92号）第2条第2項に規定する鉄道に係る停車場（……）の周囲50メートル以内の地域 4　この項の1から3までの地域、第1種地域及び第3種地域以外の地域
第3種地域	〔略。都市中心部の繁華街のような地域〕

【資料3　都市計画法（抜粋）】

第9条　第1種低層住居専用地域は、低層住宅に係る良好な住居の環境を保護するため定める地域とする。

2　第2種低層住居専用地域は、主として低層住宅に係る良好な住居の環境を保護するため定める地域とする。

3　第1種中高層住居専用地域は、中高層住宅に係る良好な住居の環境を保護するため定める地域とする。

4　第2種中高層住居専用地域は、主として中高層住宅に係る良好な住居の環境を保護するため定める地域とする。

5　第1種住居地域は、住居の環境を保護するため定める地域とする。

6　第2種住居地域は、主として住居の環境を保護するため定める地域とする。

7　準住居地域は、道路の沿道としての地域の特性にふさわしい業務の利便の増進を図りつつ、これと調和した住居の環境を保護するため定める地域とする。

8　田園住居地域は、農業の利便の増進を図りつつ、これと調和した低層住宅に係る良好な住居の環境を保護するため定める地域とする。

9　近隣商業地域は、近隣の住宅地の住民に対する日用品の供給を行うことを

主たる内容とする商業その他の業務の利便を増進するため定める地域とする。
10　商業地域は、主として商業その他の業務の利便を増進するため定める地域とする。
11　準工業地域は、主として環境の悪化をもたらすおそれのない工業の利便を増進するため定める地域とする。
12　工業地域は、主として工業の利便を増進するため定める地域とする。
13　工業専用地域は、工業の利便を増進するため定める地域とする。
14〜23　（略）

【資料4　乙市パチンコ店等、ゲームセンター及びラブホテルの建築等に関する条例（抜粋）】

（目的）
第1条　この条例は、乙市環境基本条例第○条の規定に基づき、市内におけるパチンコ店等、ゲームセンター及びラブホテルの建築等について必要な規制を行うことにより、良好な環境を確保することを目的とする。

（定義）
第2条　この条例において、次の各号に掲げる用語の意義は、それぞれ当該各号に定めるところによる。
　一　パチンコ店等　風俗営業等の規制及び業務の適正化等に関する法律（昭和23年法律第122号。以下「法」という。）第2条第1項第7号及び第8号に規定する営業を目的とする施設（まあじゃん屋を除く。）をいう。
　二〜四　（略）
　五　建築等　新築、既存の施設の増改築、大規模な修繕及び模様替え並びに用途変更をいう。

（市長の同意）
第3条　市内において、パチンコ店等、ゲームセンター又は旅館（以下「指導対象施設」という。）の建築等をしようとする者は、あらかじめ市長の同意を得なければならない。

（場所に関する規制）
第4条　市長は、前条の規定により建築等の同意を求められた施設がパチンコ店等、ゲームセンター又はラブホテル（以下「規制対象施設」という。）に該当し、かつ、その位置が都市計画法（昭和43年法律第100号）第7条第1項に規定する市街化調整区域であるとき、又は同法第8条第1項第1号に規定する商業地域以外の用途地域であるときは、同意をしないものとする。

（市長の指導）
第6条　市長は、建築者等に対し、規制対象施設の建築等について、必要な指

導を行うことができる。
（是正措置）
第8条 市長は、第3条の規定に違反して指導対象施設の建築等をしようとし、若しくは建築等をした者又は第6条に規定する市長の指導に従わない者に対し、建築等の中止、原状回復その他必要な措置を講じるよう命じることができる。

◆ 解説 ◆

1. 出題の意図

　条例に基づき、パチンコ店の除却の命令を受け、かつ、行政代執行を受ける危機に直面している者が、どのような訴訟を提起すべきか、また、そこでどのような違法事由を主張できるか、について問うものである。
　乙市の規制およびその執行にかかる一連のプロセスの中で、どの行為を捉えて訴訟を提起することが有効・適切かを、それぞれの訴訟で主張しうる違法事由の違いと関連づけながら検討できているか、ということが、第1のポイントになる。
　また、本案の主張内容として特に重要なものは、法律と条例との関係であり、乙市条例が風営法および付属法令に違反しているという主張を的確になしうるか、という点が第2のポイントになる。

2. 設問1——提起すべき訴訟

(1) 対象としうる行為

　本件において、訴訟の対象として検討すべき行為としては、まず、既に行われた行為として、乙市条例8条に基づく原状回復命令、代執行法上の戒告が考えられる。これらについては、取消訴訟（行訴3条2項）および執行停止（行訴25条2項）を中心的な手段として検討することになるであろう。また、将来予定されている行為として、代執行法3条2項による通知や、事実行為たる代執行そのものを捉え、差止訴訟（行訴3条7項）と仮の差止め（行訴37条の5第2項）を用いることも、一応は考えられる。これらについて、順次検討していこう。

(2) 提起すべき訴訟
　㋐ 乙市条例8条に基づく原状回復命令の取消訴訟
　　　Xとしては、原状回復命令の取消訴訟を提起し、仮の救済として**執行停止**（手続の続行の停止）を申し立てるべきである。行政代執行の手

続は既に開始されているが、執行停止の申立てが認められれば、代執行の手続をそれ以上進めることはできなくなる。なお、本案で主張すべき内容については、後に解説する。

(イ) 戒告の取消訴訟

代執行法3条による**戒告**および**通知**は、相手方に新たな義務を課すものではない。したがって、厳密には行政行為と言い難いところがあるが、通説・判例は、その手続的意味や、代執行に対する救済の便宜を考慮して、戒告および通知に処分性を認めている（大阪高決昭40・10・5判時428号53頁〔茨木市職員組合事務所明渡請求事件、CB7-1〕、塩野・行政法Ⅰ259頁、芝池・総論204頁）。本件では、戒告の取消訴訟を提起し、執行停止（手続の続行の停止）を申し立てることにより、通知および代執行を差し止めることが考えられる。本案で主張すべき内容（特に原状回復命令取消訴訟との違い）については、後に解説する。

執行停止の対象

取消訴訟（および無効等確認訴訟）の仮の救済の手段である執行停止は、厳密に言えば、①処分の効力、②処分の執行、③手続の続行のいずれかを停止するものである（行訴25条2項）。なお、処分の効力の停止は、処分の執行または手続の続行の停止によって目的を達することができる場合にはすることができず（行訴25条2項ただし書）、補充的にのみ認められる。

これらの執行停止の対象のうち、「処分の効力」の意味については説明するまでもないであろう。では、「処分の執行」と「手続の続行」はどのようなことを意味しているのだろうか。一般的には、処分の執行の停止とは、処分の内容を強制的に実現する行為を阻止することであり、手続の続行の停止とは、処分の有効を前提として法律関係を進展させる他の行為を阻止することであるといわれる（杉本良吉『行政事件訴訟法の解説』〔法曹会、1963年〕90頁）。手続の続行の典型例として、土地収用法上の事業認定を前提として収用裁決が行われることや、代執行法3条による戒告・通知を前提として、事実行為たる代執行が行われることを挙げることができる。これに対し、課税処分を前提として滞納処分（差押え等の処分）が行われることや、除却命令を前提として代執行法による戒告・通知や代執行が行われることは、行政処分によって課された義務の強制執行であるから、処分の執行に当たるようにも見える。しかし、実務上は、これらも手続の続行に当たると解されている。そうなると、処分の執行に当たるものは限られてくる。具体例として、外国人に対する退去強制令書発付処分の執行として行われる収容および送還（出入

国管理及び難民認定 52 条)、刑事施設の被収容者に科された懲罰の執行(刑事収容施設及び被収容者等の処遇に関する法律 156 条)が挙げられており(南博方ほか編『条解行政事件訴訟法〔第 4 版〕』〔弘文堂、2014 年〕511 頁以下〔八木一洋〕)、処分後に当然に行われる執行行為が、処分の執行に当たると解されているようである。

　もっとも、処分の執行の停止と手続の続行の停止の区別にはあまり実益はない。重要なのは、どのような場合に、処分の執行の停止や手続の続行の停止では目的が達成できないとして、処分の効力の停止を申し立てることができるか、である。処分の効力の停止が認められる典型例は、公務員の懲戒免職処分のように、処分によって一定の法的地位が剥奪され、執行行為や後続処分なしに不利益が生じる場合や、飲食店の営業禁止命令のように刑罰による制裁のみが予定されている場合においてである。刑事手続は、処分の執行や手続の続行とは言えないので、注意しよう。

(ウ) 通知および代執行の差止訴訟(?)

　行訴法の 2004 年改正により、差止訴訟が法定化され、その利用が従来よりは容易になったことから、代執行法上の通知や事実行為たる代執行の差止訴訟を提起し、**仮の差止め**を申し立てることも考えられる。もっとも、戒告の取消訴訟と執行停止を用いることができるのであれば、これらによる救済の要件は差止訴訟や仮の差止めよりも緩やかであるから、差止訴訟や仮の差止めを用いる意味はなく、また、行訴法 37 条の 4 第 1 項ただし書が定める差止訴訟の補充性要件が満たされない可能性もある。したがって、適切な手段とはいえない。

3．設問 2——本案における主張(1)

　原状回復命令の取消訴訟と戒告の取消訴訟について、本案で主張すべき内容を解説する。各訴訟において主張しうる内容には違いがあるので、どのような違いがあるかに注意して論じていく必要がある。

(1) 原状回復命令の取消訴訟

　まず第 1 に、乙市条例が風営法および付属法令に違反し、無効であるから、乙市条例に基づく原状回復命令も違法ないし無効である、と主張することが考えられる。具体的な主張内容については、本解説 **4** で詳細に述べることにする。

次に、条例が仮に適法だとしても、本件における原状回復命令が違法であると主張することも考えられる。Xのパチンコ店は、都計法・建基法に違反しているわけではないし、乙市条例の実質的な目的は営業を阻止することにあると考えると、営業の阻止という目的のために、既に完成した建物の除却を命じるのは財産権の過剰な侵害であり、**比例原則**に違反する、と主張することが可能であろう。

(2) 戒告の取消訴訟

戒告の取消訴訟においては、義務賦課行為（本件では原状回復命令）の違法性は原則として主張できず、代執行に固有の違法性しか主張できない。通説は、義務賦課行為と強制執行行為との間で**違法性の承継**はない、と解しているからである（塩野・行政法Ⅰ259頁、芝池・救済法73頁。第2部〔問題2〕コラム「行政処分の違法性の承継」も参照）。

代執行に固有の違法性としては、代執行法2条の要件のうち、とりわけ、「その不履行を放置することが著しく公益に反すると認められるとき」という要件が充足されていないと主張することが考えられる。

もっとも、条例が違法であると主張する場合には、そのことを原状回復命令のみならず、戒告の違法をもたらす事由として主張することが可能である。条例は法規範であるから、違法であれば直ちに無効であり、無効な条例に基づく原状回復命令も無効となると解され、さらに、無効な義務賦課行為の強制執行が違法であることについて争いがないからである。また、義務賦課行為の根拠規定が無効であるということから、代執行法2条の「法律に基き行政庁により命ぜられた行為」という要件が満たされていない、という主張の仕方も可能であろう。

コラム
答案を読んで：自主条例に基づく義務の代執行

本件の原状回復命令が、法律の委任を受けた条例ではなく、自主条例に基づいて発されたものであることから、代執行法2条の「法律の委任に基く」という要件を欠くということを、戒告の違法事由として挙げる解答がかなり見られた。しかしながら、自主条例に基づく行政処分によって課された義務であっても代執行が可能であることについては、今日ほとんど争いがない。

自主条例に基づく処分で課された義務も代執行が可能と解する理由づけとしては、代執行法2条の「法律の委任に基く命令、規則及び条例を含む」という文言の「法律の委任に基く」という部分が、「命令、規則」のみにかかり、条例にはかからないと読む説もあるが（原田尚彦『行政法要論〔全訂第7版補訂2版〕』〔学陽書房、2012年〕230頁）、文言からすると、相当無理のある解釈である。むしろ、条例が法律に準ずる規範であることを根拠に、条例については、地方自治法14条の概括的授権があれば「法律の委任に基く」ものといえる、と解しておけばよいであろう（広岡隆『行政代執行法〔新版〕』〔有斐閣、1981年〕53頁、塩野・行政法Ⅰ253頁以下）。

4．設問2——本案における主張(2)

(1) 法令と条例との抵触に関するリーディングケース

　　地方公共団体は、法律による個別的委任がなくても条例を制定することができるが、国の法令に違反する条例は違法であり、無効となる（憲94条、自治14条1項）。本件においては、乙市条例が、風営法ならびにその委任を受けた同法施行令および甲県条例に違反し、**条例制定権の限界**を超えている、という主張をすべきことになる。

　　条例と法令の抵触の有無に関する基準を示したリーディングケースは、最大判昭50・9・10刑集29巻8号489頁（徳島市公安条例事件、百選Ⅰ43、CB1-2）である。地方分権改革後においても、この判例が示した基準がそのまま妥当するか、という点については議論があるが、条例の違法を主張する際には、さしあたり、この判決が示した基準を前提に主張を組み立ててゆくべきであろう。

(2) 本件における具体的主張

　　まず、風営法の規律対象と乙市条例の規律対象が、規制の手法に違いがあるとはいえ重複すること、また、両者の目的が少なくとも部分的に重なり合うことは、比較的容易に主張しうるであろう。

　　問題は、条例で地方の実情に応じて別段の規制を施すことを容認する趣旨を風営法は含んでいない、という主張ができるかどうかである。風営法は、具体的な規制の基準を都道府県条例に委任しており（風営4条2項2号）、その限りでは、全国一律の規制ではなく、地方の実情に応

じた規制を予定しているともいえる。また、前掲・最大判昭 50・9・10 も、道路上の集団行進の規制について、県公安委員会規則による規制の具体化という仕組みを設けていることを 1 つの根拠として、徳島市が定める公安条例による独自規制が容認される、という結論を導いているのである。本件においては、X は、このことを念頭に置きつつ、風営法は自主条例による上乗せ規制を容認していないという解釈を展開しなければならない。

まず、風営法の仕組みに即していえば、風営法が地方の実情に応じた規制を意図しているとしても、それは、都道府県条例によって基準を具体化し、都道府県公安委員会が執行することによって実現されるものであり、市町村条例が上乗せ規制をすることは予定していない、という主張をすることが考えられる。

さらに、それを補強する実質的な理由として、風営法による規制は営業の自由に対する強力な規制を施すものであることや、風営法施行令 6 条 3 号が「制限地域の指定……は、……良好な風俗環境を保全するため必要な最小限度のものであること」と定めていることを根拠に、風営法に基づく規制を超える規制をすることを風営法は許容していない、と主張することもできるであろう。

(3) **条例の違法性判断における立法者意思の重要性**

しかしながら、以上のような、風営法が市町村条例による独自規制を容認していないと主張するための理由づけは、徳島市公安条例による上乗せ規制を適法と判断した前掲・最大判昭 50・9・10 における、道路交通法と徳島市公安条例との関係にも概ねあてはまるものであり、必ずしも決め手にはならない。このため、この種の事例における裁判例においては、法律の文言・仕組みのみならず、国法の立法者意思を探究していずれかの立場を根拠づける、ということがしばしば行われている。

本件と同じ仕組みのパチンコ店規制条例を違法と判断したいくつかの下級審裁判例においては、風営法の 1984 年改正の趣旨につき、全国的に区々となっていた風俗営業に対する規制を改め、全国的に一律に施行されるべき最高限度の規制を定めたものである、という理解が示

されている（最 3 小判平 14・7・9 民集 56 巻 6 号 1134 頁〔宝塚パチンコ店建築中止命令事件、百選 I 109、CB7-4〕の第 1 審・第 2 審判決である、神戸地判平 9・4・28 判時 1613 号 36 頁、大阪高判平 10・6・2 判時 1668 号 37 頁を参照。また、同じ事例にかかる損害賠償請求事件に関する神戸地判平 17・3・25 裁判所ウェブサイトも参照）。

他方、前掲・最大判昭 50・9・10 にかかる最高裁調査官解説においては、以下のことが指摘されている。すなわち、1960 年の道路交通法制定時には既に多数の公安条例が存在していたことから、国会審議において両者の関係が問題になり、公安条例と道路交通法が重複する場合には、公安条例が優先するという説明が立案当局によってなされていたのである、と（小田健治・最判解刑事篇昭和 50 年度版 184 頁）。このような事情が、徳島市公安条例による上乗せ規制を適法と解するための重要な手がかりになったものと考えられる。

本事例の資料から、風営法の立法者意思まで読み取ることはできないであろうが、出題者によって与えられた資料から読み取れる限りで、こうした点にも注意して論じる必要がある。

(4) 条例による規制の独自の目的・意義および合理性

次に、風営法が地方の実情に応じた規制を容認する趣旨であるとしても、前掲・最大判昭 50・9・10 に従えば、条例による規制が独自の目的・意義および合理性を有していなければならない。この点で、乙市条例が都計法上の商業地域以外の地域においてパチンコ店の建築を例外なく不同意にするという仕組みを設けていることにつき、合理性を欠く、という主張をすることもできるだろう。また、このことは、乙市条例による規制が、風営法に必ずしも違反しないとしても、営業の自由の過剰な制限に当たり、それ自体として違憲であるとの主張をも導きうる。

なお、乙市条例は、前掲・神戸地判平 9・4・28、前掲・大阪高判平 10・6・2、同神戸地判平 17・3・25 において違法と判断された「宝塚市パチンコ店等、ゲームセンター及びラブホテルの建築等の規制に関する条例」をモデルにしたものである（もっとも、仮処分決定である神戸地伊丹支決平 6・6・9 判例自治 128 号 68 頁は同条例を適法と判断していた）。

他方、同じくパチンコ店等を規制する条例であっても、パチンコ店の建築を不同意とする区域を、教育文化施設などの施設や通学路から一定の距離内の区域に限定していた「伊丹市の教育環境保全のための建築等の規制条例」は、神戸地判平5・1・25判タ817号177頁により適法と判断されている。宝塚市の条例を違法とした前記の裁判例は、自主条例による独自規制の余地を一切認めておらず、過剰規制であることを理由に条例を違法としたわけではないが、規制対象地域が広すぎたことが厳しい判断をもたらしたのではないかと推測する見解もある（髙木光「もうひとつの行政法入門（4）パチンコは隣の街で〔組織法4〕」法教225号〔1999年〕93頁、曽和俊文＝山田洋＝亘理格『現代行政法入門（第4版）』〔有斐閣、2019年〕52頁）。

コラム　風俗営業とその法的規制

1．フーゾクは風俗営業ではない？

　風俗営業とは、善良の風俗を損なうおそれのある営業として、風営法による規制の対象とされている営業である。日常用語としての「風俗」ないし「フーゾク」は性的サービスを提供する営業の意味で使われているが、このような営業は、実は、風営法上の「風俗営業」ではなく、正式には「性風俗関連特殊営業」という。以下、それぞれの営業の内容と規制の仕組み等について説明しよう。

2．風営法の規制対象

(1)　風俗営業

　風営法上の「風俗営業」には、キャバレーなどの「接待飲食等営業」と、マージャン屋、パチンコ屋などの「遊技場営業」が含まれる。この意味での風俗営業は、健全に営まれれば、国民生活に潤いをもたらし、健全な娯楽の場を提供しうる営業であると解されている。風営法1条がその目的の1つとして掲げる、「風俗営業の健全化」や「業務の適正化」は、この風俗営業を念頭に置いたものである。

　ナイトクラブ、ダンスホールなど客にダンスをさせる営業も「接待飲食等営業」の1つであったが、時代に合わなくなったとして風営法2015年改正で風俗営業から除外され、新たに、「特定遊興飲食店営業」というカテゴリーが設けられた。特定遊興飲食店営業とは、ナイトクラブのように客にダンスと飲食をさせる営業であり、風俗営業については原則として禁止された午前零時以降の営業（風営13条）も可能とされる。また、ダンスホールのように専らダンスをさせる営業は風営法の適用対象としないことになった。

(2) 性風俗関連特殊営業

　性に関わるサービスを提供する営業（ソープランド、ストリップ劇場、ラブホテル等）である。1948年に旧風俗営業取締法が制定されたときには、このような営業はそもそも同法の規制対象とされておらず、1966年に個室付浴場等が旧風俗営業等取締法の規制対象とされたのを皮切りに、数次の改正によって規制対象に追加されてきたものである。また、この種の営業は性を売り物にするという性質上、健全化や、公権力が業務内容に立ち入って適正化することにはなじまないとされており、この点で、風営法の目的規定との乖離が生じている（風営法の改正経緯とその社会的背景につき、永井良和『定本風俗営業取締り』〔河出書房新社、2015年〕を参照）。

3．風営法による規制の仕組み

　風営法は、「風俗営業」については原則として許可制、「性風俗関連特殊営業」については届出制による事前規制の仕組みを定めている。営業可能な区域については、「性風俗関連特殊営業」の方がはるかに厳しく規制されているにもかかわらず、届出制が選択されたのは、営業について一定の水準を設けて遵守させるという許可制の性質が、既に述べたような「性風俗関連特殊営業」の性格になじまないと考えられたからである（蔭山信『注解風営法Ⅰ』〔東京法令出版、2008年〕26頁以下。第1部〔問題4〕2も参照）。

　「風俗営業」の規制内容として、まず、許可の際に、許可を受ける者、営業所の構造・設備、営業所が所在する地域につき、法令に基づく要件を満たすかどうかが審査される（風営3条・4条）。営業制限地域の範囲は都道府県条例によって具体化されるが、政令の定める基準に従わなければならないため、条例の自由度は小さく、都計法上の住居系用途地域と、保護対象施設（学校、病院等）の周囲一定の距離内の地域が営業制限地域とされることが多い。また、遵守事項として、営業時間、営業所内の照度、騒音・振動、広告・宣伝等の規制（風営12条以下）、客引きの禁止、18歳未満の者につき接待をさせたり客として営業所に立ち入らせたりすることの禁止（同22条）等が定められている。さらに、規制の遵守ないし実効性を担保する仕組みとして、営業所の管理者の選任が義務付けられ（同24条）、違反があった場合の指示（同25条）や許可取消しまたは営業の停止（同26条）についての定めがある。

　「性風俗関連特殊営業」は、すべてについて届出が義務付けられる以外は、営業の種類に応じて異なる規制が行われる。店舗型の営業については法律で定められた区域または都道府県条例で定められた地域内での営業が禁止される。その他、各種営業に応じた禁止行為、違反があった場合の指示や営業の廃止または停止の命令についての定めが置かれている。

4．風営法以外の法令による規制

　風営法が適用される営業は他の法律による規制も受けている。例えば、都計法・建基法により、都計法上の商業地域以外の用途地域においては、地域の特性に応じて、営業用の建物の建築が、全部または一部禁止される。また、ラブホテルやモーテルであれば旅館業法に基づく規制、個室付浴場（ソープランド）であれば公

衆浴場法に基づく規制を受けている。
　さらに、風営法等に基づく規制が不十分であるとして、市町村が自主条例でより厳しい規制をすることがある。具体的には、風営法に基づく営業制限区域よりも広い地域でパチンコ店等の建築を禁止したり、風営法の適用要件を満たさないラブホテルの建築を禁止するものが多いが、風営法や都道府県の施行条例との抵触が問題となることがある。
　その他、射幸性が高い営業であるが風営法が適用されないものとして、競輪、競馬等の公営競技（公営ギャンブル）がある。これらは、刑法上の賭博及び富くじに関する罪の構成要件に該当する事業であるため、風営法が適用される営業と異なって営業の自由はなく、自転車競技法、小型自動車競走法、モーターボート競走法、競馬法に基づいて、地方公共団体ないし特殊法人である日本中央競馬会のみが施行者となることができる。

〔関連問題〕
1．本事例と同一のシチュエーションの下で、乙市の代理人としては、Xの本案における主張に対してどのように反論すべきか。乙市条例が風営法および付属法令に抵触するかどうか、という点に絞って検討しなさい。
2．第1部〔問題4〕の条例によるラブホテルの建築の規制について、風営法に違反しないという主張をするためには、どのような理由づけが可能か。本件におけるパチンコ店の規制との間における規制方法や規制対象の違いも注意して検討しなさい。

［野呂　充］

〔問題6〕フェリー運航の事業停止命令をめぐる紛争

◆ 事例 ◆

次の文章を読んで、資料を参照しながら、以下の設問に答えなさい。

A社は、海上運送法による許可を受けて、九州のP島とQ市の間でフェリー事業を営んでいる事業者であるが、2020年4月2日付けで、九州運輸局長E（国の行政機関で、国土交通大臣から適法に権限の委任を受け、九州での海上運送法に基づく許可等の権限を有する）から事業停止処分を受けた。このような処分を受けると事業をできなくなってしまうことから、A社の担当者であるFはA社の顧問弁護士であるCとDの事務所に赴いて法的な対応を検討することとした。

また、A社によるフェリー事業がストップするのは困ると考えていたP島の観光業者らは、急遽「R号運行停止を回避する会」という団体を結成しており、同団体の代表であるBも、Fに同行してCらの事務所を訪れた。なお、BはP島に居住しており、P島で観光業を営んでいる。

日時　2020年4月3日
場所　Cの事務所

C：それでは、始めましょう。Eが、昨日の4月2日付けで法（海上運送法。以下同じ）16条に基づいてA社の一般旅客定期航路事業の事業停止処分（以下では「本件処分」と呼ぶことがある）を行ったということでしたね。
F：そうです。そのため、当社で運行しているP島とQ市の間の高速船のR号の運行ができなくなってしまいました。
C：Dさん、海上運送法の規定はどうなっていましたか。
D：A社のようにフェリーや高速船の運航を行う場合、海上運送法に基づく許可が必要になります。
C：法3条の許可ですね。
D：そうです。もともとは、免許制になっておりまして、需給調整の規定が入っていたのですが、昨今の規制緩和により法改正され、免許制から許可制

になりました。今は、法4条の基準さえ満たせば、新規に事業参入できるようになったのです。
C：それと、サービス基準というのは……
D：規制緩和がされると、不採算路線は切り捨てられる危険がありますよね。しかし、そうなると、島に住んでいる人の生活が大きく影響を受けることがあるかもしれません。そこで、法2条11項の指定区間では、法4条6号に基づいて事業に一定の制約をつけて許可をすることになったのです。
C：法4条6号を具体化したのがサービス基準ということですね。
F：そうです。P島とQ市の間ですと、人だけを乗せるのではなく、車を乗せるフェリーがP島に住む人の生活上必要不可欠だからです。
C：そこで、【資料2】のサービス基準で、人だけではなく車も運ぶように要求されているのですね。【資料2】のサービス基準は公になっているのですか。
D：行手法5条に基づく審査基準ですから公になっています。インターネット上でも見ることはできます。
C：そこで、A社の事業免許が停止されることになったそうですが、その理由をお聞かせ下さい。
F：はい。当社では、もともと高速船R号とフェリーの2種の船を保有して、事業を行ってきました。しかし、フェリーはあまり収益があがらないので、フェリーを外して高速船のみにしました。
C：そうするとサービス基準を満たさなくなりますね。
F：そこで、Eから許可を得て、同じ航路を運行しておられるS社と協定を結んでフェリーの共同運行をしておりました。しかし、昨年新規にT社がP島とQ市の間の航路に参入してきました。T社は大きな会社でしたので、自前でフェリーと高速船の両方を保有して事業を始めたのです。ところが、その後、S社の経営が悪化してしまい、S社はEに対して2019年5月31日に同年12月1日に廃業する旨の事業廃止届けを提出しました。
C：法15条2項が半年前の予告を要求しているからですね。
F：はい。しかし、S社が営業を廃止されますと、こちらとしては何とかしてサービス基準を満たさないといけなくなります。S社から2019年の4月には廃業について連絡を受けていましたので、代わりの船や共同運行の相手を探していたのですが、見つかりませんでした。また、代わりの船を見つけても改装する手間も必要です。そうこうしているうちに、S社は営業を廃止されましたので、しかたなく、R号のみ運行していたところ、Eから、行手法30条に基づく弁明の機会の付与の通知が来ました。Eは、当社の状態がサービス基準に違反する違法な状態であるとして、監督処分権限の発動を考えていたのです。

そこで、弁明書を用意してEに提出しました。ちょうどその時期U社からフェリーに使える適当な船を 2020 年夏に入手する契約を進めておりましたのでその旨を記載しました。
C：Eはどのような対応をしましたか。
F：今年の 2 月 7 日付で、「速やかに指定区間『P島』のサービス基準を満たすよう事業計画および船舶運航計画を是正すること」という、法 19 条に基づく改善命令がありました。そこで、当社は契約を急ぎ、当初は 9 月を予定していました、新しいフェリーの就航を今年 6 月末にすると回答しましたが、Eは、それでは「速やか」とは言い難いとして、法 16 条に基づく許可の取消しや営業の停止を検討すると言ってきました。そして、昨日、Eから本件処分が通知されました。
D：突然ですか。
F：法 45 条の 6 に基づく聴聞の手続や必要な法令上の手続は事前に行われました。また、処分が出ること自体は予想していました。2 月 7 日の段階から、ずいぶん厳しく指導を受けましたので。通知書には、法 16 条 1 号に該当するということと、それは、6 月末に改善されるとしてもそれでは改善命令に従っていないからである旨の理由がついていました。
C：停止期限はいつまでですか。
F：期限はサービス基準を充足するまで、です。当社が新しい船を使えるのが 6 月末ですから、それまでは、R号の運行を行うことができなくなりました。たった 2 カ月ほどですが、かき入れ時のゴールデンウィークを挟んでいますので 1 万人以上の予約が既に入っています。料金が片道 5,000 円ですので、料金収入だけで大体 1 億円近い損害です。
C：会社としては大丈夫ですか。
F：当社は、他の事業も行っていますので、これだけで会社が倒産することはありません。しかも、停止期間もそれほど長くはないので。もっとも、経営上は甚大な被害を受けます。お客さんの信用を失いかねませんし、今はT社というライバル社がありますから。
C：ところで、Bさんはこの件にどのように関わっておられるのですか？
B：私たち観光業者としては特にゴールデンウィークの観光客が 1 万人も減れば死活問題です。T社もありますが、あそこだけだと便数が減るので、観光客の数にはかなり影響が出ます。そこで、「R号運行停止を回避する会」を作って何とかA社の運行停止を回避したいと考えています。それに、商売は別にして、私はP島に住んでいますので、A社の高速船が使えないと大変生活が不便になります。
F：当社としては、ゴールデンウィークに営業をすることが一番の目標ですの

でその方向で適切な手段を考えていただきたいのです。6月末になれば停止処分が解除されるのは確実ですので。
C：それでは、適切な対応を考えましょう。

〔設問1〕
1．A社の顧問弁護士であるCの立場で、A社が、本件処分によって営業停止に陥ることを阻止するためいかなる法的手段（行訴法に規定されているものに限る）をとることができるかについて、それを用いる場合の要件を中心に論じなさい。また、訴訟を提起する場合の被告を明示しなさい。（40点）
2．同じくCの立場で、A社が本件処分は違法であると主張するためには、どのような主張ができるか検討しなさい。なお、サービス基準は裁量の範囲内で定められた合理的なものであるとする。（30点）

〔設問2〕
Bが独自に訴訟を提起する場合どのような訴訟を提起することができるか（行訴法に規定されているものに限る）、また、Bの立場から、当該訴訟について、訴訟要件を充足しているとの主張を検討しなさい。（30点）

【資料1　海上運送法（抜粋）】
（この法律の目的）
第1条　この法律は、海上運送事業の運営を適正かつ合理的なものとすることにより、輸送の安全を確保し、海上運送の利用者の利益を保護するとともに、海上運送事業の健全な発達を図り、もって公共の福祉を増進することを目的とする。
（定義）
第2条　この法律において「海上運送事業」とは、船舶運航事業、船舶貸渡業、海運仲立業及び海運代理店業をいう。
2　この法律において「船舶運航事業」とは、海上において船舶により人又は物の運送をする事業で港湾運送事業（港湾運送事業法（昭和26年法律第161号）に規定する港湾運送事業及び同法第2条第4項の規定により指定する港湾以外の港湾において同法に規定する港湾運送事業に相当する事業を営む事業をいう。）以外のものをいい、これを定期航路事業と不定期航路事業とに分ける。
3　この法律において「定期航路事業」とは、一定の航路に船舶を就航させて

一定の日程表に従って運送する旨を公示して行う船舶運航事業をいい、これを旅客定期航路事業と貨物定期航路事業とに分ける。
4 この法律において「旅客定期航路事業」とは、旅客船（13人以上の旅客定員を有する船舶をいう。以下同じ。）により人の運送をする定期航路事業をいい、これを一般旅客定期航路事業と特定旅客定期航路事業とに分け、「貨物定期航路事業」とは、その他の定期航路事業をいう。
5 この法律において「一般旅客定期航路事業」とは、特定旅客定期航路事業以外の旅客定期航路事業をいい、「特定旅客定期航路事業」とは、特定の者の需要に応じ、特定の範囲の人の運送をする旅客定期航路事業をいう。
6～9 （略）
10 この法律において「自動車航送」とは、船舶により自動車（道路運送車両法（昭和26年法律第185号）第2条第2項に規定する自動車であって、二輪のもの以外のものをいう。以下同じ。）並びに次の各号に掲げる人及び物を合わせて運送することをいう。
　一 当該自動車の運転者
　二 前号に掲げる者を除き、当該自動車に乗務員、乗客その他の乗車人がある場合にあっては、その乗車人
　三 当該自動車に積載貨物がある場合にあっては、その積載貨物
11 この法律において「指定区間」とは、船舶以外には交通機関がない区間又は船舶以外の交通機関によることが著しく不便である区間であって、当該区間に係る離島その他の地域の住民が日常生活又は社会生活を営むために必要な船舶による輸送が確保されるべき区間として関係都道府県知事の意見を聴いて国土交通大臣が指定するものをいう。

（一般旅客定期航路事業の許可）
第3条 一般旅客定期航路事業を営もうとする者は、航路ごとに、国土交通大臣の許可を受けなければならない。
2 前項の許可を受けようとする者は、国土交通省令の定める手続により、次に掲げる事項を記載した申請書を国土交通大臣に提出しなければならない。
　一 氏名又は名称及び住所並びに法人にあっては、その代表者の氏名
　二 航路の起点、寄港地及び終点、当該事業に使用する船舶、係留施設その他の輸送施設の概要その他国土交通省令で定める事項に関する事業計画
3 第1項の許可の申請をする者は、指定区間を含む航路において当該事業を営もうとする場合にあっては、前項各号に掲げる事項のほか、申請書に当該指定区間に係る船舶運航計画（運航日程及び運航時刻その他国土交通省令で定める事項に関する計画をいう。以下同じ。）を併せて記載しなければならない。
4 第2項の申請書には、資金計画その他の国土交通省令で定める事項を記載

した書類を添付しなければならない。

(許可基準)
第4条　国土交通大臣は、一般旅客定期航路事業の許可をしようとするときは、次の基準に適合するかどうかを審査して、これをしなければならない。
　一　当該事業に使用する船舶、係留施設その他の輸送施設が当該航路における輸送需要の性質及び当該航路の自然的性質に適応したものであること。
　二　当該事業の計画が輸送の安全を確保するため適切なものであること。
　三　前号に掲げるもののほか、当該事業の遂行上適切な計画を有するものであること。
　四　当該事業を自ら適確に遂行するに足る能力を有するものであること。
　五　当該事業の開始によって船舶交通の安全に支障を生ずるおそれのないものであること。
　六　指定区間を含む航路に係るものにあっては、当該指定区間に係る船舶運航計画が、当該指定区間に係る離島その他の地域の住民が日常生活又は社会生活を営むために必要な船舶による輸送を確保するために適切なものであること。
第5条　国土交通大臣は、一般旅客定期航路事業の許可を受けようとする者が次の各号のいずれかに該当する場合には、その許可をしてはならない。
　一　1年以上の懲役又は禁錮の刑に処せられ、その執行を終わり、又は執行を受けることがなくなった日から2年を経過していない者であるとき。
　二　一般旅客定期航路事業の許可、特定旅客定期航路事業の許可又は第21条第1項に規定する旅客不定期航路事業の許可の取消しを受け、その取消しの日から2年を経過していない者であるとき。
　三　法人である場合において、その法人の役員（いかなる名称によるかを問わず、これと同等以上の職権又は支配力を有する者を含む。）が前2号のいずれかに該当するとき。

(船舶運航計画の届出)
第6条　一般旅客定期航路事業の許可を受けた者は、船舶運航計画（指定区間に係るものを除く。）を定め、国土交通省令の定める手続により、運航を開始する日までに、国土交通大臣に届け出なければならない。

(事業計画の変更)
第11条　一般旅客定期航路事業者がその事業計画を変更しようとするときは、国土交通省令の定める手続により、国土交通大臣の認可を受けなければならない。ただし、国土交通省令で定める軽微な事項に係る変更については、この限りでない。
2　第4条の規定は、前項の認可について準用する。

3　一般旅客定期航路事業者は、第1項ただし書の事項について事業計画を変更したときは、遅滞なく、国土交通大臣にその旨を届け出なければならない。

（船舶運航計画の変更）
第11条の2　一般旅客定期航路事業者がその船舶運航計画を変更しようとするときは、国土交通省令で定める手続により、あらかじめ、国土交通大臣にその旨を届け出なければならない。ただし、国土交通省令で定める軽微な事項に係る変更については、この限りでない。

2　一般旅客定期航路事業者が指定区間に係るその船舶運航計画を変更しようとするときは、前項の規定にかかわらず、国土交通省令の定める手続により、国土交通大臣の認可を受けなければならない。ただし、国土交通省令で定める軽微な事項に係る変更については、この限りでない。

3　第4条（第6号に係るものに限る。）の規定は、前項の認可について準用する。

4　一般旅客定期航路事業者は、第1項ただし書又は第2項ただし書の事項について船舶運航計画を変更したときは、遅滞なく、国土交通大臣にその旨を届け出なければならない。

（事業の休廃止の届出）
第15条　一般旅客定期航路事業者は、その事業を休止し、又は廃止しようとするときは、国土交通省令の定める手続により、休止又は廃止の日の30日前までに、国土交通大臣にその旨を届け出なければならない。

2　一般旅客定期航路事業者は、指定区間に係るその事業を休止し、又は廃止しようとするとき（利用者の利便を阻害しないと認められる国土交通省令で定める場合を除く。）は、前項の規定にかかわらず、国土交通省令の定める手続により、休止又は廃止の日の6月前までに、国土交通大臣にその旨を届け出なければならない。

（事業の停止及び許可の取消し）
第16条　国土交通大臣は、一般旅客定期航路事業者が次の各号のいずれかに該当するときは、当該事業の停止を命じ、又は許可を取り消すことができる。
　一　この法律若しくはこれに基づく処分又は許可若しくは認可に付した条件に違反したとき。
　二　船舶安全法（昭和8年法律第11号）又は船舶職員及び小型船舶操縦者法（昭和26年法律第149号）の規定に違反したとき。
　三　正当な理由がないのに許可又は認可を受けた事項を実施しないとき。
　四　第5条各号のいずれかに該当することとなったとき。

（サービスの改善及び輸送の安全の確保に関する命令）
第19条　国土交通大臣は、一般旅客定期航路事業者の事業について利用者の利便その他公共の利益を阻害している事実があると認めるときは、当該一般旅

客定期航路事業者に対し、次の各号に掲げる事項を命ずることができる。
一　運賃の上限を変更すること。
二　運送約款を変更すること。
三　事業計画を変更すること。
四　船舶運航計画を変更すること。
2　国土交通大臣は、一般旅客定期航路事業者の事業について輸送の安全を阻害している事実があると認めるときは、当該一般旅客定期航路事業者に対し、輸送施設の改善、事業計画の変更、安全管理規程の遵守その他の輸送の安全を確保するため必要な措置をとるべきことを命ずることができる。

(聴聞の特例)
第45条の6　地方運輸局長は、その権限に属する一般旅客定期航路事業、特定旅客定期航路事業又は旅客不定期航路事業の停止の命令をしようとするときは、行政手続法(平成5年法律第88号)第13条第1項の規定による意見陳述のための手続の区分にかかわらず、聴聞を行わなければならない。
2　前項に規定する処分又は地方運輸局長の権限に属する一般旅客定期航路事業、特定旅客定期航路事業若しくは旅客不定期航路事業の許可の取消しの処分に係る聴聞の主宰者は、行政手続法第17条第1項の規定により当該処分に係る利害関係人が当該聴聞に関する手続に参加することを求めたときは、これを許可しなければならない。
3　前項の聴聞の主宰者は、聴聞の期日において必要があると認めるときは、参考人の出頭を求めて意見を聴取することができる。

【資料2　指定区間P島のサービス基準】
運航日程　2日
運行回数　2日で1往復
旅客　200人
乗用車　20台

◆ 解説 ◆

1．出題の意図

　民間企業が行う事業は、「業法」と呼ばれる業種ごとの個別法によって規制されることが多い。これらの個別法の規制により、民間企業は、行政から許認可や免許を受けなければ事業を行うことができない。また、法令や処分に違反した場合には、業務停止命令や許認可取消しといった行政からの監督処分を受けるが、これらの多くは典型的な不利益処分（行手2条4号）である。民間の事業に対してどのような規制を行うかは、個別法によって異なり、例えば、許可制がとられることもあれば、届出制がとられることもある。最近では少なくなっているが、本来の自由を回復させるとされる講学上の「**許可**」とは異なり、特別な地位や権利を与える講学上の「**特許**」という手法がとられることもある。

　本問は、個別法によって規制を受ける事業者が、行政から監督処分を受けた場合、訴訟上どのような救済手段が考えられるかということや、どのような違法事由を主張できるかを考えてもらう問題である。設問1は、提起すべき訴訟として、取消訴訟が考えられる場合なので、仮の救済手段として執行停止（行訴25条2項）が考えられる。ここでは執行停止の要件を、行訴法の示す考慮事項（行訴25条3項）に沿って、具体的に検討できているかがポイントとなる。設問2は、処分の第三者が訴訟を提起する場合なので、取消訴訟の原告適格を検討することが要求される。

　本問の素材としたのは、福岡高決平17・5・31判タ1186号110頁であるが、事案にはやや変更を加えている。なお、本件については、その後国家賠償請求が行われたが、事業停止処分等は違法ではないとして請求は棄却された（東京地判平22・5・26判タ1364号134頁）。

2．海上運送法の仕組み

　公共交通機関は、伝統的な行政法学によれば、行政による厳しい統

制を受け、いわゆる特許事業と考えられることが多かった。1999年の改正以前の海上運送法も、フェリー等の一般旅客定期航路事業を行うためには「免許」を必要とし、免許基準として、「当該事業の開始によって当該航路に係る全供給輸送力が全輸送需要に対し著しく供給過剰にならないこと」（改正前の海上運送法4条1号）といういわゆる**需給調整規定**を置き、講学上の特許としての性格が見られるものであった（園部敏＝植村栄治『交通法・通信法〔新版〕』〔有斐閣、1984年〕125頁。また、許可と特許について、曽和俊文『行政法総論を学ぶ』〔有斐閣、2014年〕142頁以下参照）。しかし、現在の海上運送法は、規制緩和により、法改正がされ、需給調整規定が削除され、また、法律の文言も「免許」から「許可」に変更されている。現在ではむしろ許可制が採用されているということになるのであろう。

　もっとも、海上運送のような公共交通機関は、民間企業の自由な経済活動に委ね、行政による関与は事後的な監督を中心とすると、これらの交通機関に依拠して生活している住民の利益を大きく損なうことがありうる。とりわけ海上交通については他に交通手段のない離島に居住する住民に大きな影響を与えることになる。そこで、1999年の法改正の際に、離島等の区間に当たる指定区間（法2条11項）については許可に際して特別な要件を課すこととされた（法4条6号）。また、同改正により事業の廃止についても許可制から届出制に改められたが、届出から廃止までの期間について、通常の区間は30日であるのに、指定区間については6カ月と加重している（法15条2項）。これらの仕組みによって、改正された海上運送法は、規制緩和の影響を受けながらも、離島住民の生活にとって必要不可欠な海上交通サービスを一定程度確保しようとしていると考えることができる。

3．設問1-1――A社がとる救済手段

　それでは、以上の点を踏まえて各設問を考えていくこととしよう。

(1) 提起すべき訴訟と被告
　本件処分はA社に対する不利益処分であり、本件処分が「行政庁の

処分その他公権力の行使に当たる行為」（行訴3条2項）に該当することは明らかである。したがって、A社は本件処分の取消訴訟を提起して争うこととなる。A社は本件処分の名あて人であるから、原告適格は認められるし、また、出訴期間等の問題もないため、適法に取消訴訟を提起することができる。

また、本件処分の処分庁は、国土交通大臣から権限の委任を受けているEであるが、取消訴訟の**被告となるのはEが所属する国**である（行訴11条1項）。

(2) **仮の救済の必要性**

本問では、本件処分によって営業停止に陥ることを阻止するための法的手段の検討が要求されている。取消訴訟を提起しても、行訴法は執行不停止原則を採用しているため（行訴25条1項）、それだけでは営業停止命令の効力は影響を受けないので、仮の救済を申し立てることが必要である。上で見たように、A社が提起する訴訟は取消訴訟なので申し立てるべき仮の救済は執行停止ということになる（行訴25条2項）。

さらに述べると、**本事例のような営業停止命令というタイプの不利益処分においては、仮の救済を求めることは救済のためには不可欠**である。というのも、仮に取消訴訟のみ提起し仮の救済を申し立てなければ、本事例であれば、約2ヵ月後、A社が新たな船舶を入手することで、営業停止命令はその効力を失い、それに伴って、A社が提起する取消訴訟はその訴えの利益を喪失することになりかねない（2ヵ月以内で取消訴訟の審理が終了し判決が下される可能性は低い）。そうすると、A社は国家賠償請求訴訟によって事後的に金銭賠償を得ることはできるとしても、本件処分そのものを争うことはできなくなってしまう。そうすると結局停止期間にA社が営業を継続できる可能性が全くなくなるわけで、救済としては不十分となるからである。

(3) **執行停止の要件**

それでは、以下、執行停止の要件について検討するが、その前に、執行停止として、何の停止を求めるのかという点から考える必要がある。というのは、執行停止には、処分の効力の停止、処分の執行の停止、

手続の続行の停止の3種類があり、そのいずれかという点を明確にしておく必要があるからである。特に、「処分の効力の停止は、処分の執行又は手続の続行の停止によって目的を達することができる場合には、することができない」（行訴25条2項ただし書）とされており、効力の停止以外の2つが優先されていることには注意を要する。本事例においては、執行が行われる処分ではなく、手続の続行が予定されているわけでもない。したがって、本件処分の効力を停止することでなければA社は目的を達することができない場合に当たり、A社としては執行停止で本件処分の効力の停止を求めることとなる（第2部〔問題5〕コラム「執行停止の対象」参照）。

(ｱ) 執行停止の形式的な要件

執行停止の形式的な要件は本案訴訟が適法に提起できることであるが、本事例においては上で見たように取消訴訟を適法に提起できることは明らかである。また、執行停止が認められれば、A社は営業を継続することができるのだから、申立ての利益があるのも争いはない。したがって、本事例では、形式的な要件はさして重要ではなく、執行停止の実質的な要件が主要な争点となる。

(ｲ) 執行停止の実質的な要件——積極要件

(a) 積極要件の整理

執行停止の積極要件とされるのは、「**重大な損害を避けるため緊急の必要**」（行訴25条2項）の存在であり、「**重大な損害**」に当たるかどうかについては、「損害の回復の困難の程度を考慮するものとし、損害の性質及び程度並びに処分の内容及び性質」を勘案するとされ（行訴25条3項）、このような基準に沿って考えていくことになる。2004年改正前の行訴法は執行停止の要件として「**回復の困難な損害**」という文言を使っており、非財産的な権利利益への侵害のように、金銭賠償による救済が不可能であるか、または社会通念上金銭による損害賠償では十分な救済とはいえない場合が「回復の困難な損害」であると解されてきた。そのため、財産的な損害は、特別な場合（例えば経済的な損害によって会社が倒産するという不可逆的な損害が発生するというような場合）を除いて、「回復の困難な損害」には当たらないとされてきた。

しかし、現在の「重大な損害」（行訴25条2項）には、行訴法25条3

項の基準により、損害の程度が著しく大きく、会社が倒産するまでは至らなくともその回復が困難な場合や、会社の信頼が大きく傷つけられる場合も含まれると考えられている。また、「重大な損害」には、「処分の内容及び性質」も考慮されることとされている。これによって、従来は、執行停止の申立人の利益のみが考慮され、それ以外の第三者の利益は含まれないとの理解が一般的であったが、近時の学説からは、例えば当該処分が申立人にとどまらず、多数の人に広範な影響を与える内容や性質をもつことを考慮することができるとの考え方も見られるようになった（参照、小林久起『司法制度改革概説3　行政事件訴訟法』〔商事法務、2004年〕280頁）。このような理解によれば、「重大な損害」を生じるかどうかは、結局、当該処分を維持することを一時断念しても、なお、救済すべき利益が申立人にあるかを判断するための基準である。そうすると、当該処分が、公益を含む広範な影響を与えることを含めて、事案に応じて具体的に考慮することによって、申立人が被る損害が経済的な損害であっても「重大な損害」と評価されることもありうると考えられている。

(b)　本問へのあてはめ

以上の点を踏まえて、行訴法25条3項に沿って、A社の立場から、A社が被る損害が「重大な損害」に当たるか考えてみよう。A社が被る損害は主として経済的な損害であり、Fの発言によれば、A社が倒産するというようなものではないから、それだけでは不可逆的な性質の損害を生じるわけではない。したがって、これだけでは「重大な損害」に該当するとは言い難い。しかし、A社が被る損害は、主として経済的なものではあるが、ゴールデンウィークという売上げの多い時期に発生する多額の損害であり（「損害の性質及び程度」）、また、純粋に経済的な損害だけではなく、FによればA社の社会的信用も毀損されかねない。会社の社会的信用は一度失われると、そう簡単に回復することはできないと考えてよいであろう（「回復の困難な程度」）。

また、本件処分は利用者に多大な不便を強いる性格のものであり、離島住民を含む利用者の保護という法の目的にも反するものである（後述5）。もちろん、T社を利用することも考えられるが、T社のみではP島の住民の海上交通の需要が満たされないことは、Bの発言からも

わかることである。このように、本件処分は、海上運送法の法目的やサービス基準の趣旨に反して、多数の利用者一般に著しい不便を強いる内容の処分である。そうだとすれば、たとえ、A社の被る損害が経済的なものであるとしても、全体的には「処分の内容及び性質」を考慮して、本件処分は「重大な損害」を生じさせていると考えることができる。やや単純化しすぎることになるかもしれないが、A社の立場からの主張を図式的に示すとすれば、次の図のようになるであろう。すなわち、不可逆的な損害を生じさせない単なる経済的不利益であれば、本件処分を維持する必要性に対抗できないが（左図）、法目的に反する利用者等への不利益の発生という一種の「援軍」を併せて考慮することで、本件処分を維持する必要性に対抗しうる「重大な損害」と言うことができる、との主張となるであろう（右図）。

また、ゴールデンウィークが迫っていることから、「緊急の必要性」もあると考えられる。

(ウ) **執行停止の実質的な要件——消極要件**

その他執行停止が認められるためには、消極要件が問題になる。消極要件としては、「公共の福祉に重大な影響を及ぼすおそれがあるとき」と「本案について理由がないとみえるとき」が行訴法には規定されているが（行訴25条4項）、いずれの要件も本事例では認められないと考えられる。

4．設問1-2——本件処分の違法性

不利益処分については手続的な瑕疵が問題となることが少なくないが、本事例においては手続的な瑕疵は特に見られないので、専ら本件

処分の実体的な違法性を検討することになる。

(1) 処分要件を充足しているか

　第1に考えるべきことは、処分要件を充足しているかどうか、すなわち、本件処分は法16条1号の要件を充足しているかである。法16条1号は、法に基づく処分等に違反したことを要件としているが、本事例であれば、それは、改善命令に違反したということを意味する。改善命令は「速やか」と述べているが、A社の対応は「速やか」と言えるだろうか。たしかに、S社から廃業の連絡を受けてからであれば1年近く経過しているし、改善命令からは数カ月経過しているにもかかわらず、A社はサービス基準に適合していない。しかし、その間、A社は何ら対応を行わず放置していたのではなく、代わりの船や事業者を捜していたのである。また、改善命令を受けてからは、当初よりも早い時期に新しいフェリーを就航させるよう調整し、その旨Eにも連絡している。船の改装に時間を取られることを考え併せれば、A社の対応は「速やか」と言うべきであり、改善命令には違反していないのであるから、本件処分は要件を満たすものではなく違法であるとA社からは主張することになるであろう。

(2) Eの裁量の範囲か

　第2に、仮に本件処分が処分要件を充足しているとすれば、Eには本件処分を行うかどうかにつき一定の裁量を認めうる（効果裁量、本書ミニ講義3参照）が、それでも本件処分の違法性が認められる余地がある。次の5で見るように、法は、離島住民の生活を守ることを法目的の1つとしていることは明らかである。しかし、本件処分は、むしろ離島住民に不便を強いる性格のものであり、法目的に反する処分である。もちろん、悪質な業者に対しては厳格な処分を行うことで、改善を促すことがやむをえない場合もあろうが、A社は上でも見たように一定の対応を行っている業者であり、法目的に反する状況を引き起こしてまで本件処分を行う必要はないということもできる。また、Bの発言にもあるように、T社の存在があっても島民の不便さは解消されない。そうすると、たとえEに一定の裁量が認められるとしても、法

目的に反する行為であることから、裁量の範囲をこえていることやその濫用があるとの主張をA社が行うことが考えられるであろう（行訴30条）。あるいは、A社の対応と比較すると、厳格に過ぎる処分であるとして、法の一般原則の1つである比例原則違反を主張することも考えられる。

　本事例に挙げられた事実からは以上の2点を考えることができるであろう。

5．設問2――Bの原告適格

　Bが提起すべき訴訟は、A社と同じく本件処分の取消しを求める取消訴訟である。処分性や出訴期間については既に見たように特に問題にはならない。しかし、Bは、A社と異なり、本件処分の名あて人ではないので、原告適格の有無が争点となり、Bに「法律上の利益」（行訴9条1項）があるかどうかを、行訴法9条2項に則して検討することとなる。

　Bには、原告適格を考えるうえで大まかには2つの面がある。第1に、P島の住民としての立場である。また、Bはゴールデンウィーク中の観光客減少により、観光業者としての生業を脅かされるという立場も含まれる。第2が、「R号運行停止を回避する会」の代表としての立場である。法律上保護された利益が認められるかどうかは、これらの立場が海上運送法によって、本件処分をなす際に考慮される利益と考えられるかどうかにかかってくる。

　これらのうち、強くBの原告適格を根拠づけると考えられるのは、やはり、第1の立場であろう。法1条は、「海上運送の利用者の利益を保護」するとしているし、法4条6号の指定区間に関する制度は、資料に挙げられているサービス基準を参照すると、離島の住民の生活上の便益を保障するために設けられていると考えられる。本件処分の根拠規定である法16条1号がEの監督権限を定めるのも、このような法目的を達成するためであることは言うまでもないであろう。そうすると、Bの生活上の利益の保護は、「当該法令の趣旨及び目的」（行訴9条2項）に含まれると考えられる。さらに、本件処分によってR号が運行

できなくなれば、Bは、本事例からは必ずしも明らかではない部分もあるが、少なくとも生活上大きな不便を強いられることになり、また、生業を行ううえでも障害となると考えられる。そうすると、「当該処分において考慮されるべき利益の内容及び性質」も考慮すれば、これらの利益は法によって個別に保護された利益であり、原告適格を根拠づけると、Bからは主張することが考えられるであろう。

　第2の立場は、一種の代表訴訟を認める考え方に近いものである。判例にも、**代表出訴資格**が問題になった事件がある（最3小判平元・6・20判時1334号201頁、百選Ⅱ169、CB12-4。ただし、同判決は代表出訴資格につき消極的な立場をとっている）。このような代表的な立場で訴訟を起こすことを認める考え方も学説上はありうるが、「法律上保護された利益」説の枠組みで考える限りは、法がこのような利益を保護すると主張することは困難であろう。また、Bについては第1の立場で原告適格を肯定することが可能であることから、第2の立場を追及する必要性も乏しいということも言えよう。

　したがって、本問では第1の立場を中心にBの原告適格を認めるよう主張を構成することになる。

〔関連問題〕

　次の文章を読んで、資料を参照しながら、以下の設問に答えなさい。

　一般乗用旅客自動車運送事業者（タクシー等）であるA社は、不況により顧客が減少したため、法人の利用を促進しようとして、大口利用者向けの割引サービスを開始することとした。1カ月につき一定以上の利用がある場合には、大口利用者として料金を大幅に割り引くというものである。そこで、A社は、道路運送法9条の3に基づいて、国土交通大臣から適法に権限を委任されていた運輸局長Bに対して、料金の変更を申請した。Bは、道路運送法9条の3第2項の基準に基づいて、料金の変更申請を認可した（以下では「本件認可」と呼ぶ）。これに対して、A社の従業員であるCらは、今回の大口割引の導入によってA社の収益が悪化し、従業員の待遇が悪化するのではないかと考えている。そこで、Cは、訴訟で争うことを考え、弁護士Dの事務所に赴いた。なお、Eは、Dの事務所の弁護士で、行政訴訟を担当することが多い。

以下はDの事務所での会話である。
D：今回の大口割引の導入でA社の収益は悪化するのでしょうか。
C：経営者は、客単価は安くなってもその分仕事が増えるから大丈夫と言っていますが、不況のせいで法人の利用者が減少しているので、仕事がきつくなるだけで、むしろ収益は悪くなるのではないかと考えています。特に私たちの業界の給料は歩合制が普通なので、私たちの待遇への影響は大きいと思います。そうなると、無理に働くことで、疲労がたまり、安全運転への影響が出ることも考えられると思います。
E：道路運送法は「適正な原価」（道運9条の3第2項1号）という要件を置いていますが、タクシー業界では原価とはほとんどが人件費で占められると考えられますので、Cさんのおっしゃるとおりなら、この要件との関係で問題がある可能性がありますね。もっとも、法律がこの要件を定めたのは、ダンピングを防いでタクシー業界での過当競争を防ぐのが主な目的だったとは思いますが。
C：それに、A社が本件認可申請をした段階で、Bに意見の聴取をしてくれと言ったのですが、Bは意見聴取をしてくれませんでした。
E：意見聴取というと、道路運送法89条ですね。
C：そうです。Bは、道路運送法9条の3第2項の基準を満たしているから認可するつもりなので、意見を聞く必要はないということでした。法律に書いてあるのに、意見を聞いてくれないのはおかしいのではないでしょうか。
D：その点については、こちらから主張することができるかも含めて検討しましょう。ところで、Eさん、この場合提起する訴訟は何になりますか。
E：行訴法3条2項の取消訴訟になると思います。出訴期間等の問題はありませんので。ただし、本件認可の名あて人はA社なので原告適格は問題になりうると思います。
F：それでは、EさんにCさんの原告適格について主張できる点を整理してもらいましょう。

〔設問〕

　Cらが本件認可に対して取消訴訟を提起する場合、Cらに原告適格はあるかにつき検討しなさい。

【資料　道路運送法等（抜粋）】

○　道路運送法
（目的）
第1条　この法律は、貨物自動車運送事業法（平成元年法律第83号）と相まって、道路運送事業の運営を適正かつ合理的なものとし、並びに道路運送の分野における利用者の需要の多様化及び高度化に的確に対応したサービスの円滑かつ確実な提供を促進することにより、輸送の安全を確保し、道路運送の利用者の利益の保護及びその利便の増進を図るとともに、道路運送の総合的な発達を図り、もって公共の福祉を増進することを目的とする。

（種類）
第3条　旅客自動車運送事業の種類は、次に掲げるものとする。
　一　一般旅客自動車運送事業（特定旅客自動車運送事業以外の旅客自動車運送事業）
　　イ　一般乗合旅客自動車運送事業（乗合旅客を運送する一般旅客自動車運送事業）
　　ロ　一般貸切旅客自動車運送事業（1個の契約により国土交通省令で定める乗車定員以上の自動車を貸し切って旅客を運送する一般旅客自動車運送事業）
　　ハ　一般乗用旅客自動車運送事業（1個の契約によりロの国土交通省令で定める乗車定員未満の自動車を貸し切って旅客を運送する一般旅客自動車運送事業）
　二　（略）

（一般乗用旅客自動車運送事業の運賃及び料金）
第9条の3　一般乗用旅客自動車運送事業を経営する者（以下「一般乗用旅客自動車運送事業者」という。）は、旅客の運賃及び料金（旅客の利益に及ぼす影響が比較的小さいものとして国土交通省令で定める料金を除く。）を定め、国土交通大臣の認可を受けなければならない。これを変更しようとするときも同様とする。
2　国土交通大臣は、前項の認可をしようとするときは、次の基準によって、これをしなければならない。
　一　能率的な経営の下における適正な原価に適正な利潤を加えたものを超えないものであること。
　二　特定の旅客に対し不当な差別的取扱いをするものでないこと。
　三　他の一般旅客自動車運送事業者との間に不当な競争を引き起こすこととなるおそれがないものであること。
　四　運賃及び料金が対距離制による場合であって、国土交通大臣がその算定の基礎となる距離を定めたときは、これによるものであること。

3 　一般乗用旅客自動車運送事業者は、第1項の国土交通省令で定める料金を定めようとするときは、あらかじめ、その旨を国土交通大臣に届け出なければならない。これを変更しようとするときも同様とする。
4 　（略）
（輸送の安全等）
第27条　一般旅客自動車運送事業者は、事業計画（路線定期運行を行う一般乗合旅客自動車運送事業者にあっては、事業計画及び運行計画）の遂行に必要となる員数の運転者の確保、事業用自動車の運転者がその休憩又は睡眠のために利用することができる施設の整備、事業用自動車の運転者の適切な勤務時間及び乗務時間の設定その他の運行の管理その他事業用自動車の運転者の過労運転を防止するために必要な措置を講じなければならない。
2 　（略）
3 　前2項に規定するもののほか、一般旅客自動車運送事業者は、事業用自動車の運転者、車掌その他旅客又は公衆に接する従業員（次項において「運転者等」という。）の適切な指導監督、事業用自動車内における当該事業者の氏名又は名称の掲示その他の旅客に対する適切な情報の提供その他の輸送の安全及び旅客の利便の確保のために必要な事項として国土交通省令で定めるものを遵守しなければならない。
4 　国土交通大臣は、一般旅客自動車運送事業者が、……前3項の規定又は安全管理規程を遵守していないため輸送の安全又は旅客の利便が確保されていないと認めるときは、当該一般旅客自動車運送事業者に対し、運行管理者に対する必要な権限の付与、必要な員数の運転者の確保、施設又は運行の管理若しくは運転者等の指導監督の方法の改善、旅客に対する適切な情報の提供、当該安全管理規程の遵守その他その是正のために必要な措置を講ずべきことを命ずることができる。
5 　（略）
（利害関係人等の意見の聴取）
第89条　地方運輸局長は、その権限に属する次に掲げる事項について、必要があると認めるときは、利害関係人又は参考人の出頭を求めて意見を聴取することができる。
　一　一般乗合旅客自動車運送事業における運賃等の上限に関する認可
　二　一般乗用旅客自動車運送事業における運賃及び料金に関する認可
2 　地方運輸局長は、その権限に属する前項各号に掲げる事項について利害関係人の申請があったとき、又は国土交通大臣の権限に属する同項各号に掲げる事項若しくは旅客自動車運送事業の停止の命令若しくは許可の取消しについて国土交通大臣の指示があったときは、利害関係人又は参考人の出頭を求めて意見を聴取しなければならない。

3 前2項の意見の聴取に際しては、利害関係人に対し、証拠を提出する機会が与えられなければならない。
4 第1項及び第2項の意見の聴取に関し必要な事項は、国土交通省令で定める。

○ **道路運送法施行規則**

（利害関係人）
第56条 法第89条に規定する利害関係人（次条において「利害関係人」という。）とは、次の各号のいずれかに該当する者をいう。
　一　一般乗合旅客自動車運送事業における運賃等の上限に関する認可又は一般乗用旅客自動車運送事業における運賃及び料金に関する認可の申請者
　二　前号の申請者と競争の関係にある者
　三　利用者その他の者のうち地方運輸局長が当該事案に関し特に重大な利害関係を有すると認める者

［北村和生］

〔問題７〕 タクシーの運賃変更命令をめぐる紛争

◆ 事例 ◆

次の文章を読んで、資料を参照しながら、弁護士Cから指示を受けた弁護士Dの立場に立って、以下の設問に答えなさい。

1．A社は、道路運送法に基づく許可を受けて、甲市域交通圏を営業区域としてタクシー事業を営んでいる。

　甲市域交通圏を管轄する乙地方運輸局長Bは、甲市域交通圏における自動認可運賃（以下「本件自動認可運賃」という）を設定・公示していた（自動認可運賃制度については、【資料１】を参照）。その内容は、例えば中型車の初乗運賃（1.6 km）について、上限を730円、下限を670円（初乗距離を1.2 kmとする場合は、上限620円、下限570円）とするものであった。A社は、2009年の開業以来、本件自動認可運賃を下回る運賃で認可を受けて、タクシー事業を行ってきたところ、2014年1月8日付けで、同月14日から2015年1月13日までの間、運賃の設定（例えば中型車の初乗運賃〔1.2 km〕が520円）につき認可を受けた（以下「本件認可」という）。

2．国土交通大臣は、2014年1月24日、甲市域交通圏を「特定地域及び準特定地域における一般乗用旅客自動車運送事業の適正化及び活性化に関する特別措置法」（以下「特措法」という）3条の2所定の準特定地域に指定した。同日、特措法16条・16条の4および17条の3の規定に基づく国土交通大臣の権限を委任されているBは、以下の内容の「運賃変更命令等に関する公示」（以下「本件処分基準」という）を行った。すなわち、①事業者が特措法16条の4第1項に基づき届け出た運賃が同法16条1項に基づき指定された公定幅運賃の範囲内にない場合、当該事業者に対し、公定幅運賃に適合する運賃を届け出るよう指導を行う（状況に応じて複数回行う）。②上記指導後、正当な理由なく公定幅運賃の範囲内の運賃に設定した運賃変更届出がされない場合には、15日以内に運賃変更届出を行わなければ運賃変更命令の対象となる旨の勧告を行う。③上記勧告後15日を経過しても運賃変更届出を行わない場合には、

運賃変更命令を発動することを前提に行手法に基づき当該事業者に対し弁明書の提出の通知を行ったうえで、運賃変更届出書の提出期限として15日程度の期限を付して、運賃変更命令を発令する。④上記期限までに運賃変更届出書を提出しない場合には、再度、運賃変更届出書の提出期限として15日程度の期限を付して、運賃変更命令を発令する。⑤1回目の運賃変更命令に違反した場合、60日車（「日車」とは、日数と自動車の台数との積をいう）の自動車の使用停止処分を行う。⑥再度の運賃変更命令に違反した場合、事業許可取消処分を行う。

3．Bは、同年2月28日、特措法16条1項に基づき、適用日を同年4月1日として、甲市域交通圏におけるタクシー運賃の範囲（以下「本件公定幅運賃」という）を指定し、公示した（以下「本件指定」という）。本件公定幅運賃は、本件自動認可運賃とほぼ同じ金額（消費税増税分のみ上乗せ）になっていた。

4．A社は、同年3月28日、特措法16条の4第1項に基づき、本件認可による運賃と同一の金額の運賃をBに届け出た（以下「本件届出」という）。同年4月3日以降、BはA社に対し、電話等により、運賃を本件公定幅運賃の範囲内に変更するよう複数回の行政指導を行ったが、A社は、本件公定幅運賃は著しく不合理であると考えており、指導に従わなかった。A社は、このままではBから様々な不利益処分を受けるおそれがあるのではないかと考え、同社の社員は同月10日、弁護士Cに相談した。

〔設問〕
1．A社がBから不利益処分を受けるのを予防し、本件届出に係る運賃によって営業を続けるためには、どのような訴訟を提起し、どのような仮の救済を申し立てるべきか。考えられる手段を複数挙げ、それらが訴訟要件・申立要件を満たすか否かを検討しなさい。（70点）
2．A社は、本件指定、運賃変更命令、自動車の使用停止処分および事業許可取消処分の違法事由として、どのような主張をすることが考えられるか。想定されるBの主張も踏まえて、論じなさい。（30点）

【資料1　弁護士Cと弁護士Dの会話】

C：A社は、運賃を他社より低額にすることは経営戦略上不可欠と考えており、

何としても今の運賃のままで営業を続けたいとのことですが、運輸局から運賃を値上げするように繰り返し指導され、困って相談して来られました。訴訟を提起するとすれば、どのようなものが適切と考えますか。

D：本件指定が取消訴訟の対象となる処分に当たるか否かによって、争い方が変わってくると思いますので、まず、この点を検討する必要があるのではないでしょうか。

C：そうですね。ただ、最高裁判所の判例の考え方に従うと、本件指定の処分性は否定される可能性が高いと思われますので、その方向で主張を組み立てることにしましょう。最高裁判所の判例に照らして、本件指定が処分に当たらない理由をまとめておいてください。

D：わかりました。本件指定が処分に当たらないことを前提とすると、本件指定そのものを訴訟の対象とするよりも、A社の現在の法的地位を訴訟の対象とするか、あるいは、今後予想される特措法に基づく不利益処分を訴訟の対象とするのがよさそうですね。

C：そうですね。A社の社員の話では、運輸局から連日のように電話がかかってきて、本件公定幅運賃内の運賃を届け出るように指導され、指導に従わない場合は、本件処分基準に従って、勧告の手続を近日中にとると告げられたそうです。このような状況を踏まえて、どのような訴訟が考えられるか、また、それぞれが訴訟要件を満たすか否かについて、整理して検討してください。さらに、仮の救済についても検討してください。

D：承知しました。次に、本案の主張についてですが、タクシー運賃の規制の仕組みは、変化も激しく、非常に複雑ですね。もともとA社は、道路運送法に基づく自動認可運賃制度の下で運賃の認可を受けていたわけですが、これはどのような制度なのでしょうか。

C：タクシー事業者の運賃の認可については、すべての事業者の運賃を個別に審査することは事実上困難であることから、行政運用上の措置として、申請が出されれば自動的に認可する運賃水準の上限と下限の幅等をあらかじめ自動認可運賃として設定し、自動認可運賃の範囲内であれば道路運送法9条の3第2項の基準に適合すると合理的に推認しうるとして認可し、自動認可運賃の下限を下回る場合には、同項の基準に従って原価計算書類等を個別に審査していました。同項各号と自動認可運賃との関係についてですが、同項1号の「能率的な経営の下における適正な原価に適正な利潤を加えたものを超えないもの」として自動認可運賃の上限を定め、同項3号の「不当な競争を引き起こすこととなるおそれがないもの」として自動認可運賃の下限を定めていたものと考えられます。

　その後、2009年に特措法が制定された際に、その附則で、道路運送法9条

の3第2項1号の「能率的な経営の下における適正な原価に適正な利潤を加えたものを超えないもの」の適用については当分の間、「能率的な経営の下における適正な原価に適正な利潤を加えたもの」と読み替えられることになりました。これにより、自動認可運賃の上限・下限とも「能率的な経営の下における適正な原価に適正な利潤を加えたもの」となり、自動認可運賃の下限の設定について、従前は全国一律で上限から10％低い額とされていたものが、地域の実情に即した額（上限から概ね5％程度）に縮小されました。また、自動認可運賃の下限を下回る運賃に対する個別審査も厳格化されましたが、自動認可運賃の下限を下回っていても個別審査により認可するという制度自体は維持され、A社はこの制度の下で、自動認可運賃の下限を下回る運賃について認可を受けてきました。

D：なるほど。ところが、2013年の特措法の改正で、公定幅運賃制度が導入されたのですね。これは、どのような趣旨の制度なのでしょうか。

C：実は必ずしも明確ではないのですが、立法過程の議論などを総合すると、次のような趣旨であると考えられます。すなわち、タクシーの供給過剰状態が順調に解消されない現状に照らして、改正特措法は減車を推進しようとしているのですが、減車を強力に推進すると、タクシー事業者は収入減・運転者賃金減のリスクを負うこととなります。ところが、当該地域のタクシー事業者が減車に取り組む間に運賃値下げ競争が行われると、これによってもタクシー事業者の収入減・運転者賃金減のリスクが顕在化することになり、減車が進捗しないので、この間は運賃値下げ競争が生じないようにするため公定幅運賃制度を導入したとされています。

D：要するに、減車の推進を妨げるような過度の運賃値下げ競争を防ぐのが制度の趣旨ということですね。

C：はい。もちろん、このような特措法の枠組み自体が、事業者の営業の自由に対する不必要・不合理な制約であって違憲無効であるという主張も考えられますが、それは私の方で考えますので、今回は検討しなくて結構です。

D：わかりました。では、公定幅運賃制度の趣旨に照らすと、本件指定が本件自動認可運賃を本件公定幅運賃にスライドさせたのは不合理であり、違法であるという主張を考えてみます。また、公定幅運賃制度の趣旨に照らすと、本件処分基準が不合理である、あるいは、本件処分基準をA社に対して機械的に適用することが不合理であるという主張も考えられるように思われますので、これについても検討してみます。

C：A社は、特に近距離の運賃を低く抑えることで、従来あまりタクシーを利用しなかったお客を開拓し、業績を伸ばしています。これは、限られた需要を同業他社から奪うための運賃値下げ競争とは、一線を画するものではないで

しょうか。このようなことも考慮して、検討をお願いします。

【資料2　道路運送法（抜粋）】
（一般乗用旅客自動車運送事業の運賃及び料金）
第9条の3　一般乗用旅客自動車運送事業を経営する者（以下「一般乗用旅客自動車運送事業者」という。）は、旅客の運賃及び料金（……）を定め、国土交通大臣の認可を受けなければならない。これを変更しようとするときも同様とする。
2　国土交通大臣は、前項の認可をしようとするときは、次の基準によって、これをしなければならない。
　一　能率的な経営の下における適正な原価に適正な利潤を加えたものを超えないものであること。
　二　特定の旅客に対し不当な差別的取扱いをするものでないこと。
　三　他の一般旅客自動車運送事業者との間に不当な競争を引き起こすこととなるおそれがないものであること。
　四　（略）
3～4　（略）

【資料3　特定地域及び準特定地域における一般乗用旅客自動車運送事業の適正化及び活性化に関する特別措置法（抜粋）】
（目的）
第1条　この法律は、一般乗用旅客自動車運送が地域公共交通として重要な役割を担っており、地域の状況に応じて、地域における輸送需要に対応しつつ、地域公共交通としての機能を十分に発揮できるようにすることが重要であることに鑑み、国土交通大臣による特定地域及び準特定地域の指定並びに基本方針の策定、特定地域において組織される協議会による特定地域計画の作成並びにこれに基づく一般乗用旅客自動車運送事業者による供給輸送力の削減及び活性化措置の実施、準特定地域において組織される協議会による準特定地域計画の作成及びこれに基づく一般乗用旅客自動車運送事業者による活性化事業等の実施並びに特定地域及び準特定地域における道路運送法（……）の特例について定めることにより、特定地域及び準特定地域における一般乗用旅客自動車運送事業の適正化及び活性化を推進し、もって地域における交通の健全な発達に寄与することを目的とする。

（特定地域の指定）
第3条　国土交通大臣は、特定の地域において、一般乗用旅客自動車運送事業

が供給過剰（供給輸送力が輸送需要量に対し過剰であることをいう。以下同じ。）であると認める場合であって、当該地域における一般乗用旅客自動車運送事業の次に掲げる状況に照らして、当該地域における供給輸送力の削減をしなければ、一般乗用旅客自動車運送事業の健全な経営を維持し、並びに輸送の安全及び利用者の利便を確保することにより、その地域公共交通としての機能を十分に発揮することが困難であるため、当該地域の関係者の自主的な取組を中心として一般乗用旅客自動車運送事業の適正化及び活性化を推進することが特に必要であると認めるときは、当該特定の地域を、期間を定めて特定地域として指定することができる。
　一　事業用自動車1台当たりの収入の状況
　二　法令の違反その他の不適正な運営の状況
　三　事業用自動車の運行による事故の発生の状況
2～3　（略）
4　第1項の規定による指定……は、告示によって行う。
5～6　（略）
（準特定地域の指定）
第3条の2　国土交通大臣は、特定の地域において、一般乗用旅客自動車運送事業が供給過剰となるおそれがあると認める場合であって、当該地域における一般乗用旅客自動車運送事業の前条第1項各号に掲げる状況に照らして、当該地域の輸送需要に的確に対応しなければ、一般乗用旅客自動車運送事業の健全な経営を維持し、並びに輸送の安全及び利用者の利便を確保することにより、その地域公共交通としての機能を十分に発揮することができなくなるおそれがあるため、当該地域の関係者の自主的な取組を中心として一般乗用旅客自動車運送事業の適正化及び活性化を推進することが必要であると認めるときは、当該特定の地域を、期間を定めて準特定地域として指定することができる。
2　前条第2項から第6項までの規定は、前項の規定による指定について準用する。
（運賃の範囲の指定）
第16条　国土交通大臣は、第3条第1項又は第3条の2第1項の規定により特定地域又は準特定地域を指定した場合には、……当該特定地域又は準特定地域における一般乗用旅客自動車運送事業に係る旅客の運賃（……）の範囲を指定し、当該運賃の範囲を、その適用の日の国土交通省令で定める日数前までに、公表しなければならない。これを変更しようとするときも、同様とする。
2　前項の規定により指定する運賃の範囲は、次に掲げる基準に適合するものでなければならない。

一　能率的な経営を行う標準的な一般乗用旅客自動車運送事業者が行う一般乗用旅客自動車運送事業に係る適正な原価に適正な利潤を加えた運賃を標準とすること。
　二　特定の旅客に対し不当な差別的取扱いをするものでないこと。
　三　……一般旅客自動車運送事業者の間に不当な競争を引き起こすこととなるおそれがないものであること。
3　（略）
（道路運送法の特例）
第16条の3　道路運送法第9条の3の規定は、第16条第1項の運賃の範囲が適用された特定地域及び準特定地域における一般乗用旅客自動車運送事業に係る旅客の運賃には、適用しない。
（運賃の届出等）
第16条の4　第16条第1項の規定により運賃の範囲が公表された特定地域又は準特定地域内に営業所を有する一般乗用旅客自動車運送事業者は、当該運賃の範囲の適用後に当該特定地域又は準特定地域において行う一般乗用旅客自動車運送事業に係る旅客の運賃を定め、あらかじめ、国土交通大臣に届け出なければならない。これを変更しようとするときも、同様とする。
2　前項の運賃は、当該特定地域又は準特定地域について第16条第1項の規定により指定された運賃の範囲内で定めなければならない。
3　国土交通大臣は、第1項の規定により届け出られた運賃が、前項の規定に適合しないと認めるときは、当該一般乗用旅客自動車運送事業者に対し、期間を定めてその運賃を変更すべきことを命ずることができる。
4～9　（略）
（許可の取消し等）
第17条の3　国土交通大臣は、一般乗用旅客自動車運送事業者がこの法律又はこの法律に基づく命令若しくは処分に違反したときは、6月以内の期間を定めて輸送施設の当該一般乗用旅客自動車運送事業のための使用の停止若しくは一般乗用旅客自動車運送事業の停止を命じ、又は許可を取り消すことができる。
2　（略）
（権限の委任）
第18条　この法律に規定する国土交通大臣の権限は、国土交通省令で定めるところにより、地方運輸局長に委任することができる。
第20条の2　次の各号のいずれかに該当する者は、1年以下の懲役若しくは150万円以下の罰金に処し、又はこれを併科する。
　一　（略）

二　第17条の3第1項の規定による輸送施設の使用の停止又は一般乗用旅客自動車運送事業の停止の処分に違反した者

第20条の3　次の各号のいずれかに該当する者は、100万円以下の罰金に処する。

　一〜二　（略）

　三　第16条の4第1項の規定による届出をしないで、又は同項の規定により届け出た運賃によらないで、運賃を収受した者

　四　第16条の4第3項の規定による命令に違反して、運賃を収受した者

　五〜七　（略）

◆ 解説 ◆

1．出題の意図

　本問は、大阪地決平26・5・23裁判所ウェブサイトおよび大阪高決平27・1・7判時2264号36頁等をモデルとしている。タクシー事業については規制緩和が進められてきたが、近時、逆に規制を強化する動きがあり、それをめぐる訴訟が多数提起されている。こうしたなかで、上記大阪地決・大阪高決を含め、タクシー特措法に基づく不利益処分の仮の差止めを認める裁判所の決定が相次ぎ、注目される。本問は、これらの裁判例を素材として、規制の仕組みやそれに対する救済方法についての理解を深めようとするものである。
　設問1は、行政の行為（本件指定による公定幅運賃の指定）により一定の義務付けがなされ、その違反に対して比較的短期間のうちに不利益処分が反復継続的かつ累積加重的に行われる旨の**処分基準**（本件処分基準）が設定されている場合に、前提となる義務賦課の違法性を主張して、当該義務違反を理由とする不利益処分を予防するとともに、当該義務を負わないことを確認するには、どのような法的手段をとるのが適切かを問うものである。最1小判平24・2・9民集66巻2号183頁（東京都教職員国旗国歌訴訟、百選Ⅱ207、CB15-5。以下「平成24年最判」という）の事案との類似性に気づき、この判例を応用できるかどうかが鍵となる。前提となる行政による義務付け（本件指定）の処分性を検討したうえで、本件指定による義務に違反したことを理由とする不利益処分の**差止訴訟**および事業者の現在の法的地位（本件指定による義務を負わず、従前の運賃を適法に収受しうること）の**確認訴訟**（公法上の当事者訴訟）について、訴訟要件の充足の有無を検討することが求められる。さらに、本問では仮の救済についても問われている。
　設問2は、タクシー運賃の規制の法的仕組みを、問題文の説明および参照条文から読み取ったうえで、その運用における違法性の主張を構成できるかを試すものである。従前の自動認可運賃制度および特措法により導入された公定幅運賃制度について、それぞれの内容および両者の関係を正確に理解することが前提となる。前者は認可制、後者

は届出制であるが、前者においては自動認可運賃を下回る申請に対しても個別審査により認可がなされるのに対し、後者においては一定の公定幅での運賃を届け出ることが義務付けられ、違反に対して運賃変更命令等の不利益処分が予定されていることから、運賃を低額に設定しようとする事業者にとっては、後者の方が厳しい規制であると解される。このことを前提に、自動認可運賃を公定幅運賃にスライドさせることの違法性を論じることが求められる。さらに、**裁量基準の合理性**と**個別事情考慮義務**との関係（第１部〔問題３〕）についても、本問を通じて理解してほしい。

２．設問１――不利益処分を予防する法的手段

(1) 本件指定の処分性

　仮に本件指定に処分性が認められるとすれば、本件指定の違法性については、本件指定の取消訴訟によって争いうるとともに、それ以外の争い方は制限されるから、まず、この点を検討する必要がある。本問では、判例に照らして処分性を否定する方向で論ずべきことが【資料１】で指示されているので、特定の名あて人のいない**一般的行為の処分性**に関する判例の事案と比較しつつ、本件指定の処分性が否定される論拠を挙げるべきである。

　本件指定は、法律（特措16条１項）に基づくものであり、これにより、当該準特定地域内に営業所を有する事業者は、指定された運賃の範囲内で運賃を定めて届け出なければならないという**法的効果**が生ずる（同16条の４第１項・２項）。しかし、そのような効果は、あたかも新たに上記のような制約を課する法令が制定された場合におけるのと同様の、当該地域内に営業所を有する（本件指定後に新たに参入する事業者を含む）**不特定多数者に対する一般的抽象的**なそれにすぎず、特定の者に直接具体的な義務を課すものではないから、処分に当たらないと解される（最１小判昭57・４・22民集36巻４号705頁〔百選Ⅱ153、CB11-6〕参照）。なお、このように解しても、後掲(2)および(3)の訴訟において本件指定の違法性を争うことができるから、**実効的な権利救済**に欠けるところはないと解される。

(2) 運賃変更命令・自動車使用停止処分・事業許可取消処分の差止訴訟

まず、運賃変更命令、自動車使用停止処分、事業許可取消処分それぞれにつき、**差止訴訟**の提起が考えられる。

(ア) **一定の処分がされる蓋然性**（行訴3条7項）

本件処分基準によると、事業者の届出運賃が公定幅運賃の範囲内にない場合、①（複数回の）行政指導、②勧告、③運賃変更命令、④再度の運賃変更命令、⑤運賃変更命令違反に対する60日車の自動車使用停止処分、⑥再度の運賃変更命令違反に対する事業許可取消処分が予定されている。②③④については、それぞれ15日程度の期限を付することとされているため、それぞれ15日程度で違反状態が生じ、次の段階の処分手続に移行することになる。③④⑤については行手法に基づく弁明の機会の付与の手続を、⑥については聴聞手続をとらなければならない（行手13条1項）ため、違反状態が生じてから直ちに処分が行われるわけではないが、それでも、比較的短期間のうちに、③④⑤⑥の処分が**反復継続的・累積加重的**に課されていくことが予定されている。

もっとも、仮に、本件処分基準が一定の期間の経過のみにより機械的に処分を課す趣旨ではなく、個別の事情を考慮して処分をするか否かを行政庁に判断させる趣旨であり、Bがそのような運用をするとすると（この点については後掲3(2)参照）、一定の処分がされる蓋然性が認められない可能性がある。これについては、本問ではまだ制度の運用が始まったばかりであるため、Bによる事業者一般に対する運賃変更命令等の運用状況を参考にすることができない。しかし、一方で、本件処分基準の文言上は、違反事実と一定期間の経過のみを基準として処分を行うこととされており、Bは本件公定幅運賃の適用日の直後から、A社に対して繰り返し指導を行い、近日中に勧告を行う旨を告げるなど、本件処分基準を積極的に適用する姿勢を見せていること、他方で、A社は本件公定幅運賃が著しく不合理であると考えており、運賃変更命令が発せられても従う可能性が低いと考えられることからすると、A社に対する運賃変更命令、自動車使用停止処分および事業許可取消処分がされる蓋然性が認められると解される。

なお、上記のとおり処分が特定されていれば、裁判所の判断が可能

な程度に特定されているといえるから、「一定の」処分の要件も満たすと解される。

(イ) **重大な損害を生ずるおそれ**（行訴37条の4第1項・2項）

　差止訴訟は、いわば前倒しの取消訴訟であり、「行政庁が処分をする前に裁判所が事前にその適法性を判断して差止めを命ずるのは、国民の権利利益の実効的な救済及び司法と行政の権能の適切な均衡の双方の観点から、そのような判断と措置を事前に行わなければならないだけの救済の必要性がある場合であることを要するものと解される。したがって、……『重大な損害を生ずるおそれ』があると認められるためには、処分がされることにより生ずるおそれのある損害が、処分がされた後に**取消訴訟**等を提起して**執行停止**の決定を受けることなどにより**容易に救済を受けることができる**ものではなく、処分がされる前に差止めを命ずる方法によるのでなければ救済を受けることが困難なものであることを要する」（平成24年最判）。

　これを本問について見ると、運賃変更命令の発令から同命令に違反する状態が生じるまでの期間も短く、また、短期間のうちに同命令に違反したことを理由として自動車使用停止処分や事業許可取消処分にまで至るうえ、運賃変更命令に違反して運賃を収受した場合には刑事罰を科されるのであって、短期間のうちに**反復継続的**かつ**累積加重的**に処分がされることによって、A社は本件運賃変更命令に沿わないタクシー事業の遂行を禁じられることとなる。そして、それが相当期間に及ぶと事業回復は著しく困難となり、その期間が伸びるほど、困難度は増し、また、不利益処分および刑事罰を受けることで**社会的信用**が失墜する。このような損害は、処分がされた後に取消訴訟等を提起して執行停止の決定を受けることなどにより容易に救済を受けることができるものではない。よって、「重大な損害を生ずるおそれ」が認められる。

(ウ) **補充性**（行訴37条の4第1項ただし書）

　この要件は、ただし書として規定されていることから、例外的な場合に限られると解すべきであり、差止めを求める処分（後行処分）の前提となる先行処分があって、先行処分の取消訴訟を提起すれば、当然に後行処分をすることができないことが法令上定められているような

場合を指すと解される（第2部〔問題4〕**2**(3)(ウ)）。

本問では、上記のような法令上の定めがあるわけではないが、自動車使用停止処分および事業許可取消処分は、いずれも運賃変更命令違反を理由とするものであるので、A社が運賃変更命令の差止訴訟または（同命令が既にされた場合には）取消訴訟を提起し、請求が認容されれば（あるいは、仮の差止めまたは執行停止が認められれば）、Bは自動車使用停止処分および事業許可取消処分をすることはできなくなる。したがって、それらの手段との関係で、自動車使用停止処分および事業許可取消処分の差止訴訟については、補充性の要件を満たさないとされる可能性がある。もっとも、A社がそれらの手段をとったとしても、認容判決・決定が確定するまでは、Bは自動車使用停止処分および事業許可取消処分ができなくなるわけではないので、短期間のうちに自動車使用停止処分および事業許可取消処分にまで至るとされている本件処分基準の下では、補充性の要件を満たすとも考えられる。

(3) 仮の救済——仮の差止め

仮の救済としては、**仮の差止め**（行訴37条の5第2項～4項）を申し立てるべきである。仮の差止めの積極要件は、①差止訴訟の提起（適法な本案訴訟の係属）、②「償うことのできない損害を避けるため緊急の必要」があること、および、③「本案について理由があるとみえる」ことである（行訴37条の5第2項）。消極要件は、④「公共の福祉に重大な影響を及ぼすおそれがある」ことである（同3項）。

これを本問について見ると、①については、上記(2)のとおり、認められる。②については、「ひとたび違法な処分がされてしまえば、当該申立人の法的利益が侵害され、その侵害を回復するのに後の金銭賠償によることが不可能であるか、社会通念に照らしてこれのみによることが著しく不相当と認められることが必要であり、損害を回復するために金銭賠償によることが不相当でない場合や、処分が後に取消判決によって取り消され、又は執行停止の決定により処分の効力、処分の続行又は手続の続行が停止されることによって損害が回復され得るような場合には、上記要件を充足しない」（前掲・大阪地決平26・5・23）と解されるところ、本問では、上記(2)(イ)で述べたことから、認められ

ると解される。もっとも、自動車使用停止処分および事業許可取消処分の仮の差止めについては、その前提となる運賃変更命令がまだ発せられていない現段階では、緊急回避の必要性を欠き、②の要件を満たさないと解する余地もある。③については後掲3を参照。④の消極要件については、本問では特に該当する事情もなく、該当しないと解される。

(4) **A社が本件届出に係る運賃によって適法に営業を行いうる地位を有することの確認訴訟**

次に、A社の現在の法的地位を確認する訴訟として、A社が本件届出に係る運賃によって適法に営業を行いうる地位を有することの**確認訴訟**が考えられる。

平成24年最判は、確認訴訟が**将来の処分の予防**を目的とする場合には、**法定外抗告訴訟**として位置づけられるとしたうえで、当該事案では法定抗告訴訟である差止訴訟が可能なので、事前救済の争訟方法としての補充性の要件を欠き、不適法であるとした。

他方、最2小判平25・1・11民集67巻1号1頁（医薬品ネット販売権確認等請求事件、百選Ⅰ50、CB1-10）は、省令の規定により特定の事業を禁止されている事業者が当該規定の無効を主張して当該事業を行うことができる地位の確認を求める訴えについて、公法上の当事者訴訟として確認の利益および法律上の争訟性が肯定され適法であるとした原審の判断を前提として、本案の判断をしている。当該訴えは、省令の規定により営業活動の制限を受けることによる**営業損害の発生・拡大の予防**を主たる目的とするものであって、省令違反を理由とする**将来の不利益処分の予防を主たる目的とするものではない**と解されることが、上記平成24年最判の事案との違いであると考えられる（岩井伸晃＝須賀康太郎・最判解民事篇平成24年度(上)107頁、148頁参照）。

本問においても、将来の運賃変更命令等の予防を主たる目的とする訴えではなく、本件届出に係る運賃によって営業が行えないことによる損害の発生・拡大の予防を主たる目的とする訴えと捉えることにより、公法上の当事者訴訟たる確認訴訟として適法とされうると解される。

ただし、確認訴訟の訴訟要件として、**確認の利益**が認められる必要

があり、特に、即時確定の必要性があるかが問題となる。本問では、A社は、特に近距離の運賃を低く抑えることで、従来あまりタクシーを利用しなかった顧客を開拓して業績を伸ばしており、従前の運賃を維持することは経営戦略上不可欠であるところ、本件指定により、公定幅運賃内への運賃値上げを義務付けられ（特措16条の4第2項）、連日行政指導されたうえ、近日中に本件処分基準に従った勧告の手続に移行することを通告されて、従前の運賃で営業するというA社の法的地位に現実的かつ具体的な危険が及んでいる。A社が本件指定による公定幅運賃内への運賃値上げを余儀なくされ、その状態が継続すると、A社は経営戦略の核心を奪われ、これまで開拓してきた顧客を失うという損害が発生し拡大していくことにより、A社の倒産にも至りかねず、事後的な損害の回復が著しく困難になることから、即時確定の必要性が認められると解される。

(5) 仮の救済——仮地位仮処分

仮の救済としては、民事保全法23条2項に基づき、A社が本件届出に係る運賃によって適法に営業を行いうる**地位を仮に定める仮処分**を申し立てることが考えられる。申立要件は、「争いがある権利関係について債権者に生ずる著しい損害又は急迫の危険を避けるためこれを必要とするとき」と規定されている。A社が本件指定による公定幅運賃内への運賃値上げを余儀なくされ、これまで開拓してきた顧客を失うという損害が発生し拡大していくことにより、A社の倒産にも至りかねず、事後的な損害の回復が著しく困難になることから、この要件を満たすと解される。

なお、行訴法44条にいう仮処分の排除は、公権力の行使（処分）に関わらない当事者訴訟には適用されないと解されるから、上記の仮処分を認めることは同条に反しないと考えられる。

3．設問2——本件指定および運賃変更命令等の違法事由

(1) 本件指定の違法事由

Bとしては、本件指定が適法であることの理由として、次のような

主張をすることが考えられる。特措法16条2項が、公定幅運賃の指定の基準を抽象的・概括的に定め、具体的な額に関して何らの規定を置いていないのは、地方運輸局長の**専門技術的裁量**を認める趣旨と解される。そして、特措法が公定幅運賃制度を定めた趣旨は、従前の自動認可運賃制度の継続では供給過剰の解消が進まないため、供給過剰状態にある特定地域やそのおそれがある準特定地域について、一定期間、運賃の値下げ競争を中断ないし予防するため、自動認可運賃制度の下での下限割れ運賃による営業を規制する点にあるから、公定幅運賃の範囲を自動認可運賃の範囲と同様とすることは、同法の趣旨に沿うものであって、地方運輸局長の裁量の範囲内である。

これに対し、Aとしては、以下のように反論することが考えられる。公定幅運賃の具体的な額の設定に地方運輸局長の裁量が認められるとしても、その判断は公定幅運賃制度の趣旨に照らして合理的なものでなければならず、その判断要素の選択や**判断過程が合理性を欠く**結果、その判断が社会観念上著しく妥当を欠く場合には、裁量権の逸脱または濫用として違法となる。そして、自動認可運賃は、道路運送法上の認可基準に適合することが合理的に推認される一定の範囲内の運賃については、申請が出されれば自動的に認可することとした行政運用上の措置にすぎず、自動認可運賃の範囲内にない運賃であっても法令に則り個別に審査してその適否の判断がされていたのに対し、公定幅運賃は、減車の推進を妨げるような過度の運賃値下げ競争を防ぐため、公定幅の範囲内にない運賃による営業を、行政処分やその違反に対する罰則によって厳しく禁じるものである。ところが、本件指定は、このような両者の趣旨や法的位置づけの差異を踏まえておらず、自動認可運賃の下限を下回る運賃が減車の推進を妨げるような過度の運賃値下げ競争の原因になるかどうかを考慮することなく、自動認可運賃の範囲を公定幅運賃の範囲にスライドさせたものであり、判断要素の選択や判断過程が合理性を欠き、その結果、その判断が社会観念上著しく妥当を欠くものとして、裁量権の逸脱または濫用に当たり違法である。

(2) **運賃変更命令等の違法事由**

Bとしては、運賃変更命令等が適法であることの理由として、次の

ような主張をすることが考えられる。特措法16条の4第1項・2項は、公定幅運賃が指定されている地域で営業を行う事業者に対し、公定幅運賃の範囲内で定めた運賃の届出を義務付けている。また、同条3項は、届け出られた運賃が公定幅運賃の範囲内にないことのみを運賃変更命令の要件としており、それ以上に要件を加重していない。したがって、同法は、公定幅運賃が指定されている地域で営業を行う事業者に対しては一律に公定幅運賃内での営業を義務付け、違反に対しては運賃変更命令等により是正させることを予定していると解される。そうすると、本件処分基準は、同法の趣旨に沿った合理的なものであり、これに従ってAに対して運賃変更命令等を発することは、何ら違法ではない。

　これに対し、Aとしては、以下のように反論することが考えられる。公定幅運賃制度は、減車の推進を妨げるような過度の運賃値下げ競争を防ぐ趣旨と解されること、および、同制度がタクシー事業者の営業の自由と抵触するおそれがあるものであり、同制度を憲法適合的に解釈する必要があることからすると、公定幅運賃の下限を下回る届出をした事業者に対して、**個別の事情を考慮**せずに一律に運賃変更命令を発するのではなく、当該届出に係る運賃が、減車の推進を妨げるような過度の運賃値下げ競争の原因となるかどうかを個別に判断したうえで、運賃変更命令を発するか否かを決定すべきである。そうすると、仮に本件処分基準が公定幅運賃の下限を下回る届出をした事業者に対して一律かつ機械的に運賃変更命令を発すべきとの趣旨であるとすると、**裁量権行使の基準として不合理**である。そこで、本件処分基準は、個別の事情を考慮して運賃変更命令を発しないことを許容する趣旨と解すべきであり、そのような考慮をすることなく本件処分基準に従って機械的に運賃変更命令を発することは、考慮不尽であって、特措法が処分行政庁に与えた裁量の範囲を逸脱または濫用するものとして違法である。

　以上を本件について見ると、A社は、特に近距離の運賃を低く抑えることで、従来あまりタクシーを利用しなかったお客を開拓しているのであり、限られた需要を同業他社から奪うための運賃値下げ競争とは性質が異なる。したがって、そのような事情を考慮することなく、本件処分基準に従って機械的にA社に対し運賃変更命令を発すること

は、裁量権の逸脱または濫用として違法である。

そうすると、本件運賃変更命令違反を理由とする自動車使用停止処分および事業許可取消処分も違法となる。

コラム　タクシー運賃の規制の変遷と判例

　タクシー運賃の規制について、2009年の特措法制定以降の規制強化の動きについては、【資料1】のCの発言にまとめられているが、それ以前の状況について、ここで紹介する。

　1993年以前は、同一地域においては各タクシー事業者のタクシー運賃をすべて同一にする「同一地域同一運賃原則」がとられていた。しかし、これは、法律の明文の規定に基づくものではなく、運賃認可基準として「能率的な経営の下における適正な原価を償い、かつ、適正な利潤を含むもの」と定める当時の道路運送法の下で、運輸省の通達に基づく運用として行われていたものであったため、その適法性が問題となった。大阪地判昭60・1・31判時1143号46頁（MKタクシー運賃値下申請却下処分取消請求事件）は、「同一地域同一運賃原則」の下では、各タクシー事業者の経営内容に格差がある場合においても、経営内容の悪いタクシー業者の運賃値上げを認可すれば、経営内容がよくて必ずしも運賃値上げの必要のないタクシー事業者の運賃値上げを認可することになるから、道路運送法に反するとした。他にも「同一地域同一運賃原則」を否定する判決が続き、一般的な規制緩和の動向の影響もあって、1993年に同原則は廃止された。

　その後は、平均原価方式により算定された額を同一地域内の運賃認可の基準とし、当該額による認可申請については特段の事情のない限り法に適合していると判断する一方、事業者が上記方式による額と異なる運賃額を認可申請し、その算出基礎を記載した書類を提出した場合には、法適合性を個別に審査することとされた。この方式について、最1小判平11・7・19判時1688号123頁（三菱タクシーグループ運賃値上げ事件、百選Ⅰ72、CB8-5）は、適法と認めている。

　1997年以降は、【資料1】のCの発言にあるように、一定の幅（当初は10％）の範囲内であれば自動的に認可する自動認可運賃制度がとられるようになった。

〔関連問題〕

　甲県に存する乙川の河川管理者である甲県知事は、乙川につき、河川法6条1項3号に基づく河川区域の指定（以下「本件指定」という）を行い、公示した。本件指定は、縮尺2,500分の1の地図に河川区域の境界を示した図面によって行われた。Aは、乙川流水域の自己所有地（以下「本件土地」という）において盛土（以下「本件盛土」という）をし、野菜の栽培

を行っていたところ、甲県知事は、本件盛土がされた本件土地の箇所（以下「本件箇所」という）が本件指定による河川区域内にあるとして、Aに対し、本件盛土の除却命令（以下「本件命令」という）を発した。しかし、Aは、本件箇所は本件指定による河川区域の境界線から至近距離にあるものの、本件指定による河川区域外にあると主張して、本件命令に従わなかった。Aは、本件命令について訴訟で争うことも検討していたが、Aが訴訟を提起する前に、甲県知事は、本件箇所が本件指定による河川区域内にあることを前提として、行政代執行法に基づき、本件盛土を除却した。

　Aは、本件箇所が本件指定による河川区域外にあることを前提として、今後も本件箇所で盛土を行いたいと考えている。Aは、本件箇所が本件指定による河川区域外にあることを明確にし、本件箇所において適法に盛土を行うため、どのような訴訟を提起すべきか。

【資料　河川法（抜粋）】

（河川区域）

第6条　この法律において「河川区域」とは、次の各号に掲げる区域をいう。
　一　河川の流水が継続して存する土地及び地形、草木の生茂の状況その他その状況が河川の流水が継続して存する土地に類する状況を呈している土地（……）の区域
　二　（略）
　三　堤外の土地（……）の区域のうち、第1号に掲げる区域と一体として管理を行う必要があるものとして河川管理者が指定した区域〔注：「堤外の土地」とは、堤防から見て流水の存する側の土地をいう〕

2～3　（略）

4　河川管理者は、第1項第3号の区域……を指定するときは、国土交通省令で定めるところにより、その旨を公示しなければならない。これを変更し、又は廃止するときも、同様とする。

5～6　（略）

（土地の掘削等の許可）

第27条　河川区域内の土地において土地の掘削、盛土若しくは切土その他土地の形状を変更する行為……をしようとする者は、国土交通省令で定めるところにより、河川管理者の許可を受けなければならない。（ただし書略）

2～6　（略）

（河川管理者の監督処分）

第75条　河川管理者は、次の各号のいずれかに該当する者に対して、……工事その他の行為の中止、……工事その他の行為……により生じた若しくは生ずべき損害を除去し、……若しくは河川を原状に回復することを命ずることができる。
　一　この法律……の規定……に違反した者（以下略）
　二～三　（略）
2～10（略）

第102条　次の各号のいずれかに該当する者は、1年以下の懲役又は50万円以下の罰金に処する。
　一～二　（略）
　三　第27条第1項の規定に違反して、土地の掘削、盛土若しくは切土その他土地の形状を変更する行為をし……た者

〈ヒント〉
　横川川事件（最3小判平元・7・4判時1336号86頁、CB15-2）の事案と類似するが、同事件では、河川法6条1項1号の河川区域該当性が問題となったのに対し、本問では、同項3号の指定による河川区域該当性が問題となっている点に注意してほしい。また、横川川事件判決自体についても、2004年行訴法改正や、本文解説で触れた前掲・最1小判平24・2・9等を受けて、現時点でどのように考えるべきか、検討していただきたい。

[中原茂樹]

〔問題8〕不当表示をめぐる紛争

◆ 事例 ◆

次の文章を読んで、資料を参照しながら、以下の設問に答えなさい。

1. A社は、同社が提供する窓用の遮熱フィルムの施工サービス（以下「本件役務」という）について、2020年4月1日から同年9月30日までに送付したダイレクトメールおよび配布したチラシにおいて、「赤外線を90％以上カット※」「室温の上昇を抑える！ 最大－5.4℃※ 空調効率アップ！」「家具や床など色褪せの原因になる有害な紫外線を99％以上カット※」「外観や眺望が悪くなることはありません。可視光線透過性82％以上※」「※いずれの数値もB社（フィルムメーカー）調べ」などと記載していた。これらの記載について、A社は、本件役務で用いる遮熱フィルムを製造しているB社から、B社の研究所における実験の結果に基づくものであるとの説明を受けていた。

2. これに対し、C（消費者庁長官）が調査したところ、上記記載のうち、「室温の上昇を抑える！ 最大－5.4℃」という部分（以下「本件記載」という）については、合理的な根拠がなく、不当景品類及び不当表示防止法（以下「法」という）5条1号違反（優良誤認表示）の疑いがあることが判明した。そこで、Cは、同年10月1日、A社に対し、法7条2項に基づき、当該表示の裏づけとなる合理的な根拠を示す資料を15日以内に提出するように求めた。同月14日、A社は、B社から提供を受けた実験データ（以下「本件資料㋐」という）をCに提出したが、当該実験は、当該遮熱フィルムを使用した場合と使用しない場合のそれぞれについて、窓のそばに置いた計測器で温度を測ってその差を調べたもので、部屋全体の温度差を測ったものではなかった。そこで、Cは、当該表示の裏づけとなる合理的な根拠を示す資料が提出されなかったとして、A社に対し、行手法に基づき弁明の機会を付与したうえで、同年11月1日、法7条1項に基づき、以下の内容を命じた。すなわち、①本件記載が法に違反する優良誤認表示であることを速やかに一般消費者に周知徹底す

ること、②今後、表示の裏づけとなる合理的な根拠をあらかじめ有することなく、本件記載と同様の表示をしないこと、および、③再発防止措置を講ずることである（以下「本件措置命令」という）。

3．A社は、本件措置命令に納得できなかったが、本件措置命令が報道されて悪化した企業イメージを回復するとともに、本件記載を理由とする課徴金納付命令を回避するため、本件役務を受けたすべての顧客（2,000人）に対し、迷惑をかけたお詫びとして5,000円を支払うことを決め、発表した。

4．Cは、法8条1項に基づき、同年4月1日以降のA社の本件役務の売上額（2億円）に3％を乗じた額（600万円）の課徴金の納付をA社に命ずることとし、法15条に基づき、A社に対し、課徴金納付命令に対する弁明の機会の付与の通知をするとともに、法8条3項に基づき、当該表示の裏づけとなる合理的な根拠を示す資料を15日以内に提出するように求めた。A社は、B社の研究所に依頼して実験を行い、本件役務によって室温の上昇を最大3℃抑えられることを示す資料（以下「本件資料①」という）をCに提出した。これに対し、Cは、当該資料は室温上昇を最大5.4℃抑えられるという本件記載の合理的な根拠とはなりえないと判断した。他方、A社は、法10条1項に基づき、本件役務を購入したすべての顧客（2,000人）に対し5,000円を返金するという内容の「実施予定返金措置計画」（以下「本件計画」という）を作成し、その認定をCに申請した。これに対し、Cは、本件役務の購入額が、窓の大きさや数に応じて、顧客により様々であり、1万円から15万円まで幅があるのに、返金額が一律に5,000円というのは不公平であり、本件計画は法10条5項2号にいう「特定の者について不当に差別的でないもの」という要件に適合しないとして、本件計画を不認定（以下「本件不認定」という）とし、同時に、法8条1項に基づき、A社に対し600万円の課徴金の納付を命じた（以下「本件課徴金納付命令」という）。

5．A社の担当者Dは、本件措置命令、本件不認定および本件課徴金納付命令のいずれに対しても不満であり、これらについて訴訟で争うことにつき、弁護士Eに相談した。【資料1　弁護士事務所の会議録】を読み、Eの指示を受けた弁護士Fの立場に立って、以下の設問に答えなさい。なお、関連する法の規定を【資料2】として掲げたので、適宜参照しな

さい。

〔設問〕
1．本件課徴金納付命令の取消訴訟について、次の(1)(2)に答えなさい。
  (1) Aは、意図的に不当表示をしたわけではないことを理由として、本件課徴金納付命令が違法であると主張したいと考えている。具体的にどのような主張をすべきか。(15点)
  (2) 本件課徴金納付命令の取消訴訟において、Aは、本件資料㋐および本件資料㋑とは別に、本件役務によって室温の上昇を最大5.4℃抑えられるという新たな実験結果を示す資料（以下「本件資料㋒」という）を証拠として提出することにより、本件記載の優良誤認表示（法5条1号違反）該当性を争うことが許されるか。(15点)
2．実施予定返金措置計画の認定が取消訴訟の対象となる処分に当たることの論拠を述べたうえで、本件不認定が取消訴訟の対象となる処分に当たることの論拠を述べなさい。(30点)
3．本件課徴金納付命令の取消訴訟において、Aは、本件不認定の違法性を主張することが許されるか、論じなさい。(20点)
4．Aは、本件不認定の違法事由として、どのような主張をすることが考えられるか、論じなさい。(20点)

【資料1　弁護士事務所の会議録】

弁護士E：Dさんの話では、A社としては、本件措置命令、本件不認定および本件課徴金納付命令のいずれに対しても不満であり、訴訟で争うことを検討してほしいとのことです。

弁護士F：A社としては、本件記載は不当表示に当たらないと考えておられるのですか。

E：はい。A社としては、B社の当初の実験方法に不十分な点があったことは認めるが、本件役務によって室温の上昇を抑える効果があることは間違いないとの立場です。A社は現在、B社の研究所に依頼して実験を続けており、「最大‐5.4℃」という数字についても証明できると考えているようです。

F：ただ、法7条2項によると、同項によって求められた際に当該表示の裏づけとなる合理的な根拠を示す資料が提出されなかったときは、措置命令との関係では不当表示とみなすとされています。そうすると、今後合理的な根拠

を示す資料が出てきたとしても、本件措置命令の取消訴訟で不当表示でないと認めてもらうのは難しいのではないでしょうか。

E：そうですね。そのこととの関係で言うと、本件措置命令では、「今後、表示の裏づけとなる合理的な根拠をあらかじめ有することなく、本件記載と同様の表示をしないこと」とされていますから、本件措置命令を訴訟で取り消さなくても、今後、表示の裏づけとなる合理的な根拠を有するに至った場合には、本件記載と同様の表示ができることになります。つまり、措置命令の時点において、合理的な根拠を有しないまま本件記載をしていたことが不当表示なのであって、今後、合理的な根拠を有するに至れば、本件記載と同様の表示をしても不当表示には当たらないのです。

F：なるほど。それでは、本件措置命令の取消訴訟についてはひとまず措いて、本件課徴金納付命令の取消訴訟について検討しましょう。

E：本件課徴金納付命令の取消訴訟については、訴訟段階で本件記載の裏づけとなる合理的な根拠を示すことができれば、勝訴できる可能性があります。法7条2項と法8条3項とを比較して、検討してみてください。

F：承知しました。

E：それから、Dさんによると、A社は、大手フィルムメーカーであり長年取引関係にあるB社の説明を信頼して本件記載をしたのであり、意図的に不当表示をしたものではないということも主張しています。この点についても本件課徴金納付命令の取消訴訟で主張できないか、法の規定に即して検討してください。

F：わかりました。ところで、A社は本件不認定についても不満とのことですね。この実施予定返金措置計画の認定という仕組みがどういう趣旨なのか、調べてみました。

そもそも景表法の課徴金の仕組みは、2014年の改正によって導入されたもので、不当表示に対する抑止力を高めるとともに、被害回復を促進することを目的としています。不当表示による被害は、被害者が多数に上る一方で、訴訟にかかるコストに比べて、一人一人の被害は少額であることが多く、また、損害の立証が困難である等の理由で、被害者は泣き寝入りしてしまいがちです。その結果、不当表示をした事業者の「やり得」となりかねません。そこで、課徴金によって不当な利得を徴収し、不当表示に対する抑止力を高めるとともに、事業者が被害者に対して返金措置をとった場合には、その額を課徴金から差し引くことによって、被害回復を促進するのがこの制度の趣旨です。

その際、本来納付すべき課徴金の減免を認める以上、返金措置については被害回復の観点から公平で確実なものでなければならず、これを担保するために予定返金措置計画の認定という仕組みが設けられているものと考えられま

す。そして、国会審議における政府答弁によると、法10条5項2号にいう「不当に差別的」に当たる典型例としては、「事業者が自らの従業員等にのみ高額な返金措置を実施する場合や、返金合計額が課徴金額に達した時点で、返金対象となるべき一般消費者から申出があるにもかかわらず返金措置の実施を一切やめてしまうといった場合」が挙げられています。

E：なるほど。

F：ところで、A社はなぜ、本件役務を受けた顧客に一律に5,000円を払うことにしたのでしょうか。

E：A社としては、本件記載は不当表示ではなく、本件役務にも問題はないと考えていますが、本件措置命令が報道されて騒ぎとなり、企業イメージが悪化しかねないことから、顧客に心配をかけたことのお詫びの趣旨で、一律に5,000円を払うことにしたそうです。本件役務を購入した顧客は2,000人ですから、返金総額は1,000万円となり、実施予定返金措置計画の認定を受けて返金を実施すれば、返金額が課徴金の額である600万円を上回るため、課徴金納付命令を回避することができます。課徴金納付命令を受けてから訴訟で争うよりも、返金措置を実施して課徴金納付命令を回避した方が企業イメージにプラスになるという判断もあったようです。もっとも、総額1,000万円を返金するのであれば、本件役務の購入額の5％を返金するという方法も考えられますが、この方法だと、購入額が少額の顧客に対しては、返金額がわずかになってしまい、お詫びとして効果的でないと考えられることや、返金額を一律にする場合に比べて簡易迅速性に劣ることから、A社はこの方法をとらなかったとのことです。

このような事情も踏まえて、本件不認定の違法事由としてどのような主張が考えられるか、法の趣旨に即して検討していただけますか。

F：承知しました。

E：それから、本件不認定の違法性を訴訟で争う方法については、どう考えますか。

F：本件不認定が処分に当たるとすれば、その取消訴訟が考えられるのではないでしょうか。

E：そうですね。まず、前提として、法の規定に照らすと、実施予定返金措置計画の認定が処分に当たることは、比較的容易に認められそうですので、この点について検討してください。次に、認定のみならず不認定の場合にも消費者庁長官がその旨を決定して相手方に通知すべきことについては、法の規定上は明確に定められていないようにもみえますが、制度の趣旨からすると、不認定の場合にも決定・通知をすべきであり、それを前提として課徴金納付命令をすべきと考えられますので、この点について検討してください。その

うえで、本件不認定が処分に当たることの理由についてまとめてください。
F：わかりました。
E：それから、本件では、本件不認定と同時に、本件課徴金納付命令が行われています。既に課徴金納付命令が行われている以上、本件課徴金納付命令の取消訴訟を提起して、その中で本件不認定の違法性を争う方が、より直截的な手段といえるかもしれませんね。ただ、その際、主張制限の問題が出てくるかもしれませんので、この点について、最高裁判所の判例を踏まえて、検討していただけますか。
F：承知しました。

【資料2　不当景品類及び不当表示防止法（抜粋）】
（目的）
第1条　この法律は、商品及び役務の取引に関連する不当な景品類及び表示による顧客の誘引を防止するため、一般消費者による自主的かつ合理的な選択を阻害するおそれのある行為の制限及び禁止について定めることにより、一般消費者の利益を保護することを目的とする。

（不当な表示の禁止）
第5条　事業者は、自己の供給する商品又は役務の取引について、次の各号のいずれかに該当する表示をしてはならない。
　一　商品又は役務の品質、規格その他の内容について、一般消費者に対し、実際のものよりも著しく優良であると示し、又は事実に相違して当該事業者と同種若しくは類似の商品若しくは役務を供給している他の事業者に係るものよりも著しく優良であると示す表示であって、不当に顧客を誘引し、一般消費者による自主的かつ合理的な選択を阻害するおそれがあると認められるもの
　二～三　（略）

第7条　内閣総理大臣は、……第5条の規定に違反する行為があるときは、当該事業者に対し、その行為の差止め若しくはその行為が再び行われることを防止するために必要な事項又はこれらの実施に関連する公示その他必要な事項を命ずることができる。その命令は、当該違反行為が既になくなっている場合においても、次に掲げる者に対し、することができる。
　一　当該違反行為をした事業者
　二～四　（略）
2　内閣総理大臣は、前項の規定による命令に関し、事業者がした表示が第5条第1号に該当するか否かを判断するため必要があると認めるときは、当該

表示をした事業者に対し、期間を定めて、当該表示の裏付けとなる合理的な根拠を示す資料の提出を求めることができる。この場合において、当該事業者が当該資料を提出しないときは、同項の規定の適用については、当該表示は同号に該当する表示とみなす。

(課徴金納付命令)
第8条 事業者が、第5条の規定に違反する行為(同条第3号に該当する表示に係るものを除く。以下「課徴金対象行為」という。)をしたときは、内閣総理大臣は、当該事業者に対し、当該課徴金対象行為に係る課徴金対象期間に取引をした当該課徴金対象行為に係る商品又は役務の政令で定める方法により算定した売上額に100分の3を乗じて得た額に相当する額の課徴金を国庫に納付することを命じなければならない。ただし、当該事業者が当該課徴金対象行為をした期間を通じて当該課徴金対象行為に係る表示が次の各号のいずれかに該当することを知らず、かつ、知らないことにつき相当の注意を怠った者でないと認められるとき、又はその額が150万円未満であるときは、その納付を命ずることができない。
　一　商品又は役務の品質、規格その他の内容について、実際のものよりも著しく優良であること又は事実に相違して当該事業者と同種若しくは類似の商品若しくは役務を供給している他の事業者に係るものよりも著しく優良であることを示す表示
　二　(略)
2　前項に規定する「課徴金対象期間」とは、課徴金対象行為をした期間(……当該期間が3年を超えるときは、当該期間の末日から遡って3年間とする。)をいう。
3　内閣総理大臣は、第1項の規定による命令(以下「課徴金納付命令」という。)に関し、事業者がした表示が第5条第1号に該当するか否かを判断するため必要があると認めるときは、当該表示をした事業者に対し、期間を定めて、当該表示の裏付けとなる合理的な根拠を示す資料の提出を求めることができる。この場合において、当該事業者が当該資料を提出しないときは、同項の規定の適用については、当該表示は同号に該当する表示と推定する。

(返金措置の実施による課徴金の額の減額等)
第10条 第15条第1項の規定による通知を受けた者は、第8条第2項に規定する課徴金対象期間において当該商品又は役務の取引を行った一般消費者であって政令で定めるところにより特定されているものからの申出があった場合に、当該申出をした一般消費者の取引に係る商品又は役務の政令で定める方法により算定した購入額に100分の3を乗じて得た額以上の金銭を交付する措置(以下この条及び次条において「返金措置」という。)を実施しようとするときは、内閣府令で定めるところにより、その実施しようとする返金措置(以

下このにおいて「実施予定返金措置」という。）に関する計画（以下この条において「実施予定返金措置計画」という。）を作成し、これを第15条第1項に規定する弁明書の提出期限までに内閣総理大臣に提出して、その認定を受けることができる。
2　実施予定返金措置計画には、次に掲げる事項を記載しなければならない。
　一　実施予定返金措置の内容及び実施期間
　二　実施予定返金措置の対象となる者が当該実施予定返金措置の内容を把握するための周知の方法に関する事項
　三　実施予定返金措置の実施に必要な資金の額及びその調達方法
3　（略）
4　第1項の認定の申請をした者は、当該申請後これに対する処分を受けるまでの間に返金措置を実施したときは、遅滞なく、内閣府令で定めるところにより、当該返金措置の対象となった者の氏名又は名称、その者に対して交付した金銭の額及びその計算方法その他の当該返金措置に関する事項として内閣府令で定めるものについて、内閣総理大臣に報告しなければならない。
5　内閣総理大臣は、第1項の認定の申請があった場合において、その実施予定返金措置計画が次の各号のいずれにも適合すると認める場合でなければ、その認定をしてはならない。
　一　当該実施予定返金措置計画に係る実施予定返金措置が円滑かつ確実に実施されると見込まれるものであること。
　二　当該実施予定返金措置計画に係る実施予定返金措置の対象となる者（当該実施予定返金措置計画に第3項に規定する事項が記載されている場合又は前項の規定による報告がされている場合にあっては、当該記載又は報告に係る返金措置が実施された者を含む。）のうち特定の者について不当に差別的でないものであること。
　三　当該実施予定返金措置計画に記載されている第2項第1号に規定する実施期間が、当該課徴金対象行為による一般消費者の被害の回復を促進するため相当と認められる期間として内閣府令で定める期間内に終了するものであること。
6～7　（略）
8　内閣総理大臣は、認定事業者による返金措置が第1項の認定を受けた実施予定返金措置計画（……次条第1項及び第2項において「認定実施予定返金措置計画」という。）に適合して実施されていないと認めるときは、第1項の認定（……次項及び第10項ただし書において単に「認定」という。）を取り消さなければならない。
9　内閣総理大臣は、認定をしたとき又は前項の規定により認定を取り消した

ときは、速やかに、これらの処分の対象者に対し、文書をもってその旨を通知するものとする。
10　内閣総理大臣は、第１項の認定をしたときは、第８条第１項の規定にかかわらず、次条第１項に規定する報告の期限までの間は、認定事業者に対し、課徴金の納付を命ずることができない。ただし、第８項の規定により認定を取り消した場合には、この限りでない。

第11条　認定事業者（前条第８項の規定により同条第１項の認定（……）を取り消されたものを除く。第３項において同じ。）は、同条第１項の認定後に実施された認定実施予定返金措置計画に係る返金措置の結果について、当該認定実施予定返金措置計画に記載されている同条第２項第１号に規定する実施期間の経過後１週間以内に、内閣府令で定めるところにより、内閣総理大臣に報告しなければならない。
2　内閣総理大臣は、第８条第１項の場合において、前項の規定による報告に基づき、前条第１項の認定後に実施された返金措置が認定実施予定返金措置計画に適合して実施されたと認めるときは、当該返金措置（……）において交付された金銭の額として内閣府令で定めるところにより計算した額を第８条第１項……の規定により計算した課徴金の額から減額するものとする。この場合において、当該内閣府令で定めるところにより計算した額を当該課徴金の額から減額した額が零を下回るときは、当該額は、零とする。
3　内閣総理大臣は、前項の規定により計算した課徴金の額が１万円未満となったときは、第８条第１項の規定にかかわらず、認定事業者に対し、課徴金の納付を命じないものとする。この場合において、内閣総理大臣は、速やかに、当該認定事業者に対し、文書をもってその旨を通知するものとする。

（課徴金の納付義務等）
第12条　課徴金納付命令を受けた者は、第８条第１項……又は前条第２項の規定により計算した課徴金を納付しなければならない。
2～7　（略）

（課徴金納付命令に対する弁明の機会の付与）
第13条　内閣総理大臣は、課徴金納付命令をしようとするときは、当該課徴金納付命令の名宛人となるべき者に対し、弁明の機会を与えなければならない。

（弁明の機会の付与の方式）
第14条　弁明は、内閣総理大臣が口頭ですることを認めたときを除き、弁明を記載した書面（次条第１項において「弁明書」という。）を提出してするものとする。
2　弁明をするときは、証拠書類又は証拠物を提出することができる。

（弁明の機会の付与の通知の方式）

第15条　内閣総理大臣は、弁明書の提出期限（口頭による弁明の機会の付与を行う場合には、その日時）までに相当な期間をおいて、課徴金納付命令の名宛人となるべき者に対し、次に掲げる事項を書面により通知しなければならない。
　一　納付を命じようとする課徴金の額
　二　課徴金の計算の基礎及び当該課徴金に係る課徴金対象行為
　三　弁明書の提出先及び提出期限（口頭による弁明の機会の付与を行う場合には、その旨並びに出頭すべき日時及び場所）
2　（略）

(権限の委任等)
第33条　内閣総理大臣は、この法律による権限（……）を消費者庁長官に委任する。
2〜11　（略）

◆ 解説 ◆

1．出題の意図

　本問は、景表法に2014年改正で導入された**課徴金**制度を素材として、行政上の制裁における行為者の主観的要素、取消訴訟における証明のあり方、処分性、違法性の承継、本案における違法事由の構成等について問うものである（本問の全体につき、中原茂樹「景品表示法上の課徴金について」宇賀克也＝交告尚史編『小早川光郎先生古稀　現代行政法の構造と展開』〔有斐閣、2016年〕793頁以下参照）。初見のやや複雑な制度の仕組みを、条文と設問のヒントを手がかりに読み解いたうえで、上記の行政法上の諸概念と正確に結びつけて論じることができるかどうかを試す趣旨である。なお、本件役務の表示および消費者庁長官の措置命令については、実際の事案を素材としているが、その後の返金措置や課徴金納付命令等は、架空のものである。

2．設問1(1)——課徴金納付命令における行為者の主観的要素

　法8条1項ただし書は、「当該事業者が当該課徴金対象行為をした期間を通じて当該課徴金対象行為に係る表示が次の各号のいずれか〔優良誤認表示または有利誤認表示〕に該当することを知らず、かつ、知らないことにつき相当の注意を怠った者でないと認められるとき」は、課徴金の納付を命ずることができないと規定している。その趣旨は、立法関係者の解説によると、「表示を行うに当たりどのような注意を払ったかにかかわらず課徴金が課される制度とすれば、事業者が表示内容の真実性について確認を行う（注意を払う）インセンティブが損なわれ、課徴金制度導入による不当表示防止の目的を果たせないおそれがある」ためとされている（黒田岳士ほか『逐条解説・平成26年11月改正景品表示法』〔商事法務、2015年〕40頁）。また、課徴金は刑罰ではないが、行政上の制裁の趣旨が含まれているとすると、責任主義の観点から行為者の主観的要素を要件とすべきと解する余地もあるように思われる。

本問では、A社は、本件記載の裏づけとなる合理的な根拠がないことを知らなかったと認められる。また、大手フィルムメーカーであり長年取引関係にあるB社の説明を信頼して本件記載をしたのであるから、上記の趣旨に照らして、「知らないことにつき相当の注意を怠った者でないと認められる」と主張することが考えられる。

3．設問1(2)——課徴金納付命令取消訴訟における合理的な根拠による立証

　【資料1】のEの発言にヒントが示されているとおり、法7条2項は、「当該事業者が当該資料を提出しないときは、同項〔法7条1項：措置命令〕の規定の適用については、当該表示は同号〔法5条1号〕に該当する表示〔優良誤認表示〕とみなす」（傍点筆者）と規定しているのに対し、法8条3項は、「当該事業者が当該資料を提出しないときは、同項〔法8条1項：課徴金納付命令〕の規定の適用については、当該表示は同号〔法5条1号〕に該当する表示〔優良誤認表示〕と推定する」（傍点筆者）と規定している。したがって、課徴金納付命令の取消訴訟においては、合理的な根拠を示す新しい資料（本問では、本件資料㋐）を提出して当該表示の優良誤認表示該当性を争うことができると解される（黒田ほか・前掲52頁）。

4．設問2——実施予定返金措置計画の認定および本件不認定の処分性

(1) 実施予定返金措置計画の認定の処分性

　事業者が、法5条1号または2号に違反する行為をしたときは、消費者庁長官は、課徴金の納付を命じなければならないとされている（法8条1項・33条1項）。しかし、消費者庁長官は、実施予定返金措置計画の認定（法10条1項）をしたときは、実施予定返金措置の実施期間経過後1週間が過ぎるまで、課徴金の納付を命ずることができず（法10条10項本文・11条1項）、認定された実施予定返金措置計画に適合して返金措置が実施されたときは、返金額を課徴金の額から減額する（返金額が課徴金の額を上回る場合は、課徴金を課さない）とされている（法

11条2項)。

　したがって、実施予定返金措置計画の認定は、認定を申請した事業者の課徴金納付義務の有無および課徴金の額に直接影響を与えるから、認定は処分に当たると解される。

　このような法的効果に着目した論拠に加えて、法10条9項が、認定および認定取消しを指して「これらの処分」と称したうえで、対象者に対して文書をもって通知すべき旨を規定しているという規定の形式も、処分性を認める論拠となりうる。

(2) 本件不認定の処分性

　次に、実施予定返金措置計画の不認定の処分性を認める論拠について検討する。

　上記の法10条9項は、実施予定返金措置計画の不認定については明示的には規定していない。また、同条10項本文は、消費者庁長官は認定をしたときは一定期間課徴金納付命令ができないと規定しているが、不認定の決定をしたうえでなければ課徴金納付命令ができないとは規定していない。

　しかし、同条4項および5項は、「第1項の認定の**申請**」と規定しており、法は実施予定返金措置計画の認定の申請権を事業者に保障していると解されるから、認定の申請があった場合には、消費者庁長官は同条5項の要件該当性を審査したうえで、認定をする場合のみならず、認定をしない場合にも、その旨を申請者に対して通知しなければならないと解される。

　また、課徴金の減免により自主的な返金を促すという実施予定返金措置計画の認定の制度趣旨に照らすと、認定の申請があったにもかかわらず、消費者庁長官が不認定の決定をしないまま課徴金納付命令をすることは制度上予定されていないと解される。すなわち、同条10項本文は明文では規定していないものの、実施予定返金措置計画の認定の申請があった場合に消費者庁長官が課徴金納付命令をするには、前提として不認定の決定をしなければならないと解される。そうすると、本件不認定は、申請者が課徴金の減免を受けられなくなるという法的効果を及ぼすものであるから、処分に当たると解される。

5．設問3——違法性の承継

(1) 違法性の承継の判断基準

本件課徴金納付命令の取消訴訟において、原告が本件不認定の違法事由を主張することが許されるかについては、いわゆる**違法性の承継**、すなわち、行政過程が複数の処分によって構成され、先行処分を前提として後行処分が行われる場合に、後行処分の取消訴訟において、「先行処分が違法であるから、それを前提とする後行処分も違法である」という主張ができるかが問題となる。この問題につき、最1小判平21・12・17民集63巻10号2631頁（百選Ⅰ84、CB2-9）は、①先行処分と後行処分とが結合して1つの目的・効果の実現を目指しているかという実体法的観点、および、②先行処分を争うための手続的保障が十分か、また、後行処分の段階まで争訟を提起しないという判断が合理的か、という手続法的観点の両面から判断している（第2部〔問題2〕コラム「行政処分の違法性の承継」参照）。

(2) 本問へのあてはめ

これを本問についてみると、上記①につき、返金措置は消費者被害の回復を目的とするのに対し、課徴金制度は消費者被害の防止を目的とするから、目的が異なるとして、違法性の承継を否定する見解がある（中川丈久「改正景表法における課徴金制度」現代消費者法32号〔2016年〕38頁以下、46頁）。しかし、返金措置自体の目的は消費者被害の回復にあるとしても、実施予定返金措置計画の認定という行政処分の目的は、本来納付すべき課徴金の減免を認めるに値する返金措置か否かを行政庁が判断することにあると解されるから、実施予定返金措置計画の不認定と課徴金納付命令とは、いずれも課徴金納付義務の確定という同一の目的・効果の実現を目指しているということもできるように思われる。

次に、上記②につき検討すると、実施予定返金措置計画不認定処分は相手方に通知され、その取消訴訟を提起することは困難ではないので、先行処分を争うための手続的保障が不十分であるとはいえない。ただ、既に課徴金納付命令が行われており、原告の目的が課徴金の減

免にある以上、課徴金納付命令の取消訴訟の中で前提問題として実施予定返金措置計画不認定処分の違法性を争うことは、あながち不合理であるとはいえず、違法性の承継を認めるべきとも考えられる。

(3) **本問の特殊性**

このように、本問については、上記①②いずれの観点からも、違法性の承継の肯定・否定いずれの結論もありうると考えられるが、その際、次のような特殊性があることに注意すべきである。すなわち、実施予定返金措置計画不認定処分と課徴金納付命令は、同時または近接した時期に行われることが制度上予定されているから、両者の取消訴訟の出訴期間は、ほぼ重なることになる。そうすると、本問は、「先行処分の取消訴訟の出訴期間を徒過したにもかかわらず、後行処分の取消訴訟において先行処分の違法性を主張しうるか」という、違法性の承継が典型的に問題となる場面ではない。そうではなく、先行処分と後行処分が（ほぼ）同時に行われており、いずれの取消訴訟も提起可能である場合に、先行処分の違法性を主張するには先行処分の取消訴訟を提起すべきと考えるか、それとも、先行処分を前提とする後行処分が既に行われており、原告の最終的な目的が後行処分の取消しにある以上、後行処分の取消訴訟の中で前提問題として先行処分の違法性を争わせた方が合理的と考えるか、が問題となると考えられる。このような問題の所在を理解したうえで、本問の結論はいずれもありうるように思われる。

6．設問4——本件不認定の違法事由

法10条5項2号の趣旨については、【資料1】のFの発言にあるとおりである。本問で、A社は2億円の売上げに対して総額1,000万円を返金しようとしており、この返金総額を前提とすると、本件役務の購入額の5％を返金するのが最も公平な方法とも考えられる。本件役務の購入額は最も少ない顧客で1万円であり、5,000円を返金すると返金率は50％となるのに対し、購入額の最も多い顧客は15万円であり、5,000円の返金では返金率は3.3％にとどまる。このように顧客によっ

て返金率に大きな差があることが、消費者庁長官が本件計画を「特定の者について不当に差別的」と判断した理由であると考えられる。これに対し、A社としては、一律に5,000円を払うという方法も、金額の点ではすべての顧客を平等に扱っているともいえること、また、返金措置は、一定の期間内に迅速かつ確実に行わなければならないから、返金額を一律にすることにも合理性があると解され、「特定の者について不当に差別的」とはいえないと主張することが考えられる。

〔関連問題〕
　Xは、農業振興地域の整備に関する法律（以下「農振法」という）8条に定める農業振興地域整備計画（以下「農振計画」という）のうちの農用地区域内に所有する土地（以下「本件土地」という）について、農地以外の用途に転用したいと考え、農業振興地域農用地区域除外（以下「農振除外」という）の要望書をY町に提出した。これに対し、Y町は、農振法13条2項1号の要件を満たさないため上記要望には応じられない旨の回答（以下「本件回答」という）をした。行政実務上、農振除外をする農振計画の変更は土地所有者等の申出を受けて行われるという運用が広くなされており、Y町においてもそのような運用がなされていた。Xは、本件回答の取消訴訟を提起した。
〔設問〕
1．農振計画の策定および変更は、取消訴訟の対象となる処分に当たるか。
2．1．において農振計画の策定および変更が処分に当たると仮定した場合、本件回答は、取消訴訟の対象となる処分に当たるか。

【資料1　農業振興地域の整備に関する法律（抜粋）】
（市町村の定める農業振興地域整備計画）
第8条　都道府県知事の指定した一の農業振興地域の区域の全部又は一部がその区域内にある市町村は、政令で定めるところにより、その区域内にある農業振興地域について農業振興地域整備計画を定めなければならない。
2　農業振興地域整備計画においては、次に掲げる事項を定めるものとする。
　一　農用地等として利用すべき土地の区域（以下「農用地区域」という。）及

びその区域内にある土地の農業上の用途区分
　二〜六　（略）
３〜４　（略）
（農業振興地域整備計画の案の縦覧等）
第11条　市町村は、農業振興地域整備計画を定めようとするときは、その旨を公告し、当該農業振興地域整備計画の案を、当該農業振興地域整備計画を定めようとする理由を記載した書面を添えて、その公告の日からおおむね30日間の期間を定めて縦覧に供しなければならない。
２　（略）
３　第１項の農業振興地域整備計画のうち農用地利用計画に係る農用地区域内にある土地の所有者その他その土地に関し権利を有する者は、当該農用地利用計画の案に対して異議があるときは、同項に規定する縦覧期間満了の日の翌日から起算して15日以内に市町村にこれを申し出ることができる。
４　市町村は、前項の規定による異議の申出を受けたときは、第１項に規定する縦覧期間満了後60日以内にこれを決定しなければならない。
５　前項の規定による決定に対して不服がある申出人は、その決定があった日の翌日から起算して30日以内に都道府県知事に対し審査を申し立てることができる。
６　都道府県知事は、前項の規定による審査の申立てがされたときは、審査の申立てがされた日（……）から60日以内にこれを裁決しなければならない。
７　第３項の規定による異議の申出又は第５項の規定による審査の申立てには、それぞれ、行政不服審査法中再調査の請求又は審査請求に関する規定（同法第18条第１項本文、第43条及び第54条第１項本文を除く。）を準用する。
８〜12　（略）
（農業振興地域整備計画の変更）
第13条　都道府県又は市町村は、……経済事情の変動その他情勢の推移により必要が生じたときは、政令で定めるところにより、遅滞なく、農業振興地域整備計画を変更しなければならない。（以下略）
２　前項の規定による農業振興地域整備計画の変更のうち、農用地等以外の用途に供することを目的として農用地区域内の土地を農用地区域から除外するために行う農用地区域の変更は、次に掲げる要件のすべてを満たす場合に限り、することができる。
　一　当該農業振興地域における農用地区域以外の区域内の土地利用の状況からみて、当該変更に係る土地を農用地等以外の用途に供することが必要かつ適当であって、農用地区域以外の区域内の土地をもって代えることが困難であると認められること。

二〜五　（略）
3　（略）
4　……第11条（……）の規定は市町村が行う第1項の規定による変更（政令で定める軽微な変更を除く。）について……準用する。（以下略）

【資料2　農地法（抜粋）】
（農地の転用の制限）
第4条　農地を農地以外のものにする者は、都道府県知事（……）の許可を受けなければならない。（ただし書略）
　　一〜九　（略）
2〜5　（略）
6　第1項の許可は、次の各号のいずれかに該当する場合には、することができない。（ただし書略）
　一　次に掲げる農地を農地以外のものにしようとする場合
　　イ　農用地区域（農業振興地域の整備に関する法律第8条第2項第1号に規定する農用地区域をいう。以下同じ。）内にある農地
　　ロ　（略）
　二〜六　（略）
7〜11　（略）

[中原茂樹]

〔問題9〕と畜場の使用をめぐる紛争

◆ 事例 ◆

次の文章を読んで、資料を参照しながら、以下の設問に答えなさい。

I 1. Pは、甲市所有の土地および同土地上の建物（以下「本件建物」という）につき貸付契約を締結してと畜場（以下「本件と畜場」という）を設け、と畜解体処理事業を営んでいた。甲市は保健所を設置する市であるため、Pは、と畜場法（以下「法」という）4条1項に基づき甲市長から一般と畜場設置許可処分（以下「本件許可処分」という）を受けていた。貸付契約は何度か更新されたが、本件と畜場の設置に伴う甲市の財政負担が重くなってきたことから、甲市の行財政改革の一環として、2019年6月30日付で、甲市長はPに対し2020年4月1日以降の貸付契約（以下「本件貸付契約」という）の更新には応じられない旨の通知をした。そこでPは本件と畜場以外のと畜場でと畜解体を行う代替策を検討したが、本件と畜場から遠く離れた他のと畜場へ獣畜を輸送する際の費用や獣畜の安全確保に問題があること等から断念した。

2. その後、Pに対し甲市からの連絡はなかったが、2020年4月1日になって、甲市長はPに対し「と畜場設置許可に係る土地・建物等について、甲市からの貸付期間が2020年3月31日に満了し、Pがこれらの施設を使用できなくなったため」との理由を記した書面を交付して、本件許可処分の取消処分（以下「本件取消処分」という）をした。そして、甲市長は、4月1日以降、本件と畜場にと畜検査員を派遣せず、本件と畜場において、と畜検査員に法14条に規定する検査を行わせなかったため、Pは本件と畜場においてと畜解体を行うことができなくなった。

3. そこでPは、4月5日に、本件貸付契約に関し建物の賃借権を有することなどを仮に定めることを求める仮処分を申し立て、これに対し、4月9日、Pが2021年3月31日まで当該建物の賃借権を有すること

を認める旨の仮処分決定がなされた。
4．しかし、それにもかかわらず、甲市長は本件取消処分を取り消さなかったため、このままではと畜解体処理事業を廃業せざるをえなくなると考えたPは、一刻も早く事業を再開するため、4月14日に、本件取消処分の取消訴訟を提起するとともに、あわせて執行停止の申立てを行った。

〔設問1〕
1．Pによる執行停止の申立てが認容されるか検討しなさい。（25点）
2．本件取消処分の取消訴訟において、Pはどのような違法事由を主張できるか説明しなさい。（25点）

Ⅱ　2020年4月19日、上記執行停止の申立てを認容する決定がなされ、同決定が確定したことを受けて、Pは、2020年5月1日、甲市長に対し、豚1頭についてと畜場法施行令7条に基づき検査の申請書を提出したところ、甲市長は検査を行わない旨明言し、依然として本件と畜場にはと畜検査員が派遣されなかった。そこでPは、一刻も早くと畜解体を行うため、甲市に対して、と畜検査員を派遣して検査を行わせることを求める訴訟を提起することとした。

〔設問2〕
Pはどのような訴訟を提起すべきか、訴訟要件の検討も含めて説明しなさい。検討にあたっては、検査の結果について審査請求することができないと定める法14条8項に着目し、検査の法的性質を注意深く検討すること。なお仮の救済については論じなくてよい。（50点）

【資料　と畜場法等（抜粋）】

○と畜場法
（この法律の目的）
第1条　この法律は、と畜場の経営及び食用に供するために行う獣畜の処理の適正の確保のために公衆衛生の見地から必要な規制その他の措置を講じ、も

って国民の健康の保護を図ることを目的とする。
（定義）
第3条　この法律で「獣畜」とは、牛、馬、豚、めん羊及び山羊をいう。
2　この法律で「と畜場」とは、食用に供する目的で獣畜をとさつし、又は解体するために設置された施設をいう。
3　この法律で「一般と畜場」とは、通例として生後1年以上の牛若しくは馬又は1日に10頭を超える獣畜をとさつし、又は解体する規模を有すると畜場をいう。
4　この法律で「簡易と畜場」とは、一般と畜場以外のと畜場をいう。
5　この法律で「と畜業者」とは、獣畜のとさつ又は解体の業を営む者をいう。
（と畜場の設置の許可）
第4条　一般と畜場又は簡易と畜場は、都道府県知事（保健所を設置する市にあっては、市長。以下同じ。）の許可を受けなければ、設置してはならない。
2～3　（略）
第5条　都道府県知事は、前条第1項の規定による許可の申請があった場合において、当該と畜場の設置の場所が次の各号のいずれかに該当するとき、又は当該と畜場の構造設備が政令で定める一般と畜場若しくは簡易と畜場の基準に合わないと認めるときは、同項の許可を与えないことができる。
　一～三　（略）
2　（略）
（と畜場の衛生管理）
第6条　厚生労働大臣は、と畜場の衛生的な管理その他公衆衛生上必要な措置（次項において「公衆衛生上必要な措置」という。）について、厚生労働省令で、次に掲げる事項に関する基準を定めるものとする。
　一　と畜場の内外の清潔保持、汚物の処理、ねずみ及び昆虫の駆除その他一般的な衛生管理に関すること。
　二　食品衛生上の危害の発生を防止するために特に重要な工程を管理するための取組に関すること。
2　と畜場の設置者又は管理者は、前項の規定による基準に従い、厚生労働省令で定めるところにより公衆衛生上必要な措置を定め、これを遵守しなければならない。
（獣畜のとさつ又は解体）
第13条　何人も、と畜場以外の場所において、食用に供する目的で獣畜をとさつしてはならない。ただし、次に掲げる場合は、この限りでない。
　一　食肉販売業その他食肉を取り扱う営業で厚生労働省令で定めるものを営む者以外の者が、あらかじめ、厚生労働省令で定めるところにより、都道

府県知事に届け出て、主として自己及びその同居者の食用に供する目的で、獣畜（生後1年以上の牛及び馬を除く。）をとさつする場合
  二　獣畜が不慮の災害により、負傷し、又は救うことができない状態に陥り、直ちにとさつすることが必要である場合
  三　獣畜が難産、産褥（じょく）麻痺（ひ）又は急性鼓張症その他厚生労働省令で定める疾病にかかり、直ちにとさつすることが必要である場合
  四　その他政令で定める場合
2　何人も、と畜場以外の場所において、食用に供する目的で獣畜を解体してはならない。ただし、前項第1号又は第4号の規定によりと畜場以外の場所においてとさつした獣畜を解体する場合は、この限りでない。
3　（略）

（獣畜のとさつ又は解体の検査）
第14条　と畜場においては、都道府県知事の行う検査を経た獣畜以外の獣畜をとさつしてはならない。
2　と畜場においては、とさつ後都道府県知事の行う検査を経た獣畜以外の獣畜を解体してはならない。
3　と畜場内で解体された獣畜の肉、内臓、血液、骨及び皮は、都道府県知事の行う検査を経た後でなければ、と畜場外に持ち出してはならない。ただし、次の各号のいずれかに該当するときは、この限りでない。
  一～二　（略）
4～5　（略）
6　前各項の規定による検査は、次に掲げるものの有無について行うものとする。
  一　家畜伝染病予防法（……）第2条第1項に規定する家畜伝染病及び同法第4条第1項に規定する届出伝染病
  二　前号に掲げるもの以外の疾病であって厚生労働省令で定めるもの
  三　潤滑油の付着その他の厚生労働省令で定める異常
7　前項に定めるもののほか、第1項から第5項までの規定により都道府県知事及び厚生労働大臣の行う検査の方法、手続その他検査に関し必要な事項は、政令で定める。
8　第1項から第5項までの規定により都道府県知事及び厚生労働大臣が行う検査の結果については、審査請求をすることができない。

（とさつ解体の禁止等）
第16条　都道府県知事は、第14条の規定による検査の結果、獣畜が疾病にかかり、若しくは異常があり食用に供することができないと認めたとき、又は当該獣畜により若しくは当該獣畜のとさつ若しくは解体により病毒を伝染さ

せるおそれがあると認めたときは、公衆衛生上必要な限度において、次に掲げる措置をとることができる。
一　当該獣畜のとさつ又は解体を禁止すること。
二　当該獣畜の所有者若しくは管理者、と畜場の設置者若しくは管理者、と畜業者その他の関係者に対し、当該獣畜の隔離、と畜場内の消毒その他の措置を講ずべきことを命じ、又は当該職員にこれらの措置を講じさせること。
三　当該獣畜の肉、内臓等の所有者若しくは管理者に対し、食用に供することができないと認められる肉、内臓その他の獣畜の部分について廃棄その他の措置を講ずべきことを命じ、又は当該職員にこれらの措置を講じさせること。

（と畜場の設置の許可の取消し等）
第18条　都道府県知事は、次に掲げる場合には、第4条第1項の規定による許可を取り消し、又はと畜場の設置者若しくは管理者に対し、期間を定めて、当該と畜場の施設の使用の制限若しくは停止を命ずることができる。
一　当該と畜場の構造設備が第5条第1項の規定による基準に合わなくなったとき。
二〜三　（略）
四　当該と畜場の設置者又は管理者が、第6条……の規定に違反したとき。
五　（略）
2　（略）

（と畜検査員）
第19条　第14条に規定する検査の事務に従事させ、並びに第16条及び第17条第1項に規定する当該職員の職務並びに食用に供するために行う獣畜の処理の適正の確保に関する指導の職務を行わせるため、都道府県知事は、当該都道府県の職員のうちからと畜検査員を命ずるものとする。
2〜3　（略）

（罰則）
第24条　次の各号のいずれかに該当する者は、3年以下の懲役又は300万円以下の罰金に処する。
一　第4条第1項の規定に違反した者
二　第13条第1項又は第2項の規定に違反した者
三　第14条第1項から第3項まで（……）の規定に違反した者
第25条　次の各号のいずれかに該当する者は、1年以下の懲役又は100万円以下の罰金に処する。
一　第15条の規定に違反した者

二　第16条の規定による禁止若しくは命令に違反した者又は同条第2号若しくは第3号の規定により当該職員の職務の執行を拒み、妨げ、若しくは忌避した者
　三　第18条第1項の規定による命令又は同条第2項の規定による命令若しくは禁止に違反した者

○と畜場法施行令
（一般と畜場の構造設備の基準）
第1条　と畜場法（以下「法」という。）第5条第1項の規定による一般と畜場の構造設備の基準は、次のとおりとする。
　一～十一　（略）〔注：各号において係留所、生体検査所、処理室、冷却設備、検査室、消毒所、隔離所、汚物処理設備、取引室について設備の基準が定められている〕
（検査の申請）
第7条　法第14条の規定による検査を受けようとする者は、厚生労働省令で定める事項を記載した申請書を都道府県知事に提出しなければならない。

○と畜場法施行規則
（検査申請書の記載事項）
第15条　令第7条の規定により申請書に記載すべき事項は、次のとおりとする。
　一　申請者の住所、氏名及び生年月日（法人にあっては、その名称、主たる事務所の所在地及び代表者の氏名）
　二　とさつしようとする年月日（法第13条第1項第2号又は第3号の規定によりとさつした獣畜を解体しようとする場合にあっては、解体しようとする年月日）
　三　検査を受けようとする獣畜（牛を除く。）の種類、性別、品種、年齢（不明のときは、推定年齢）、特徴及び産地並びに牛にあっては、性別、品種、月齢、出生の年月日、特徴、産地及び個体識別番号（牛の個体識別のための情報の管理及び伝達に関する特別措置法（平成15年法律第72号）第2条第1項に規定するものをいう。）
　四　検査を受けようとする獣畜の病歴に関する情報
　五　検査を受けようとする獣畜に係る動物用医薬品その他これに類するものの使用の状況
　六　法第13条第1項第2号又は第3号の規定によりとさつした獣畜を解体しようとする場合にあっては、当該獣畜をと畜場以外の場所でとさつした理由、日時及び場所
2　（略）

【資料2　獣畜の検査ととさつ】

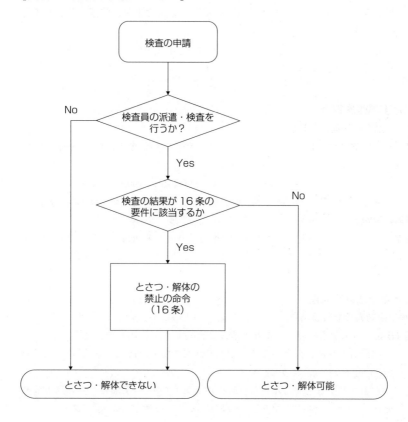

◆ 解説 ◆

1．出題の意図

本問は、設問1において取消訴訟の仮の救済としての執行停止の申立てが認容されるための要件、および取消訴訟の本案における違法事由（主に手続上の瑕疵）につき具体的に検討できるかを問うとともに、設問2において法令の仕組みを読み解くことによって**処分性**および**申請満足型義務付け訴訟**の訴訟要件を具体的に検討することができるかを問う問題である。

素材としたのは、東京地決平24・10・23判時2184号23頁および東京地判平25・2・26判タ1414号313頁である。

2．設問1-1——本件取消処分の執行停止

(1) まず本案訴訟として本件取消処分の取消訴訟が適法に提起されていることが必要である（行訴25条2項）。本件取消処分は、法4条1項の許可を取り消す法効果を有し、法4条1項違反に対して法24条1号が罰則を定めることから処分性を有することは明らかである。また、Pは、本件取消処分の相手方であるから原告適格を有することも明らかである。そして、本件取消処分から2週間ほどで取消訴訟が提起されていることから、出訴期間も遵守されているので、本件取消処分の取消訴訟は適法に提起されている。

(2) 次に「処分の効力の停止」「処分の執行の停止」「手続の続行の停止」のいずれを申し立てるべきかが問題となるが、本件取消処分により本件と畜場が使用できない状態に対し、処分の執行の停止や手続の続行の停止は申し立てる余地がないため、処分の効力の停止を申し立て、本件取消処分の効力を仮に停止して本件と畜場を使用できる状態にする必要がある（行訴25条2項ただし書。第2部〔問題5〕コラム「執行停止の対象」参照）。

(3) そして「重大な損害を避けるため緊急の必要がある」（行訴25

条2項）か否か（積極要件）について、「重大な損害を生ずるか否かを判断するに当たっては、損害の回復の困難の程度を考慮するものとし、損害の性質及び程度並びに処分の内容及び性質をも勘案する」（行訴25条3項）ものとされている。「処分の内容及び性質」には、処分に対し執行停止が行われることによる公益への影響が含まれ、処分による損害の性質および程度との比較衡量により「重大な損害」の有無を判断するのが有力説である（この場合、行訴25条4項の「公共の福祉に重大な影響を及ぼすおそれ」とは、処分による損害と比較衡量される公益以外を指すことになる）。

　本件と畜場を使用できず、獣畜のとさつ・解体ができないことそれ自体は財産的損害として損害の回復が困難とはいえないかもしれないが、そのような状態が続くと、本件と畜場以外のと畜場でとさつ・解体を行うことが困難なPは、と畜解体処理事業そのものを廃業せざるをえなくなるおそれがある。一旦廃業してしまうと損害の回復は困難である。他方で本件取消処分の理由が貸付契約の更新がされない点にあるとすると、取消処分の執行を停止して本件と畜場を使用し獣畜のとさつ・解体を行ったとしても、と畜場法の目的である公衆衛生（1条）などの公益に重大な影響があるとは思えず、こうした「処分の内容及び性質をも勘案する」と、本件取消処分によって重大な損害が生ずるといえる。

　そうすると、と畜解体処理事業という事業の性質からも、廃業を避けるためとさつ・解体を再開することは急を要し、重大な損害を避けるため緊急必要があるといえる。

　(4)　最後に「本案について理由がないとみえるとき」（行訴25条4項）か否か（消極要件）については、争点である建物の賃借権の有無につきPの主張を認める仮処分決定が既に下されている点に鑑みても、少なくとも「本案について理由がないとみえる」とはいえないので、問題なく否定されるだろう。

　以上のとおり、本件取消処分の執行停止は認容される。

3．設問1-2——本件取消処分の違法事由

(1) 手続上の瑕疵①——行手法の適用

まず手続上の瑕疵から検討すると、本件取消処分に先立ってPの意見が聴取されず突然本件取消処分がなされた点に注目すべきである。処分の相手方の意見を聴取することなく処分がなされたことにつき処分の違法を主張することができるだろうか。

行政処分の手続上の瑕疵について最初に検討すべきは行手法の適用の有無である。本件取消処分は甲市長によってなされる処分であるが、と畜場法という国の法律に基づく処分であるから行手法3条3項による適用除外の対象外となり、本件取消処分には行手法が適用される。

次に行手法第2章「申請に対する処分」と第3章「**不利益処分**」のいずれが適用されるかを検討すると、本件取消処分は、甲市長という「行政庁」が、と畜場法という「法令に基づき」、Pという「特定の者を名あて人として」、「直接に」と畜場を設置するという「権利を制限する処分」であるから行手法2条4号本文に該当し、さらに同号ただし書のいずれにも該当しないことから行手法上の「不利益処分」である。

(2) 手続上の瑕疵②——意見陳述手続

そして「不利益処分」であれば**聴聞**か**弁明の機会の付与**のいずれかの意見陳述手続がとられなければならないが（行手13条1項）、「許認可等を取り消す不利益処分」については原則として聴聞手続が必要である（行手13条1項1号イ）。そこで本件取消処分につき聴聞手続がとられていないことが問題となる。もっとも聴聞手続の適用除外（行手13条2項）に該当するかを検討する必要があるが、処分理由が貸付契約の終了であることから、公益上の緊急の必要があるとはいえず(1号)、他の要件にも該当しないことから、聴聞手続がとられていないことは手続上の瑕疵である。

最後に、聴聞手続がとられていないという**手続上の瑕疵が処分の違法事由となるか**を検討しなければならないが、行手法上の聴聞手続が全くとられていないことは、処分の結果への影響の有無を問わず、処分の違法事由となる。なお、この点について詳しくは第1部〔問題1〕

参照。

(3) 手続上の瑕疵③──**理由提示**（理由付記）

次に本件取消処分の**理由提示**（行手14条）には処分の根拠となる法18条1項が示されておらず、法18条1項のどの要件に該当すると判断して本件取消処分がなされたかを知ることができない。したがって理由提示には瑕疵があり、判例によれば理由付記の瑕疵は当然に処分の違法事由となる（以上につき最3小判平23・6・7民集65巻4号2081頁〔一級建築士免許取消事件、百選Ⅰ120、CB3-8〕）。

(4) 実体法上の違法事由

一方、本件取消処分の実体法上の違法事由としては、本件取消処分がPの土地・建物賃借権が消滅したことを理由に行われている点に着目するならば、まず、Pの建物賃借権を認める仮処分が下されていることに鑑みても、Pの土地・建物賃借権は消滅しておらず本件取消処分には根拠がないとして、本件取消処分の違法性を主張することが考えられる。

さらに、本件取消処分が「と畜場の構造設備が第5条第1項の規定による基準に合わなくなったとき」（法18条1項1号）に該当するとしてなされたとしても、と畜場法施行令1条各号に定められている設備の基準の中に、と畜場の建物の賃借権などの権原の存在は挙げられていない。そうすると仮にPの土地・建物賃借権が不存在であったとしてもと畜場法18条の要件は満たしていないともいえる。**私法上の権原**に基づかない構造設備はそもそも同条にいう構造設備とはいえないため基準を満たさないとの考え方もあるが、許可等の要件として私法上の権原の存在が定められていない場合、私法上の権原の不存在を理由に不許可あるいは許可の取消しをすることができないとする説が有力であり（藤田・行政法上208頁など）、原告としてはこの点も主張すべきであろう。

4．設問2——どのような訴訟を提起すべきか？

(1) 「獣畜の検査」の法的仕組み

本問では、Pが検査の申請書を提出したにもかかわらず、甲市長が本件と畜場にと畜検査員を派遣せず獣畜の検査を行わないため、Pが本件と畜場において獣畜のとさつ・解体を行うことができないことが問題となっている。

そこでまず「と畜場にと畜検査員を派遣して獣畜の検査を行うこと」についてと畜場法がどのような法的仕組みを定めているかを検討することから始めよう。

法13条1項および2項は、何人にも、と畜場以外の場所において、「食用に供する目的」での獣畜のとさつ・解体（以下「とさつ・解体」という）を原則として禁止しており、法14条1項および2項は、と畜場では都道府県知事または市長（法4条1項参照。以下同様）の行う検査を経た獣畜以外の獣畜をとさつ・解体してはならないと定めている。そしてこれらの規定に違反した者については法24条が罰則を定めている。したがって、獣畜のとさつ・解体を行うためには都道府県知事または市長による当該獣畜の検査を経る必要がある。

この検査の手続として法施行令7条は、検査を受けようとする者は申請書を都道府県知事または市長に提出しなければならないと定め、また、法19条1項は、都道府県知事または市長は、法14条に規定する検査に従事させるためと畜検査員を命ずるものとすると定めている。つまり検査を求めて申請書を提出した後、と畜検査員が獣畜の検査を行うのであるが、この検査が行われないと獣畜のとさつ・解体ができないのである。

このようなと畜場法の定めの下で、Pは、甲市長がと畜場法の定めに従って本件と畜場にと畜検査員を派遣して検査を行うことを求める訴訟を提起することになる。

なお、法16条は、都道府県知事または市長は、法14条の規定による検査の結果、公衆衛生上必要な限度において獣畜の疫病が認められた等の場合に、当該獣畜のとさつ・解体の禁止等の措置をとることができる旨を定める。つまり当該獣畜のとさつ・解体の禁止は、検査の

実施により一旦解除された後、改めて法16条の措置によって命じられるのであり、検査の結果によって直ちに当該獣畜のとさつ・解体が禁止されるわけではない。法14条8項が検査の結果については、**審査請求をすることができない**と定めているのは、このことを確認するものである。「検査の結果」については処分性がないが16条の措置には当然処分性が認められる（ただし、本問は16条があてはまるケースではない）。

(2) **抗告訴訟か、当事者訴訟・民事訴訟か（処分性）**

(ア) どのような類型の訴訟を提起すべきかについては、まず抗告訴訟によるべきか当事者訴訟もしくは民事訴訟によるべきかを判断するため、処分性の有無を検討することとなる。

(イ) 処分性の有無を検討するにあたっては、まずどのような行政の行為について処分性を検討するのか、検討すべき行政の行為を特定する必要がある。本問では「**と畜場にと畜検査員を派遣して検査を行わせる**」行為（以下「本件行為」という）について処分性を検討することになる。

(ウ) 判例によれば処分性は、①公権力の主体たる国または公共団体が行う行為のうち、②その行為によって、直接国民の権利義務を形成しまたはその範囲を確定することが法律上認められている場合に認められる（ミニ講義1参照）。法14条1項および2項によれば、本件行為がなされない限り獣畜のとさつ・解体はできないのであり、②本件行為に直接の法効果が結びつけられており（上記②充足）、その法効果は獣畜のとさつ・解体の禁止を解除するという一方的権力的なものである（上記①充足）。それゆえ本件行為は処分性を有しており、そのような「処分」を求める抗告訴訟を提起することとなる。

(3) **申請満足型義務付け訴訟か直接型義務付け訴訟か**

(ア) 処分を求める抗告訴訟としては義務付け訴訟が考えられるが、申請満足型義務付け訴訟と直接型義務付け訴訟のいずれを提起すべきかが問題となる。この問題は、訴訟の対象となる処分が申請に対する処分といえるか否か、すなわち私人に申請権が認められるか否かによって判断される。と畜場法施行令7条は、検査を受けようとする者は「申

請書」を提出しなければならないと定めており、本件においてもPは申請書を提出している。このように法令上「申請」という文言が用いられていることが有力な手がかりとなるが、それだけで形式的に判断されるわけではない。

　(イ)　実質的な判断の手がかりとなるのは**行手法2条3号が定める申請の定義**である。同定義によると、申請とは「法令に基づき、行政庁の許可、認可、免許その他の自己に対し何らかの利益を付与する処分（……）を求める行為であって、当該行為に対して行政庁が諾否の応答をすべきこととされているものをいう」。上記のように検査は「処分」であり、この「処分」によって処分を求めた「自己」に「とさつ・解体できる地位」という利益が付与されるので、問題となるのは「行政庁が**諾否の応答をすべきこととされている**」か否かである。

　法14条1項および2項によれば、検査は、獣畜のとさつ・解体を行おうとする場合に、それに先行して行われるものである。つまり行政庁の独自の判断で検査が行われるのではなく、獣畜のとさつ・解体を求める者に対応する形で検査が行われるのである。そうすると、とさつ・解体を求める者に対し適時に諾否の応答をすることは行政庁の義務と解される。と畜場法施行規則15条は上記「申請書」の記載事項として、とさつ・解体をしようとする年月日を挙げており、と畜業者がいつとさつ・解体をするかを問う仕組みになっていることからも、適時に諾否の応答をすべきであって、「申請書の提出」を単なる職権発動の端緒とみることは適切でない。

　なお検査について諾否の応答とは、と畜場法施行規則15条が定める「申請書」の記載事項からして、検査を実施することができるか否かにつき判断を示すことと考えられる。

　(ウ)　したがって申請書の提出を受けて検査を行うことは「**申請に対する処分**」であり、Pは先に特定した請求内容の訴訟を申請満足型義務付け訴訟（行訴3条6項2号）として提起すべきである。

(4)　申請満足型義務付け訴訟の訴訟要件

　(ア)　まず「一定の処分」要件（行訴3条6項2号）が問題となるが、「本件と畜場にと畜検査員を派遣して検査を行わせる」処分を求めると

して請求内容を特定しており、同請求内容の訴訟は「一定の処分」要件を満たす。

　(イ)　次に申請満足型義務付け訴訟を提起するためには、処分の不作為の違法確認の訴えか、処分の取消訴訟または無効等確認の訴えを併合提起しなければならない（行訴37条の3第3項）。いずれの訴えを併合提起しなければならないか。本問において甲市長が検査を行わない旨明言したことをもって申請拒否処分と解しうるとすれば、**申請拒否処分の取消訴訟を併合提起すべき**である。この取消訴訟の訴訟要件が問題となるが、申請拒否処分の後、出訴期間内に訴訟を提起すれば問題はないと考えられる。

　(ウ)　次に、申請満足型義務付け訴訟は、法令に基づく申請をした者に限り、提起することができる（行訴37条の3第2項）が、この要件は満たしている。

　(エ)　さらに、当該処分が取り消されるべきものであるとの要件（行訴37条の3第1項2号）については、併合提起される申請拒否処分の取消訴訟の本案勝訴要件と重なるものであるが、本問においては本件取消処分の**執行停止の拘束力**（行訴33条4項）により甲市長は獣畜の検査を行わなければならず、申請拒否処分は取り消されるべきものであるから、この要件も満たす。

　(オ)　以上のように「本件と畜場にと畜検査員を派遣して検査を行わせること」を求める申請満足型義務付け訴訟は、訴訟要件を満たしており、適法に提起することができる。

〔関連問題〕

　本問とは異なり、本件貸付契約の更新がなされ、甲市長が本件と畜場にと畜検査員を派遣したところ、検査した獣畜に疾病、異常は発見されなかったが、本件と畜場において獣畜の汚物処理が適切になされておらず、ねずみの死骸などが見つかったとする。この場合、甲市長は本件許可処分を取り消す処分をすることができるか。取り消すことができない場合にはどのような処分をすることができるか。処分に際しとられるべき手続を含めて検討しなさい。なお、検討にあたっては本問に掲載した法令を参照すること。

[横田光平]

── ！ミニ講義 5 ！ ──

給付法律の読み方

　行政活動は、大きく規制行政と給付行政に分けることができる。給付行政とは社会保障給付や種々の補助金給付、さらには公共財の提供などを行う行政活動であって、生活保護法や被爆者援護法や児童福祉法や児童扶養手当法など、それぞれの給付制度を定める個別法律に基づいて多様に展開されている。給付行政における法的諸問題を解決するためには、行政法の一般理論についての知識だけではなく、個別の給付行政制度の構造に関する知識も不可欠である。以下では、生活保護法（以下では「本法律」または単に「法」という）を素材として、給付法律の構造、読み方などについてまとめて説明しておきたい。なお、規制法律の読み方については「ミニ講義 4」を参照されたい。

1．給付法律の必要性

　給付行政制度には、憲法上の根拠（理念的根拠も含める）を有するものと、（憲法に直接的な根拠を有しないけれども）一定の政策的判断に基づくものがある。前者は、憲法 25 条などの社会権規定に基づく社会保障的給付制度であり、後者は、例えば、農林漁業をはじめとする産業活動に対する補助制度である。

　給付行政は、国民の税金等から形成されている公金を国民に再配分するシステムであるから、どのような対象に対していかなる給付を行うのかについて法律で基準を明確に定めることが望ましい。また社会保障的給付は、憲法上の社会権を具体化するものであり、その対象となる国民に給付を受ける権利を与えるものであるから、**法律で具体的な給付基準や給付手続を定めるべきである。給付行政の仕組みを法律で定めることにより、財の配分の民主的統制が図られ、受給権の確実かつ安定的な保障が得られることになる**。そして、給付行政の運用にあたっては、それぞれの制度目的に即して適切に法律を解釈・運用する必要がある（なお補助金給付などでは要綱等で給付のシステムが定められていることが多く、ここには権利性をどのように読み込むのかなどの問題もあるが、本ミニ講義では取り上げない）。

　憲法 25 条は「すべて国民は、健康で文化的な最低限度の生活を営む権利を有する」と定めている。本法律に基づく公的扶助制度は、憲法 25 条に基づく給付制度であり、その水準は、国民が「健康で文化的な最低限度の生活」を営むことができるものでなければならない。

（この法律の目的）
第 1 条　この法律は、日本国憲法第 25 条に規定する理念に基き、国が生活に困窮するすべての国民に対し、その困窮の程度に応じ、必要な保護を行い、その最低限度の生活を保障するとともに、その自立を助長することを目的とする。

　もっとも、何が「健康で文化的な最低限度の生活」であるかについては一義的に定まらない。最高裁は、最低限度の生活を定める保護基準の制定についての厚生労働大臣の合目的的な裁量を認め、ただ保護の水準が「現実の生活条件を無視して著

しく低い基準を設定する等憲法および生活保護法の趣旨・目的に反し、法律によって与えられた裁量権の限界をこえた場合または裁量権を濫用した場合には、違法な行為として司法審査の対象となる」（最大判昭42・5・24民集21巻5号1043頁）と判示している。

2．給付法律の構造と運用

(1) 生活保護行政の基本原則

　生活保護行政の目的は、国民に健康で文化的な最低限度の生活を保障すること、および、生活困窮者の自立を助長することである（1条）。そして、法2条～4条は、生活保護行政の基本原則として、無差別平等の原則（2条）、健康で文化的な最低限度の生活保障の原則（3条）、保護の補足性（4条）などを定めている。

　なお、外国人は「国民」ではないので法の適用は受けないが、実務上は、厚生省社会局長通知に基づいて「当分の間、生活に困窮する外国人に対しては一般国民に対する生活保護の決定実施の取扱に準じて……必要と認める保護を行うこと」とされている。給付される保護の内容は国民と変わらないが、給付が本法律に基づく処分ではなく契約に基づく給付であるとされるので、審査請求や取消訴訟などの救済手段が使えない。ただし、事実認定の誤りや外国人間での差別等がある場合などでは民事訴訟ないし当事者訴訟による救済が可能と考えられる。

（無差別平等）
第2条　すべて国民は、この法律の定める要件を満たす限り、この法律による保護（以下「保護」という。）を、無差別平等に受けることができる。
（最低生活）
第3条　この法律により保障される最低限度の生活は、健康で文化的な生活水準を維持することができるものでなければならない。
（保護の補足性）
第4条　保護は、生活に困窮する者が、その利用し得る資産、能力その他あらゆるものを、その最低限度の生活の維持のために活用することを要件として行われる。
2　民法（明治29年法律第89号）に定める扶養義務者の扶養及び他の法律に定める扶助は、すべてこの法律による保護に優先して行われるものとする。
3　前2項の規定は、急迫した事由がある場合に、必要な保護を行うことを妨げるものではない。

　保護の補足性の原則（4条）により、生活保護は、その者の資産や能力を活用してもなお最低限度の生活を維持できない者が最後の手段として受けるものであるとされている。そこで、生活保護の申請時に、行政機関による資産調査や稼働能力の確認などがなされる。資産調査とプライバシー保護との関係、稼働能力の認定の適切性などが法的に問題となり、例えば、稼働能力があるとして生活保護申請が却下された場合に、その適否が申請却下処分の取消訴訟などで争われることがある。

(2) 保護の対象と内容

　一般に社会保障的給付制度では、誰に対して、いかなる内容の給付を行うかが法

律で定められなければならない。本法律では、保護の対象は、生活困窮者の世帯であり（世帯単位の原則、10条）、保護の種類は、「生活扶助」、「教育扶助」、「住宅扶助」、「医療扶助」、「介護扶助」、「出産扶助」、「生業扶助」、「葬祭扶助」の8種類である（11条。なお12条〜18条も参照）。

それぞれの保護の内容（すなわち最低限度の生活の内容）は、厚生労働大臣の定める保護基準で、「要保護者の年齢別、性別、世帯構成別、所在地域別」に詳細に具体化されている（8条2項）。保護基準は厚生労働大臣が発する告示の形式で定められているが、法的性質は省令などと同じく法規命令である。

8つの扶助の中で、医療扶助と介護扶助は現物給付であるが、それ以外の扶助は金銭給付が原則である（31条。なおそれぞれの扶助の方法について、32条〜37条を参照）。「生活扶助」では、食費などの個人的費用と光熱費などの世帯全体の費用を合算して経常的最低生活費が計算される。「住宅扶助」や「教育扶助」などの「生活扶助」以外の金銭給付は、保護基準の中で定められた基準額の範囲内で実費が支給される。

以上の基準の適用例を挙げれば、例えば、都市部に住む夫婦と小学生・中学生の4人家族で月額26万5,000円（一例）というように保護基準額が計算される。

なお、「生活扶助」の基準には、地域別・世帯構成別に定められた一般基準のほかに、母子加算、冬期加算、障害者加算などの定型的な事由による加算がある。それら特別加算のうち、戦後長く認められてきた70歳以上の者に対する老齢加算は、2004年〜2006年に段階的に廃止され、その違法性を問う訴訟が多数提起されてきた（福岡高判平22・6・14判時2085号128頁、最2小判平24・4・2民集66巻6号2367頁等参照）。

おおざっぱに言えば、個々の申請者に対して実際にどのような内容の保護がなされるかは、①申請者世帯の状況に応じた保護基準額（月額）の決定と、②当該世帯における勤労収入や年金収入額（月額）の決定（被保護者からの届出内容とそれを補足する実施機関の調査により決定する）に基づき、①－②の計算によって決定される（なお、②が①を上回れば保護の要件を満たさず、保護は行われない）。一定のカテゴリーの収入（高校進学に伴う奨学金等）は上記の②における収入認定から除外することなど、詳細な運用基準が通知類に定められている。

（基準及び程度の原則）
第8条　保護は、厚生労働大臣の定める基準により測定した要保護者の需要を基とし、そのうち、その者の金銭又は物品で満たすことのできない不足分を補う程度において行うものとする。
2　前項の基準は、要保護者の年齢別、性別、世帯構成別、所在地域別その他保護の種類に応じて必要な事情を考慮した最低限度の生活の需要を満たすに十分なものであって、且つ、これをこえないものでなければならない。
（生活扶助）
第12条　生活扶助は、困窮のため最低限度の生活を維持することのできない者に対して、左に掲げる事項の範囲内において行われる。
　一　衣食その他日常生活の需要を満たすために必要なもの
　二　移送
（教育扶助）

第13条　教育扶助は、困窮のため最低限度の生活を維持することのできない者に対して、左に掲げる事項の範囲内において行われる。
　一　義務教育に伴って必要な教科書その他の学用品
　二　義務教育に伴って必要な通学用品
　三　学校給食その他義務教育に伴って必要なもの
(住宅扶助)
第14条　住宅扶助は、困窮のため最低限度の生活を維持することのできない者に対して、左に掲げる事項の範囲内において行われる。
　一　住居
　二　補修その他住宅の維持のために必要なもの
(医療扶助)
第15条　医療扶助は、困窮のため最低限度の生活を維持することのできない者に対して、左に掲げる事項の範囲内において行われる。
　一～六　(略)
(介護扶助)
第15条の2　(略)
(出産扶助)
第16条　出産扶助は、困窮のため最低限度の生活を維持することのできない者に対して、左に掲げる事項の範囲内において行われる。
　一～三　(略)
(生業扶助)
第17条　生業扶助は、困窮のため最低限度の生活を維持することのできない者又はそのおそれのある者に対して、左に掲げる事項の範囲内において行われる。但し、これによって、その者の収入を増加させ、又はその自立を助長することのできる見込のある場合に限る。
　一　生業に必要な資金、器具又は資料
　二　生業に必要な技能の修得
　三　就労のために必要なもの
(葬祭扶助)
第18条　葬祭扶助は、困窮のため最低限度の生活を維持することのできない者に対して、左に掲げる事項の範囲内において行われる。
　一～四　(略)
2　(略)

(3)　保護の実施主体

　保護の実施機関は、都道府県知事、市長および福祉事務所を管理する町村長である（19条1項・2項）が、実際には被保護者所在地の福祉事務所長に権限が委任されている（19条4項）。保護の開始や廃止の決定は福祉事務所長が行うが、不正受給に対する返還命令（78条）など一部の決定は市町村長が行う。
　生活保護に関する事務は、「国が本来果たすべき役割に係るものであって、国においてその適正な処理を特に確保する必要があるもの」であるので第1号法定受託事務とされており（自治2条9項1号）、国（厚生労働大臣）がその実施について一定の指揮監督権を有する。
　厚生労働省は生活保護行政の運用に関する詳細な基準を、局長通知、課長通知、生活保護法問答集などの形で公表しており（なお局長通知や課長通知は「処理基準」〔自治245条の9第1項〕と考えられている。処理基準には法的拘束力はないが、処理基準に

反する取扱いに対して厚生労働大臣の是正の指示〔自治245条の7〕がなされることもある）、実際の生活保護行政はこれらの運用基準に基づいて、全国的に統一的に行われている。

　生活保護に要する費用は都道府県および市町村が負担するが、国は、「市町村及び都道府県が支弁した保護費、保護施設事務費及び委託事務費の4分の3」を負担しなければならない（法75条1項1号）。

（実施機関）
第19条　都道府県知事、市長及び社会福祉法（昭和26年法律第45号）に規定する福祉に関する事務所（以下「福祉事務所」という。）を管理する町村長は、次に掲げる者に対して、この法律の定めるところにより、保護を決定し、かつ、実施しなければならない。
　一　その管理に属する福祉事務所の所管区域内に居住地を有する要保護者
　二　居住地がないか、又は明らかでない要保護者であって、その管理に属する福祉事務所の所管区域内に現在地を有するもの
2～7　（略）

(4)　保護の開始
　一般に給付行政では、①給付を求める者の申請、②行政機関による調査・審査、③行政機関による給付決定（または給付拒否決定）、④現実の給付の段階を経る。③の法的決定が行政処分の形式となるのか契約上の決定となるのかは給付制度の仕組みにより異なる（後述）。

　生活保護はそれを必要とする者の申請に基づき開始される（7条・24条）。ただし、要保護者が急迫した状況にあるときは、実施機関が職権で保護を開始することもある（25条）。申請を受けた実施機関は、生活保護の必要性について申請内容を審査し、原則として14日以内に、保護が必要であると判断すれば生活保護開始決定を行い、保護が不要であると判断すれば申請却下決定を行う。

　行政機関が保護の要否や程度を審査・判断するためには、要保護者の資産や収入、健康状態、扶養実態などを把握する必要がある。これらは要保護者の提出した書類によって判断されるほか、要保護者への調査（28条）によって得た情報に基づいて行われる。実施機関の行う調査は強制調査ではないが、要保護者が調査を拒んだ場合には保護申請却下処分などにつながる場合がある。

（申請による保護の開始及び変更）
第24条　保護の開始を申請する者は、厚生労働省令で定めるところにより、次に掲げる事項を記載した申請書を保護の実施機関に提出しなければならない。ただし、当該申請書を作成することができない特別の事情があるときは、この限りでない。
　一　要保護者の氏名及び住所又は居所
　二　申請者が要保護者と異なるときは、申請者の氏名及び住所又は居所並びに要保護者との関係
　三　保護を受けようとする理由
　四　要保護者の資産及び収入の状況（生業若しくは就労又は求職活動の状況、扶養義務者の扶養の状況及び他の法律に定める扶助の状況を含む。以下同じ。）
　五　その他要保護者の保護の要否、種類、程度及び方法を決定するために必要な事項として厚生労働省令で定める事項
2　前項の申請書には、要保護者の保護の要否、種類、程度及び方法を決定するために必

要な書類として厚生労働省令で定める書類を添付しなければならない。ただし、当該書類を添付することができない特別の事情があるときは、この限りでない。
3　保護の実施機関は、保護の開始の申請があったときは、保護の要否、種類、程度及び方法を決定し、申請者に対して書面をもって、これを通知しなければならない。
4　前項の書面には、決定の理由を付さなければならない。
5　第3項の通知は、申請のあった日から14日以内にしなければならない。ただし、扶養義務者の資産及び収入の状況の調査に日時を要する場合その他特別な理由がある場合には、これを30日まで延ばすことができる。
6　保護の実施機関は、前項ただし書の規定により同項本文に規定する期間内に第3項の通知をしなかったときは、同項の書面にその理由を明示しなければならない。
7　保護の申請をしてから30日以内に第3項の通知がないときは、申請者は、保護の実施機関が申請を却下したものとみなすことができる。
8〜10　(略)
(職権による保護の開始及び変更)
第25条　保護の実施機関は、要保護者が急迫した状況にあるときは、すみやかに、職権をもって保護の種類、程度及び方法を決定し、保護を開始しなければならない。
2　保護の実施機関は、常に、被保護者の生活状態を調査し、保護の変更を必要とすると認めるときは、速やかに、職権をもってその決定を行い、書面をもって、これを被保護者に通知しなければならない。前条第4項の規定は、この場合に準用する。
3　町村長は、要保護者が特に急迫した事由により放置することができない状況にあるときは、すみやかに、職権をもって第19条第6項に規定する保護を行わなければならない。
(報告、調査及び検診)
第28条　保護の実施機関は、保護の決定若しくは実施又は第77条若しくは第78条(第3項を除く。次項及び次条第1項において同じ。)の規定の施行のため必要があると認めるときは、要保護者の資産及び収入の状況、健康状態その他の事項を調査するために、厚生労働省令で定めるところにより、当該要保護者に対して、報告を求め、若しくは当該職員に、当該要保護者の居住の場所に立ち入り、これらの事項を調査させ、又は当該要保護者に対して、保護の実施機関の指定する医師若しくは歯科医師の検診を受けるべき旨を命ずることができる。
2　保護の実施機関は、保護の決定若しくは実施又は第77条若しくは第78条の規定の施行のため必要があると認めるときは、保護の開始又は変更の申請書及びその添付書類の内容を調査するために、厚生労働省令で定めるところにより、要保護者の扶養義務者若しくはその他の同居の親族又は保護の開始若しくは変更の申請の当時要保護者若しくはこれらの者であった者に対して、報告を求めることができる。
3　第1項の規定によって立入調査を行う当該職員は、厚生労働省令の定めるところにより、その身分を示す証票を携帯し、かつ、関係人の請求があるときは、これを提示しなければならない。
4　第1項の規定による立入調査の権限は、犯罪捜査のために認められたものと解してはならない。
5　保護の実施機関は、要保護者が第1項の規定による報告をせず、若しくは虚偽の報告をし、若しくは立入調査を拒み、妨げ、若しくは忌避し、又は医師若しくは歯科医師の検診を受けるべき旨の命令に従わないときは、保護の開始若しくは変更の申請を却下し、又は保護の変更、停止若しくは廃止をすることができる。

　生活保護申請を却下する決定は行政処分であって、その内容に不服があれば、申請者は都道府県知事に対して審査請求をすることができ(64条)、さらに都道府県知事の裁決に不服があれば、厚生労働大臣に再審査請求をすることもできる(66条)。また「保護の実施機関又は支給機関がした処分の取消しの訴えは、当該処分

についての審査請求に対する裁決を経た後でなければ、提起することができない」（69条。審査請求前置主義）。

　なお念のため、一般的に言うならば、給付制度における給付の可否に関する決定が常に行政処分になるわけではない。給付の申込みとその諾否の決定は、それだけをみれば特に「権力的」な要素は存在しないので、その通常の性質としては、民法上の契約の申込みとその応諾と考えることも可能である。例えば、地方公共団体が行っている要綱に基づく補助金給付などは、その基本的な関係は契約関係であると理解されており、給付申込みに対する拒否決定があった場合には、民事訴訟ないし当事者訴訟でその是非を争うことになるであろう。しかし本法律は（そして社会保障的給付を定める多くの法律は）、実施機関の決定に対して審査請求をすることができると定め、これを行政処分として取り扱う立法者意思を明確にしている。

（審査庁）
第64条　第19条第4項の規定により市町村長が保護の決定及び実施に関する事務の全部又は一部をその管理に属する行政庁に委任した場合における当該事務に関する処分……についての審査請求は、都道府県知事に対してするものとする。
（再審査請求）
第66条　市町村長がした保護の決定及び実施に関する処分若しくは第19条第4項の規定による委任に基づいて行政庁がした処分に係る審査請求についての都道府県知事の裁決……に不服がある者は、厚生労働大臣に対して再審査請求をすることができる。
2　（略）
（審査請求と訴訟との関係）
第69条　この法律の規定に基づき保護の実施機関又は支給機関がした処分の取消しの訴えは、当該処分についての審査請求に対する裁決を経た後でなければ、提起することができない。

(5)　保護の変更、停止、廃止(1)――職権取消しと撤回

　病気で働けなくなって生活保護を受けていた者が、その後病気が回復して就労することになり保護を必要としなくなった場合など、時の経過により、被保護者の状態に変化が生じたときには、実施機関は保護の変更、停止、廃止などの決定を行うことになる（26条）。これらのうち、保護の廃止は、生活保護開始決定以後の新たな事情により当初の決定の効力を消滅させるものであるから、行政法一般理論でいう「行政行為の撤回」に当たる。

　これに対して、生活保護開始時点で保護の必要性がないにもかかわらず保護を受けた場合で、その事実がその後に判明した場合にも保護は廃止される。この場合の廃止は、当初の生活保護開始決定に瑕疵があり、それを理由に決定の効力を消滅させるものであるから、行政法一般理論でいう「行政行為の職権取消し」に当たる。

　撤回の場合には当初の開始決定の効力は撤回時点から消滅するが、職権取消しの場合には原則として当初の開始決定時点に遡って効力が消滅し、開始時点から職権取消時点までに受給した生活保護給付は全額を実施機関に返還しなければならない。

　また、不実の申請その他不正な手段により保護を受けた者については、法78条により、支給した保護額の全額（または一部）の返還・徴収に加えて、徴収額の40

％以下の金額を徴収することができる旨の定めがある。また、78条に基づく返還命令により確定した徴収金は国税徴収の例により（すなわち行政上の強制徴収制度により）徴収することができる。

（保護の停止及び廃止）
第26条　保護の実施機関は、被保護者が保護を必要としなくなったときは、速やかに、保護の停止又は廃止を決定し、書面をもって、これを被保護者に通知しなければならない。第28条第5項又は第62条第3項の規定により保護の停止又は廃止をするときも、同様とする。
第78条　不実の申請その他不正な手段により保護を受け、又は他人をして受けさせた者があるときは、保護費を支弁した都道府県又は市町村の長は、その費用の額の全部又は一部を、その者から徴収するほか、その徴収する額に100分の40を乗じて得た額以下の金額を徴収することができる。
2～4　（略）

(6)　保護の変更、停止、廃止(2)──ケースワーカーによる指導指示
　保護の実施機関（具体的にはケースワーカー）は、被保護者に対して、「生活の維持、向上その他保護の目的達成に必要な指導又は指示をすることができる」（27条1項）。この条文に基づき、車を所有している被保護者に車を処分するように指導したり、働こうとしない被保護者に就労努力に努めるようにといった指導指示がなされることがある。
　この指導指示は「強制し得るものと解釈してはならない」（27条3項）とされており、一般には行政指導と理解されている。しかし、62条は、被保護者は指導指示に従う義務があると定め、その義務に違反した場合に、実施機関は「保護の変更、停止又は廃止をすることができる」と定めているので、指導指示は行政処分として理解すべきではないかとの学説や裁判例（秋田地判平5・4・23行集44巻4＝5号325頁）もある。
　被保護者がケースワーカーの指導指示に従わない場合には、実施機関は62条3項に基づき、保護の変更、停止または廃止をすることができるが、その場合の指導指示は書面で行わなければならない（法施行規則19条）。また、指導指示の内容が実現不可能または実現困難なものである等の場合には、指導指示に従わないことを理由とする保護廃止等処分は違法となる。

（指導及び指示）
第27条　保護の実施機関は、被保護者に対して、生活の維持、向上その他保護の目的達成に必要な指導又は指示をすることができる。
2　前項の指導又は指示は、被保護者の自由を尊重し、必要の最少限度に止めなければならない。
3　第1項の規定は、被保護者の意に反して、指導又は指示を強制し得るものと解釈してはならない。
（指示等に従う義務）
第62条　被保護者は、保護の実施機関が、第30条第1項ただし書の規定により、被保護者を救護施設、更生施設、日常生活支援住居施設若しくはその他の適当な施設に入所させ、若しくはこれらの施設に入所を委託し、若しくは私人の家庭に養護を委託して保護を行うことを決定したとき、又は第27条の規定により、被保護者に対し、必要な指導又は指

示をしたときは、これに従わなければならない。
2 　保護施設を利用する被保護者は、第 46 条の規定により定められたその保護施設の管理規程に従わなければならない。
3 　保護の実施機関は、被保護者が前 2 項の規定による義務に違反したときは、保護の変更、停止又は廃止をすることができる。
4 　保護の実施機関は、前項の規定により保護の変更、停止又は廃止の処分をする場合には、当該被保護者に対して弁明の機会を与えなければならない。この場合においては、あらかじめ、当該処分をしようとする理由、弁明をすべき日時及び場所を通知しなければならない。
5 　第 3 項の規定による処分については、行政手続法第 3 章（第 12 条及び第 14 条を除く。）の規定は、適用しない。

(7)　被保護者の権利と義務

　法 56 条〜58 条は、生活保護を受給している被保護者の権利として、「不利益変更の禁止」（56 条）、「公課禁止」（57 条）、「差押禁止」（58 条）を定め、法 59 条〜62 条は、被保護者の義務として、「譲渡禁止」（59 条）、「生活上の義務」（60 条）、「届出の義務」（61 条）、「指示等に従う義務」（62 条）、「費用返還義務」（63 条）について定めている。このうち、61 条の届出義務と 63 条の返還義務については、その適用をめぐって時に争いがみられる。

　届出義務（61 条）は、被保護者の収入などに変化があった場合に実施機関に届出をする義務である。実際に収入があったのにそれを届け出ることなく従来どおりの生活保護を受けていた場合には、収入分（正確には収入認定されるべき収入額分）の不正受給があったとして、悪質な場合には 78 条の返還命令・徴収命令の対象となることがあり、悪質でない場合には 63 条に基づく返還命令の対象となる。

　63 条の返還命令は解釈が難しい規定である。急迫の場合で資産があってもすぐに活用できない場合（例えば、相続財産収入が予定されているが相続争いなどでその額が確定せず実際に収入が入ってこない場合など）に、とりあえず保護をして、後日（収入が入った時点で）返還してもらうというケースが 63 条の想定する典型例であり、このような場合における 63 条の適用はうなずけるところである。

　しかし実務では、以上の典型例を超えて、労災補償金の遡及支給や障害年金の遡及支給などの臨時収入があった場合や、届出漏れの収入が判明した場合、さらには実施機関のミスで過大支給となった場合など、受給者に資力がありながら扶助費を支給した場合の事後調整規定として広く活用されている。返還すべき収入を既に費消している場合もあって、そのような場合の返還命令は被保護者の最低限度の生活を侵害するおそれもある。被保護者に対する十分な説明がないままに返還命令がなされた場合などではトラブル発生の元となっている。

　63 条の返還命令は「受けた保護金品に相当する金額の範囲内において保護の実施機関の定める額」の返還を命ずるものであって、返還額の決定における実施機関の裁量を認めている。実務では、社会・援護局保護課長通知に基づき、全額返還を原則とするものの、「全額を返還対象とすることによって当該被保護世帯の自立が著しく阻害されると求められる場合」には一定額を返還額から「控除して差し支えない」として、「当該世帯の自立更生のためのやむを得ない用途に充てられたものであって、地域住民との均衡を考慮し、社会通念上容認される程度として保護の実

施機関が認めた額」(自立更生免除といわれることがある)などいくつかの場合を列挙している。63条に基づく返還命令をめぐる訴訟では、この裁量が適正に行使されたか否かも争点となる。

　従来は63条の返還命令に従わない者に対しては民事訴訟による徴収がなされてきたが、2018年の法改正により、63条による返還債務についても行政上の強制徴収が可能となった(77条の2)。もっとも、この改正には批判も多い。

(不利益変更の禁止)
第56条　被保護者は、正当な理由がなければ、既に決定された保護を、不利益に変更されることがない。
(公課禁止)
第57条　被保護者は、保護金品及び進学準備給付金を標準として租税その他の公課を課せられることがない。
(差押禁止)
第58条　被保護者は、既に給与を受けた保護金品及び進学準備給付金又はこれらを受ける権利を差し押さえられることがない。
(譲渡禁止)
第59条　保護又は就労自立給付金若しくは進学準備給付金の支給を受ける権利は、譲り渡すことができない。
(生活上の義務)
第60条　被保護者は、常に、能力に応じて勤労に励み、自ら、健康の保持及び増進に努め、収入、支出その他生計の状況を適切に把握するとともに支出の節約を図り、その他生活の維持及び向上に努めなければならない。
(届出の義務)
第61条　被保護者は、収入、支出その他生計の状況について変動があったとき、又は居住地若しくは世帯の構成に異動があったときは、すみやかに、保護の実施機関又は福祉事務所長にその旨を届け出なければならない。
(指示等に従う義務)
第62条　被保護者は、保護の実施機関が、……第27条の規定により、被保護者に対し、必要な指導又は指示をしたときは、これに従わなければならない。
2　(略)
3　保護の実施機関は、被保護者が前2項の規定による義務に違反したときは、保護の変更、停止又は廃止をすることができる。
4　保護の実施機関は、前項の規定により保護の変更、停止又は廃止の処分をする場合には、当該被保護者に対して弁明の機会を与えなければならない。この場合においては、あらかじめ、当該処分をしようとする理由、弁明をすべき日時及び場所を通知しなければならない。
5　第3項の規定による処分については、行政手続法第3章(第12条及び第14条を除く。)の規定は、適用しない。
(費用返還義務)
第63条　被保護者が、急迫の場合等において資力があるにもかかわらず、保護を受けたときは、保護に要する費用を支弁した都道府県又は市町村に対して、すみやかに、その受けた保護金品に相当する金額の範囲内において保護の実施機関の定める額を返還しなければならない。

3. 給付行政の解釈

　法律に基づく行政の原理の下で、受給者が当然に受けるべき給付を拒否された場

合や、受給者に責任がないにもかかわらず従来から受け取ってきた給付を打ち切られたり、返還を求められたりした場合には、受給者は裁判所に対してその権利利益の救済を求めることができ、裁判において給付法律の解釈が争われることになる。生活保護法の運用をめぐっても、これまでに多数の裁判例がある。

　第2部〔問題10〕では、生活保護法の運用をめぐる法的紛争の一例として、63条の返還命令や78条の返還命令をめぐる問題を事例問題として出題している。少しややこしい問題であるが、本ミニ講義で述べたことを前提知識として、各自、チャレンジしてほしい。

〔曽和俊文〕

〔問題10〕生活保護をめぐる紛争

◆ 事例 ◆

次の文章を読んで、資料を参照しながら、以下の設問に答えなさい。

I 1. 乙市の住民Aは、3歳児のBと2人の世帯を構成している。Aは、生活保護法（以下「法」という）19条4項に基づき乙市長の権限を委任された乙市福祉事務所長に申請を行い、2017年5月1日に生活保護開始の決定を受け、以後、保護給付を受けてきた。
 2. Aは、保護開始の約1カ月前に、元の夫との離婚が成立したことから、別途、Bの監護につき児童扶養手当の支給認定を申請しており、同年5月15日、乙市長から、その支給認定を受け、生活保護以外に、その手当の給付（月額約4万1,000円）も受けることとなった。そこでAは、児童扶養手当の認定通知書を受けた翌週、福祉事務所の担当職員に対し、その通知書の写しを渡した。担当職員は、児童扶養手当をAの新たな収入として認定したが、これに伴い、当初の保護決定に係る月々の生活扶助のうち当該手当分を減額する保護変更決定が必要であることを、繁忙のうちに失念していた。
 3. そのため、2018年9月上旬、後任の担当職員が気づいたときには、Aについて、手当の累計で約65万円の過支給が発生していた。そこで、乙市福祉事務所長は、Aの生活扶助から各月の手当分を減額する保護変更決定を行うとともに、所内のケース検討会議を経たうえで、法63条に基づき、上記過支給分の全額をAが乙市に返還すべき旨の決定（以下「本件返還決定」という）を行い、2018年9月20日、これら2件の決定をAに通知した。
 4. 本件のように、被保護者に一括返還が不可能な額の場合は、保護実務上、返還決定の通知の後に実施機関がその者と話し合い、各月の分割返還額を決める扱いが定着しており、担当職員は、「向こう5年間での月々分割による返還をしていただきたい」とAに提案した。しかしAは、離婚をめぐる混乱以来の鬱状態から、回復が未だ十分で

はなく、隔日のパートタイム就労により月額約4万円の所得を得るのが限界であり、保護給付（上記の保護変更決定後は、月額約12万円）と合わせて、毎月の帳尻は常にぎりぎりである。本件返還決定があるまで、過支給については全く知らず、その分は日々の生活のために既に費消してしまっている。
5．Aは、このような事情から、上記の提案に係る分割（5年間、月額約1万円）を受け入れて全額を返還していく余裕はとてもないと考え、生活保護受給者らを支援する民間団体の助力を得たうえ、本件返還決定について法的救済を得るため、L弁護士事務所に依頼した。

〔設問1〕
　L弁護士の指示を受けたM弁護士の立場に立ち、本件返還決定は違法であって取り消されるべき旨の主張をまとめなさい。（60点）

Ⅱ1．同じく乙市の住民Cは、精神疾患により障害等級2級と認定されて障害厚生年金を受給している妻D、および高校に就学中の子E、Fと、合わせて4人の世帯を構成している。Cは心臓疾患のため就労できず、上記の事情でDも同様であるため、Cの世帯は、2017年1月以降、生活保護給付を受けている。Cは、保護の開始時から2018年8月にかけて6回、概ね3カ月ごとに、乙市福祉事務所長に対し、自分の世帯に就労収入はない旨の申告書を届け出てきた。
2．ところが、担当職員がCの世帯の課税状況調査をしたところ、Eが、2018年度前半にアルバイトに従事し、合計で約10万円を得ていたことが判明した。そこで、乙市長は、法78条1項に基づき、無申告の当該アルバイト収入全額について徴収する旨の決定（以下「本件徴収決定」という）を行い、2018年9月20日、Cに通知した。
3．しかしCは、Eのアルバイト収入が、専ら、同人の修学旅行費や参考書の購入費に充てられていることから、これについて世帯の収入と認定されるいわれはないと考え、本件徴収決定には承服できず、Aと同様に民間団体の助力を得たうえ、本件徴収決定について法的救済を得るため、L弁護士事務所に依頼した。

〔設問2〕
設問1の場合と同様に、M弁護士の立場に立ち、本件徴収決定は違法であって取り消されるべき旨の主張をまとめなさい。(40点)

【資料1　L弁護士事務所での会議録（2018年12月10日）】

L：Aさん、Cさんの案件について、順に検討しましょう。本件返還決定と、本件徴収決定について、審査請求を行ったところ、どちらも審査庁により棄却されました。今後の取消訴訟で、これら2件の原処分の違法事由をそれぞれどのように主張するか、ここで方針を固めておきましょう。

M：まず、Aさんについて申しますと、法63条の適用対象としては、本来、法4条3項や7条ただし書に従って急迫性を理由に保護が開始され、後に被保護者の資産から返還が求められる場合が典型と思います。例えば、親の死亡により相続権が既に発生していたものの、相続の手続終了以前に困窮に陥った人が、保護を受けるに至った後、十分な相続財産を得た、といった事例がそうですね。Aさんのケースにまで、法63条は適用可能なのでしょうか。

L：私も、当初不審に思い、調べてみましたが、法63条のいう、急迫の場合「等」の意義については、Mさんのいう典型を超えて、広く解されています。Aさんのように、法78条1項には該当しないものの、客観的には「資産」を有していた被保護者が、法4条1項や8条1項に反して過分な保護を受けた場合も、法63条の「急迫の場合等に資力があるにもかかわらず、保護を受けたとき」に当たるとされています。疑問なしとはいえないかもしれませんが、このような解釈は裁判例上確立されているので、この点は争わないことにしましょう。

M：そうすると、Aさんの場合、法63条の要件認定の違法は主張せず、処分の内容ないし法効果をめぐる違法事由を主張することになりますね。まず、法63条にいう、過支給の金額の範囲内で「保護の実施機関の定める額」に関わり、本件返還決定が、関係する過去の児童扶養手当の全額について返還を求めている点は違法ではないか、が問題となります。

L：実施機関の裁量の余地は否定できませんが、具体的な返還額の設定について、裁量の限界はあるはずです。実際、裁判例によれば、法63条が一律の全額返還を義務付けていない趣旨は、そのような返還要求が、相手方の最低限度の生活保障を損ね、その自立更生を阻害するおそれがあることから、個々の被保護者の事情をよく知りうる実施機関の合理的な裁量を認めることにある、とされています。そのような合理性の限界を、本件の事案に即して具体的に判断しなければなりません。

例えば、生活保護行政では、主務官庁が公表した通知の示す解釈基準や裁量基準が、重きをなしています。厚労省の担当課長が地方公共団体に宛てた、「生活保護費の費用返還及び費用徴収決定の取扱いについて」（平24・7・23社援保発0723第1号）を見ますと、「法第63条に基づく費用返還については、原則、全額を返還対象とすること。〔原文改行〕ただし、全額を返還対象とすることによって当該保護世帯の自立が著しく阻害されると認められる場合は、次に定める範囲の額を返還額から控除して差し支えない」としたうえ、次のような控除可能例を挙げています。すなわち、①盗難等の不可抗力により消失した額、②家屋補修等の一時的な経費で、保護変更の申請があれば支給が認められていたはずの額、③当該世帯の自立更生のためのやむをえない用途に宛てられたものであって、地域住民との均衡を考慮し、社会通念上容認される程度として保護の実施機関が認めた額、等です。このような、全額返還原則に対する例外の承認が、なお狭すぎるかどうかはともかく、われわれとしては、有利に援用できる部分はないか、考えておくべきでしょう。Aさんのご事情や、福祉事務所側の対応について、具体的に考慮すべきことはありませんか。

M：Aさんは、過支給の期間中、真夏に冷蔵庫が壊れたことから、同等の小型機種の買換えのために支出をして、その領収書を保管しています。アパートのドアの鍵の修繕費用についても、領収書があるそうです。しかし、私が職員から聞き取ったところでは、福祉事務所は、これらの費用については把握せず、ケース検討会議においては、担当職員が、「分割期間の話合いさえつけば、Aさんが今後の家計から工面して全額返還することは十分可能です」と発言し、それより具体的な検討には進まず、直ちに本件返還決定の結論が決められた、とのことです。

L：そうであれば、先の通知文書に照らしても問題がありそうですね。

M：わかりました。通知文書を援用した主張について、検討しておきます。

L：本件返還決定の裁量審査については、社会通念ないし社会観念に照らして著しく妥当性を欠くかどうか、という、一般的な社会通念基準が適用されると思われますが、この20年余りの判例には、同じく「社会通念」や「社会観念」をいう場合でも、より古い時期のものとは異なり、根拠法令の下、関連する具体的事情の考慮の仕方について、相当に立ち入った審査を加えているものがあります。われわれは、返還額の決定や、具体的な返還方法の決定について、このような適法性審査を求めるべきです。

　また、Aさんのように帰責性のない人に対して、保護の実施機関の誤りに起因する費用の負担を全額求めるというのは、伝統的な行政行為論にいう、授益的行政処分の取消制限の法理に適合しないことと思えますから、このよ

うな見地からも、裁量の限定を図るよう、検討すべきでしょう。
M：承知しました。
L：次に、Cさんの案件についても、返還額をめぐる問題がありますが、私の調べでは、厚労省の課長通知上、法78条1項に基づく徴収については、法63条とは異なり、自立更生のための減額の余地を検討する必要はないと解されています。疑問の余地はありえますが、「不実の申請その他不正な手段により保護を」受けた場合は、法63条の場合とは厳然と区別されているわけです。そこで、なかなか難しいですが、Cさんの場合、「法78条1項を適用することは、同条同項の解釈を誤り違法である」との主張に、力点を置くこととしましょう。
M：わかりました。CさんがEさんのアルバイト収入を申告書に記入していなかった理由は、「世帯員たる高校生のアルバイトについては、その収入が授業料の不足分や修学旅行費等に用いられる場合には、被保護者世帯の自立更生のため、収入として認定されない」、と以前ケースワーカーから聞いていたことにあるそうです。このような認定の扱いは、実際、厚労省の課長通知が容認しています。それでも、収入の届出をしていなかった以上は法78条1項にいう「不実の申請その他不正な手段」に当たるのか、法の要件解釈を問題としましょう。同じ要件が、法の刑罰規定にも定められていることも、参照されるべきと考えています。

【資料2　生活保護法等（抜粋）】

○　生活保護法
（この法律の目的）
第1条　この法律は、日本国憲法第25条に規定する理念に基き、国が生活に困窮するすべての国民に対し、その困窮の程度に応じ、必要な保護を行い、その最低限度の生活を保障するとともに、その自立を助長することを目的とする。
（最低生活）
第3条　この法律により保障される最低限度の生活は、健康で文化的な生活水準を維持することができるものでなければならない。
（保護の補足性）
第4条　保護は、生活に困窮する者が、その利用し得る資産、能力その他あらゆるものを、その最低限度の生活の維持のために活用することを要件として行われる。

2　民法（明治29年法律第89号）に定める扶養義務者の扶養及び他の法律に定める扶助は、すべてこの法律による保護に優先して行われるものとする。
3　前2項の規定は、急迫した事由がある場合に、必要な保護を行うことを妨げるものではない。

（この法律の解釈及び運用）
第5条　前4条に規定するところは、この法律の基本原理であって、この法律の解釈及び運用は、すべてこの原理に基いてされなければならない。

（用語の定義）
第6条　この法律において「被保護者」とは、現に保護を受けている者をいう。
2　この法律において「要保護者」とは、現に保護を受けているといないとにかかわらず、保護を必要とする状態にある者をいう。
3～5　（略）

（申請保護の原則）
第7条　保護は、要保護者、その扶養義務者又はその他の同居の親族の申請に基いて開始するものとする。但し、要保護者が急迫した状況にあるときは、保護の申請がなくても、必要な保護を行うことができる。

（基準及び程度の原則）
第8条　保護は、厚生労働大臣の定める基準により測定した要保護者の需要を基とし、そのうち、その者の金銭又は物品で満たすことのできない不足分を補う程度において行うものとする。
2　前項の基準は、要保護者の年齢別、性別、世帯構成別、所在地域別その他保護の種類に応じて必要な事情を考慮した最低限度の生活の需要を満たすに十分なものであって、且つ、これをこえないものでなければならない。

（必要即応の原則）
第9条　保護は、要保護者の年齢別、性別、健康状態等その個人又は世帯の実際の必要の相違を考慮して、有効且つ適切に行うものとする。

（世帯単位の原則）
第10条　保護は、世帯を単位としてその要否及び程度を定めるものとする。但し、これによりがたいときは、個人を単位として定めることができる。

（実施機関）
第19条　都道府県知事、市長及び社会福祉法（昭和26年法律第45号）に規定する福祉に関する事務所（以下「福祉事務所」という。）を管理する町村長は、次に掲げる者に対して、この法律の定めるところにより、保護を決定し、かつ、実施しなければならない。
　一　その管理に属する福祉事務所の所管区域内に居住地を有する要保護者
　二　居住地がないか、又は明らかでない要保護者であって、その管理に属す

る福祉事務所の所管区域内に現在地を有するもの

2～3　(略)

4　前3項の規定により保護を行うべき者（以下「保護の実施機関」という。）は、保護の決定及び実施に関する事務の全部又は一部を、その管理に属する行政庁に限り、委任することができる。

5～7　(略)

（申請による保護の開始及び変更）

第24条　保護の開始を申請する者は、厚生労働省令で定めるところにより、次に掲げる事項を記載した申請書を保護の実施機関に提出しなければならない。ただし、当該申請書を作成することができない特別の事情があるときは、この限りでない。

一　要保護者の氏名及び住所又は居所

二　(略)

三　保護を受けようとする理由

四　要保護者の資産及び収入の状況（生業若しくは就労又は求職活動の状況、扶養義務者の扶養の状況及び他の法律に定める扶助の状況を含む。以下同じ。）

五　(略)

2　前項の申請書には、要保護者の保護の要否、種類、程度及び方法を決定するために必要な書類として厚生労働省令で定める書類を添付しなければならない。ただし、当該書類を添付することができない特別の事情があるときは、この限りでない。

3　保護の実施機関は、保護の開始の申請があったときは、保護の要否、種類、程度及び方法を決定し、申請者に対して書面をもって、これを通知しなければならない。

4　前項の書面には、決定の理由を付さなければならない。

5～10　(略)

（職権による保護の開始及び変更）

第25条　保護の実施機関は、要保護者が急迫した状況にあるときは、すみやかに、職権をもって保護の種類、程度及び方法を決定し、保護を開始しなければならない。

2　保護の実施機関は、常に、被保護者の生活状態を調査し、保護の変更を必要とすると認めるときは、速やかに、職権をもってその決定を行い、書面をもって、これを被保護者に通知しなければならない。前条第4項の規定は、この場合に準用する。

3　(略)

（届出の義務）

第61条　被保護者は、収入、支出その他生計の状況について変動があったとき、又は居住地若しくは世帯の構成に異動があったときは、すみやかに、保護の実施機関又は福祉事務所長にその旨を届け出なければならない。

(費用返還義務)

第63条　被保護者が、急迫の場合等において資力があるにもかかわらず、保護を受けたときは、保護に要する費用を支弁した都道府県又は市町村に対して、すみやかに、その受けた保護金品に相当する金額の範囲内において保護の実施機関の定める額を返還しなければならない。

第77条の2　急迫の場合等において資力があるにもかかわらず、保護を受けた者があるとき（徴収することが適当でないときとして厚生労働省令で定めるときを除く。）は、保護に要する費用を支弁した都道府県又は市町村の長は、第63条の保護の実施機関の定める額の全部又は一部をその者から徴収することができる。

2　前項の規定による徴収金は、この法律に別段の定めがある場合を除き、国税徴収の例により徴収することができる。

〔注：本条は、平成30（2018）・6・8法律44号により新設され、この附則により、「この法律〔44号〕の施行の日〔同年10月1日〕以後に都道府県又は市町村の長が支弁した保護に要する費用に係る課徴金の徴収について適用する」ものとされている。〕

第78条　不実の申請その他不正な手段により保護を受け、又は他人をして受けさせた者があるときは、保護費を支弁した都道府県又は市町村の長は、その費用の額の全部又は一部を、その者から徴収するほか、その徴収する額に100分の40を乗じて得た額以下の金額を徴収することができる。

2～3　(略)

4　前条〔77条の2〕第2項の規定は、前3項の規定による徴収金について準用する。

(罰則)

第85条　不実の申請その他不正な手段により保護を受け、又は他人をして受けさせた者は、3年以下の懲役又は100万円以下の罰金に処する。ただし、刑法（明治40年法律第45号）に正条があるときは、刑法による。

2　(略)

○　**生活保護法施行規則**

(厚生労働省令で定める徴収することが適当でないとき)

第22条の3　法第77条の2第1項の徴収することが適当でないときとして厚生労働省令で定めるときは、保護の実施機関の責めに帰すべき事由によって、

保護金品を交付すべきでないにもかかわらず、保護金品の交付が行われたため に、被保護者が資力を有することとなったときとする。

◆ 解説 ◆

1．出題の意図

　本問は、生活保護法の運用上、近年争われることの多い、過支給分についての返還請求に関わる2種の処分を取り上げている。同法や同法施行規則の関連条文については、初見の人が多いであろうが、本問は、行政処分の**裁量の限界**や、行政処分の**要件規定の解釈**など、行政法の観点から検討できる論点について問うものである。
　なお、事例Ⅰは東京地判平29・2・1 賃金と社会保障1680号33頁を、事例Ⅱは横浜地判平27・3・11 賃金と社会保障1637号33頁を、それぞれ参考にしている。

2．設問1――法63条に基づく返還決定の違法性

(1) 法63条に基づく処分に関する裁量の限界一般
　(ア) 法63条の意義
　【資料1】に見るように、裁判例上、本来の急迫の事案に限らず、法4条1項・8条1項に反して過支給があったときは、法63条にいう「急迫の場合等において資力があるにもかかわらず、保護を受けたとき」に当たるとされている。すなわち法63条は、過支給を事後的に調整するための規定と解されており、同条は、実施機関の判断の誤りにより過支給がなされた場合にも適用されている。後述のように、過支給について被保護者側に一定の帰責性がある場合は法78条1項の適用により対処されるため、法63条は、それ以外の場合の調整に用いられている。
　このように、生活保護法上、本来あるべき支給状況に戻すための調整ではあるが、法63条に基づく返還決定は、被保護者に不相当な打撃を与えることがある。生活保護は、「健康で文化的な」「最低限度の生活」の保障に関わり、しかも、生活保護基準が定める最低水準に満たない部分の補足に限って給付をなすものであるから（法3条・4条・8条1項・

2項を参照)、被保護者に対する返還請求は、その者に最低限度未満の生活を強いることとなりかねない。被保護者は、Aのように、過支給分を手元に置くことなく、既に費消しているのが普通である。このような状況の下、【資料1】でLが述べるように、具体的な返還額の決定に関する裁量の適否が問われることになる。

　もちろん、過支給分の全額返還を求めても問題がない場合もある。Mが挙げる典型例に即して言うと、例えば、生活保護受給中に1,000万円の相続財産を得たが、その時点で既に累計100万円の保護給付が行われていた、という事案であれば、その過支給分を一括して返還させても、残りの900万円により、その人は当分の間、最低限度を十分上回る生活を営めるはずである。この場合は、生活保護の廃止決定と、過支給分の全額返還を求める決定が、共に適法に成立する。しかし、このような事案は稀であろう。

　さらに、問題は、返還額の決定いかんに限られない。これに加え、月々の分割額ないしは分割返還期間の決定も、相手方にとっては重大な関心事であるが、法63条は、これら具体的な返還方法の決定については何も触れていない。法に基づく施行令、施行規則のレベルでも同様である (資料では省略しているが、厚労省の通知文書にも記述はない)。そこで、返還額、つまり「その受けた保護金品に相当する金額の範囲内において保護の実施機関の定める額」(法63条) の判断のほか、分割の仕方の判断についても、裁量の適正な限界づけが図られなければならない。

(ｲ)　**具体的な考慮要素**

　すなわち、第1に、法63条が、保護金品に相当する全額の返還決定を実施機関の義務としていないのは、一律に全額返還を求めると「最低限度の生活を保障するとともに、その自立を助長する」目的 (法1条) を損ないかねないことから、過支給の一部につき返還を免除して被保護者の自立更生を図ることを認めるため、と解される。そのような個別具体的判断は、まず実施機関が行うことが適当ではあるが、その判断要素の選択や判断過程が合理性を欠くかどうかは、裁判所の審査に服する。返還決定に伴う、返還の具体的方法の決定についても同様である。

第２に、Ｌの発言が示唆するように、Ａが、児童扶養手当の受給開始について正当に申告しており、過支給の原因は専ら処分庁の職員側の過失にあること、したがって、従前の支給に対するＡの信頼を保護する必要性が高いことも、本件返還決定の審査のうえで考慮されなければならない。

(2) **本件における裁量の行使についての具体的検討**
(ア) **行政の内部基準に照らした検討**
　まず、上記(1)(イ)第１の観点から検討しよう。本事例では、Ａが過支給の期間中に支出した冷蔵庫買換え費用や、鍵の修理費用は、同人の世帯が健全な日常生活を営むのに不可欠かつ相当な範囲での支出であり、Ｌが通知文書から引用した②ないし③の費用に当たる。
　この通知は、一般にも公表されており、返還額からの控除を認める部分は、地方公共団体の実施機関が裁量基準として参照しているものであるが、返還額からの②・③の控除は、法１条が定める保護の趣旨に照らして認められるべきものである。この通知の上記部分に関し、適法性を疑わせる事情はない。実施機関は、特段の事情がない限り、この通知に従って事務を処理すべきものと考えられる。
　そして、本件のように、過支給の期間が長ければ、控除されるべき費用が発生した可能性は、相応に高いはずである。そうすると、実施機関としては、このような費用の有無に関し、前もってＡに対し調査を尽くすことが義務となる、と考えるべきである。それにもかかわらず、そのような調査がないまま行われ、また実際にこれらの点に関する判断を遺漏した本件返還決定は、著しく不合理であって違法である。あるいは、実施機関は、調査に先立ち、被保護者に対し、何が返還免除可能な費目かについて説明を尽くす義務を負う、ということもできる。特にＡのように精神的な困難をも抱えている被保護者に対し、厚労省の通知文書上の基準を自らリサーチすること、ひいては、返還免除可能な具体的事項について自ら申告することまで求めるのは、やはり著しく不合理というほかない。調査は、上記のような説明を伴わなければ、有意義なものとはならないであろう。
　また、返還額を一括ではなく分割して返納させることにより、たし

かに、被保護者への打撃は緩和されるが、何らかの分割をすればAの自立更生は阻害されない、とまではいえない。分割返納が、既に苦境にあるAに及ぼす影響について、前もっての具体的検討を全く欠いて行われた点でも、本件返還決定は違法というべきである（本問の参考例の東京地判平29・2・1は、分割返納月額が原告の世帯に及ぼす影響を処分庁が具体的に検討していない点を、返還決定の違法事由の1つに挙げる）。

(イ) 被保護者の信頼保護の要請

次に、上記第2の観点からも検討しよう。多くの行政法学説は、授益的行政処分、特に社会保障領域でのそれを、処分庁が職権で取り消す場合について、**信頼保護**の要請を強調し、私人の側に相当有利な議論を立ててきた。例えば、ある説は、「社会保険給付などにあっては……相手方に故意または重大な過失によって申請書に不実記載をしたなど信頼保護に値しない事情がある場合をのぞいて、取消の効果は過去に遡及しないものとすべき」と述べる（遠藤博也『実定行政法』〔有斐閣、1989年〕140〜141頁）。また別の説は、社会保障給付に関し、給付の原因となった処分が取り消されても、その効果は遡及しないか、または受給者に残存利益がなければ不当利得の返還請求は認められないのではないか、としている（塩野宏＝原田尚彦『演習行政法新版』〔有斐閣、1989年〕72〜73頁〔塩野〕）。このような行政法学説を前提としてか、社会保障法学説には、「〔生活〕保護の受給額が保護実施機関の過誤により高額であった場合で、被保護者がそれを費消してしまったときは、原則として返還義務は生じない」とするものがある（西村健一郎『社会保障法』〔有斐閣、2003年〕539頁）。

もっとも、返還決定は、先行する生活保護決定の全部または一部を取り消す処分ではない。しかし、もし、このような職権取消しの処分がなされていれば、当然に、既存の過支給分についての返還請求の可否が問題となる。法63条は、このような取消しの処分を明示的には介在させないが、これを実質的に代替する仕組みを採用しているのであって、「〔授益的〕行政処分の取消しの制限に関して論じられてきた行政法理論の枠組みがここでも妥当する」（前田雅子「生活保護法第63条に基づく費用返還」法と政治69巻3号〔2018年〕11頁）。

実際、本問のモデルの裁判例は、事例Ⅰと類似の事案について、そ

こでの返還決定が処分庁側の過誤を原告の負担に転嫁する一面をもつことを指摘し、「本件過支給費用の返還額の決定に当たっては、損害の公平な分担という見地から、上記の過誤に係る職員に対する損害賠償請求権の成否やこれを前提とした当該職員による過支給費用の全部又は一部の負担の可否についての検討が不可欠である」と述べる。この判決では、過支給につき帰責性のない被保護者側の事情と、専ら実施機関側による過誤の発生とが考慮され、被保護者の信頼保護が図られたものとみられる。既に挙げた、Aの世帯に返還決定が及ぼす影響についての考慮不尽に加え、このように、行政側の過誤に伴う責務についての考慮不尽も、本件返還決定の違法事由に当たる、と解すべきである。なお、本事例の処分時点では施行前の法施行規則22条の3は、強制徴収手続の適用を制限する規定であるが、そこにいう「保護の実施機関の責めに帰すべき事由」は、以上のように、返還決定の実体的適否にも関係がある、とみるべきである。

　前記のような行政行為論は、学習上、手薄となっているかもしれないが、①授益的処分の法律適合性の要請とともに、それらの処分をめぐる相手方の信頼保護の要請も重要であること、また、②後者の要請は、とりわけ生活保護においては死活的なものであること、を前提に主張を立てていただきたい。

　なお、判例・裁判例が同じく「社会通念（観念）」の語を用いる場合であっても、事案により裁量の審査の仕方は様々である。この点については、ミニ講義3の再読をお勧めする。

3．設問2――法78条に基づく返還決定の違法性

(1) 法78条の意義

　【資料1】が示すように、行政実務上、法78条1項に基づく徴収に際しては、法63条に基づく返還決定の場合と異なり、自立更生のために充てられる費用の控除の必要は問題とならない、と解されている（生活保護手帳別冊問答集2018年度版〔中央法規、2018年〕438～439頁）。ここでは、長による財政支出の適正さ確保の要請や、不正受給の悪質性を考慮したうえ、徴収は相手方の資力いかんに関わりなく決定される

べきもの、とされている（前掲・問答集440～441頁）。そのため、法78条1項の場合は、法63条の場合よりも、過支給徴収額の決定をめぐる違法事由を見出しにくい。被保護者側の悪質性に加え、実施機関の側には帰責性がない、という事情があれば、それも納得のいくものではある。しかし、事例Ⅱにみるように、われわれの通常の感覚として「これが悪質な不正受給に当たるものだろうか」と思われる事案にも、法78条1項が適用されるときがある。その審査において、裁判例は、法78条1項の要件認定に行政裁量を認めて裁量濫用の有無を判断するのではなく、裁判所自身の判断代置により、要件充足の有無を判断している。この点は、刑罰法令の解釈・適用の場合と同様である。以下のような裁判例が参考になる。

(2) **裁判例に照らした判断のあり方**

例えば、ある裁判例は、民間保険会社との契約による「育英年金付きこども保険」の保険金に関わり、父を亡くした子が高専の学費に用いる育英年金は、収入認定の対象とならないはず、と原告たる母が誤解し、実施機関にその収入申告をしていなかった事案で、この誤解は専門知識のない者には無理からぬこと、と評価する。そのうえで、原告による無申告は「故意に……事実を隠ぺいし……申告に明らかな作為を加えた」ものとはいえず、法78条にいう「不実の申請その他不正な手段」には当たらない、と判示している（高松地判平21・3・23賃金と社会保障1495号57頁）。

事例Ⅱの参考にした裁判例も、高校生の子のアルバイト収入の申告義務につき、実施機関から事前に十分な説明がなく、原告に義務違反との意識がなかったなどの事情の下、収入に関する単なる届出義務違反は「不実の申請その他不正な手段」には当たらない、と述べる（前掲・横浜地判平27・3・11）。

また別の裁判例は、法78条1項の要件と、刑罰規定である法85条1項の構成要件が文言上同じであることを指摘したうえで、徴収決定は、生活保護制度の悪用と評価できる行為、例えば職員の質問に対する虚偽の説明等に限って行われるべき旨述べている（神戸地判平30・2・9賃金と社会保障1740号17頁）。

行政処分の実体的要件に係る違法事由の構成については、このように、裁量の余地を前提とした裁量濫用の判断ではなく、**処分要件の限定解釈**を通じた要件非該当の判断による場合がある。

　ただ、下級審の裁判例としては、積極的に虚偽の申告をなすことだけでなく、申告すべき収入を消極的に隠匿することも「不実の申請その他不正な手段」に当たる、と広く解釈するものが、むしろ優勢であった（前掲・高松地判平21・3・23を取り消した控訴審の高松高判平21・11・30裁判所ウェブサイトなど）。そして、【資料1】の会議日の後に下された、最3小判平30・12・18民集72巻6号1158頁は、おそらく同様の解釈を前提としたうえで、要旨次のように判示している。すなわち、勤労意欲の助長と自立更生のため、勤労収入に係る額の一部を控除する実務上の扱いは、適正な収入届出がなければ認められず、したがって、世帯員（長男）の勤労収入が届出されていなかった事情の下、不正受給額を全額徴収する決定は適法である、と。

　この最高裁判決以後、Mによる限定解釈の主張は、実務上は難しい。しかし、法78条1項の解釈問題としては、なお判例への異論の余地は残るであろう。収入の届出について綿密な説明と被保護者の理解があった事案であればともかく、本事例のように、被保護者が届出義務の範囲を単純に誤解していた事案であれば、故意の隠蔽とはいえ、法78条1項のいう「不正な手段により保護を受け」た場合には当たらない、との解釈もなお考えられよう。

〔関連問題〕
　乙市で生活保護を受給していたGは、親の死去により、相続財産1,000万円を得たことから、2019年6月7日、生活保護を廃止する決定を受けるとともに、相続権発生の時点から過支給となった累計100万円について法63条に基づく返還決定を受けた。しかし、Gは返還決定に従った納付を拒んでいるため、乙市は、法的な強制手段により同人から徴収することを予定している。

1．仮に、上記のような法63条に基づく返還決定が、現行の法77条の2が施行される前に行われたものであったとすれば、どのような強制手段が発動可能であったか。

２．現行の法77条の2の施行後の上記返還決定については、どのような強制手段が発動可能か。
上記2点について、具体的に説明しなさい。

［佐伯祐二］

〔問題11〕 林道使用の不許可をめぐる紛争

◆ 事例 ◆

次の文章を読んで、資料を参照しながら、若手弁護士Kの立場に立って、以下の設問に答えなさい。

1. 産業廃棄物の収集、運搬、処理および再生に関する事業等を目的とする会社であるAは、甲県乙市内の山林9,818m²の土地の所有権を売買により取得し、甲県知事から廃棄物処理法15条による許可を受けて、同所に産業廃棄物処分場（以下「本件処分場」という）を設けた。さらに、Aは、本件処分場に産業廃棄物を搬入するための目的で、乙市長に対し、林道丙線（以下「本件林道」という）の使用許可を申請した。
2. 本件林道は、乙市が開設した総延長3,648m、幅員4ｍの林道で、乙市林道台帳に登載され、乙市長によって管理されている。本件林道の起点には、鉄製の大きな門扉が設置され、右門扉にはかんぬきがかけられているが、施錠はされていない。乙市長は、乙市林道台帳に登載された林道の維持管理に関する事項を、訓令である乙市林道維持管理規程（以下「本件規程」という）によって定めている。

本件規程によれば、林産物、土石その他の物品を運搬するため、林道を使用する者は、乙市長の許可を受けなければならず（本件規程3条1項）、乙市長は、使用者が、(1)本件規程に違反したとき、(2)林道の使用方法が適正を欠き、林道の維持に支障をきたすおそれがあると認められるとき、(3)林道の維持修繕のため必要があるとき、のいずれかに該当する場合には、右使用許可を取り消し、または、林道の使用を停止することができる（本件規程9条）。なお、上の使用許可の規程は、(1)林道沿線等の居住者の日常生活のための林道利用、(2)公共事業等のための林道利用および占用、(3)併用林道協定に係る国有林野の産物の買受人および国有林野事業の請負人の併用林道利用および占用、(4)不特定の一般利用者のいずれかに該当する場合には、適用されない（本件規程12条）。また、使用者は、林道の設置、補修、林道の維持管理等の経費に充てるため、分担金を納

付しなければならない（本件規程11条）。
3. Aの申請の内容は、運搬物の種類を産業廃棄物（安定5品目）および重機とし、1カ月あたり15tないし20tを4tダンプカーにより運搬することとし、使用区間を本件林道の起点付近から2kmとするものであったが、乙市長は、本件林道の使用を不許可とする決定（以下「本件不許可」という）をし、Aに通知した。不許可の理由は、本件林道は、森林法に基づき、林産物の運搬、林業経営および森林管理のために必要な交通の用に供する趣旨で開設されたものであるところ、産業廃棄物が搬入されると、山林は破壊され、汚水は浸透して地下水を汚染し、下流住民の健康を蝕むことになるし、トラックが日常進入するようになると、道路が破壊され、林産物の搬出や森林管理のための車両の通行にも支障を来すことになる、というものであった。

Aの代表者であるBは、本件不許可の通知を受けてから約1週間後に、本件林道を使用するための訴訟について検討するため、弁護士JおよびKと面談した。

〔設問〕
1. Aが本件林道の使用許可を得るために提起すべき訴訟（行訴法に規定されたものに限る）について述べなさい。なお、仮の救済について触れる必要はない。(50点)
2. Aが本件不許可の違法性について行うべき主張を述べなさい。(50点)

【資料1　B、主任の弁護士Jおよび若手弁護士Kの間のやり取り】

J：本件林道の使用が不許可とされてお困りのことですが、他に廃棄物を搬入するルートはないのでしょうか。

B：本件林道だけです。ここを使わせてもらえないとなると、本件処分場の設置許可が無意味になってしまいます。

J：本件処分場の設置には乙市の住民が反対しているそうですが、どのような処分場なのでしょうか。

B：安定型最終処分場という種類のものです。安定5品目、つまり、廃プラスチックやガラスくず・陶磁器くずなど、生活環境上影響を及ぼすことが少ないとされている廃棄物の埋立処分をすることになっています。

J：現在の本件林道の利用状況はどうなっていますか。

B：本件林道沿いに人家は1軒もないので、生活道路としての利用はほとんどないことを確認しています。林道の先にNTTの無線中継所があり、NTTの自動車が定期点検のために通行するほかは、森林の手入れのために、年間に数日間、軽トラックが数台通行する程度のようです。

J：わかりました。では、本件林道の使用を認めさせるための訴訟について検討しましょう。前提として、林道という施設の法的性格が問題になりますね。本件林道の起点には門扉が設置されているということですが、なぜ道路なのに自由に利用できないのでしょうか。以前事務所の遠足で山菜採りやバーベキューをしたときは、林道を通ったような覚えがありますが。

K：道路法が適用される道路であれば、一般公衆の通行の用に供されるものですので、誰でも利用できるのですが、林道は、森林法に基づいて、林産物の搬出等、森林の利用、開発、保全のため設置される道路ですので、それ以外の目的のために利用するには、管理者の承諾が必要になるようです。本件林道を廃棄物の搬入のために使用することの許可は、地方自治法238条の4第7項に基づく行政財産の目的外使用許可に該当すると思われます。

J：そうすると、こちらとしては、乙市長による目的外使用の不許可が違法であると主張することになると思いますが、訴訟形式はどうなるでしょうか。目的外使用許可が、乙市の財産を使用するための契約締結の申込みに対する承諾であると解すると、その拒否について争う場合には、民事訴訟か当事者訴訟ということになりそうですね。

K：目的外使用許可が契約上の行為ではなく行政処分であることについてはほぼ争いがないと思われます。乙市も、目的外使用許可に行手法5条以下の規定が適用されると考えて、申請に対する処分の手続を履践しています。

J：そうですか。ただ、乙市が目的外使用許可を処分として扱っているとしても、処分かどうかを決めるのは乙市ではなく裁判所ですから、訴訟になったらどのような議論が出てくるかわかりませんよ。まず、目的外使用許可が行政処分に当たるとする根拠を、行政実務上の取扱いではなく、法律の規定に基づいて整理して下さい。その際には、行政財産のみならず普通財産についての規定も含め、公有財産に関わる規定の全体をよく検討して、立法趣旨を明らかにする必要があるでしょう。

K：承知しました。なお、目的外使用許可が処分であるとしても、1つ、気がかりな点があります。地方自治法238条の4第7項は、「使用を許可することができる」と定めるだけで、申請制度についての明文の定めがありません。そのうえ、行政財産は特定の行政上の用途・目的に供されている財産であり、目的外使用許可は、行政目的の効率的利用の見地から認められるものと解されています。このため、目的外使用は、使用者にとって恩恵的なものにすぎず、

使用を求める権利はないので、使用不許可は処分とはいえない、という考え方もあるようです。下級審裁判例には、国有財産法18条6項による目的外使用許可の拒否について処分性を否定したものもあります。このような考え方が、地方自治法上の目的外使用許可にも適用される可能性はないでしょうか。

J：使用許可については申請権が認められず、使用不許可は職権による授益処分を事実上拒否する行為であって行政処分ではない、という主張が出てくる可能性があるということですね。この点についても、こちらから主張すべきことを整理しておく必要があるでしょう。

K：地方自治法の条文を見ていて気づいたのですが、地方自治法238条の7に、「行政財産を使用する権利に関する処分」に対する審査請求についての規定が置かれています。審査請求の対象とされる行為は訴訟においても処分性が認められますから、ややこしい解釈をしなくても、目的外使用の許可または不許可を処分とみなすという立法政策がとられているといえるのではないでしょうか。

J：この規定は1つの論拠になりうるとは思いますが、これだけでは十分とはいえないでしょう。同条は、「行政財産を使用する権利に関する処分」というだけで、明示的に、目的外使用の許可または不許可を審査請求の対象としているわけではありません。地方自治法238条の4第9項に行政財産の目的外使用許可の取消しについての定めが置かれていますから、これが処分とみなされていることは確実です。これに対し、許可は授益的行為ですから、許可の相手方がこれを争うことはできないので、立法者が許可に対する審査請求を想定していたとは考えにくいでしょう。また、不許可については法律に明文の規定がないため、やはり、審査請求の対象とするという立法政策がとられていると断言することはできないように思います。そういうわけですから、審査請求規定以外に主張すべき内容をまとめたうえで、目的外使用の不許可に処分性が認められる場合に提起すべき訴訟について整理しておいて下さい。

K：了解しました。

J：次に、本案の主張ですが、Kさんはどう考えますか。

K：乙市側が述べている不許可の事由について反論することが必要ですが、今のBさんのお話を伺う限り、十分可能だと思います。

J：そうですね。では、反論の内容をなるべく具体的にまとめておいて下さい。もっとも、それだけで勝てるかどうかはわかりませんよ。目的外使用許可については、その性質上、行政財産の管理者に広範な裁量が認められるというのが従来の判例の傾向です。最3小判平18・2・7民集60巻2号401頁（呉市公立学校施設使用不許可事件、百選Ⅰ73、CB4-7）は、学校施設の目的外使用許可につき、「学校教育上支障があれば使用を許可することができないことは

明らかであるが、そのような支障がないからといって当然に許可しなくてはならないものではなく、行政財産である学校施設の目的及び用途と目的外使用の目的、態様等との関係に配慮した合理的な裁量判断により使用許可をしないこともできる」と述べています。したがって、判例の立場を前提とするならば、不許可事由に反論するだけでは不十分で、他の考慮要素が適切に考慮されているかどうかという観点から、乙市長の判断が不合理であることを主張することも必要になるでしょう。

K：本件に類似した事例として、最2小判平19・12・7（【資料2】）があります。本判決の事案は、採石業者が、海岸に岩石の搬出用の桟橋を設けるために行った、海岸法37条の4に基づく海岸占用許可の申請が拒否されたというものですが、本判決は、海岸占用許可が、国有財産法旧18条3項（現行法では18条6項）による行政財産の使用許可と同様の性質を有することを前提にしつつ、不許可を違法と判断しています。

J：では、その判決がどのような論理で使用不許可を違法と判断したのかをよく検討し、また、海岸占用許可の事件と本件との事案の違いにも注意して、本件の事実関係等に即して、どのような主張をすべきか、まとめて下さい。

【資料2　最2小判平19・12・7民集61巻9号3290頁】

「本件においては、以下の事情があるということができる。①知事は、被上告人のした岩石の採取計画の認可の申請に対し、本件採石場における岩石の採取は水産業の利益を損じ公共の福祉に反すると認められるという理由により、採取計画の認可をしない旨の処分をしたが、公害等調整委員会が本件採石場における岩石の採取により水産資源の生息環境に悪影響が生ずると認めるに足りる証拠はなく上記処分は地元の東町長の反対意見等を重視する余り不認可事由が存在しないのにされた違法な処分であるとして上記処分を取り消す旨の裁定をしたため、同裁定に従って、被上告人に対し、岩石の採取計画の認可をした。②ところが、知事から権限の委任を受けた上告人は、被上告人が本件海岸について行政財産の使用又は収益の許可の申請書を提出しようとしたのに対し、被上告人が地元の漁業協同組合の同意書を上記申請書に添付していたにもかかわらず、新たな同意書を提出するよう求めた上、関係市町村長の同意がないことをその理由の1つとして、使用又は収益の許可をしない旨の通知をし、被上告人のした一般公共海岸区域の占用の許可の申請に対しても、地元の漁業協同組合の占用期間に係る同意がなく新たな同意書の提出もないことをその理由の1つとして、本件不許可処分をした。③本件採石場と既存の港を結ぶ林道は、岩石の搬出路として使用することが事実上困難なものであるところ、被上告人は、

本件海岸に本件桟橋を設けることができなければ本件採石場における採石業の採算性は見込めないこと、本件海岸に本件桟橋を設けることができれば環境や交通に与える影響がほとんどないことなどを指摘し、本件海岸に本件桟橋を設けることは本件採石場において採石業を行うために不可欠であり、本件海岸の占用の許可がされなければ知事が認可した採石業を行うことができなくなるとしていたのであって、本件海岸の占用の許可がされなければ本件採石場において採石業を行うことが相当に困難になることがうかがわれる。④ところが、上告人は、環境や交通に格別の影響を与えることをうかがわせるような事情はみられないにもかかわらず、被上告人に対し、本件採石場から約600mの位置にある漁港の港湾区域内に岩石の搬出用の桟橋を設けるという実現の困難な手段によるよう繰り返し勧告して、本件海岸に本件桟橋を設けさせようとしなかった。これらの事情を考慮すると、本件海岸の占用の許可をしないものとした上告人の判断は、考慮すべきでない事項を考慮し、他方、当然考慮すべき事項を十分考慮しておらず、その結果、社会通念に照らし著しく妥当性を欠いたものということができ、本件不許可処分は、裁量権の範囲を超え又はその濫用があったものとして違法となるものというべきである」。

◆ 解説 ◆

1．出題の意図

　産業廃棄物搬入のための林道の使用が不許可とされた事例を用いて、林道の使用許可および不許可の処分性を中心に訴訟法上の問題を検討したうえで、林道使用許可が地方自治法238条の4第7項による**行政財産の目的外使用許可**に当たることを前提にして、本案において、林道使用不許可が違法であるというためになすべき主張につき、最2小判平19・12・7（【資料2】）を参照しながら検討することを求めるものである。

　なお、林道使用不許可処分が違法と判断された事件として、筑紫野市林道使用不許可事件（福岡地判平11・9・30LEX/DB25410045、福岡高判平12・5・26判タ1069号91頁）がある。

2．設問1——目的外使用許可および不許可の処分性、Aが提起すべき訴訟

(1) 設問1の趣旨

　設問1は、Aが林道を使用するために提起すべき訴訟について問うものである。主要な論点は、林道使用不許可の**処分性**である。地方自治法に基づく目的外使用許可ないし不許可について処分性の有無が争いになることは少ないが、全くないわけではない。上記筑紫野市林道使用不許可事件においても、当初は、福岡地判平10・1・26判例集未登載が不許可の処分性を否定し、福岡高判平10・12・21判例集未登載が処分性を認めて事件を差し戻した結果、上記の本案判決が下されたという経緯がある（前掲・福岡高判平12・5・26による）。また、【資料1】で述べられているように、国有財産法上の目的外使用許可の処分性を否定した下級審裁判例がある（この裁判例については後で紹介する）。検討の順序として、まず、行政財産の目的外使用許可の処分性を肯定する論拠を整理し、これを前提として、不許可にも処分性を認めるべき根拠を述べることが求められる。

　不許可が処分であるということができれば、同処分の**取消訴訟**（行

訴3条2項）を提起し、さらに、使用許可を求める**申請満足型義務付け訴訟**（行訴3条6項2号）を併合提起すべきである。なお、使用許可が処分であるとしても、Aに申請権が認められず、使用不許可の処分性が否定される場合には、職権による授益処分としての使用許可を求める直接型義務付け訴訟（行訴3条6項1号）を提起することが考えられる。

(2) 行政財産の目的外使用許可の処分性

国や地方公共団体の財産は、国有財産法および地方自治法により、行政財産と普通財産に区別されている。**行政財産**とは直接公の用に供されまたは供すると決定された財産であり、**普通財産**はそれ以外の財産である。行政財産の目的外使用許可とは、行政財産の本来の用途または目的を妨げない限度で私人などに行政財産の使用収益を認める行為である。

国有財産法ないし地方自治法に基づく行政財産の目的外使用許可が行政処分であることについては、ほぼ争いがないが（原龍之助『公物営造物法〔新版〕』〔有斐閣、1974年〕316～317頁、塩野・行政法Ⅲ434頁）、当該行為は、実質的には**国公有財産の賃貸借関係**を設定するものともいえるから、目的外使用許可を契約締結の申込みに対する承諾と解することも不可能ではない（行政処分と解することに疑問を呈する見解として、室井力編『新現代行政法入門(1)〔補訂版〕』〔法律文化社、2005年〕117頁注2〔浜川清〕）。

このような場合、目的外使用許可が行政処分であるというためには、地方自治法が目的外使用許可を処分とみなすという立法政策を採用しているといえなければならず、そのための根拠を、同法の規定の解釈として具体的に主張する必要がある。すなわち、①同法が、行政財産について用いる「許可」ないし「許可を取り消す」という文言は、通常、行政処分について用いられる文言であること、②しかも、同法は、普通財産については「貸付け」や「契約の解除」という文言のみを用いていること（238条の5）、③同法は、行政財産については貸付や私権の設定を禁止し、例外的に貸付け等ができる場合を列挙しているが（238条の4第1項・2項）、それとは別に目的外使用許可についての定めを置

いていることを、目的外使用許可の処分性の根拠として示すことができる。

なお、「行政財産を使用する権利に関する処分」に対する**審査請求**について定める地方自治法238条の7について、**【資料1】**において、許可に処分性を認める根拠としては十分とはいえないことを指摘されているが、同法238の4第9項による許可の取消しが処分とみなされるのであれば、許可も処分とみなすのが自然であるという主張は可能であろう。

答案を読んで：借地借家法の適用除外の意味

法科大学院学生の答案では、地方自治法238の4第8項に借地借家法の適用除外規定が置かれていることを、処分性を認める根拠とするものがあった。しかし、これを処分性の根拠とすることは難しいと思われる。借地借家法の本来の適用対象は、いうまでもなく不動産の賃貸借関係であるから、適用除外規定が置かれているということは、むしろ、目的外使用許可によって設定される関係が賃貸借関係であると解する根拠にもなりうるからである。行手法の処分に関する手続の適用除外規定が個別法律に置かれていることが、処分性を認める根拠とされることがあるが、それとは逆の議論になるわけである。

もっとも、目的外使用の許可ないし不許可が処分であるとすれば、なぜ借地借家法の適用除外規定を置く必要があるのか、という疑問が生じるかもしれない。これは、行政財産を使用する関係が形式的には契約関係でないとしても、実質的には不動産の賃貸借関係に等しいため、借地借家法が適用ないし準用される可能性があると考えられたからであろう。ちなみに、ドイツの二段階説といわれる理論のように、行政処分によって設定される法関係であっても、設定された後は契約関係として規律することもできると解する見解もある。

(3) 行政財産の目的外使用の不許可の処分性

行政財産の目的外使用の許可については、地方自治法においても国有財産法においても、申請制度が定められていない。そして、国有財産法上の行政財産の目的外使用の不許可については、**【資料1】**でも示されているように、処分性を否定する裁判例もある。青森地判平4・7・28判時1466号97頁は、国有財産法による目的外使用許可は「使用希望者に対し当該行政財産を使用することができる実体法上の権利ない

し法的利益を賦与するものでなく、また、国有財産法その他の法令上使用希望者に対し手続上の権利として申請権がある旨を定めた明文の規定やそれを前提とした手続的な規定はない」ことから、使用希望者には**申請権**が認められていないとして、使用許可申請を拒否する行為の処分性を否定している。

　しかし、処分性を肯定する裁判例もある。富山地判平11・12・13判タ1064号141頁は、国有財産法上の行政財産の目的外使用は講学上の特許に当たるとしつつ、使用許可が「申請者の申請なしになされることはおよそ考えられないことからすると、国有財産法は申請者により申請がなされることを当然に予定していると解される」ことや、「申請に対して許可がなされると、これにより申請者は、行政財産を適法に使用収益する具体的権原を有することになるのであるから、そのような許可を求める申請者の地位は、一種の権利ないし法律上の地位と解することができる」と述べて、処分性を肯定している。学説においては前掲・富山地判平11・12・13と同様の根拠により、処分性を肯定する説が支配的であると思われ（塩野・行政法Ⅰ 317頁以下など）、この説の考え方に沿って、処分性を肯定すればよいであろう。

　なお、国有財産法と地方自治法の規定には若干の相違があり、とりわけ、地方自治法238条の7のような「行政財産を使用する権利に関する処分」に対する**審査請求**についての定めは、国有財産法にはないものである。【資料１】で述べられているように、地方自治法238条の7にいう「処分」は許可の取消しのみを意味すると解する場合には、この規定は目的外使用不許可の処分性判断に直接影響を及ぼさない。しかし、不許可も含むと解すれば、仮に国有財産法上の目的外使用不許可の処分性を否定されるとしても、地方自治法上の目的外使用不許可には処分性があるという主張をすることが可能となる（碓井光明「判批」自治研究71巻4号〔1995年〕134頁を参照）。

3．設問２——本件不許可の違法性

(1) 不許可事由に対する反論

　目的外使用許可により、行政財産の本来の用途・目的にとっての支

障が生じる場合には、法律上許可をすることはできないものとされている。そこで、まずは、乙市が本件林道の使用を不許可にした理由に対して具体的に反論することが必要である。問題文中にあるように、不許可の理由は、①産業廃棄物が搬入されると、山林が破壊され、汚水は浸透して地下水を汚染し、下流住民の健康を蝕むことになること、②トラックが日常進入するようになると、道路が破壊され、林産物の搬出や森林管理のための車両の通行にも支障を来すことになること、の2点である。

　①についての反論として、まず、行政財産の目的外使用の拒否の理由となりうるのは、当該財産の**本来の用途・目的にとっての支障**であるが、産業廃棄物の搬入による環境破壊はそれとは直接関係なく、また、このような被害が生じるおそれがあるとしても廃棄物処理法によって対処すべきものであるから、**他事考慮**に当たるのではないかということを主張しうる。次に、「森林の保続培養と森林生産力の増進」という森林法の目的（1条）や住民の生命・健康という法益の重要性に鑑みて、環境破壊のおそれを考慮しうるとしても、搬入されるのは安定5品目のみであるから、環境破壊が発生するおそれはないことを、主張すべきである。

　②のうち、道路の破壊のおそれについては、予定されている搬入量はそれほど大量ではないので、道路が傷む可能性は小さいこと、必要があれば通過する車両の大きさや通行量を制限することもできること、道路が傷んでも分担金によって補修することも可能であることを主張すべきである。また、道路の利用上の支障については、他の利用者が少ないことから、本件林道の本来の目的のための利用にとって支障になるおそれはないことを主張すべきである。

(2)　**その他の考慮要素についての主張**

　問題文に示されているように、判例によれば、行政財産の目的外使用の不許可については、管理者に広範な裁量が認められ、行政財産の本来の用途・目的にとって支障がない場合であっても、許可をすることが義務付けられるわけではない。その理由は、地方自治法238条の4第7項が、支障がない場合において許可をすることが「**できる**」と

定めるにすぎないうえ、目的外使用の許可は、人が自然に有する自由を回復するものではなく学問上の**特許**に当たるため、支障がない場合に許可をする義務を法解釈により導くことも困難であることにあろう。そこで、目的外使用の不許可を違法とした従来の判例が、支障の有無以外に、どのような要素を考慮して不許可を違法としたのかを参考にしながら、本事例に即して主張すべき内容を組み立てることが必要である。

最2小判平19・12・7（【資料2】）は、不許可を違法とするにあたっては、海岸占用許可が得られないと認可を受けた採石業を営むのが困難になることを重視していると解することができる。つまり、正当な目的を達成するために、使用許可が必要不可欠であるという場合には、これらの点を十分に考慮せずになされた不許可は違法とされる可能性がある。本事例では、Aが許可を受けて設置した本件処分場に産業廃棄物を搬入する唯一のルートが本件林道であり、本件林道を使用できないと適法に設置された本件処分場を使用することがほぼ不可能になることを主張すべきである。

最2小判平19・12・7の事例と本事例との違いとしては、以下のような点を挙げることができる。第1に、海岸占用許可の事例では、関係市町村長や地元の漁業協同組合の同意がないことを不許可の理由の1つとしたことが他事考慮とされているようであるが、本事例ではそのような事情は認められない。もっとも、地元住民の反対を重視して不許可にしたという事情がうかがわれるので、それが他事考慮に当たるという主張は可能であろう。第2に、本事例におけるAの利用方法は、道路を排他的に占用したり恒常的な施設を設置したりするものではなく、他の利用者と同様に、一時的に通行するだけであるし、道路という施設の本来の目的に近い利用方法である。この点では、海岸の占用と比較して許可を受けやすいといえるであろう。

(3) 憲法上の権利の侵害の主張

その他、支障がないにもかかわらず不許可とすることは、Aの営業の自由を侵害するため違憲・違法であるという主張をすることが考えられる。もっとも、目的外使用許可に関する最高裁判例には、憲法上

の権利の侵害を理由に不許可を違法とするものはなく、行政裁量の**判断過程審査**の中で、財産管理者が申請者の使用目的の正当性や使用の必要性を適切に考慮したか否かを審査するにとどめている。前掲・最3小判平18・2・7（呉市公立学校施設使用不許可事件、百選Ⅰ73、CB 4-7）も、集会目的での中学校施設の使用不許可を違法と判断したものの、集会の自由の侵害を理由とする違法の主張は採用していない。Aの側から、憲法上の権利の侵害を主張することは自由であるし、むしろ遠慮せず主張すべきであるともいえるが、従来の判例に照らせばそれだけで勝訴できるとは限らないので、(2)で述べたような主張が必要であろう。

〔関連問題〕

　Aは、本件処分場の使用を直ちに開始しないと、産業廃棄物の処理に係る契約を履行できなくなり、また、会社の経営状態が悪化するため、訴訟係属中に、本件林道の使用を認めてもらいたいと考えている。Aがこの目的を達するために利用することができる法的手段（行訴法に定められたものに限る）を挙げ、その要件の充足についてAが行うべき主張を述べなさい。

〔野呂　充〕

〔問題12〕 河川占用許可をめぐる紛争

◆ 事例 ◆

次の文章を読んで、資料を参照しながら、以下の設問に答えなさい。

1．甲市（地方自治法上の指定都市）に所在する乙川の河川管理者である国土交通省丙地方整備局長Aは、株式会社Bに対し、2018年12月12日、乙川の河岸（以下「本件土地」という）における船上食事施設（かき船。以下「本件施設」という）の設置について、河川法24条に基づく土地の占用の許可の処分（以下「本件旧占用許可処分」という）および同法26条1項に基づく工作物の新築等の許可の処分（以下「本件新築許可処分」という）をした。本件旧占用許可処分における占用期間は、2021年3月31日までとされていた。本件施設の設置工事は、2019年9月18日に完了した。

本件土地は、平成11年8月5日付け建設省事務次官通達「河川敷地の占用許可について」（平成23年3月8日国河政第135号による改正後のもの）の別紙「河川敷地占用許可準則」（以下「占用許可準則」という）第22にいう「都市・地域再生等利用区域」内にある。また、本件土地は、都計法上の市街化調整区域内にある。

2．本件施設は、地中に打設された10本の杭により水底に完全に固定され、桟橋とも強固に接続されており、設置場所から移動させることは不可能である。また、本件土地は、乙川の死水域内（河道内の水面部分で流れのない場所か、流れがあっても渦状の場所で、流量の疎通に関係のない部分）にあるため、通常は本件施設が乙川の流水に影響を及ぼすことはないが、増水時には、本件施設が乙川の流水に影響を及ぼし、また、濁流や集積した塵芥により押し流された本件施設が、護岸、堤防や河岸への激突を繰り返し、これらを損壊させることにより、濁流が市街地に流入する可能性がある。

Bは、本件施設は船であって建築物ではないと考えており、本件施設の設置にあたり、建基法に基づく建築確認や都計法に基づく開発許可を申

請していない。したがって、本件旧占用許可の申請書には、本件施設につき建築確認および開発許可を受けていることや受ける見込みがあることを示す書面は添付されていない。この点は、後述の本件新占用許可の申請書についても同様である。
3．本件土地から約30m離れた家屋に居住するCは、乙川の増水時に本件施設の影響により濁流が市街地に流入し、生命・身体に危険が及ぶことを恐れて、2019年6月11日、本件旧占用許可処分および本件新築許可処分の取消しを求める訴えを提起した。
4．その後、AはBに対し、2021年3月31日付けで、本件旧占用許可処分と同様の内容の、占用期間を2024年3月31日までとする占用許可処分（以下「本件新占用許可処分」という）をした。Cは、2021年4月19日、追加的に、本件新占用許可処分の取消しを求める訴えの変更申立書を裁判所に提出した。

〔設問〕
1．本件施設の設置工事が完了した後の2019年9月19日以降も、本件新築許可処分の取消しの利益は認められるか。(25点)
2．本件旧占用許可処分における占用期間が終了した後の2021年4月1日以降も、本件旧占用許可処分の取消しの利益は認められるか。(25点)
3．Cは、本件新占用許可処分の取消訴訟の原告適格を有するか。(25点)
4．Cは、本件新占用許可処分の違法事由として、どのような主張をすることが考えられるか。(25点)

【資料1　河川法等（抜粋）】

○　河川法
（目的）
第1条　この法律は、河川について、洪水、津波、高潮等による災害の発生が防止され、河川が適正に利用され、流水の正常な機能が維持され、及び河川環境の整備と保全がされるようにこれを総合的に管理することにより、国土の保全と開発に寄与し、もって公共の安全を保持し、かつ、公共の福祉を増進することを目的とする。

（河川管理の原則等）
第2条 河川は、公共用物であって、その保全、利用その他の管理は、前条の目的が達成されるように適正に行なわれなければならない。
2 （略）

（河川区域）
第6条 この法律において「河川区域」とは、次の各号に掲げる区域をいう。
　一 河川の流水が継続して存する土地及び地形、草木の生茂の状況その他その状況が河川の流水が継続して存する土地に類する状況を呈している土地（……）の区域
　　二～三 （略）
2～6 （略）

（土地の占用の許可）
第24条 河川区域内の土地（……）を占用しようとする者は、国土交通省令で定めるところにより、河川管理者の許可を受けなければならない。

（工作物の新築等の許可）
第26条 河川区域内の土地において工作物を新築し、改築し、又は除却しようとする者は、国土交通省令で定めるところにより、河川管理者の許可を受けなければならない。（以下略）
2～5 （略）

（河川管理者の監督処分）
第75条 河川管理者は、次の各号のいずれかに該当する者に対して、……工作物の改築若しくは除却（……）、……工作物により生じた若しくは生ずべき損害を除去し、若しくは予防するために必要な施設の設置その他の措置をとること若しくは河川を原状に回復することを命ずることができる。
　一 この法律若しくはこの法律に基づく政令若しくは都道府県の条例の規定若しくはこれらの規定に基づく処分に違反した者（以下略）
　　二～三 （略）
2 河川管理者は、次の各号のいずれかに該当する場合においては、この法律又はこの法律に基づく政令若しくは都道府県の条例の規定による許可、登録又は承認を受けた者に対し、前項に規定する処分をすることができる。
　　一～二 （略）
　三 洪水、津波、高潮その他の天然現象により河川の状況が変化したことにより、許可、登録又は承認に係る工事その他の行為が河川管理上著しい支障を生ずることとなったとき。
　四 河川工事のためやむを得ない必要があるとき。
　五 前号に掲げる場合のほか、公益上やむを得ない必要があるとき。

三～10　（略）
第102条　次の各号のいずれかに該当する者は、1年以下の懲役又は50万円以下の罰金に処する。
　一　（略）
　二　第26条第1項の規定に違反して、工作物の新築、改築又は除却をした者
　三　（略）

○　河川法施行規則
（土地の占用の許可の申請）
第12条　法第24条の許可（……）の申請は、別記様式……による申請書の正本1部及び別表第2に掲げる部数の写しを提出して行うものとする。
2　前項の申請書には、次の各号に掲げる図書を添付しなければならない。
　一　土地の占用に係る事業の計画の概要を記載した図書
　二　縮尺5万分の1の位置図
　三　実測平面図
　四　面積計算書及び丈量図
　五　土地の占用に係る行為又は事業に関し、他の行政庁の許可、認可その他の処分を受けることを必要とするときは、その処分を受けていることを示す書面又は受ける見込みに関する書面
　六　その他参考となるべき事項を記載した図書

【資料2　建築基準法（抜粋）】
（目的）
第1条　この法律は、建築物の敷地、構造、設備及び用途に関する最低の基準を定めて、国民の生命、健康及び財産の保護を図り、もって公共の福祉の増進に資することを目的とする。
（用語の定義）
第2条　この法律において次の各号に掲げる用語の意義は、それぞれ当該各号に定めるところによる。
　一　建築物　土地に定着する工作物のうち、屋根及び柱若しくは壁を有するもの（これに類する構造のものを含む。）、これに附属する門若しくは塀、観覧のための工作物又は地下若しくは高架の工作物内に設ける事務所、店舗、興行場、倉庫その他これらに類する施設（……）をいい、建築設備を含むものとする。
　二～三十四　（略）

三十五　特定行政庁　建築主事を置く市町村の区域については当該市町村の長をいい、その他の市町村の区域については都道府県知事をいう。（ただし書略）

（建築物の建築等に関する申請及び確認）

第6条　建築主は、……建築物を建築しようとする場合……においては、当該工事に着手する前に、その計画が建築基準関係規定（この法律並びにこれに基づく命令及び条例の規定（以下「建築基準法令の規定」という。）その他建築物の敷地、構造又は建築設備に関する法律並びにこれに基づく命令及び条例の規定で政令で定めるものをいう。以下同じ。）に適合するものであることについて、確認の申請書を提出して建築主事の確認を受け、確認済証の交付を受けなければならない。（以下略）

一～四　（略）

2～9　（略）

（違反建築物に対する措置）

第9条　特定行政庁は、建築基準法令の規定……に違反した建築物……については、当該建築物の建築主、……又は……所有者……に対して、……当該建築物の除却、移転、改築……、修繕……その他……違反を是正するために必要な措置をとることを命ずることができる。

2～15　（略）

【資料3　都市計画法（抜粋）】

（目的）

第1条　この法律は、都市計画の内容及びその決定手続、都市計画制限、都市計画事業その他都市計画に関し必要な事項を定めることにより、都市の健全な発展と秩序ある整備を図り、もって国土の均衡ある発展と公共の福祉の増進に寄与することを目的とする。

（定義）

第4条　1～9　（略）

10　この法律において「建築物」とは建築基準法（……）第2条第1号に定める建築物を……いう。

11　（略）

12　この法律において「開発行為」とは、主として建築物の建築……の用に供する目的で行なう土地の区画形質の変更をいう。

13　この法律において「開発区域」とは、開発行為をする土地の区域をいう。

14～16　（略）

(区域区分)
第7条　都市計画区域について無秩序な市街化を防止し、計画的な市街化を図るため必要があるときは、都市計画に、市街化区域と市街化調整区域との区分（以下「区域区分」という。）を定めることができる。（ただし書略）
　　一〜二　（略）
2　（略）
3　市街化調整区域は、市街化を抑制すべき区域とする。
(開発行為の許可)
第29条　都市計画区域又は準都市計画区域内において開発行為をしようとする者は、あらかじめ、国土交通省令で定めるところにより、都道府県知事（地方自治法（……）第252条の19第1項の指定都市又は同法第252条の22第1項の中核市（以下「指定都市等」という。）の区域内にあっては、当該指定都市等の長。以下この節において同じ。）の許可を受けなければならない。（ただし書略）
　　一〜十一　（略）
2〜3　（略）
(開発許可を受けた土地以外の土地における建築等の制限)
第43条　何人も、市街化調整区域のうち開発許可を受けた開発区域以外の区域内においては、都道府県知事の許可を受けなければ、……建築物を新築し……てはならず、また、建築物を改築し……てはならない。（ただし書略）
　　一〜五　（略）
2〜3　（略）

【資料4　占用許可準則等（抜粋）】

○　平成11年8月5日付け建設省事務次官通達「河川敷地の占用許可について」の別紙「河川敷地占用許可準則」（平成23年3月8日国河政第135号による改正後のもの）
(治水上又は利水上の基準)
第8　工作物の設置、樹木の栽植等を伴う河川敷地の占用は、治水上又は利水上の支障を生じないものでなければならない。（以下略）
2　前項の治水上の支障に係る技術的判断基準は、次の各号に掲げるとおりとし、河川の形状等の特性を十分に踏まえて判断するものとする。（ただし書略）
　　一　河川の洪水を流下させる能力に支障を及ぼさないものであること。
　　二　水位の上昇による影響が河川管理上問題のないものであること。
　　三　堤防付近の流水の流速が従前と比べて著しく速くなる状況を発生させな

いものであること。
　四　工作物は、原則として、河川の水衝部、計画堤防内、河川管理施設若しくは他の許可工作物付近又は地質的にぜい弱な場所に設置するものでないこと。
　五　工作物は、原則として河川の縦断方向に設けないものであり、かつ、洪水時の流出などにより河川を損傷させないものであること。
3　（略）

（継続的な占用の許可）
第14　占用の許可の期間が満了した後に継続して占用するための許可申請がなされた場合には、適正な河川管理を推進するため、この準則に定めるところにより改めて審査するものとする。
2　前項の場合において、従前のまま継続して占用を許可することが不適当であると認められるときは、この準則に適合するものとなるよう指導するとともに、必要に応じて、従前よりも短い占用の期間の設定、不許可処分等の措置をとるものとする。

（都市・地域再生等利用区域の指定等）
第22　河川管理者は、都市及び地域の再生等のために利用する施設が占用することができる河川敷地の区域（以下「都市・地域再生等利用地域」という。）を指定することができる。
2　河川管理者は、都市・地域再生等利用区域を指定するときは、併せて当該都市・地域再生等利用区域における都市及び地域の再生等のために利用する施設に関する占用の方針（以下「都市・地域再生等占用方針」という。）……を定めるものとする。
3　都市・地域再生等占用方針には、次に掲げる施設のうちから、当該都市・地域再生等利用区域において占用の許可を受けることができる施設及びその許可方針を定めるものとする。
　一　広場
　二　イベント施設
　三　遊歩道
　四　船着場
　五　船舶係留施設又は船舶上下架施設（斜路を含む。）
　六　前各号に掲げる施設と一体をなす飲食店、売店、オープンカフェ、広告板、広告柱、照明・音響施設、キャンプ場、バーベキュー場、切符売場、案内所、船舶修理場等
　七　日よけ
　八　船上食事施設

九　突出看板
　　十　川床
　　十一　その他都市及び地域の再生等のために利用する施設（これと一体をなす第6号に掲げる施設を含む。）
4～5　（略）
6　都市・地域再生等利用区域は、都市及び地域の再生等のために利用する施設が当該河川敷地を占用することにより治水上又は利水上の支障等を生じることがない区域でなければならない。
7　（略）

(都市及び地域の再生等のために利用する施設の占用の許可)
第23　河川管理者は、都市・地域再生等利用区域においては、……当該占用が、都市・地域再生等占用方針及び第8から第11までの基準に該当し、かつ、都市及び地域の再生等並びに河川敷地の適正な利用に資すると認められるときには、占用の許可をすることができる。

○　河川敷地占用許可準則の一部改正について（平成23年3月8日国河政第137号国土交通省河川局長通知）
第2　準則について
　一　（略）
　二　準則第22について
　　(1)～(2)　（略）
　　(3)　……第3項第8号に掲げる船上食事施設については、船舶の所有者が占用主体となり、原則として船舶係留施設に係留して営業活動を行うものであり、出水時等には当該河川敷地外に移動される、又は出水時の流水の作用、塵芥の影響及び風等の作用により船舶が転覆することなく、水位変動に対して確実に追従できる構造であることなど河川管理上支障のないものについて占用を許可するものである。
　　(4)～(7)　（略）

◆ 解説 ◆

1. 出題の意図

　本問は、広島地判平30・9・19裁判所ウェブサイト（控訴審：広島高判令元・7・26LEX/DB25563898）を素材としているが、本件施設が建築物に当たることが明確な事案へと改変している。取消訴訟の訴訟要件のうち、原告適格および狭義の訴えの利益について、個別法の仕組みおよび事案に即して論じさせるとともに、本案の違法事由について、裁量基準への違反および他の個別法への違反との関係も含めて、論じさせるものである。

2. 設問1——工事の完了と新築許可処分の取消しの利益

(1) 問題の所在

　本問は、本件施設の設置工事が完了したことにより本件新築許可処分の法的効果が失われたのではないかという問題意識に基づくものであるので、まず、河川法26条の文言に即して、本件新築許可処分の法的効果を検討すべきである。

　なお、本問は、原状回復が物理的に不可能であるから訴えの利益が否定されるという事案ではない。本件施設は船上食事施設であり、除却および原状回復は可能と考えられる。

(2) 工作物新築許可処分の法的効果

　河川法26条は、河川区域内の土地において工作物の新築等をしようとする者は、河川管理者の許可を受けなければならないとしており、この規定に違反して工作物の新築等をした者は、処罰される（同法102条2号）。したがって、同法26条に基づく工作物の新築等の許可は、それを受けなければ河川区域内で工作物の新築等を適法に行うことができないという法的効果を有するが、新築等の**工事の完了により**、そ

の法的効果は消滅すると解される。

しかし、行訴法9条1項かっこ書により、「処分……の効果が期間の経過その他の理由によりなくなった後においてもなお処分……の取消しによって回復すべき法律上の利益を有する者」には訴えの利益が認められるので、工作物の新築等の許可について、そのような法律上の利益を認める根拠があるかどうかが問題となる。

(3) **建築確認の取消しの利益に関する判例**

ここで参照すべき判例として、最2小判昭59・10・26民集38巻10号1169頁（百選Ⅱ174、CB13-4）がある。この判決は、建築工事が完了した後も建築確認の取消しの利益が認められるか否かについて、建築確認後に建築物に対して行われる法的チェック、すなわち、完了検査（建基7条）および違反是正命令（建基9条1項）との関係を論じていることに注意すべきである。なぜなら、建築確認を取り消すことによって、検査済証の交付を阻止できたり、違反是正命令を発する義務が特定行政庁に生じたりするとすれば、工事完了後であっても建築確認の取消しの利益は認められると解されるからである（中原・基本行政法351頁参照）。

この点につき、上記判決は、以下のとおり判断した。完了検査および違反是正命令は、建築関係規定または建基法令への適合性を基準とするものであって、当該建築物が建築確認にかかる計画どおりのものであるかどうかを基準とするものではないうえ、違反是正命令を発するかどうかは、特定行政庁の裁量に委ねられているから、建築確認を取り消さなくても、検査済証の交付を拒否したり違反是正命令を発することは法的に可能であり、また、**建築確認が取り消されても、検査済証の交付を拒否したり、違反是正命令を発する法的拘束力が生ずるわけではない**。したがって、建築確認は、それを受けなければ建築工事をできないという法的効果を付与されているにすぎず、当該工事が完了した場合には、建築確認の取消しの利益は失われる。

(4) **判例の応用——監督処分との関係**

上記の判例の考え方を本問に応用すると、河川法26条に基づく工作

物の新築等の許可と同法75条に基づく河川管理者の監督処分との関係について、次のように論じることが考えられる。すなわち、違法に行われた工作物新築許可処分に基づいて工作物の新築が行われた場合、同法75条1項1号の「この法律……に違反した者」に該当し、河川管理者は、工作物新築許可処分を取り消さなくても、同法75条1項に基づく監督処分をすることが可能であると解される。また、工作物新築許可処分が違法なものとして取り消された場合であっても、同法75条1項に基づく監督処分を行うか否か、また、どのような監督処分を行うかについては、河川管理者に専門技術的裁量が認められると解される。そうすると、工作物新築許可処分が存在していることは、監督処分を発するうえにおいて法的障害となるものではなく、また、たとえ工作物新築許可処分が違法であるとして判決で取り消されたとしても、監督処分を発すべき法的拘束力が生ずるものではない。

以上より、工作物新築許可処分に基づく工作物の新築工事が完了した後には、河川区域において工作物の新築ができるという本来の効果は消滅しており、他にその取消しを求める法律上の利益を基礎づける理由もないから、工作物新築許可処分の取消しを求める訴えの利益は失われる。したがって、本件施設の設置工事完了後の2019年9月19日以降は、本件新築許可処分の取消しの利益は認められない。

3．設問2——占用許可期間の終了と取消しの利益

(1) 問題の所在

占用許可（河川24条）の本来的な法的効果は、河川区域内の土地を適法に占用できることであり、本件旧占用許可処分における占用期間が終了した後は、本件土地を適法に占用できるという本来的な法的効果は消滅する。

しかし、本件旧占用許可処分における占用期間の終了後直ちに、それと同様の内容で期間を3年間とする本件新占用許可処分がされており、本件旧占用許可処分の取消しによって本件新占用許可処分の効果に影響を与えうるとすれば、行訴法9条1項かっこ書にいう「処分……の効果が期間の経過その他の理由によりなくなった後においても

なお処分……の取消しによって回復すべき法律上の利益を有する」場合に当たる可能性がある。

(2) 更新（再免許）と取消しの利益に関する判例

　ここで参照すべき判例として、最3小判昭43・12・24民集22巻13号3254頁（東京12チャンネル事件、百選Ⅱ173、CB14-3）がある。この判決は、当初の放送局の免許の期間満了後直ちに再免許が与えられ、継続して事業が維持されている事案で、訴えの利益の有無という観点からは、当初の免許期間の満了と再免許は、単なる形式にすぎず、**免許期間の更新とその実質において異ならない**として、当初の免許の取消しの利益を肯定した。この判断の背景として、電波法上、放送局の免許期間が5年（前掲昭和43年判決の事案当時は3年）とされており、放送施設の耐用年数に比して不相応に短期であること、また、同法上、再免許は、新規申請の場合と異なり、従前の免許者に対して簡易な手続で付与されうることが挙げられる。

(3) 判例の応用——新規許可と再許可（許可更新）が制度上区別されているか

　これを本件についてみると、河川法24条は、新規許可と再許可ないし許可更新とを区別しておらず、同法上、占用許可について、一旦許可を得た者に対して簡易な手続により期間を更新する制度が定められていると解しうる規定はない。

　もっとも、行政庁の定めた**審査基準**により、既に占用許可を得ている者に対する再許可について、新規許可の場合よりも緩やかな要件で認めること等が定められている場合には、裁量権行使における公正かつ平等な取扱いの要請や基準の内容にかかる相手方の信頼の保護等の観点から、当該審査基準の定めと異なる取扱いをすることを相当と認めるべき特段の事情がない限り、当該行政庁の裁量権は当該審査基準に従って行使されるべきことが**覊束**されるから、当初の占用許可による占用期間の終了後も、当初の占用許可の取消しの利益が認められると解される（処分基準に関する事案であるが、最3小判平27・3・3民集69巻2号143頁〔百選Ⅱ175、CB13-9〕参照）。

これを本件についてみると、占用許可準則第14第1項は、「占用の許可の期間が満了した後に継続して占用するための許可申請がなされた場合には、適正な河川管理を推進するため、この準則に定めるところにより改めて審査する」としており、同2項は、「従前のまま継続して占用を許可することが不適当であると認められるときは、この準則に適合するものとなるよう指導するとともに、必要に応じて、従前よりも短い占用の許可の期間の設定、不許可処分等の措置をとる」としている。この規定について、実際の運用にも照らして、継続して占用を認めるのが原則であり、特に必要がある場合にのみ不許可処分をする趣旨であると解釈することができれば、当初の占用許可の取消しの利益が認められうる。しかし、「適正な河川管理を推進するため、この準則に定めるところにより改めて審査する」との文言からは、上記のように解釈するのは困難であるように思われ、継続占用の許可申請についても、基本的に新規の許可申請と同様の審査をする趣旨と解される。
　以上より、本件旧占用許可処分における占用期間が終了した2021年4月1日以降は、本件旧占用許可処分の取消しの利益は認められないと解される。

4．設問3──河川の占用許可と周辺住民の原告適格

(1) 法律上保護された利益説の定式
　処分の相手方以外の者の原告適格については、まず、行訴法9条1項について最大判平17・12・7民集59巻10号2645頁（小田急訴訟大法廷判決、百選Ⅱ165、CB12-11）が示す「法律上保護された利益説」の定式（この点は、行訴法9条2項の追加後も、条文上明示されていないので、解釈論として示す必要がある）および同法9条2項の指摘からスタートすべきである（ミニ講義2、第1部〔問題6〕を参照）。

(2) 原告の被侵害利益の特定
　そのうえで、具体的検討の前提として、原告のどのような利益が問題となっているのかを、正確に特定しておかなければならない。例えば、広い意味での「周辺住民の利益」にも、周辺に居住している者として

の利益、周辺に建物を所有している（居住はしていない）ことによる利益、周辺で事業を営んでいる（居住はしていない）ことによる利益、等がありうるし、周辺に居住している者としての利益にも、災害時の生命・身体の被害、騒音・振動による生活の支障や健康被害、大気・水質汚染による健康被害、風紀・教育環境等の（広い意味での）生活環境の悪化、等々がありうる。この点は、最終的には、最後のあてはめの部分（後掲(5)）で検討されるものであるが、検討の前提として、意識しておく必要がある。

本問では、Cは、本件施設の周辺に居住する者として、洪水等の災害によって生命・身体の被害を受けない利益を主張しているものと解される。

(3) 根拠法令等の検討

上記(1)の枠組みを前提とすると、処分の**根拠規定**が、上記(2)の原告の利益を、個々人の個別的利益として保護しているか否かが主題となるので、まず処分の根拠規定を指摘すべきである。本問では、本件新占用許可処分の根拠規定である河川法24条が、河川の占用を原因とする水害により周辺住民が生命・身体の被害を受けないという利益を、個々人の個別的利益として保護しているか否かが問題となる。

処分の根拠規定において、処分の要件・基準とされている事項のうち、原告の利益に少しでも関係しそうなものは、すべて指摘して検討すべきである。また、それ自体は原告の利益に関係があることが明確でない処分要件であっても、当該法令における別の条文や、**関係法令**の関係規定等と組み合わせて解釈することにより、原告の利益に結びつけることができないか、検討すべきである。

本問では、河川法24条自体は、占用許可の要件や基準を何ら定めていないが、同法1条の目的規定は、洪水等による災害の発生が防止され、流水の正常な機能が維持されるように河川を管理することにより、公共の安全を保持することを目的として掲げており、同法2条は、河川管理は上記の目的が達成されるように適正に行われなければならないとしている。これらのことを考慮すると、河川の占用許可に関する同法の規定は、流水の正常な機能を維持し、洪水等による災害の発生を

防止することによって、周辺住民が洪水等による災害の被害を受けないようにすることも、その趣旨および目的とするものと解される。なお、占用許可許可準則は、法律に基づく命令ではなく、行政庁が裁量権行使の基準を定めた裁量基準であるから、行訴法9条2項にいう「関係法令」には当たらないが、同準則第8第2項が治水上の支障にかかる技術的判断基準を定めていることも、上記のような占用許可にかかる河川法の規定の趣旨および目的を踏まえたものと解される。

(4) **被侵害利益の勘案**

　河川法に違反した違法な占用許可がされ、そのために洪水等による災害が発生することとなったり、発生した災害の拡大に寄与したりすることとなった場合、当該許可のされた河川区域内の土地の周辺の一定の範囲の地域に居住する住民は、その生命および身体に直接的かつ重大な被害を受けるおそれがある。前記(3)のとおり、占用許可に関する同法の規定は、周辺住民が洪水等による災害の被害を受けないようにすることも、その趣旨および目的とすると解されるところ、上記のような被害の内容、性質、程度等に照らせば、この利益は、一般的公益に吸収解消させることが困難である。

　以上より、占用許可のされた河川区域内の土地の周辺に居住する住民のうち、当該占用許可に起因する洪水等の災害が発生した場合に生命および身体に直接的かつ重大な被害を受けるおそれのある者は、当該占用許可の取消しを求める原告適格を有すると解される。

(5) **Cについてのあてはめ**

　Cは、本件土地から約30mという至近距離の地点に居住しており、本件新占用許可処分に起因する洪水等の災害が発生した場合に生命および身体に直接的かつ重大な被害を受けるおそれのある者に当たるといえる。したがって、Cは本件新占用許可処分の取消しを求める原告適格を有する。

5．設問4──本件新占用許可処分の違法性

(1) 占用許可準則違反（水害発生の危険性）

【資料4】の占用許可準則第8第1項は、工作物の設置を伴う河川敷地の占用は、治水上の支障を生じないものでなければならない旨を規定し、同第2項は、治水上の支障にかかる技術的判断基準として、河川の洪水を流下させる能力に支障を及ぼさないものであること（1号）、工作物は、洪水時の流出などにより河川を損傷させないものであること（5号）等を規定する。また、「河川敷地占用許可準則の一部改正について」（平成23年3月8日国河政第137号国土交通省河川局長通知）は、船上食事施設について、出水時等には当該河川敷地外に移動される、または出水時の流水の作用、塵芥の影響および風等の作用により船舶が転覆することなく、水位変動に対して確実に追従できる構造であることなど河川管理上支障のないものについて占用を許可する旨を定めている。

占用許可準則は、法律に基づく命令ではなく、行政庁が裁量権行使の基準を定めた裁量基準（行手法上の審査基準）であるから、これに違反する処分が当然に違法となるわけではないが、**合理的な裁量基準には行政庁は原則として羈束され**、特段の事情のない限り、基準と異なる取扱いをすることは裁量権の逸脱・濫用として違法になると解される（前掲・最判平27・3・3参照）。

これを本問についてみると、上記の占用許可準則第8および「河川敷地占用許可準則の一部改正について」の定めは、占用許可に起因する水害を防止するという河川法24条に含まれる趣旨目的に照らして、裁量権行使の基準として合理的であると解される。そして、本件施設は乙川の死水域内にあるものの、増水時には本件施設が乙川の流水に影響を及ぼし、また、押し流された本件施設が護岸等を損壊させる可能性があるというのであるから、占用許可準則第8第2項1号および5号に違反すると解される。また、本件施設は、地中に打設された10本の杭により水底に完全に固定され、桟橋とも強固に接続されていることから、出水時等に当該河川敷地外に移動させることができず、また、水位変動に対して確実に追従できる構造であるともいえない。したが

って、上記の「河川敷地占用許可準則の一部改正について」にも違反すると解される。

　以上より、Cは、本件新占用許可処分は上記の占用許可準則等に反し、裁量権を逸脱・濫用するものとして違法であると主張することが考えられる。

(2) 建基法違反および都計法違反を考慮していないこと

　本件施設は、地中に打設された10本の杭により水底に完全に固定され、設置場所から移動させることは不可能であるというのであるから、定常的に土地に定着した工作物であって、建基法上の建築物（同法2条1号）に当たると解される。そうすると、本件施設の建築には建築確認（建基6条）および市街化調整区域における開発許可（都計29条）または建築許可（都計43条）が必要であり、これらを得ずに本件施設を建築することは違法である。

　もっとも、上記の建基法および都計法への違反について直接の監督権限を有するのは、特定行政庁（建基2条35号）であるとともに都計法上の監督処分権者である甲市長であり、甲市長が監督権限を行使していないことが違法となる余地はあるとしても、河川管理者Aが本件施設につき占用許可処分をすることが違法となるかどうかは、別問題であるとも考えられる。しかし、河川法24条の委任を受けた同法施行規則12条2項5号が、占用許可の申請書の添付書類として、「土地の占用に係る行為又は事業に関し、他の行政庁の許可、認可その他の処分を受けることを必要とするときは、その処分を受けていることを示す書面又は受ける見込みに関する書面」を求めていることから、河川管理者は、占用許可の際、占用に係る行為または事業に関し、他の行政庁の許認可等を必要とするときは、その許認可等を受けていることまたは受ける見込みがあることを確認する義務があり、これを怠って占用許可をした場合は違法となると解する余地がある。Cとしては、この点を本件新占用許可の違法事由として主張することが考えられる。

〔関連問題〕

　本事例において次の①または②の事実があった場合、Bは、2021年4

月1日以降も引き続き本件施設につき占用許可を得るため、それぞれ、どのような訴訟の提起および仮の救済の申立てをすべきか。また、①の場合と比べて、②の場合は、Bにとってどのような点で有利であるといえるか。行手法および行訴法の規定を考慮して答えなさい。

　①　事例の4．において、BがAに対し、本件旧占用許可処分による期間満了後の2021年4月1日以降について、本件旧占用許可処分と同様の内容の占用許可を申請したところ、Aは、「本件施設の老朽化が急速に進んでおり、乙川の増水時に本件施設が押し流されること等により水害を生ずるおそれがあるため」との理由を付して、これを不許可とする処分をした（以下「本件不許可処分」という）。

　②　事例の1．において、本件旧占用許可処分における占用期間は、2024年3月31日までの6年間とされていた。しかし、事例の4．において、Aは、「本件施設の老朽化が急速に進んでおり、乙川の増水時に本件施設が押し流されること等により水害を生ずるおそれがあるため」との理由を付して、2021年4月1日以降について本件旧占用許可処分を取り消す処分をした（以下「本件許可取消処分」という）。

〔中原茂樹〕

〔問題 13〕廃棄物収集有料化条例をめぐる紛争

◆ 事例 ◆

次の文章を読んで、資料を参照しながら、以下の設問に答えなさい。

甲市では、2000 年頃から、市役所内にごみ減量対策本部を設置し、資源ごみ、不燃ごみ、可燃ごみの分別収集を進め、ごみの減量や再資源化を推進してきた。このような取組みは一定の成果をあげ、甲市のごみの量は漸減傾向にある。しかし、甲市は海に面した町ではなく、また、市の面積も狭くその多くが宅地であることから、ごみ焼却処理施設から排出されたごみ焼却灰や不燃ごみを埋立処分するための処分場を新設することができず、一層のごみの減量を図る必要があった。一方で、甲市の財政状況も悪化していたこともあり、ごみ減量対策本部では、家庭系ごみの収集を有料化することを提言し、既に有料化を行っている他市の状況を調査した。その結果、家庭ごみの収集を有料化しても、料金が廉価な場合にはそれほどの効果がなく、有料化実施直後はごみの量が減少するが、後にごみの量が元に戻ることがあることがわかった。そこで、ごみ減量対策本部では、有料化する場合、既に有料化を実施している他市より、料金を高めに設定することを提言した。

甲市では、ごみ減量対策本部の提言に基づき、家庭系ごみの収集を有料化することとし、「甲市廃棄物の減量化、資源化及び適正処理等に関する条例」（以下「本件条例」という）を制定し、料金については別表で定めた（いずれも【資料2】参照）。甲市に居住するXは、家庭系ごみ収集の有料化に反対であり、本件条例は違法であると考えている。そこで、Xは訴訟で争うことを決意し、弁護士Aのもとを訪れた。弁護士BはA弁護士の事務所の若手弁護士である。

〔設問〕
1. Xは、どのような訴訟を提起して争うことが適切と考えられるか、検討せよ。なお、行訴法に規定があるものに限り、仮の救済については検

討する必要はない。(60点)
2．Xは、上記の訴訟において、本件条例の違法性につきどのような主張をすることができるか、甲市の反論を考慮しながら、検討せよ。(40点)

【資料1　A法律事務所での会話】

X：甲市では、家庭系ごみ収集の有料化が行われることになり、本件条例が制定されました。ごみの減量化が必要なことはわかるのですが、甲市では、有料化しなくても、ここ10年近く減量化が進んでいました。何も新たに有料化する必要はないと思います。こんなのは税金の二重取りだと思います。

A：有料化というのはどういう手法によるのですか。

X：指定袋を使います。指定袋をコンビニや市の施設で購入して、指定袋でごみ出しをしなければごみを集めてもらえないというやり方です。それに、指定袋の代金も高いのです。私の家だと年間数万円の出費になります。私は年金生活をしていますので、数万円の負担でも重いと感じています。

A：甲市には、料金の減免についての制度はないのですか。

B：本件条例については規則で細部が決められていて、規則の16条で生活保護世帯等については減免の規定がありますが、Xさんには適用がないようです。

A：料金は高いのでしょうか。

B：料金は、本件条例の別表第1に定めてあるとおりです。多くの市町村では、大袋で30円から60円で、一部の大都市近郊ではもっと高いところもありますが、100円を超えるところはあまり見られないようです。したがって、甲市の指定袋は非常に高いと言えると思います。甲市によると、これくらいでないと減量化には効果がないということと、ごみ収集のコストの多くを料金収入で賄うためであるということでした。

A：減量化のためだけではなく、コスト負担という観点からも料金は定められているのですね。

B：そうですね。もっともそのような点を重視することが適切なのかという問題はあるかもしれません。

X：それに、ごみの収集が有料であるなら自分の家の庭で焼いてもいいのかと市役所に聞いたらそれは違法だと言われました。

B：廃棄物処理法16条の2によって、例外的な場合を除いては、野焼きは禁止されていますから。

A：それでは、本件条例の適法性について考えてみましょう。本件条例については、廃棄物処理法には特に根拠はないのですね。

B：はい、ありません。本件条例は、ごみの収集の費用を地方自治法227条に

おける「手数料」として考え、地方自治法228条に基づいて制定されたものです。

A：本件条例の制定手続には特に違法な点はありませんので、実体的な違法性を考えることになります。廃棄物処理法の仕組みはどのようになっていますか。

B：家庭から排出される家庭系ごみは、廃棄物処理法2条2項により、「一般廃棄物」とされますが、一般廃棄物は廃棄物処理法6条の2によって市町村に収集運搬等についての義務が課せられています。

X：有料にすることは認められているのですか。

B：1999年に改正される前の廃棄物処理法は、6条の2第6項によって、条例で手数料を定めることができる旨の規定を置いていました。しかし、当該条文は1999年に削除され、現在の廃棄物処理法には特に手数料についての定めはありません。

A：そうすると、地方自治法227条で定められた「手数料」として適法かどうかを検討することになりますね。227条に違反することになれば本件条例は違法と考えられますから。

B：地方自治法227条は、「特定の者のため」という要件があるため、ごみ収集費用がこれに当たるかですね。つまり特定性要件を充足しているかどうかです。

A：特定性はどのように考えられているのですか。

B：昭和20年代からの行政解釈や、地方自治法の代表的な解説（松本英昭『新版 逐条地方自治法〔第9次改訂版〕』〔学陽書房、2017年〕830頁）によると、「特定の者のため」というのは、「一私人の要求に基づき主としてその者の利益のために行う事務をいい、その事務は一私人の利益又は行為（作為、不作為）のため必要になったものであることを要し、もっぱら普通地方公共団体自体の行政上の必要のためにする事務については手数料は徴収できない」とされています。このような手数料に当たるものとしては、住民票を交付する際の手数料等が典型とされています。

A：そうすると、家庭系ごみの収集が、廃棄物処理法の趣旨やBさんが説明された解釈に基づいて、特定の者の利益のためと言えるかどうかが問題になりそうですね。1999年改正前の条文も含めて、そのような点を検討してみましょう。

B：ところでXさんは、本件条例が違法であるとして、訴訟で争うことをお考えということでしたが、損害賠償請求訴訟も検討した方がいいのでしょうか。

X：条例は先週施行されたばかりですので、まだ、私は指定袋を使っていません。だから特に損害というのは思いつかないのですが。

A：では、今のところは損害賠償請求については考えないことにして、それ以外にどのような訴訟で争うことが適切か、また、本件条例による有料化の規定が違法であるという主張をBさんに検討してもらいましょう。

【資料2　甲市廃棄物の減量化、資源化及び適正処理等に関する条例等（抜粋）】

○　甲市廃棄物の減量化、資源化及び適正処理等に関する条例
第1章　総則
（目的）
第1条　この条例は、市、市民及び事業者が一体となって、廃棄物の減量化、資源化を促進するとともに、廃棄物を適正に処理することにより、資源循環型社会の構築、生活環境の保全及び公衆衛生の向上を図り、もって良好な都市環境の形成に寄与することを目的とする。
（市の責務）
第3条　市は、あらゆる施策を通じて、廃棄物の減量化、資源化及び適正処理を図らなければならない。
2　市は、廃棄物の減量化、資源化及び適正処理に関し、市民及び事業者の意識の啓発を図るよう努めなければならない。
3　市は、廃棄物の減量化、資源化及び適正処理に関する技術の開発、情報の収集及び調査研究に努めなければならない。
（市民の責務）
第4条　市民は、廃棄物の減量化、廃棄物の分別、再生品の使用、不用品の活用等に努めるとともに、廃棄物の適正処理に関する市の施策に協力しなければならない。
（一般廃棄物等の排出方法）
第22条の2　占有者及び事業者は、市が収集し、運搬し、及び処分する一般廃棄物（事業系一般廃棄物を除く。第28条第1項及び第28条の2第1項において同じ。）又は事業系廃棄物を排出するときは、規則で定める収集袋（以下「指定収集袋」という。）を使用しなければならない。
2　前項の規定により難いと市長が認めるとき又は臨時に排出するときは、占有者及び事業者は、市長が別に定める方法により廃棄物を排出することができる。
（廃棄物処理手数料）
第28条　市が行う一般廃棄物及び事業系廃棄物の収集、運搬又は処分に係る処理手数料は、別表第1に定めるとおりとする。

2 市長は、天災その他の規則で定める事由があると認めるときは、一般廃棄物処理手数料を減額し、又は免除することができる。
3 既に納付した手数料は、還付しない。
4 前3項に規定するもののほか、廃棄物処理手数料の徴収について必要な事項は、規則で定める。

(指定収集袋の交付)
第28条の2 市長は、前条第1項の規定による一般廃棄物及び事業系廃棄物の処理手数料(第22条の2第1項の規定により排出する場合の処理手数料に限る。)を徴収したとき(前条第2項の規定により免除したときを含む。)は、当該者に指定収集袋を交付する。

(委任)
第39条 この条例に定めるもののほか、この条例の施行について必要な事項は、規則で定める。

○別表第1(第28条関係) (抄)
大袋1袋40リットル相当180円
中袋1袋20リットル相当140円
小袋1袋10リットル相当120円
ミニ袋1袋 5リットル相当100円

○ 甲市廃棄物の減量化、資源化及び適正処理等に関する規則
(一般廃棄物処理手数料の減免)
第16条 条例第28条第2項に規定する規則で定める事由及び減額又は免除の別は、次のとおりとする。
(1) 天災又は火災等の災害を受けた者が当該災害による一般廃棄物を排出するとき。 免除
(2) 自治会等の各種団体又は個人が道路、公園その他の公共の場所の清掃による一般廃棄物を排出するとき。 免除
(3) 生活保護法(昭和25年法律第144号)に基づく扶助を受けている世帯(介護扶助であって施設に入所している場合を除く。)が一般廃棄物を排出するとき。 免除
(4) 児童扶養手当法(昭和36年法律第238号)に基づく児童扶養手当を受けている者が属する世帯が一般廃棄物を排出するとき。 免除
(5) 特別児童扶養手当等の支給に関する法律(昭和39年法律第134号)に基づく特別児童扶養手当を受けている者が属する世帯が一般廃棄物を排出するとき。 免除

(6) 前各号に掲げるもののほか、市長が特別の理由があると認めるとき。　免除又はその都度市長が定める額の減額

2～5　（略）

【資料3　廃棄物の処理及び清掃に関する法律等（抜粋）】

○　廃棄物の処理及び清掃に関する法律

（目的）
第1条　この法律は、廃棄物の排出を抑制し、及び廃棄物の適正な分別、保管、収集、運搬、再生、処分等の処理をし、並びに生活環境を清潔にすることにより、生活環境の保全及び公衆衛生の向上を図ることを目的とする。

（定義）
第2条　この法律において「廃棄物」とは、ごみ、粗大ごみ、燃え殻、汚泥、ふん尿、廃油、廃酸、廃アルカリ、動物の死体その他の汚物又は不要物であって、固形状又は液状のもの（放射性物質及びこれによって汚染された物を除く。）をいう。

2　この法律において「一般廃棄物」とは、産業廃棄物以外の廃棄物をいう。

3～6　（略）

（国民の責務）
第2条の4　国民は、廃棄物の排出を抑制し、再生品の使用等により廃棄物の再生利用を図り、廃棄物を分別して排出し、その生じた廃棄物をなるべく自ら処分すること等により、廃棄物の減量その他その適正な処理に関し国及び地方公共団体の施策に協力しなければならない。

（一般廃棄物処理計画）
第6条　市町村は、当該市町村の区域内の一般廃棄物の処理に関する計画（以下「一般廃棄物処理計画」という。）を定めなければならない。

2　一般廃棄物処理計画には、環境省令で定めるところにより、当該市町村の区域内の一般廃棄物の処理に関し、次に掲げる事項を定めるものとする。
　一　一般廃棄物の発生量及び処理量の見込み
　二　一般廃棄物の排出の抑制のための方策に関する事項
　三　分別して収集するものとした一般廃棄物の種類及び分別の区分
　四　一般廃棄物の適正な処理及びこれを実施する者に関する基本的事項
　五　一般廃棄物の処理施設の整備に関する事項

3～4　（略）

（市町村の処理等）

第6条の2　市町村は、一般廃棄物処理計画に従って、その区域内における一般廃棄物を生活環境の保全上支障が生じないうちに収集し、これを運搬し、及び処分（……）しなければならない。
2　市町村が行うべき一般廃棄物（特別管理一般廃棄物を除く。以下この項において同じ。）の収集、運搬及び処分に関する基準（当該基準において海洋を投入処分の場所とすることができる一般廃棄物を定めた場合における当該一般廃棄物にあっては、その投入の場所及び方法が海洋汚染等及び海上災害の防止に関する法律（昭和45年法律第136号）に基づき定められた場合におけるその投入の場所及び方法に関する基準を除く。以下「一般廃棄物処理基準」という。）並びに市町村が一般廃棄物の収集、運搬又は処分を市町村以外の者に委託する場合の基準は、政令で定める。
3　市町村が行うべき特別管理一般廃棄物の収集、運搬及び処分に関する基準（当該基準において海洋を投入処分の場所とすることができる特別管理一般廃棄物を定めた場合における当該特別管理一般廃棄物にあっては、その投入の場所及び方法が海洋汚染等及び海上災害の防止に関する法律に基づき定められた場合におけるその投入の場所及び方法に関する基準を除く。以下「特別管理一般廃棄物処理基準」という。）並びに市町村が特別管理一般廃棄物の収集、運搬又は処分を市町村以外の者に委託する場合の基準は、政令で定める。
4　土地又は建物の占有者は、その土地又は建物内の一般廃棄物のうち、生活環境の保全上支障のない方法で容易に処分することができる一般廃棄物については、なるべく自ら処分するように努めるとともに、自ら処分しない一般廃棄物については、その一般廃棄物処理計画に従い当該一般廃棄物を適正に分別し、保管する等市町村が行う一般廃棄物の収集、運搬及び処分に協力しなければならない。

5～7　（略）

（焼却禁止）
第16条の2　何人も、次に掲げる方法による場合を除き、廃棄物を焼却してはならない。
　一　一般廃棄物処理基準、特別管理一般廃棄物処理基準、産業廃棄物処理基準又は特別管理産業廃棄物処理基準に従って行う廃棄物の焼却
　二　他の法令又はこれに基づく処分により行う廃棄物の焼却
　三　公益上若しくは社会の慣習上やむを得ない廃棄物の焼却又は周辺地域の生活環境に与える影響が軽微である廃棄物の焼却として政令で定めるもの

○ **廃棄物の処理及び清掃に関する法律（1999年法改正による削除前のもの）**
第6条の2
1～5　（略）
6　市町村は、当該市町村が行う一般廃棄物の収集、運搬及び処分に関し、条例で定めるところにより、手数料を徴収することができる。ただし、手数料の額は、粗大ごみ、次条第1項の規定による指定に係る一般廃棄物、事業活動に伴って生じた一般廃棄物等の一般廃棄物の特性、その収集、運搬又は処分に要する費用等を勘案して定めなければならない。

◆ **解説** ◆

1．出題の意図

　地方分権の進展で各地方公共団体において多様な条例が制定されることになり、これらの条例の違法性が訴訟で争われる機会も少なくない。本問は、条例が違法であるとして訴訟で争われる場合のヴァリエーションの1つとして、家庭系ごみの収集運搬等の有料化に関する条例を取り上げている。現在、多くの市町村で、家庭系ごみの収集運搬が有料化されており、後述する本問の素材とした事例のように一定の裁判例が見られるところであり、現代的な論点として取り上げる意味もあると考えられる。

　さて、本問で検討してもらう点は、第1に、違法な条例を訴訟で争うときにはどのような救済手段が考えられるのかである。条例に基づいて具体的な処分が行われる場合であれば、当該処分を抗告訴訟で争うという手段が考えられるが、本問は、具体的な処分が介在しない場合の救済手段が問題になる。第2に、本問は、条例の実体的な違法事由について考えてもらうことも目的としている。条例の違法性については、上乗せ条例に見られるような既存の法律との抵触という論点がある意味定番の論点ではあるが、本問では、主に地方自治法の解釈問題として条例の実体的な違法性を検討することが求められている。

　本問で素材としたのは、横浜地判平21・10・14判例自治338号46頁である。本問の条例の条文等は、素材とした判決が扱っていた藤沢市条例をベースとしているが、様々な事実、例えば、指定袋の価格等についてはかなり大きな変更を加えている（家庭系ごみの収集運搬等の料金について、山谷修作「ごみ有料化の現状・成果・課題」自治体法務研究18号〔2009年〕15頁参照）。

2．設問1——条例の違法を争う訴訟

　本問で検討すべき救済手段として、まず思い浮かぶのは、条例が違

法なのだから、条例自体を対象として提起するタイプの訴訟ということになる。そうすると、はじめに考えられるのは、条例自体に対する取消訴訟やその無効確認訴訟であろう。この類型の訴訟は抗告訴訟であり、条例の制定が、「処分その他公権力の行使に当たる行為」（行訴3条2項）に該当するかどうかが検討のポイントとなる。次に、条例においては、多くの場合でその制定につき処分性を肯定することが困難であるため、処分性が肯定できないことを前提として、公法上の当事者訴訟（行訴4条）で争うことができないかを検討することになる。この場合には、条例が違法・無効なので、条例に基づく様々な権利義務関係が存在することかまたは存在しないことの確認等を求めるというタイプの訴訟で争うことになる。以下では、訴訟の類型に応じて、順番に解説することとする。

(1) 第1の考え方——条例の制定行為を抗告訴訟で争う

本件条例に対して抗告訴訟で争うとすれば、典型的には、本件条例の制定行為に対する取消訴訟を提起することが考えられる（処分性に関する概括的な説明については、ミニ講義1参照）。まず、本件**条例制定行為の処分性の有無**を検討しておこう。

(ア) **本件条例の制定行為の処分性を否定する考え方**

まず、本件条例につき処分性を否定する見解を見ておこう。条例は、通常、一般的な規範を定立する行為であり、それゆえ行政処分には当たらない。判例にも、水道料金を値上げする条例の制定行為について、同条例は「……町が営む簡易水道事業の水道料金を一般的に改定するものであって、そもそも限られた特定の者に対してのみ適用されるものではなく、本件改正条例の制定行為をもって行政庁が法の執行として行う処分と実質的に同視することはできない」（最2小判平18・7・14民集60巻6号2369頁、百選Ⅱ155、CB1-8）として、条例の一般的な性格を理由として処分性を否定しているものが見られる。

本件条例も、新たな条例の制定によって、将来にわたって、市内で家庭ごみを排出する不特定の者に対して、料金の支払いを求めるものであり、上記判例の考え方に従うと、その制定には処分性が否定されることとなる。もちろん、同条例には一定の法効果は認められるが、

その一般的な性格から、条例制定行為の処分性を否定し、次の段階で(2)で検討するような、条例制定行為の処分性が否定された場合の救済手段を選択することが、1つの解答の方向ということになる。

(イ) **本件条例制定行為の処分性を肯定する考え方**

もっとも、本問を学生に実際に解答してもらったときには、本件条例の制定行為に処分性を肯定する見地から立論するという答案が少なくなかった。そこで、本件条例の制定行為に処分性を肯定することはできないか、もう少し詳しく見ておこう。

条例の制定行為に処分性を肯定する立場を採用するとすれば、解答にあたって想起される判例は、最1小判平21・11・26民集63巻9号2124頁（百選Ⅱ204、CB11-16）であろう。同判例は、保育所廃止条例の制定行為に処分性を肯定したが、その根拠は次のようなものであった。すなわち、同判例は、児童福祉法の規定から、児童の保護者には、保護者が選択した特定の保育所で「保育を受けることを期待し得る法的地位」が認められるとし、保育所を廃止する条例の制定は、「他に行政庁の処分を待つことなく、その施行により各保育所廃止の効果を発生させ、当該保育所に現に入所中の児童及びその保護者という限られた特定の者らに対して、直接、当該保育所において保育を受けることを期待し得る上記の法的地位を奪う結果を生じさせる」として処分性を肯定した。また、同判例は、当事者訴訟や民事訴訟による場合と比較して、取消判決の第三者効（行訴32条1項）の存在を考慮して、「取消訴訟において当該条例の制定行為の適法性を争い得るとすることには合理性がある」とも述べている。つまり、主として、一定の法的な地位が個別法によって認められており、それが条例の制定によって直接剥奪されることから、特定性があるとして処分性を認め、さらに、当事者訴訟等を提起しうるとしても、救済手段として抗告訴訟（取消訴訟）によることがより合理的であることも、条例制定行為に処分性を肯定する根拠としていると考えられる。

では、本件条例はどうであろうか。本件条例は、その対象を甲市の市民一般としており、廃止予定の保育所の保護者を対象としていた前掲・最1小判平21・11・26のように、限定された対象をもつわけではない。また、将来の住民も本件条例の適用を受けることになるはずで

ある。したがって、本件条例は、一般的な性格を保持しているのではないかと考えられ、処分性を肯定するうえでは、克服し難いハードルが残っていると考えざるをえないであろう。また、Xの救済としての合理性のみを考えるのであれば、Xがごみ収集の費用を払わなければすむようにすればそれでよいのであって、前掲・最1小判平21・11・26とは異なり、判決の効力等の観点から、処分性を肯定して取消訴訟を可能とする必要性はそれほどないと考えられる。

　以上のように、本件条例の制定行為に処分性を肯定することは、全く不可能とは言えないものの、かなり困難であり、また、救済のメリットという観点から見たとしてもその必要性は乏しいことがわかる。これらの点を確認し、次に、本問では、本件条例の制定行為に処分性を否定したら、どのような救済手段が考えられるかを考えてみよう。

(2)　第2の考え方——公法上の当事者訴訟の一種である確認訴訟によって争う

　では、次に本件条例の制定行為に処分性が肯定されないことを前提にして、提起すべき訴訟について検討してみよう。

　Xとしては、本件条例は違法無効なのだから、その適用を受けることなく、指定袋を使用せずに（＝無料で）ごみを出し甲市に収集してもらいたいと考えている。しかし、本件条例があるため、指定袋以外の袋では甲市に収集してもらうことができず、また、指定袋の購入をすることはXに経済的な打撃を与えることになるという不満をもっている。このような不満を解決する訴訟として、Xは、どのような訴訟で争うことが適切であろうか。

　まず、Xは、単純に考えると、本件条例が違法無効であることの確認を求める訴訟を想定することができる。本件条例が違法無効であることを裁判所に確認してもらえれば、従来どおり無料でごみを収集してもらえることになるだろうから、Xの救済にはつながるであろう。しかし、公法上の当事者訴訟といっても、確認訴訟には訴訟要件としての**確認の利益**が存在することが要請される。そして、確認の対象は、具体的な権利義務関係の存否に関するものであることが適切と考えられていることから、本件条例のように一般的な性格を有する場合、そ

の違法無効の確認を求める訴訟は、確認の対象として具体的な性格を欠くものであって、他により適切な確認対象があれば、確認の利益を肯定されないのではないかと考えられる。

では、どのような確認の対象を考えればよいのだろうか。具体的な権利義務関係の存否の確認という方向で考えると、本件条例が違法無効であることを前提として、「甲市には、指定の収集袋によらないでXが排出した一般廃棄物を収集する義務が存在すること」の確認という**義務存在確認の訴え**を提起することが考えられる。このように構成すれば、甲市の具体的な義務に関する訴訟であると考えることができ、上で挙げたような本件条例の違法無効の確認を求める訴訟と異なり、確認の利益を肯定することができる。

このような義務存在確認の訴えは、廃棄物処理法上の義務の存在に関する争訟であり、「公法上の法律関係に関する確認の訴え」(行訴4条)と考えられることから、公法上の当事者訴訟としての確認訴訟の一種ということになるであろう。

また、このような具体的な義務の存在が裁判所によって確認されることで、Xと甲市の紛争の解決につながり、いわゆる**即時確定の利益**も認められるし、(1)で見たように、本件条例の制定には処分性が肯定できないのであるから、取消訴訟や他の訴訟によってXを救済することはできず、救済方法の選択においても、上記のような確認訴訟は適切であると考えられる。したがって、Xは、上記のような確認訴訟を提起することが適切と考えられ、素材とした判決もこのタイプの訴訟を適法としている（実際の答案で見られたその他の訴訟については、コラム「答案を読んで：訴訟類型の選択」参照）。

コラム　答案を読んで：訴訟類型の選択

本問もそうだが、適切な訴訟類型を問うという問題の場合、たいてい複数の訴訟を考えることができる。本問を実際に学生諸君に解答してもらったときには、次のような解答が見られた。

第1に、条例制定行為の取消訴訟につき、処分性がないとして不可としつつ、抗告訴訟としての条例の無効確認訴訟という解答も見られたが、そもそも処分性が否定されている段階で、このような無効確認訴訟は認められないであろう。も

> ちろん、公法上の当事者訴訟として条例の無効確認訴訟を考えることはできるが、確認の利益を認めにくく、適法な訴訟と考え難いのは本文中に示したとおりである。
> 　第2に、抗告訴訟の一種としての義務付け訴訟を提起するという解答も、実際の答案においては少なくなかった。これらの答案は、抗告訴訟として、Xに対する無料のごみ収集を義務付けるという直接型義務付け訴訟（行訴3条6項1号）が考えられるとして、訴訟要件を検討するものである。もちろん、Xの救済という観点からは、このような訴訟も考える余地はあるであろう。たしかに、本件条例で問題になっているごみ収集のような事実行為であっても権力的な性格を帯びる事実行為であれば、抗告訴訟の対象である処分に該当するという解答の筋も考えられないわけではない。しかし、ごみ収集は、私企業や私人によっても行われる非権力的な事実行為であり、権力的事実行為として処分性を肯定することは通常は困難と考えられる。
> 　したがって、これらは、本問の解答として特に検討する必要はないであろう。

3．設問2——本件条例の違法性

　では、次に設問2を検討する。本問では、本件条例の制定手続に関する瑕疵は特に問題とされていないことから、主として、本件条例の実体的な違法性を検討することになる。

(1)　地方自治法227条に違反しているか

　Xの立場から主張できる本件条例の実体的な違法性は、いくつか考えることができる。そのうち、【資料1】においても示されており、かつ、その他の【資料】からも検討の必要性が高いと考えられるのは地方自治法227条違反の問題である。

　原告の立場からは、【資料】を踏まえて以下のような順序で主張を組み立てていくことになる。

　㋐　まず、地方自治法227条における「特定の者のため」の解釈を確認する。地方自治法227条における手数料を徴収することができる事務は、「特定の者のため」に行われるとしている。そして、それは、【資料1】に挙げられている行政解釈によれば、「一私人の要求に基づき主としてその者の利益のために行う事務」で、「一私人の利益又は行為（作為、不作為）のため必要になったもの」であり、「もっぱら普通地方公共団体自体の行政上の必要のためにする事務」であってはならない

とされている。

したがって、本件条例における家庭系ごみの手数料がこれらの要件に適合しているかどうかが検討対象となる。

(イ) 次に、甲市におけるごみ収集が、上記のような、「特定の者のため」に行われる事務であると言えるか考えてみよう。たしかに、ごみを出してそれを市に収集してもらうのであるから、ごみを出す市民（＝指定袋を使っている者）の利益のために市がごみを収集していると考えることができ、したがって、「特定の者のため」の事務であるような印象を受ける。また、本件条例4条も努力義務とはいえ、市の廃棄物に関する施策に協力する義務を市民に課している。しかし、Xの発言によれば、廃棄物処理法は、自分でごみを処理することを努力義務としてはいる（6条の2第4項）が、原則として自分でごみを燃やして処理することは許されていない（16条の2）。そうすると、甲市の市民は、通常、家庭系ごみを市に収集してもらわざるをえない。

「特定の者」のために手数料を課す事務の典型例とされる住民票の交付であれば、必要な時に必要な人がその交付を受けるわけであるが、ごみの収集という事務は甲市の市民一般を対象としていると考えることができる（上記のような状況で市によるごみの収集を必要としない人はほとんどいないはずである）。

したがって、本件条例でいう「廃棄物処理手数料」（本件条例28条）は、現実には市民一般から徴収されているものであって、不特定多数の者から徴収しているのではないかと考えられる。ならば、「廃棄物処理手数料」は、「特定の者のため」の手数料とは言えないのではないか、という主張を考えることができる。

(ウ) さらに、廃棄物処理法6条の2第1項は、一般廃棄物の収集等を市町村の義務としているのであるから、一般廃棄物である家庭系ごみの収集等は、「もっぱら普通地方公共団体自体の行政上の必要のためにする事務」と考えることもできるのであり、これらの行政解釈に従うのであれば、地方自治法227条で言う「特定の者のため」の事務とは言えないとの主張が考えられる（詳細な分析として、北村喜宣「判批」速報判例解説2012年4月号353頁以下。また、旧法下の裁判例を含めて、熊本一規「家庭ごみの有料化は法的に問題はないのか⁉」月刊廃棄物31巻

5号〔2005年〕32頁以下参照）。また、旧廃棄物処理法6条の2第6項の規定は、「廃棄物処理手数料」が地方自治法上の手数料ではないとするXの立場からは、本来は手数料ではないものを手数料として扱うことを可能にする一種の創設的な規定であったと考えられ、同規定が削除された以上は、もはや、家庭系ごみの収集等につき「手数料」を徴収することは許されないことになる。Xの立場からは、廃棄物処理法の条文に沿って以上のような指摘を行うことになる。

(エ) 本問の解答としては、上記で十分な内容であるが、素材とした判決の立場とごみの収集等に関する現状を紹介しておく。素材とした判決は、手数料によるごみの有料化について原告が「疑問を抱くのも無理はない」としながら、収集するに際しては指定袋でごみを出すことになっていることから、ごみを出すこととそれを収集するサービスの関係は1対1の関係にあるとして特定性を認めることができるとする。そして、家庭系ごみの収集等については、「普通地方公共団体の自治事務であるとともに、これら家庭系可燃ごみ及び不燃ごみを適切に自家処分できずに排出する個々人のためにする事務としての性質を有するもので、役務の提供と受益者との間にそれぞれ対応関係にあり、個別的に特定することが可能である」として、地方自治法227条の手数料として適法であるとしている。行政実務においては既にごみの有料化は広範に見られるところであり（2011年時点で6割以上の市町村が家庭系ごみの収集につき有料化を図っているとされる。参照、環境省大臣官房　廃棄物・リサイクル対策部廃棄物対策課「一般廃棄物処理有料化の手引き」〔2013年〕13頁 https://www.env.go.jp/recycle/waste/tool_gwd3r/ps/ps.pdf）、実務的には、素材とした判決のように、地方自治法上の手数料であるとの構成をとっているとされる。

(2) **本件条例のその他の違法性**

本件条例の違法性に関わって、Xが主張できる主要な点は上で見たとおりであるが、他に主張する点はないか見ておこう。

まず、仮に、本件条例による「廃棄物処理手数料」が地方自治法における手数料として適法であるとしても、その手数料としての金額の設定について違法であると主張することが考えられる。すなわち、手

数料をどのくらいの価格に設定するかは、もちろん様々な事情を考慮して、甲市によって決定されることになるのだが、日常生活に密着した家庭系ごみの料金であることから、その料金は適切な価格でなければならない。これに対して、甲市では有料ごみ袋の価格が他の市町村に比べて約3倍というかなりの高額な料金設定になっている。Xの立場からは、このような高額の料金設定が不合理であり、他の市町村と比較して**平等原則**に反することを主張することになるであろう。

これに対しては甲市からは、そもそも手数料の料金をどのように定めるのかは甲市がその合理的な裁量に基づいて決定することであり、著しく不合理な料金設定でない限り、当不当の問題を生じるにすぎないとの反論が考えられる（金額の設定に違いはあるが、素材とした判決も理論的にはそのように解している）。たしかに、甲市の料金は他の市町村に比して高額であるが、それは、ごみの減量という政策目標のためであるし、収集費用の多くを市民の「廃棄物処理手数料」で賄うためであるという反論が考えられる。また、本件条例施行規則16条によって、経済的に支払いが難しい者に対する対応もされている点も指摘されよう。

Xからは、甲市の上記の反論に対しては、そもそも、本来は地方公共団体の事務である家庭系ごみの収集等について、手数料でその多くを賄うとの考え方の問題点を指摘することや、経済的に支払いが難しい者については、たしかに規則によって一定の対応がなされているが、Xのような年金生活者等への対応は十分とは言えないとの再反論が考えられる。

〔関連問題〕

甲県にある乙湖ではオオクチバスなどの外来種の魚が増加していた。これらの魚はもともと乙湖にはいなかったが、第2次大戦後放流されそれが増加したものである。オオクチバス等の食害から在来種の魚類が減少し、地場の漁業が影響を受け続けていることから、甲県では従来からオオクチバス等の外来種の駆除事業を行っていた。しかし、それでも在来種は減少を続けており、甲県は新たな対応策を検討していた。

乙湖にはバスフィッシングを行う釣り客が多く訪れていた。バスフィッ

シングにおいては、釣り上げたバスをその場で逃がすキャッチアンドリリースを行うのが主流であった。甲県は、乙湖では一旦釣り上げたバス等をリリースすることを禁止する内容をもつ、「甲県乙湖のレジャー利用の適正化に関する条例」を制定した。これによって、リリースを禁じ、バスの駆除や住民・観光客への啓発に役立てようとするものであった。しかし、リリース禁止については違反者に何らかの制裁を定めた規定は条例中にはなかった。

Xは、乙湖周辺で釣具屋を営み、また自らバスフィッシングを行う者である。甲県条例が制定されると、従来から行ってきたキャッチアンドリリースが行えなくなることから、同条例に反対していた。Xは、キャッチアンドリリースを行うことは個人の自由に委ねられるべきであり、甲県条例は幸福追求権侵害等の理由で違憲・違法で、従来どおりキャッチアンドリリースを含むバスフィッシングを継続したいと考えている。

あなたがXから法的な対応を依頼された弁護士であるとして、どのような訴訟で争うことが妥当かについて資料を参照しながら検討しなさい。なお、甲県条例は「特定外来生物による生態系等に係る被害の防止に関する法律」等の国法と抵触していないものとする。

【資料　甲県乙湖のレジャー利用の適正化に関する条例等（抜粋）】

○　甲県乙湖のレジャー利用の適正化に関する条例
（目的）
第1条　この条例は、乙湖におけるレジャー活動に伴う環境への負荷の状況にかんがみ、その負荷の低減を図るために必要な乙湖のレジャー利用の適正化に関し、県、レジャー利用者および事業者の責務を明らかにするとともに、県の行う施策の基本となる事項を定め、プレジャーボートの航行に関する規制その他の必要な措置を講ずること等により、乙湖におけるレジャー活動に伴う環境への負荷の低減を図り、もって乙湖の自然環境およびその周辺における生活環境の保全に資することを目的とする。

（レジャー利用者の責務）
第4条　レジャー利用者は、乙湖においてレジャー活動を行うに当たっては、環境への負荷の低減に努めなければならない。
2　レジャー利用者は、県が実施する乙湖におけるレジャー活動に伴う環境へ

の負荷の低減に関する施策に協力しなければならない。
（関係事業者の責務）
第5条　乙湖におけるレジャー活動に関する事業を営む者（以下「関係事業者」という。）は、その事業を行うに当たっては、乙湖におけるレジャー活動に伴う環境への負荷の低減を図るため、レジャー利用者に対する情報の提供その他の必要な措置を講ずるよう努めなければならない。
2　関係事業者は、県が実施する乙湖におけるレジャー活動に伴う環境への負荷の低減に関する施策に協力しなければならない。
（外来魚の再放流の禁止）
第18条　乙湖におけるレジャー活動として魚類を採捕する者は、外来魚（ブルーギル、オオクチバスその他の規則で定める魚類をいう。）を採捕したときは、これを乙湖に放流してはならない。
（規則への委任）
第25条　この条例の施行に関し必要な事項は、規則で定める。

○　甲県乙湖のレジャー利用の適正化に関する条例施行規則
（規則で定める魚類）
第8条　条例第18条の規則で定める魚類は、ブルーギル、オオクチバスおよびコクチバスとする。

〈ヒント〉
　本問は、大津地判平17・2・7判時1921号45頁、控訴審・大阪高判平17・11・24判例自治279号74頁を素材とする問題である。本案に関する検討は不要であり、訴訟要件のみ検討することが求められている。

［北村和生］

〔問題 14〕 温泉掘削許可をめぐる紛争

◆ 事例 ◆

次の文章を読んで、資料を参照しながら、以下の設問に答えなさい。

1．株式会社Ａ社は、甲県乙町内に所有する土地で温泉資源を開発することを計画し、2020年6月1日、甲県知事に対して、温泉法（以下「法」という）3条1項に基づく温泉掘削許可申請（以下「本件申請」という）を行った。甲県知事は、法32条および自然環境保全法51条により、本件申請について甲県環境審議会温泉部会（以下「温泉部会」という）に諮問した。

2．諮問を受けた温泉部会は、同年7月10日および9月11日の2回にわたって本件申請の審議を行った。審議において、本件申請は法4条1項2号に該当しないと判断された。しかし、ⓐ本件申請を許可してしまうと、今後乙町において同種の温泉掘削許可申請が相次いでなされ、それらの申請について許可をすれば、温泉の枯渇を招くおそれがあり、また、ⓑＡ社による温泉掘削は、乙町の優れた自然環境に悪影響を及ぼすおそれがあるとする意見が多数を占めた。その結果、温泉部会は同年9月18日、本件申請に関しては不許可とすることが相当であるとの答申を行った。

3．甲県知事は、Ａ社およびその役員が、以前に温泉掘削許可の取消処分や法違反による刑罰を受けていないことを確認したものの、温泉部会の答申に従って同年10月1日に不許可処分（以下「本件処分」という）を行い、翌日Ａ社に書面で通知した。その通知の中では、温泉部会で示された上記ⓐおよびⓑの意見が挙げられ、ⓐは法4条1項1号および3号、ⓑは同項3号に該当するので、本件処分を行った旨が記載されていた。本件処分に不服があるＡ社は法的手段について相談するため、同年10月8日、社員を顧問弁護士Ｂの事務所に派遣した。

4．Ｂは、温泉の掘削は土地所有権の内容の一部であり、土地所有者の自由に委ねられる性質のものであることなどからすると、本件処分には疑

問があると考えた。そこで、Bは同年11月10日、A社の代理人として、本件処分に対して訴訟を提起することにした。

〔設問〕
1. A社が温泉掘削許可を得るためには、行訴法が定める訴訟のうち、どのような訴訟を提起するべきかを述べたうえで、その訴訟要件について論じなさい。なお、仮の救済の手段には触れなくてよい。(30点)
2. 1.で述べた訴訟が適法に提起されたとして、A社の請求が認められるためには、どのような主張をするべきかについて論じなさい。ただし、本件処分に手続的瑕疵はないものとする。(70点)

【資料1　温泉法（抜粋）】
(目的)
第1条　この法律は、温泉を保護し、温泉の採取等に伴い発生する可燃性天然ガスによる災害を防止し、及び温泉の利用の適正を図り、もって公共の福祉の増進に寄与することを目的とする。
(土地の掘削の許可)
第3条　温泉をゆう出させる目的で土地を掘削しようとする者は、環境省令で定めるところにより、都道府県知事に申請してその許可を受けなければならない。
2　前項の許可を受けようとする者は、掘削に必要な土地を掘削のために使用する権利を有する者でなければならない。
(許可の基準)
第4条　都道府県知事は、前条第1項の許可の申請があったときは、当該申請が次の各号のいずれかに該当する場合を除き、同項の許可をしなければならない。
　一　当該申請に係る掘削が温泉のゆう出量、温度又は成分に影響を及ぼすと認めるとき。
　二　当該申請に係る掘削のための施設の位置、構造及び設備並びに当該掘削の方法が掘削に伴い発生する可燃性天然ガスによる災害の防止に関する環境省令で定める技術上の基準に適合しないものであると認めるとき。
　三　前2号に掲げるもののほか、当該申請に係る掘削が公益を害するおそれがあると認めるとき。
　四　申請者がこの法律の規定により罰金以上の刑に処せられ、その執行を終

わり、又はその執行を受けることがなくなった日から２年を経過しない者であるとき。
　五　申請者が第９条第１項（……）の規定により前条第１項の許可を取り消され、その取消しの日から２年を経過しない者であるとき。
　六　申請者が法人である場合において、その役員が前２号のいずれかに該当する者であるとき。
２　都道府県知事は、前条第１項の許可をしないときは、遅滞なく、その旨及びその理由を申請者に書面により通知しなければならない。
３　前条第１項の許可には、温泉の保護、可燃性天然ガスによる災害の防止その他公益上必要な条件を付し、及びこれを変更することができる。
（審議会その他の合議制の機関への諮問）
第32条　都道府県知事は、第３条第１項、第４条第１項……の規定による処分をしようとするときは、自然環境保全法（昭和47年法律第85号）第51条の規定により置かれる審議会その他の合議制の機関の意見を聴かなければならない。
第38条　次の各号のいずれかに該当する者は、１年以下の懲役又は100万円以下の罰金に処する。
　一　第３条第１項の規定に違反して、許可を受けないで土地を掘削した者
　二～四　（略）
２　（略）

【資料２　自然環境保全法（抜粋）】
（都道府県における自然環境の保全に関する審議会その他の合議制の機関）
第51条　都道府県に、都道府県における自然環境の保全に関する審議会その他の合議制の機関を置く。
２　前項の審議会その他の合議制の機関は、温泉法（昭和23年法律第125号）及び鳥獣の保護及び管理並びに狩猟の適正化に関する法律（平成14年法律第88号）の規定によりその権限に属させられた事項を調査審議するほか、都道府県知事の諮問に応じ、当該都道府県における自然環境の保全に関する重要事項を調査審議する。
３　（略）

◆ 解説 ◆

1. 出題の意図

　本問は、温泉掘削許可をめぐる紛争を素材にして、申請満足型義務付け訴訟が用いられる場合とその訴訟要件に関する理解を問うとともに、本案勝訴要件について、比較的単純な条文の解釈を踏まえつつ主張を展開することを求めるものである。本問の作成にあたっては、岐阜地判平14・10・31判例自治241号58頁、金沢地判平20・11・28判タ1311号104頁、名古屋高金沢支判平21・8・19判タ1311号95頁を参考にした。なお、本書第2版338頁以下にも、温泉掘削許可に関する発展的な問題が掲載されているので、可能であればあわせて参照してみてほしい。

2. 設問1——訴訟形式の選択とその訴訟要件

(1) 不許可処分の取消訴訟

　本問においてA社は、温泉法3条1項に基づく温泉掘削許可申請を行ったところ、甲県知事から本件処分たる不許可処分を受けている。A社が求めた温泉掘削許可は、温泉の掘削を可能にする法的効果をもつ行為であり（温泉38条1項1号も参照）、**処分性**が認められる。そして、温泉法3条1項を見ると、その規定自体が「申請」という文言を用いている。また、同法4条1項は1号から6号のいずれかに該当しない限り、許可をしなければならないと定め、同条2項は許可をしない場合にはその旨を通知しなければならないとしており、「申請」に対する応答義務が明確に規定されているといえる。そうすると、温泉掘削許可については**申請**（行手2条3号参照）の仕組みがとられており、本件処分も申請拒否処分として処分性が肯定され、本問では、行訴法が定める訴訟のうち抗告訴訟を用いることになる。

　申請拒否処分に対して抗告訴訟を提起しようとするとき、まず考えられるのは申請拒否処分の取消訴訟だろう（行訴3条2項）。本問に即

して言えば、本件処分の取消訴訟である。その場合、行訴法14条による**出訴期間**の制限があることに注意する必要がある。すなわち、処分があったことを知った日から6カ月、または、処分の日から1年を経過したときは、原則として取消訴訟を提起することができない。本問において、本件処分は2020年10月1日に行われ、A社がそれを知ったのは翌2日であり、A社の顧問弁護士Bが訴訟を提起することにしたのは同年11月10日であるから、出訴期間は過ぎていない。

また、行訴法11条1項は、処分をした行政庁が国または公共団体に所属する場合、取消訴訟は、当該処分をした行政庁の所属する国または公共団体を**被告**として提起しなければならないと規定している。本件処分を行った甲県知事は甲県に所属するから、本件処分の取消訴訟は甲県を被告として提起しなければならない。

本件処分の取消訴訟について、上記以外の訴訟要件を見ておくと、A社は本件処分の名あて人であり、**原告適格**（行訴9条）は当然に肯定される。**訴えの客観的利益**も、それを消滅させる事由は見当たらないから、もちろん認められる。さらに、**審査請求前置**（行訴8条1項ただし書）に関しても、温泉法にその旨を定めた規定はないので問題にならない。

(2) 温泉掘削許可の義務付け訴訟の併合提起

申請拒否処分の取消訴訟において請求認容判決（取消判決）が下されると、その**拘束力**により、行政庁は、判決の趣旨に従い、改めて申請に対する処分をしなければならない（行訴33条2項）。具体的には、判決で違法とされた理由によって再び申請拒否処分をすることは許されず、他に申請拒否処分をする理由がなければ、行政庁は申請認容処分をしなければならない。実際のところ、申請拒否処分の取消判決が下されると、申請認容処分が行われることが多い。だが、行政庁が、判決で違法とされたものとは別の理由で再び申請拒否処分をする可能性もないわけではなく、その場合、申請認容処分を得るためにはもう一度訴訟を提起しなければならない。

そこで、申請拒否処分を受けた場合において、申請認容処分を得るためには、申請認容処分の義務付け訴訟（**申請満足型義務付け訴訟**）を

起こすべきである（行訴3条6項2号）。本問においては、温泉掘削許可の義務付け訴訟を提起すべきというわけである。ただし、申請拒否処分がされたことを受けて、申請満足型義務付け訴訟を提起する場合には、行訴法37条の3第3項2号により、申請拒否処分の取消訴訟または（取消訴訟の出訴期間を徒過したときは）無効確認訴訟を併合して提起しなければならない。したがって、本問では温泉掘削許可の義務付け訴訟に本件処分の取消訴訟を併合して提起しなければならない。行訴法38条1項が取消訴訟以外の抗告訴訟について同法11条を準用しているので、温泉掘削許可の義務付け訴訟においても、本件処分の取消訴訟の場合と同じく、甲県が**被告**となる。

　温泉掘削許可の義務付け訴訟について、上記以外の訴訟要件も見ておくと、行訴法37条の3第2項は「法令に基づく申請……をした者に限り、提起することができる」と定めているが、A社は温泉法3条1項に基づく温泉掘削許可申請を行っているので、この要件はもちろん満たされている。温泉掘削許可はまだA社に与えられておらず、他に**訴えの客観的利益**を消滅させる事由も生じていないので、それも当然に認められる。このほか、行訴法37条の3第1項2号によると、申請拒否処分たる本件処分が取り消されるべきもの、つまり違法であることも訴訟要件になっているが（ただし、学説の中には、申請拒否処分が違法であることは訴訟要件の問題ではないとする見解もある。芝池・救済法146頁など）、それに関しては本案勝訴要件と重なるので**3**で説明する。

　ちなみに、設問では仮の救済の手段に触れなくてよいとしたが、もしA社が仮の救済を得ようとするときは、以上の2つの訴訟を提起したうえで、行訴法37条の5第1項に基づき、温泉掘削許可の仮の義務付けの申立てをすることになる。

3．設問2――本案勝訴要件に関する主張

(1) 不許可処分の取消訴訟と温泉掘削許可の義務付け訴訟の本案勝訴要件

　申請満足型義務付け訴訟の本案勝訴要件は、行訴法37条の3第5項に規定されている。本問においては、①本件処分の取消訴訟に係る請

求に理由がある、つまり本件処分が違法であると認められること、および②甲県知事が温泉掘削許可をすべきことが温泉法の規定から明らかであると認められ、または温泉掘削許可をしないことが裁量権の逸脱・濫用になると認められることという2つの要件があれば、温泉掘削許可の義務付け訴訟の本案勝訴要件は充足される。2(2)で、温泉掘削許可の義務付け訴訟には本件処分の取消訴訟を併合して提起しなければならないと述べたが、その本案勝訴要件も①の要件として含まれている。A社としては、①および②の要件が満たされているという主張を展開することになる。

(2) 将来の温泉枯渇のおそれに対する主張
(ア) 温泉法4条1項1号・3号に該当しないという主張
　(a) 最初に、①の要件に関する主張から考えると、本件処分はまず次のことを理由としていた。すなわち、本件申請を許可してしまうと、今後同種の温泉掘削許可申請が相次いでなされ、それらの申請について許可をすれば、温泉の枯渇を招くおそれがあるところ、それは温泉法4条1項1号の要件に該当するという理由である。A社の立場からは、上記のようなおそれは同号の要件に当たらないと主張しなければならない。

　温泉法4条1項1号を見たとき、「当該申請に係る掘削が温泉のゆう出量、温度又は成分に影響を及ぼすと認めるとき」（傍点筆者）と規定されていることが、さしあたり注目される。つまり、本問の場合に即して言えば、同号が問題にしているのはあくまでもA社の申請に係る掘削であって、今後行われる可能性のある申請に係る掘削は含まれないと解しうる。それにもかかわらず、甲県知事は「当該申請に係る掘削」に今後の申請に係る掘削も含まれるものとして、本件処分を行ったのではないかという主張をすることが考えられる。また、仮にそのような主張が採用されなかったとしても、上記の本件処分の理由は、現実化する可能性の高くない推測であるということができる。今後の申請に係る掘削によって、温泉のゆう出量などへの影響が認められるようになった場合には、その時点で不許可処分を行えば足りるとも考えられる。

(b) もっとも、以上のことから将来の温泉枯渇のおそれが温泉法4条1項1号の要件に該当しないとしても、本件処分はそれが同項3号の要件に当たることも理由としている。したがって、A社としては、将来の温泉枯渇のおそれは同項3号の要件にも当たらないという主張もしなければならない。

そこで、温泉法4条1項3号を見ると、「前2号に掲げるもののほか、当該申請に係る掘削が公益を害するおそれがあると認めるとき」と定めており、同項1号・2号は3号の具体的例示であると考えられる。そうすると、温泉への影響が3号の要件に当たるためには、1号の要件に該当する場合に匹敵するほどの影響がなければならず、将来の温泉枯渇のおそれだけでは不十分であるという主張をすることができる。あるいは、将来の温泉枯渇のおそれによって3号該当性を認めてしまうと、1号の要件を別に設けた意味が失われるという主張も可能だろう。

(c) さらに、以上の主張を補強するために、本事例の中で述べられているとおり、温泉の掘削は土地所有権の行使であるという点を挙げることもできる。つまり、温泉の掘削が土地所有者の自由に委ねられる性質のものであるとすれば、それに対する規制は必要最小限にとどめられるべきであるから、温泉法4条1項各号も厳格に解釈すべきというわけである。この点は、後述(3)の自然環境への悪影響に対する主張においても、援用することができる。

(イ) 要件裁量があるとされる場合の主張

ただし、温泉法4条1項1号・3号該当性の判断に関しては、それが専門技術的な性質を有すること、さらに、3号に限ってではあるが、「公益」という概念が用いられていることを根拠に、**要件裁量**（ミニ講義3参照）が認められると考えることもできる（参照、最3小判昭33・7・1民集12巻11号1612頁）。被告である甲県が、そのような反論をすることも予想される。だが、仮に要件裁量が認められるとしても、上述のことからすれば、甲県知事は今後の申請に係る掘削ないし将来の温泉枯渇のおそれを考慮すべきでないにもかかわらず、それらを考慮した（**他事考慮**）と主張することができる。また、今後の申請に係る掘削が温泉のゆう出量などに影響を及ぼすという判断については、A社の土地所有権にも鑑みると、温泉源の保護の目的に比して過剰な規制を

行っていると考えられ、**比例原則違反**を主張する余地もある。

(ウ) 予防的な規制の可能性

　ちなみに、温泉が地域にとって限られた有用な資源であることからすると、温泉への影響が確実になる前の段階で、いわば予防的に温泉の掘削に対する規制をすべきではないかということが考えられる。将来の温泉枯渇のおそれという本件処分の理由は、そのように言い換えることもできる。また、これまで温泉法の前提にされてきたのは、温泉の掘削は土地所有権の内容の一部であるという理解だろうが、そうした理解がはたして妥当なのかという問題もある。温泉の掘削に対する予防的な規制の可能性については、温泉法の解釈論として展開することも多分に考えられるが、少なくとも立法論として検討が求められる（阿部泰隆『まちづくりと法』〔信山社、2017年〕246頁以下、三浦大介「地熱開発の法的課題」論ジュリ28号〔2019年〕64頁以下も参照）。

(3) 自然環境への悪影響に対する主張

　次に、本件処分は、A社による温泉掘削は乙町の優れた自然環境に悪影響を及ぼすおそれがあり、それは温泉法4条1項3号の要件に該当するということも理由としていた。それゆえ、(1)で挙げた①の要件を満たすためには、この判断が誤りであると主張する必要もある。

　この点に関して、まず(2)(ア)(b)で述べたとおり、温泉法4条1項1号・2号は同項3号の具体的例示であると考えられる。また、同法1条は温泉法の目的として、温泉の保護、可燃性天然ガスによる災害の防止および温泉の利用の適正を掲げるにとどまる。そうすると、同法4条1項3号にいう「公益」は、温泉の保護と災害の防止に関連するものに限られると解される。それに対して、乙町の優れた自然環境に悪影響を及ぼすおそれは同号の「公益を害するおそれ」に含まれず、甲県知事の判断は温泉法の解釈を誤ったものであると主張することができる。(2)(イ)で述べたように3号該当性の判断について要件裁量が認められると考えたとしても、甲県知事は考慮すべきでない事項を考慮した（**他事考慮**）ということができる。

　なお、本問を作成するにあたって参考にした前掲・岐阜地判平14・10・31も、温泉掘削後の開発行為による環境への影響は、温泉法4条

1項3号の要件に該当しないと判断していた（ただし、交告尚史「演習」法教284号〔2004年〕111頁は、温泉掘削許可の審査に際して自然環境への影響を考慮に入れることができると解する。さらに、同「不確実性の世界の行政法学」法教361号〔2010年〕19頁、三浦大介「判批」自治研究87巻11号〔2011年〕151頁も参照）。

(4) 温泉法4条1項1号・3号以外の要件の不存在と効果裁量の不存在の主張

　以上の主張が認められれば、(1)で挙げた①の要件は充足され、本件処分の取消訴訟に係る請求は認容される。また、行訴法37条の3第1項2号が定める訴訟要件も満たされる。しかし、温泉掘削許可の義務付け訴訟で請求が認められるためには、(1)で挙げた②の要件が存在することも主張しなければならない。本件処分が理由としたことのほかに、温泉法4条1項1号または3号該当性が問題になる事情がない場合、同項の定め方からすると、②の要件の充足を主張するためには、本件申請が同項1号・3号以外の要件に該当するかどうか、および、温泉掘削許可について**効果裁量**（ミニ講義3参照）が認められるかどうかという点を取り上げる必要がある。

　この点に関して、まず、本件申請は温泉部会の審議で温泉法4条1項2号に該当しないと判断されている。また、甲県知事は、A社およびその役員が、以前に温泉掘削許可の取消処分や温泉法違反による刑罰を受けていないことを確認しているので、本件申請が同項4号から6号の要件に該当しないという点も争いがないといえる。さらに同項は、その各号の要件に該当しない場合には温泉掘削許可を与えなければならないとしており、効果裁量も認められていない。以上のことを指摘すれば、②の要件の充足も認められるだろう。

　ちなみに、設問では本件処分に手続的瑕疵はないものとしたが、例えば本件処分における理由の提示に瑕疵があれば、それだけで直ちに本件処分の取消事由となり、①の要件は満たされる。だがその場合でも、②の要件を満たすためには、以上のことに加えて、やはり(2)・(3)で述べたことも主張しなければならない。

〔関連問題〕
　Ａ社が温泉掘削を予定している地点が既存源泉のすぐ近くであったとする。それにもかかわらず、Ａ社の温泉掘削許可申請について甲県知事から諮問を受けた温泉部会は、許可することが相当であるとの答申を行い、甲県知事も答申に従ってＡ社に許可処分をした。それに対して、上記の既存源泉を所有するＣが、Ａ社への許可処分により既存源泉が枯渇すると考えて、許可処分の取消訴訟を提起したとき、Ｃに原告適格は認められるだろうか。

　参考裁判例：横浜地判平 24・4・11 判例自治 372 号 19 頁。

〔長谷川佳彦〕

〔問題 15〕 保安林指定解除をめぐる紛争

◆ 事例 ◆

次の文章を読んで、資料を参照しながら、以下の設問に答えなさい。

1．甲県乙市は、古くから窯業が盛んな地域内にある。乙市の東部丘陵地にある森林は、1951年に森林法が制定された際、土砂流出防備林に指定され、1962年の同法改正の際、土砂流出防備保安林に名称が変更され、現在に至っている。鉱物の採掘・販売等を目的とする会社であるAは、上記の保安林の一部を事業区域として（以下「本件事業区域」という）、陶磁器・ガラス産業の原料とする、けい石および耐火粘土を採取する事業を計画した。Aは、2020年末までに、本件事業区域について甲県から採掘権の登録を受けるとともに、本件事業区域内の土地および森林をすべて取得した（以下、本件事業区域内にある保安林を「本件保安林」という）。本件事業区域の西側は幅員4mの市道に接しており、その向かい側にはB大学のグラウンドがある（以下「本件グラウンド」という）。本件事業区域の面積は約10haである。

2．本件保安林についての保安林指定解除の権限を有しているのは農林水産大臣であるが、森林法27条2項の規定により、農林水産大臣への申請は知事を経由しなければならない。そこでAは、甲県との間で、本件保安林についての保安林指定解除に関する事前相談を行った。その際甲県は、林野庁の通知では、①転用に係る保安林の面積が5ha以上である場合で、開発行為の目的が土石等の採掘であるときには、原則として周辺部に幅概ね50m以上の残置森林または造成森林を配置するものとされていること、②森林の配置については、残置森林によることを原則とし、造成森林の配置は、土地の形質を変更することがやむをえないと認められる箇所等に限るものとされていることを示して、これらの定めに従って周辺部に残置森林の配置を計画するよう求めた。

3．2021年2月、Aは、農林水産大臣宛ての保安林指定解除申請書および添付資料を甲県に提出し、森林法27条1項に基づく保安林指定解除

申請をした（以下「本件申請」という）。本件申請は、本件事業区域内において、けい石および耐火粘土を採取するため、本件保安林について保安林指定解除を求めるものである。残置森林の配置に関しては、周辺部のうち約80％については50m以上の残置森林が確保されていたものの、本件事業区域の西側の市道に接する部分（以下「本件沿道部分」という）については、概ね10m前後しか残置森林が配置されない計画になっていた。甲県の担当者がこの点について説明を求めたところ、Aは、①周辺部の約80％については残置森林が確保されているので基準には反しない、②本件沿道部分については可及的速やかに造成森林を配置する、③これ以上の残置森林を確保しようとすると、鉱石の採掘が大幅に制限されることになり、本件事業区域における事業が成り立たなくなると主張した。

4．2021年3月、甲県の担当部局において本件申請の取扱いについて協議が行われ、本件申請は森林法27条3項ただし書の規定により却下することのできるものには当たらないので、農林水産大臣への進達を行うという方針が確認された。そのうえで、森林法27条3項本文により添付を求められている意見書の内容について検討を行うこととなった。

5．このような状況の中、本件申請に関する情報を入手した市民グループが反対運動を開始した。またB大学では、本件事業区域における事業に伴って、土砂が流出し、本件グラウンドが被害を受けるおそれがあるのではないかという点が懸念されるようになった。2021年4月、B大学の運営主体であり本件グラウンドを所有する学校法人Cの担当者が、本件において行政訴訟を提起することができるかについて相談するため、J弁護士の事務所を訪問した。【資料1　会議録】は、本件についてJと同事務所に所属するK弁護士が会議を行った際の記録である。

〔設問〕
1．本件沿道部分について残置森林の確保が十分でないことに不安があるCが、保安林指定解除がなされる前の時点で、抗告訴訟を提起して争うことができるかどうかを検討しなさい。（50点）
2．農林水産大臣が、本件沿道部分について残置森林が十分確保されていないことを理由に、森林法26条2項の「公益上の理由により必要が生

じたとき」に当たらないとして、本件保安林について保安林指定を解除しない旨の処分をした場合、この処分は適法か。反対説の主張に留意して検討しなさい（手続上の違法を検討する必要はない）。(50点)

【資料1　会議録】

J：保安林指定解除の要件はどのように定められていますか。

K：森林法26条1項は、農林水産大臣は、保安林について、その指定の理由が消滅したときは、遅滞なくその部分につき保安林の指定を解除しなければならないこと、同条2項は、公益上の理由により必要が生じたときは、その部分につき保安林の指定を解除することができることを規定しています。Aは、本件事業区域における事業は地元の陶磁器・ガラス産業に貢献するから、公益上の必要があると主張しているようです。

J：Aの事業が地場産業に貢献するとしても、当然に保安林の指定を解除する公益上の必要があるとはいえないでしょう。森林法26条の規定による保安林指定解除に関しては、林野庁が定めた基準があるそうですね。

K：森林以外の用途に供するための保安林指定解除については、林野庁長官通知で、保安林の転用に係る解除の取扱要領が定められています。この取扱要領には、森林法26条2項にいう公益上の理由による解除に関する基準が含まれています。その中には、転用に係る保安林の面積が5ha以上である場合で、開発行為の目的が、別荘地やスキー場の造成、宿泊施設・レジャー施設の設置、土石等の採掘であるときには、原則として周辺部に幅概ね50m以上の残置森林または造成森林を配置することという基準があります。

J：取扱要領で定められた基準が、保安林指定解除の具体的な基準として用いられているのですね。

K：残置森林と造成森林の関係については、林野庁治山課長通知で留意事項が定められており、森林の配置については、残置森林によることを原則とし、極力基準を上回る林帯幅で適正に配置されるよう事業者に対し指導するとともに、造成森林の配置は、土地の形質を変更することがやむをえないと認められる箇所に限って適用する等その運用については厳正を期するものとされています。

J：取扱要領と留意事項で定められた基準を厳格に適用すれば、本件申請は基準に適合していないということができるのではないでしょうか。

K：その基準は、政令や省令の形式で定められたものではなく、森林法の委任に基づくものでもありませんので、これを法規と全く同様に扱うことはできないと思います。またAは、残置森林の確保に努力しているという側面もあ

りますので、Aの利益を全く無視してしまってもよいかという問題もあるのではないかと思います。
J：ともかく、訴訟法上の論点を検討しておきましょう。森林法には、保安林指定解除が審査請求の対象になることを前提とした規定がありますね。
K：森林法190条1項は、不服の理由が鉱業、採石業または砂利採取業との調整に関するものであるときは、公害等調整委員会に対して裁定の申請をすることができるとする一方で、審査請求を認めていません。また鉱業等に係る土地利用の調整手続等に関する法律50条は、公害等調整委員会に裁定を申請することができる事項に関する訴えは裁定に対してのみ提起することができると規定しています。この点が問題になることはないでしょうか。
J：不服の理由が鉱業等との調整に関するものである場合には、公害等調整委員会に裁定の申請をすべきことになると思いますが、本件のCの不服の理由は、鉱業等との調整に関するものではないと主張することもできるのではないでしょうか。
K：Cは保安林指定解除処分の名あて人ではありませんので、Cに争訟を提起する資格が認められるかという点も解決しておく必要があると思います。

【資料2　森林法（抜粋）】

(この法律の目的)
第1条　この法律は、森林計画、保安林その他の森林に関する基本的事項を定めて、森林の保続培養と森林生産力の増進とを図り、もって国土の保全と国民経済の発展とに資することを目的とする。

(指定)
第25条　農林水産大臣は、次の各号（……）に掲げる目的を達成するため必要があるときは、森林（……）を保安林として指定することができる。ただし、海岸法第3条の規定により指定される海岸保全区域及び自然環境保全法（昭和47年法律第85号）第14条第1項の規定により指定される原生自然環境保全地域については、指定することができない。
　一　水源のかん養
　二　土砂の流出の防備
　三～十一　（略）
2～4　（略）

(解除)
第26条　農林水産大臣は、保安林（……）について、その指定の理由が消滅したときは、遅滞なくその部分につき保安林の指定を解除しなければならない。

2　農林水産大臣は、公益上の理由により必要が生じたときは、その部分につき保安林の指定を解除することができる。
3　（略）
（指定又は解除の申請）
第27条　保安林の指定若しくは解除に利害関係を有する地方公共団体の長又はその指定若しくは解除に直接の利害関係を有する者は、農林水産省令で定める手続に従い、森林を保安林として指定すべき旨又は保安林の指定を解除すべき旨を書面により農林水産大臣又は都道府県知事に申請することができる。
2　都道府県知事以外の者が前項の規定により保安林の指定又は解除を農林水産大臣に申請する場合には、その森林の所在地を管轄する都道府県知事を経由しなければならない。
3　都道府県知事は、前項の場合には、遅滞なくその申請書に意見書を附して農林水産大臣に進達しなければならない。但し、申請が第1項の条件を具備しないか、又は次条の規定に違反していると認めるときは、その申請を進達しないで却下することができる。
（保安林予定森林又は解除予定保安林に関する通知等）
第29条　農林水産大臣は、保安林の指定又は解除をしようとするときは、……解除をしようとするときにあってはその解除予定保安林の所在場所、保安林として指定された目的及び当該解除の理由をその森林の所在地を管轄する都道府県知事に通知しなければならない。その通知した内容を変更しようとするときもまた同様とする。
第30条　都道府県知事は、前条の通知を受けたときは、遅滞なく、農林水産省令で定めるところにより、その通知の内容を告示し、その森林の所在する市町村の事務所に掲示するとともに、その森林の森林所有者及びその森林に関し登記した権利を有する者にその内容を通知しなければならない。この場合において、保安林の指定又は解除が第27条第1項の規定による申請に係るものであるときは、その申請者にも通知しなければならない。
（意見書の提出）
第32条　第27条第1項に規定する者は、第30条……の告示があった場合においてその告示の内容に異議があるときは、農林水産省令で定める手続に従い、第30条の告示にあっては都道府県知事を経由して農林水産大臣に、……意見書を提出することができる。この場合には、その告示の日から30日以内に意見書を都道府県知事に差し出さなければならない。
2　前項の規定による意見書の提出があったときは、農林水産大臣は第30条の告示に係る意見書について、……公開による意見の聴取を行わなければならない。この場合において、都道府県知事は、同項の告示に係る意見書の写し

を農林水産大臣に送付しなければならない。
3 　農林水産大臣又は都道府県知事は、前項の意見の聴取をしようとするときは、その期日の1週間前までに意見の聴取の期日及び場所をその意見書を提出した者に通知するとともにこれを公示しなければならない。
4 　農林水産大臣又は都道府県知事は、第30条……の告示の日から40日を経過した後（第1項の意見書の提出があったときは、これについて第2項の意見の聴取をした後）でなければ保安林の指定又は解除をすることができない。
5 ～ 6 　（略）

（指定又は解除の通知）
第33条　農林水産大臣は、保安林の指定又は解除をする場合には、その旨並びに……解除をするときにあってはその保安林の所在場所、保安林として指定された目的及び当該解除の理由を告示するとともに関係都道府県知事に通知しなければならない。
2 　保安林の指定又は解除は、前項の告示によってその効力を生ずる。
3 　都道府県知事は、第1項の通知を受けたときは、その処分の内容をその処分に係る森林の森林所有者及びその処分が第27条第1項の申請に係るものであるときはその申請者に通知しなければならない。
4 ～ 6 　（略）

（保安林における制限）
第34条　保安林においては、政令で定めるところにより、都道府県知事の許可を受けなければ、立木を伐採してはならない。ただし、次の各号のいずれかに該当する場合は、この限りでない。
一～九　（略）
2 　保安林においては、都道府県知事の許可を受けなければ、立竹を伐採し、立木を損傷し、家畜を放牧し、下草、落葉若しくは落枝を採取し、又は土石若しくは樹根の採掘、開墾その他の土地の形質を変更する行為をしてはならない。ただし、次の各号のいずれかに該当する場合は、この限りでない。
一～六　（略）
3 ～ 10（略）

（損失の補償）
第35条　国又は都道府県は、政令で定めるところにより、保安林として指定された森林の森林所有者その他権原に基づきその森林の立木竹又は土地の使用又は収益をする者に対し、保安林の指定によりその者が通常受けるべき損失を補償しなければならない。

（不服申立て）
第190条　第10条の2、第25条から第26条の2まで……に規定する処分に不

服がある者は、その不服の理由が鉱業、採石業又は砂利採取業との調整に関するものであるときは、公害等調整委員会に対して裁定の申請をすることができる。この場合においては、審査請求をすることができない。
2～3　（略）
第206条　次の各号のいずれかに該当する者は、3年以下の懲役又は300万円以下の罰金に処する。
　一～二　（略）
　三　第34条第2項（……）の規定に違反し、土石又は樹根の採掘、開墾その他の土地の形質を変更する行為をした者
　四　（略）
第207条　次の各号のいずれかに該当する者は、150万円以下の罰金に処する。
一　第34条第1項（……）の規定に違反し、保安林又は保安施設地区の区域内の森林の立木を伐採した者
二　第34条第2項（……）の規定に違反し、立竹を伐採し、立木を損傷し、家畜を放牧し、又は下草、落葉若しくは落枝を採取する行為をした者
三　（略）

【資料3　鉱業等に係る土地利用の調整手続等に関する法律（抜粋)】
（目的）
第1条　この法律は、鉱業、採石業又は砂利採取業と一般公益又は農業、林業その他の産業との調整を図るため公害等調整委員会（以下「委員会」という。）が行う次に掲げる処分の手続等に関し、必要な事項を定めることを目的とする。
　一　（略）
　二　次に掲げる法律の規定による不服の裁定
　　イ～ロ　（略）
　　ハ　森林法（昭和26年法律第249号）第190条第1項
　　ニ～タ　（略）
第50条　裁定を申請することができる事項に関する訴は、裁定に対してのみ提起することができる。

◆ 解説 ◆

1．出題の意図

　名古屋地判平26・4・10LEX/DB25446824を素材にした作問であるが、事実関係は改変している。設問1は、保安林指定解除処分に不服がある者が、その処分がなされる前の時点で、**差止訴訟**を提起することができるかを問うものである。【資料1】の会議がなされた時点で出訴できるかを問う出題ではない（この点は、差止訴訟の訴訟要件としての、処分がなされる蓋然性に関係がある）。設問2は、行政内部基準（裁量基準）を適用してなされた処分の実体的適法性について、適法とする立場・違法とする立場を踏まえつつ論ずることができるかどうかを問うものである。

2．設問1——差止訴訟の訴訟要件充足性

(1)　処分性と裁決主義
　(ア)　処分性
　　保安林指定解除は、森林法26条に基づくものである。同法190条は、同法25条から26条の2までに規定する処分について、行審法に基づく審査請求をすることができることを前提にして、公害等調整委員会に対して裁定の申請をすることができる場合について定めている。この点だけでも同法26条に基づく保安林指定解除の**処分性**を肯定することができる。
　　最1小判昭57・9・9民集36巻9号1679頁（長沼ナイキ事件、百選Ⅱ177、CB13-3）は、保安林の指定があると、当該森林における立木竹の伐採等が原則として禁止されるほか、違反者に対しては罰則による制裁も設けられていることを指摘して、保安林指定処分は、森林所有者等その直接の名あて人に対しては、私権の制限を伴う不利益処分の性格を有すると述べている。したがって、保安林指定解除は不利益処分の撤回に該当するから処分であるという構成も可能である。

いずれにしても、保安林指定解除は処分性を有する。
(イ) **裁決主義との関係**
(a) 裁決主義と処分差止訴訟

　保安林指定解除は抗告訴訟の対象となる処分であるが、森林法190条は、その不服の理由が鉱業、採石業または砂利採取業との調整に関するものであるときは、公害等調整委員会に対して裁定の申請をすることができることを規定し、鉱業等に係る土地利用の調整手続等に関する法律50条は、裁定を申請することができる事項に関する訴えは裁定に対してのみ提起することができること（**裁決主義**）を定めている。したがって、Cの不服の理由が鉱業、採石業または砂利採取業との調整に関するものであるとすると、裁決主義が妥当し、処分を対象とする訴訟を提起することができないのではないかという問題が生ずる。

　差止訴訟が法定される前であるが、最3小判昭61・6・10判例自治33号56頁は、同法50条は、裁定を申請することができる処分それ自体に対してはその無効確認を含め一切の抗告訴訟の提起を禁止していると判示している。差止訴訟法定後において、東京地判平19・5・25訟月53巻8号2424頁は、電波法および同法に基づく命令の規定による総務大臣の処分について裁決主義を定める同法96条の2に関して、同法は同処分については裁決取消訴訟のみを救済手段として予定している旨判示し、同法および同法施行規則に基づく総務大臣の処分の差止訴訟を却下している。

(b) 裁決主義の及ぶ範囲

　裁決主義が妥当する場合には処分差止訴訟ができないとしても、森林法190条は「その不服の理由が鉱業、採石業又は砂利採取業との調整に関するものである」場合に限って裁定の申請を認めており、この場合にのみ裁決主義が及ぶ。Cの不服の理由が「鉱業、採石業又は砂利採取業との調整に関するもの」ではないとすると、裁決主義が及ばなくなり、その点で差止訴訟の提起が制限されることはなくなる。東京高判平19・7・30判時1980号52頁は、砂利採取業者が農地法に基づく農地転用許可を求めたところ、同法に規定する「申請にかかる農地を農地以外のものにする行為を行うために必要な信用があると認められないこと」に該当するという理由で不許可処分を受けたため、裁

定申請をした事件で、不許可処分の理由は公害等調整委員会が専門性を有する土地利用調整に関わる判断事項ではなく、農地法固有の判断事項である旨述べ、裁定申請は同法所定の「鉱業、採石業又は砂利採取業との調整に関するもの」には該当しないと判示している。

(c) 本問へのあてはめ

Cは、本件沿道部分について残置森林の確保が十分でないことに不安がある。残置森林の確保は、林野庁の通知で定められているもので、土石等の採掘の場合だけでなく、宿泊施設やレジャー施設の設置の場合にも問題となる。そうすると、残置森林の確保が十分であるかどうかは、森林法固有の判断事項であって、公害等調整委員会の専門的判断を要する事項ではないと主張することができるだろう。このように考えると、Cの不服の理由は「鉱業、採石業又は砂利採取業との調整に関するもの」には該当せず、裁決主義が及ばないので、その点で差止訴訟の提起が制限されることはないといえる。

(2) 原告適格

(ア) Cは処分の名あて人ではないので、**原告適格**が問題となる。差止訴訟の原告適格として、差止めを求めるにつき「法律上の利益を有する者」であることが必要である（行訴37条の4第3項）。処分によって自己の法律上保護された利益を害される者は、当該処分の差止訴訟における原告適格を有すると解される（**法律上保護された利益説**）。前掲・最判昭57・9・9は、「〔森林〕法は、森林の存続によって不特定多数者の受ける生活利益のうち一定範囲のものを公益と並んで保護すべき個人の個別的利益としてとらえ、かかる利益の帰属者に対し保安林の指定につき『直接の利害関係を有する者』としてその利益主張をすることができる地位を法律上付与している」と述べており、森林の存続によって不特定多数者の受ける生活利益のうち一定範囲のものを「法律上保護された利益」とみていると解される。

(イ) Cは学校法人であり、そもそも生活利益の主体ではないのではないかという問題がある。しかし、森林法以外の領域では、生活利益の主体ではない者にも原告適格が認められている（診療所設置者の原告適格を認めた例として、最3小判平6・9・27判時1518号10頁〔CB12-6〕）。

また、原告適格の拡大を目的として行訴法9条2項の規定が追加されたことに鑑みれば（原告適格が実質的に広く認められるようにするため、行訴法9条2項が新設されたことを指摘するものとして、小林久起『司法制度改革概説3　行政事件訴訟法』〔商事法務、2004年〕51頁）、学校法人が生活利益の主体ではないことのみを理由としてその原告適格を否定することは適切でない。本件保安林は土砂流出防備保安林であるが、土砂流出防備保安林の指定が違法に解除され、土砂が流出した場合、付近にある土地および建物が被害を受けるおそれがあることは明らかであり、保安林との距離によっては、著しい被害が生ずるおそれもある。このように、違法な処分によって害されることとなる利益の内容やこれが害される態様等を勘案すれば、土砂流出防備保安林の指定解除処分がなされ、土砂が流出した場合に、直接的かつ著しい被害を受けるおそれがある場所に土地または建物を有する者も、「直接の利害関係を有する者」に含まれ、原告適格を有すると解するべきである（宅地造成工事に伴う土砂の流出等による災害により直接的な被害を受けることが予想される範囲の地域に財産を有する者の原告適格を認めたものとして、横浜地判平22・3・24判例自治335号45頁）。Cは、本件保安林について保安林指定解除処分がなされた場合に、土砂の流出によって直接的かつ著しい被害を受けるおそれがある場所に本件グラウンドを所有しているといえるから、原告適格を有する。

　㈦　なお、保安林指定解除については林野庁の通知が存在しているが、これらの通知は法規ではないことに加えて、保安林の付近の土地所有者の保護に特に言及しているわけではないから、Cの原告適格を肯定するために役立つとはいえない（通達は法令ではないから、通達を行訴法9条2項にいう「関係法令」とみることには問題があることを指摘するものとして、中原・基本行政法326頁）。

(3)　**差止訴訟に特有の訴訟要件**
㈦　**一定の処分がされる蓋然性**
　処分の差止訴訟は、一定の処分がされようとしている場合の訴訟であることから、行政庁によって一定の処分がされる**蓋然性**があることが、訴訟要件として必要とされる（最1小判平24・2・9民集66巻2号

183頁〔東京都教職員国旗国歌訴訟、百選Ⅱ207、CB15‐5〕）。本件保安林についての保安林指定解除処分は、十分に特定された処分であり、一定の処分に当たるといえるから、この処分がされる蓋然性があるかどうかが問題となる。

本事例の事実関係では、本件保安林について保安林指定解除を求める申請はなされており、農林水産大臣への進達も行われることになっているものの、解除予定保安林に関する通知・告示（森林29条・30条）はまだ行われていない。同法の規定によると、告示の日から40日が経過した後または意見の聴取をした後でなければ、保安林指定解除処分をすることができない（32条4項）。したがって、少なくとも告示がなされた後でなければ、保安林指定解除処分がなされる蓋然性は認められないという主張がありうる。もっともこの説をとる場合でも、告示がなされたならば蓋然性に関する要件が充足されることになるから、他の訴訟要件についても検討しなければならない。

(イ)　「重大な損害」要件

差止訴訟に特有の訴訟要件として、**「重大な損害」要件**（行訴37条の4第1項本文）がある。Cに生じうる損害は、直接的には財産上の損害であるので、金銭賠償による回復が可能であり、ここでいう重大な損害には該当しないという主張もありうる。

それに対して、本件グラウンドはB大学のグラウンドであって、本件グラウンドが被害を受けることにより、B大学の教育活動に支障が生ずるとも考えられる。また、本件グラウンドを使用している学生がけがをしたりすれば、B大学の社会的評価・信用が低下するおそれもある。これらの大学教育に関わる損害は、金銭賠償によって容易に回復できるとはいえないであろう。

この立場をとる場合、「処分がされることにより生ずるおそれのある損害が、処分がされた後に取消訴訟等を提起して執行停止の決定を受けることなどにより容易に救済を受けることができるものではなく、処分がされる前に差止めを命ずる方法によるのでなければ救済を受けることが困難なものである」（前掲・最1小判平24・2・9）かどうかを検討する必要がある。土砂流出の危険は保安林の伐採によって高まること、保安林指定解除処分がなされた後、執行停止の決定が出る前に

保安林が伐採されてしまう可能性もあること、一旦保安林が伐採されてしまうと原状回復は容易でないことに鑑みれば、「重大な損害」要件が充足されると主張することもできるだろう。

(ウ) 補充性の要件

「重大な損害」要件の充足を肯定する立場では、**補充性の要件**（行訴37条の4第1項ただし書）を検討する必要がある。Aが保安林を伐採しようとした場合、CはAに対して民事上の差止請求をすることも可能であるが、民事上の救済可能性があるからといって適当な方法があることにはならないと解される（宇賀・行政法Ⅱ373頁参照）。

3．設問2——保安林指定を解除しない旨の処分の実体的適法性

(1) 行政裁量の有無

本問において、農林水産大臣は森林法26条2項の「公益上の理由により必要が生じたとき」という要件の該当性を否定している。Aは、本件事業区域における事業が地元の陶磁器・ガラス産業に貢献すると主張しているが、Aの事業が地場産業に貢献するという点で公益的な側面を有するとしても、直ちにこの要件の該当性が認められるとはいえないであろう。

前掲・名古屋地判平26・4・10は、「公益上の理由により必要が生じたとき」とは、単に森林を保安林とすることをやめて森林以外の用途に転用するなどして利用することに公益上の必要性があるだけではなく、その転用等をする公益上の必要性が、当該森林を保安林として存続させてその機能を発揮させる公益上の必要性を上回る程度に生じた場合を指すものというべきであると述べるとともに、公益上の必要性についての判断に際しては専門的技術的な知見が必要とされることを指摘して、同法26条2項は保安林指定の解除の許否について農林水産大臣の裁量判断に委ねたものである旨判示している。

同法26条2項にいう「公益上の理由により必要が生じたとき」の判断について行政裁量（**要件裁量**）を完全に否定することは、その文言上も困難である。保安林指定を解除しない旨の処分を違法とする立場でも、行政裁量の存在自体は認めたうえで、その限界について論ずるこ

とになる。

(2) 林野庁の通知（裁量基準）とその合理性

(ア) 本問では、本件沿道部分について残置森林が十分確保されていないことを理由として、保安林指定を解除しない旨の処分がなされている。残置森林の確保については、森林法には明文の規定はなく、林野庁長官通知（取扱要領）および林野庁治山課長通知（留意事項）で定められている。したがって、これらの通知に従って処分がなされたものと考えられる。上記のとおり、同法26条2項に基づく保安林指定の解除については行政裁量が認められるところ、取扱要領および留意事項で定められた基準は**裁量基準**としての性格を有するといえる。

(イ) 裁量基準を適用して処分がなされた場合、裁量基準の内容の合理性が問題となりうる。前掲・名古屋地判平26・4・10は、取扱要領等において審査基準が定められていることを指摘して、審査基準の定めが森林法の趣旨・目的に反して明らかに不合理な内容である場合には、農林水産大臣がその定めに従ってした判断は、裁量権の範囲を逸脱またはこれを濫用したものとして違法と評価されると述べている。この判示に対しては、裁量基準の内容が不合理である場合には、それに従ってなされた処分は違法であって、基準の不合理性が明らかである必要はないという批判が可能である（最1小判平4・10・29民集46巻7号1174頁〔伊方原発事件、百選Ⅰ77、CB4-5〕は、審査基準に不合理な点があり、被告行政庁の判断がこれに依拠してされたと認められる場合には、処分は違法と解すべきである旨述べている）。

(ウ) 前掲・名古屋地判平26・4・10は、取扱要領等の定めは、森林法の定める保安林の災害（土砂流出）防止、騒音防止、飛砂防止等の諸機能を維持するために合理的な内容ということができると述べている。もっとも、取扱要領自体はともかく、留意事項の定めは、事業者にとってはかなり厳しい内容ともいえる。取扱要領によると、土石等の採掘の場合には、原則として周辺部に幅概ね50m以上の残置森林または造成森林を配置すればよいはずであるが、留意事項では残置森林が原則とされ、取扱要領で定められた基準以上の林帯幅が求められている。そこで、保安林指定を解除しない旨の処分を違法とする立場からは、

留意事項の定めは、法律上明文の規定のない残置森林の確保を、取扱要領の定め以上に要求しており、取扱要領で認められている転用および開発行為を著しく制限するものであって不合理であると主張することや、留意事項に関しては転用ないし開発の利益に配慮した柔軟な運用が求められると主張することが考えられる。しかしながら、前掲・名古屋地判平26・4・10の控訴審である名古屋高判平27・3・19LEX/DB25447512は、内部基準の柔軟な解釈を求める会社側の主張を退けている。

(3) 裁量基準の適用

(ア) 本件申請における残置森林の配置に関する計画では、周辺部の約80％については50m以上の残置森林が確保されているが、本件沿道部分には残置森林が概ね10m前後しか配置されないものになっている。取扱要領および留意事項を厳格に適用する立場からは、周辺部について概ね50m以上の残置森林を配置しなければならないのが原則であり、造成森林を配置することが許されるのは、土地の形質を変更することがやむをえないと認められる等の事情が必要であると主張することになる。そのうえで、①本件沿道部分には残置森林が10m前後しか配置されないから、周辺部について概ね50m以上の残置森林が配置されたとはいえない、②本件事業区域における事業が成り立たなくなることは、残置森林にかえて造成森林を配置することが認められる事情には当たらない、③本件事業区域の西側は市道に接しており、すぐ近くに本件グラウンドがあるから、本件沿道部分にこそ50m以上の残置森林を確保することが必要であると主張することが考えられる。この立場では、本件申請は裁量基準に適合しないものであって、基準とは異なる取扱いによって処分をすることを正当化する事情も存在しないから、保安林指定を解除しない旨の処分は適法ということになる（処分基準の定めと異なる取扱いをするためには特段の事情が必要であることを示した判例として、最3小判平27・3・3民集69巻2号143頁〔百選Ⅱ175、CB13-9〕）。

(イ) それに対して、取扱要領はともかく、留意事項については柔軟な運用が求められるとする立場からは、①周辺部の約80％について

50m以上の残置森林が確保されているから、原則として概ね50m以上の残置森林等を配置することを求める取扱要領の定めには反しない、②取扱要領においては、土石等の採掘の事業のために保安林を転用して開発行為を行うことも想定されており、取扱要領の適用にあたっては、そのような転用ないし開発の利益を**考慮事項**として考慮しなければならない、③本件沿道部分についても10m前後の残置森林が配置され、しかも可及的速やかに造成森林が配置されるのであるから、本件グラウンドを保護する観点からも森林の確保は十分であると主張することが考えられる。この立場では、本件申請は取扱要領には適合しているのであって、保安林指定を解除しない旨の処分は、転用ないし開発の利益を無視または軽視したものとして違法であると主張することになる。

(ウ) 他方で処分を適法とする立場からの再反論としては、仮に本件申請が取扱要領に適合しているとしても、本件沿道部分に残置森林が概ね10m前後しか配置されないという公益上の問題点は重大であり、この点を重視して保安林指定を解除しない旨の処分をしたとしても裁量権の逸脱・濫用は認められないという主張が考えられる。

〔関連問題〕

設問2の処分（本件保安林について保安林指定を解除しない旨の処分）が適法であって、Aが本件事業区域における事業を断念したとすると、Aは、森林法35条に基づいて、損失補償を受けることができるか。

参考裁判例：東京地判平13・9・27LEX/DB25410210。

〔湊　二郎〕

〔問題 16〕 入管法に基づく退去強制をめぐる紛争

◆ 事例 ◆

次の文章を読んで、資料を参照しながら、以下の設問に答えなさい。

1. Aは、2012年7月31日、BとC（共にM国籍）の子としてM国で出生し、M国籍を有する。
   Aは、2017年8月30日、B・Cと共に「短期滞在」の在留資格、「90日」の在留期間を認められて日本に入国し、日本に滞在するCの兄Dの住居に同居した。2カ月後、BはM国に帰国したが、AとC（以下「Aら」という）はDのもとにとどまった。さらに3カ月後、Dと日本人Eが婚姻したことから、Aらは、Dと共にEの居宅に同居することとなった。この間、Aらは3回にわたり在留期間更新許可を受けたが、2018年3月28日に在留期間更新不許可処分を受けた後は更新許可申請をしていない。

2. 一方、DとEは、2018年3月16日、家庭裁判所に対し、AをDとEの普通養子とする縁組の許可を求める申立てをした。Aが6歳になるまでに普通養子縁組が成立すれば、Aは日本人の普通養子で6歳未満の者として、「定住者」の在留資格を得ることが可能であったが、Bが養子縁組に同意しなかったことから、縁組は成立しないままAは6歳となった。しかし、将来の縁組成立を前提に、Aの養育は引き続きCとD、Eが共同で行った。

3. Aらは、2018年8月29日、入国管理局に出頭して出入国管理及び難民認定法（以下「入管法」という）違反事実を申告した。入国警備官は2019年5月20日、Aらにつき主任審査官から収容令書の発付を受け、同月24日に同収容令書を執行するとともに、Aらを入管法24条4号ロ（不法残留）該当容疑者として入国審査官に引き渡した。入国審査官は同日、Aらに対する違反調査をし、Aらが入管法24条4号ロに該当し（入管47条3項）、これに対し、Aらは特別審理官による口頭審理を請求した。Aらは同日仮放免（54条）を許可された。

4．特別審理官は、2021年1月7日、Aらに係る口頭審理をした結果、入国審査官による上記認定に誤りがない旨の判定をした（入管48条8項）。これに対し、Aらは法務大臣に対し異議の申出をしたが（入管49条1項）、2021年2月5日、Aらの異議の申出は理由がない旨の裁決がなされ（入管49条3項）、同月12日、裁決の通知とともに、M国を送還先とする退去強制令書の発付処分がAらに対してなされた（同法49条6項）。なお退去強制令書の執行に際しても収容がなされるが、Aらは同日仮放免を許可された。
5．その数日後、2020年にBとの離婚が成立したCがAの単独親権者となったことから、ようやく家庭裁判所の養子縁組許可が得られ、Cの代諾により、AとD・Eとの間で普通養子縁組が成立した。

〈時系列〉
2017年 8月30日　Aらに在留許可が与えられる
2018年 3月16日　AをD・Eの普通養子とする縁組の許可の申立て
　　　 3月28日　Aらに在留期間更新不許可処分
　　　 8月29日　Aらが入国管理局に出頭
2019年 5月24日　入国審査官の認定
2021年 1月7日　特別審理官の判定
　　　 2月5日　法務大臣の裁決
　　　 2月12日　Aらに退去強制令書の発付処分
　　　 数日後　AとD・Eの普通養子縁組成立

〔設問〕
1．Aが退去強制によりM国に送還されないようにするためには、どのような法的手段によるべきか。行訴法に定められた法的手段（仮の救済の手段を含む）について、訴訟については訴訟要件、仮の救済の手段については申立ての認容要件を含めて論じなさい。(70点)
2．Aは、設問1で解答された訴訟においてどのような主張をすべきか。(30点)

【資料1　弁護士事務所での会話】
2021年3月のある日、弁護士GとHの会話である。

G：AさんとCさんはいつM国へ送還されるかわかりませんから、早急に準備を進めてください。どのような法的手段で争うべきなのか、検討の前提として入管法の退去強制の仕組みを整理しておくようお願いしていましたが、どこまで整理できましたか。出国命令については考えなくてよいと伝えていましたが、本件に関わりがある部分を中心に退去強制の手続をわかりやすく説明してください。

H：はい。退去強制の手続について簡単なフロー・チャート（【資料4】）を作成しましたので、そこに記載されている番号の順に説明します。

　退去強制事由に該当すると考えられる容疑者が発見された場合、まず入国警備官が容疑者に対して収容令書に基づく収容を行い、その後入国審査官に引き渡します。入国審査官は、容疑者が退去強制対象者に該当するか否か審査し、該当する旨の認定（①ⅰ））がなされた場合、この認定に対し容疑者が特別審理官による口頭審理を請求すると（①ⅱ））、特別審理官は認定の是非について審理・判定を行います（①ⅱ））。さらに認定に誤りがないとの判定に対して、容疑者が法務大臣に異議の申出を行うと（①ⅲ））、法務大臣による裁決がなされます（①ⅲ））。異議の申出に理由がないとの裁決がなされると、退去強制令書の発付に至ります（②）。退去強制令書が発付されると、入国警備官が速やかに執行するとされており、国外へと強制送還されてしまいます。

　忘れてはいけないのが、法務大臣の裁決の段階で（①ⅲ））、法務大臣は、異議の申出に理由がないと認める場合にも例外的に在留特別許可をすることができる点です（①ⅳ））。この許可がなされれば、法務大臣が異議の申出に理由がある旨の裁決をしたとみなされ、放免されることになります。

G：わかりました。Cさんについてはあとで検討するとして、まずAさんについてはどのような法的手段で争うことを考えていますか。検討すべき点として、どのような点が挙げられますか。

H：Aさんはまだ小学生で逃亡のおそれもないので仮放免が認められ、保証金も納付しているので、今のところ収容については法的手段を検討していません。しかし、このままだとAさんはM国に送還されることになりますので、その前に退去強制令書の執行を止めることを考えなければいけません。今説明したように送還に至る手続過程が複雑で、手続過程全体の理解について2つの考え方があるようです。1つは、入国審査官の認定を行政処分と考え、その後の特別審理官による口頭審理や法務大臣の裁決は、認定処分に対する不服申立手続とみる考え方で、下級審裁判例ではこのような理解が多いようです（考え方その1）。

　これに対して、入国審査官の認定や特別審理官の判定は、それぞれ次の段階の特別審理官への口頭審理請求、法務大臣への異議申出がされている限り

確定せず、執行もできないので、不服申立手続とみることに疑問の余地があり、認定から裁決までは退去強制令書発付に関する事実確定のための「事前行政手続」とみるのが立法者の意図ではないかとの考え方もあります（考え方その２）。

　しかし、多くの下級審裁判例に従って考え方その１を前提に検討することにしました。①ⅰ）認定が行政処分であるとの立場もありうるということですが、①ⅲ）裁決および②退去強制令書発付については、処分性が認められることについて争いがありません。いずれにしても取消訴訟を提起することになりますが、以上の３つの行為のうちどの行為を取消訴訟で争うべきか、まずこの点を検討する必要があると思います。

G：どの行為を争うべきかを考える際には、訴訟において当該行為につきどのような違法事由を主張できるかという点を考慮すべきですね。Ａさんが不法残留に該当することを争うことは考えていないのですか。

H：はい。在留期間更新が不許可となった後、更新申請をしていないので、不法残留に該当し、退去強制事由が存在すること自体は争うことが難しいと思います。

G：そうすると、それ以外にどのような判断の違法を争うことになるのか、この点を整理したうえで、どの行為を争うのが適切か考えるべきですね。もっとも、それに加えて、先行する行為の違法性を後行行為で主張できるか、という点も問題になりそうですね。

H：はい。後の点については私も気になって少し調べてみました。退去強制令書発付の取消訴訟では裁決の違法を主張することが認められているようです。異議の申出に理由がないとする裁決がなされると直ちに退去強制令書発付がなされることとなっていますから、この点は問題ないように思います。

G：それでは裁決と退去強制令書発付のどちらを争うかはひとまず考えないでおくこととして、まずは認定か、それとも、裁決ないし退去強制令書発付のいずれを争うのかを整理して下さい。ほかに検討すべき点はないですか。

H：在留特別許可が与えられれば退去強制手続が止まるので、むしろ積極的に在留特別許可を求める義務付け訴訟を提起することも考えているのですが、どのような義務付け訴訟を提起すべきか、という問題があります。つまり在留特別許可は許可といっても通常の許可制のように許可の申請という仕組みがあるわけでなく、法務大臣が職権によって判断する制度というのが一般的な理解です。しかし、法務大臣への異議申出に「在留特別許可申請」も含まれるとする見解もあるようです。

G：では、この点については、いずれの見解が妥当かを判断したうえで、提起すべき訴訟を明らかにして下さい。次に、在留特別許可を与えないという判

断については、具体的にどのような違法事由を主張するのですか。
H：子どもの場合、保護者に連れられた子ども自身には罪はないと言いたいのですが、裁判例では、15歳程度を目安に日本で長く生活して日本社会に順応している場合は送還先の社会に順応することが難しいとみなされ在留特別許可が認められることが少なくないのに対し、幼少の子どもであれば送還先の社会にも順応しうるとされる傾向があります。

　Aさんの年齢がどう評価されるのか微妙なので、本件に固有の特殊な事情を強調してはどうかと考えています。1990年のいわゆる定住者告示（【資料3】）により、Aさんが6歳になるまでに養子縁組が成立していれば「定住者」の在留資格で在留期間更新許可が得られた可能性があったのですが、Aさんは本来なら6歳になる前に養子縁組が成立していたはずだという点を強調したいと考えています。実際、養子縁組は家裁に許可されて成立したし、8歳で成立したのなら、6歳までに成立したのとさして変わらないともいえそうです。もう1点、AさんがM国に強制送還された後に予想される状況についても主張を考えているところです。
G：わかりました。ただ、養子縁組が許可されたのは退去強制令書が発付された後ですね。そのような事情を裁判で主張できるかという点についてはどう考えていますか。
H：退去強制令書が発付された時点で既に養子縁組が許可されるだけの実態があったともいえるし、それに義務付け訴訟なら退去強制令書発付後の事情も考慮できるのではないでしょうか。
G：その点は、どちらの義務付け訴訟を提起するかにもよるのではありませんか。やはりそれぞれの訴訟要件を詳しく検討する必要がありそうですね。それと義務付け訴訟については仮の救済の要件が厳しいという難点がありますから、仮の救済をどうするかという点も十分に検討してください。

【資料2　出入国管理及び難民認定法（抜粋）】
（退去強制）
第24条　次の各号のいずれかに該当する外国人については、次章に規定する手続により、本邦からの退去を強制することができる。
　一～三の五　（略）
　四　本邦に在留する外国人（……）で次のイからヨまでに掲げる者のいずれかに該当するもの
　　イ　（略）
　　ロ　在留期間の更新又は変更を受けないで在留期間（……）を経過して本邦に

残留する者

　ハ〜ヨ　（略）

　四の二〜十　（略）

（収容）

第39条　入国警備官は、容疑者が第24条各号の一に該当すると疑うに足りる相当の理由があるときは、収容令書により、その者を収容することができる。

2　（略）

（容疑者の引渡）

第44条　入国警備官は、第39条第1項の規定により容疑者を収容したときは、容疑者の身体を拘束した時から48時間以内に、調書及び証拠物とともに、当該容疑者を入国審査官に引き渡さなければならない。

（入国審査官の審査）

第45条　入国審査官は、前条の規定により容疑者の引渡しを受けたときは、容疑者が退去強制対象者（第24条各号のいずれかに該当し、かつ、出国命令対象者に該当しない外国人をいう。以下同じ。）に該当するかどうかを速やかに審査しなければならない。

2　入国審査官は、前項の審査を行った場合には、審査に関する調書を作成しなければならない。

（審査後の手続）

第47条　入国審査官は、審査の結果、容疑者が第24条各号のいずれにも該当しないと認定したときは、直ちにその者を放免しなければならない。

2　（略）

3　入国審査官は、審査の結果、容疑者が退去強制対象者に該当すると認定したときは、速やかに理由を付した書面をもって、主任審査官及びその者にその旨を知らせなければならない。

4　前項の通知をする場合には、入国審査官は、当該容疑者に対し、第48条の規定による口頭審理の請求をすることができる旨を知らせなければならない。

5　第3項の場合において、容疑者がその認定に服したときは、主任審査官は、その者に対し、口頭審理の請求をしない旨を記載した文書に署名させ、速やかに第51条の規定による退去強制令書を発付しなければならない。

（口頭審理）

第48条　前条第3項の通知を受けた容疑者は、同項の認定に異議があるときは、その通知を受けた日から3日以内に、口頭をもって、特別審理官に対し口頭審理の請求をすることができる。

2　入国審査官は、前項の口頭審理の請求があったときは、第45条第2項の調書その他の関係書類を特別審理官に提出しなければならない。

3　特別審理官は、第1項の口頭審理の請求があったときは、容疑者に対し、時及び場所を通知して速やかに口頭審理を行わなければならない。
4　特別審理官は、前項の口頭審理を行った場合には、口頭審理に関する調書を作成しなければならない。
5　（略）
6　特別審理官は、口頭審理の結果、前条第3項の認定が事実に相違すると判定したとき（容疑者が第24条各号のいずれにも該当しないことを理由とする場合に限る。）は、直ちにその者を放免しなければならない。
7　（略）
8　特別審理官は、口頭審理の結果、前条第3項の認定が誤りがないと判定したときは、速やかに主任審査官及び当該容疑者にその旨を知らせるとともに、当該容疑者に対し、第49条の規定により異議を申し出ることができる旨を知らせなければならない。
9　前項の通知を受けた場合において、当該容疑者が同項の判定に服したときは、主任審査官は、その者に対し、異議を申し出ない旨を記載した文書に署名させ、速やかに第51条の規定による退去強制令書を発付しなければならない。

（異議の申出）
第49条　前条第8項の通知を受けた容疑者は、同項の判定に異議があるときは、その通知を受けた日から3日以内に、法務省令で定める手続により、不服の事由を記載した書面を主任審査官に提出して、法務大臣に対し異議を申し出ることができる。
2　主任審査官は、前項の異議の申出があったときは、第45条第2項の審査に関する調書、前条第4項の口頭審理に関する調書その他の関係書類を法務大臣に提出しなければならない。
3　法務大臣は、第1項の規定による異議の申出を受理したときは、異議の申出が理由があるかどうかを裁決して、その結果を主任審査官に通知しなければならない。
4　主任審査官は、法務大臣から異議の申出（容疑者が第24条各号のいずれにも該当しないことを理由とするものに限る。）が理由があると裁決した旨の通知を受けたときは、直ちに当該容疑者を放免しなければならない。
5　（略）
6　主任審査官は、法務大臣から異議の申出が理由がないと裁決した旨の通知を受けたときは、速やかに当該容疑者に対し、その旨を知らせるとともに、第51条の規定による退去強制令書を発付しなければならない。

（法務大臣の裁決の特例）

第50条　法務大臣は、前条第3項の裁決に当たって、異議の申出が理由がないと認める場合でも、当該容疑者が次の各号のいずれかに該当するときは、その者の在留を特別に許可することができる。
　一　永住許可を受けているとき。
　二　かつて日本国民として本邦に本籍を有したことがあるとき。
　三　人身取引等により他人の支配下に置かれて本邦に在留するものであるとき。
　四　その他法務大臣が特別に在留を許可すべき事情があると認めるとき。
2　前項の場合には、法務大臣は、法務省令で定めるところにより、在留資格及び在留期間を決定し、その他必要と認める条件を付することができる。
3　法務大臣が第1項の規定による許可（在留資格の決定を伴うものに限る。）をする場合において、当該外国人が中長期在留者となるときは、出入国在留管理庁長官は、入国審査官に、当該外国人に対し、在留カードを交付させるものとする。
4　第1項の許可は、前条第4項の規定の適用については、異議の申出が理由がある旨の裁決とみなす。

（退去強制令書の方式）
第51条　第47条第5項、第48条第9項若しくは第49条第6項の規定により、又は第63条第1項の規定に基づく退去強制の手続において発付される退去強制令書には、退去強制を受ける者の氏名、年齢及び国籍、退去強制の理由、送還先、発付年月日その他法務省令で定める事項を記載し、かつ、主任審査官がこれに記名押印しなければならない。

（退去強制令書の執行）
第52条　退去強制令書は、入国警備官が執行するものとする。
2　（略）
3　入国警備官（……）は、退去強制令書を執行するときは、退去強制を受ける者に退去強制令書又はその写しを示して、速やかにその者を次条に規定する送還先に送還しなければならない。（ただし書略）
4　（略）
5　入国警備官は、第3項本文の場合において、退去強制を受ける者を直ちに本邦外に送還することができないときは、送還可能のときまで、その者を入国者収容所、収容場その他出入国在留管理庁長官又はその委任を受けた主任審査官が指定する場所に収容することができる。
6～7　（略）

（仮放免）
第54条　収容令書若しくは退去強制令書の発付を受けて収容されている者又は

その者の代理人、保佐人、配偶者、直系の親族若しくは兄弟姉妹は、法務省令で定める手続により、入国者収容所長又は主任審査官に対し、その者の仮放免を請求することができる。
2　入国者収容所長又は主任審査官は、前項の請求により又は職権で、法務省令で定めるところにより、収容令書又は退去強制令書の発付を受けて収容されている者の情状及び仮放免の請求の理由となる証拠並びにその者の性格、資産等を考慮して、300万円を超えない範囲内で法務省令で定める額の保証金を納付させ、かつ、住居及び行動範囲の制限、呼出しに対する出頭の義務その他必要と認める条件を付して、その者を仮放免することができる。
3　入国者収容所長又は主任審査官は、適当と認めるときは、収容令書又は退去強制令書の発付を受けて収容されている者以外の者の差し出した保証書をもって保証金に代えることを許すことができる。保証書には、保証金額及びいつでもその保証金を納付する旨を記載しなければならない。

○別表第２（第２条の２、第７条、第22条の３、第22条の４、第61条の２の２、第61条の２の８関係）

在留資格	本邦において有する身分又は地位
永住者	法務大臣が永住を認める者
日本人の配偶者等	日本人の配偶者若しくは特別養子又は日本人の子として出生した者
永住者の配偶者等	永住者等の配偶者又は永住者等の子として本邦で出生しその後引き続き本邦に在留している者
定住者	法務大臣が特別な理由を考慮し一定の在留期間を指定して居住を認める者

【資料３　出入国管理及び難民認定法第７条第１項第２号の規定に基づき同法別表第２の定住者の項の下欄に掲げる地位を定める件（抜粋）】

出入国管理及び難民認定法（昭和26年政令第319号。以下「法」という。）第７条第１項第２号の規定に基づき、同法別表第２の定住者の項の下欄に掲げる地位であらかじめ定めるものは、次のとおりとする。
　一～六　（略）
　七　次のいずれかに該当する者の扶養を受けて生活するこれらの者の６歳未満の養子（第１号から第４号まで、前号又は次号に該当する者を除く。）に係るもの
　　イ　日本人

ロ　永住者の在留資格をもって在留する者
　　ハ　1年以上の在留期間を指定されている定住者の在留資格をもって在留する者
　　ニ　特別永住者
八　（略）

【資料4 退去強制手続】

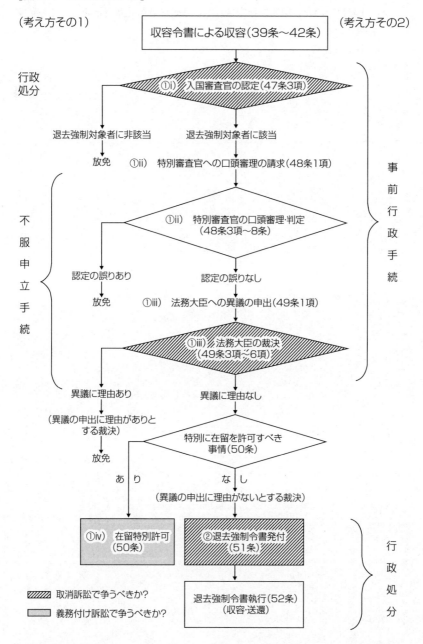

◆ 解説 ◆

1．出題の意図

　入管法の退去強制の仕組みは複雑であるが、行政法上の多くの論点と関わっており、法律の仕組みを正確に理解したうえで、関連する論点についての議論を踏まえて法的手段、および本案に関わる主張を考えることが求められる。なお本問は東京高判平23・5・11判時2157号3頁の事案を素材としている。

2．設問1①――訴訟選択

(1)　どの行為を対象として抗告訴訟を提起するか

　入管法の退去強制は典型的な公権力の行使であり、抗告訴訟を提起しうることは前提としてよいだろう。問題は、一連の退去強制手続のうちどの行為を対象として、どのような抗告訴訟を提起すべきかである。

　一連の手続の性格について【資料4】をもとに説明する。①ⅰ）入国審査官の認定自体を処分と理解する立場もあるが、この認定手続においては専ら容疑者が退去強制事由（法24条4号ロ）に該当するか否かのみが審査される点に注意する必要がある（出国命令については本問では考えない）。本事例においては退去強制事由に該当しないとの主張が難しいとすると、①ⅰ）認定の違法を主張することは困難であり、これを争うのは適切でないだろう。退去強制事由に該当することを認めながらも送還を争うためには別の違法事由を主張する必要があり、そのような主張をしうるのは、在留特別許可の事由（法50条1項）を主張しうる場合、つまり①ⅲ）裁決または②退去強制令書の発付の違法や、①ⅳ）在留特別許可がなされない点の違法を争う場合に限られるだろう。

　それぞれの場合に提起すべき抗告訴訟は、①ⅲ）裁決の取消訴訟、②退去強制令書発付の取消訴訟、①ⅳ）在留特別許可の義務付け訴訟、であるが、取消訴訟の訴訟要件について本問で問題となる点は特にな

いだろう。また、退去強制手続においては①ⅲ）裁決後に別途行政の判断を挟むことなく直ちに②退去強制令書発付がなされることから、①ⅲ）裁決の違法につき違法性の承継さえ認められれば、①ⅲ）裁決と②退去強制令書発付のいずれの行為の取消訴訟によるかで違法性判断は異ならないと思われる（実際には②退去強制令書発付の取消訴訟が提起されることが多く、以下こちらを中心に説明する）。

(2) 申請満足型義務付け訴訟か直接型義務付け訴訟か

問題となるのは①ⅳ）在留特別許可の義務付け訴訟の可能性である。義務付け訴訟には、申請満足型義務付け訴訟と直接型義務付け訴訟があるが、まず申請満足型義務付け訴訟から検討してみよう。

2004年行訴法改正以前は実際上義務付け訴訟の提起が難しかったことから、①ⅲ）裁決に「在留特別許可をしない」という行政処分が含まれると観念してその取消訴訟を認める裁判例もあった。これを前提に、法務大臣への異議の申出に、在留特別許可の申請が含まれると考え、①ⅲ）裁決を「在留特別許可をしない」という申請拒否処分と解して、申請満足型義務付け訴訟を提起することが考えられる。その際には、申請拒否処分の取消訴訟を併合提起する必要が出てくる（行訴37条の3第3項2号）。そして、取消訴訟と併合提起される申請満足型義務付け訴訟は、「当該処分又は裁決が取り消されるべきものであ」る場合にのみ提起することができる（行訴37条の3第1項2号）。

ここで本事例において注意すべきなのが**違法判断の基準時**の問題である。判例・通説によれば、取消訴訟の違法判断の基準時は処分時とされるのに対し、なされていない処分の義務付けを求める訴訟においては判決時（口頭弁論終結時）と解されている。したがって、本事例において②退去強制令書発付後にAとD・Eとの普通養子縁組が成立したという事情を②退去強制令書発付処分の取消訴訟においては考慮に入れることができないが、①ⅳ）在留特別許可の義務付け訴訟においては考慮しうることとなる。しかし、仮に取消訴訟においてAの養子縁組成立という事情を考慮することができないために原告敗訴となると、上記のように本件では申請満足型義務付け訴訟が不適法となってしまう。

これに対し、法務大臣への異議の申出が在留特別許可の申請ではないと解する場合には、申請満足型義務付け訴訟を提起することはできず、在留特別許可を求める直接型義務付け訴訟を提起することになる。直接型義務付け訴訟については取消訴訟の併合提起が訴訟要件とされていないので、本案審理においてAの養子縁組成立という事情を考慮しうることとなる。一方で直接型義務付け訴訟については、訴訟要件として「重大な損害を生ずるおそれ」の有無が問題となるが、①iv）在留特別許可の事案では多くの場合、送還により原告のそれまでの生活が根本的に変わり、送還先での苦難が予想されることから、この要件は満たされるのではないか。2004年行訴法改正後の下級審裁判例では、申請満足型義務付け訴訟よりも直接に①iv）在留特別許可を求める直接型義務付け訴訟が提起される傾向にある。

(3)　訴訟相互の関係
　なお本件につき、①iii）裁決の中に在留特別許可を与えないとの判断が含まれると解する場合に、①iv）在留特別許可の直接型義務付け訴訟のほかに、①iii）裁決の取消訴訟を提起する必要があるのではないかが問題となる。また、②退去強制令書発付の取消訴訟ではAの養子縁組成立を考慮しえず原告敗訴となる一方で、直接型義務付け訴訟では原告勝訴となりうるが矛盾するのではないかとの問題もあるかもしれない。これらの点については、直接型義務付け訴訟の認容判決の拘束力により、裁決あるいは退去強制令書発付の撤回が求められると考えることができよう。より根本的には、一旦国外退去となると救済が困難になるという退去強制手続の特質に鑑み、取消訴訟の違法判断の基準時についても判決時説をとるという考え方もある。

3．設問1②——仮の救済

(1)　仮の救済を考慮した訴訟提起
　義務付け訴訟は仮の義務付けに関して本案勝訴の見込みが積極要件とされるなど、取消訴訟における執行停止と比べて仮の救済が認められる要件が厳しいという問題がある。したがって、①iv）在留特別許

可の義務付け訴訟とともに②退去強制令書発付もしくは①ⅲ）裁決の取消訴訟を提起して、執行停止の申立てをすべきである。

(2) **執行停止の選択**

　執行停止には(ア)処分の執行の停止、(イ)手続の続行の停止、(ウ)処分の効力の停止があり、どのような執行停止を申し立てるかが問題となる（第2部〔問題5〕コラム「執行停止の対象」参照）。①ⅲ）裁決の執行停止については、裁決に続く②退去強制令書発付、送還の執行を停止させるため、(イ)手続の続行の停止を申し立てることとなる。一方、②退去強制令書発付の執行停止については、送還が執行されないよう、(ア)処分の執行の停止を申し立てることとなる。いずれにせよ(ウ)処分の効力の停止を申し立てることはできない（行訴25条2項ただし書）。

　裁決の取消訴訟における執行停止も、退去強制令書発付処分の取消訴訟における執行停止も同様の論点となるので、以下では退去強制令書発付の執行停止について検討する。この点、一般的には退去強制令書に基づく収容と送還それぞれについて検討が必要であるが、本事例では仮放免が認められていることから、送還の執行の停止のみが問題となる。

(3) **執行停止の要件の検討**

　2004年行訴法改正により執行停止の積極要件が「回復の困難な損害」から「重大な損害」へと変更され、これは要件を緩和するものと理解されているが、退去強制手続における送還部分については同法改正以前から執行停止が認められることが少なくなかった。同法改正により追加された25条3項が「**損害の回復の困難の程度**」を考慮し、「**損害の性質及び程度並びに処分の内容及び性質**」を勘案すると定めるが、一般に強制送還は、それまでの生活の基盤を奪うものであり、退去強制処分に対する訴訟追行を困難にするだけでなく、取消判決後の損害の回復も難しいという事情がある一方、処分の内容および性質としては、送還の執行停止を認めても送還が先送りになるだけで公益に格別の支障はないと考えられる。とりわけ本事例においてＡらは仮放免を認められており、執行停止を否定する理由に乏しいことから、「重大な

損害」要件を満たすと考えられる。

　一方、執行停止の消極要件は、「**公共の福祉に重大な影響を及ぼすおそれ**」であり、「**本案について理由がないとみえるとき**」である。本事例につき執行停止によって公共の福祉に重大な影響を及ぼすおそれがあるとは考え難く、また、本案について後に検討するところからも、少なくとも「理由がないとみえるとき」とはいえないであろうから、消極要件を満たすとは考えられないだろう。

　以上からして、送還の執行の停止が認められる余地は十分にあると思われる。

(4)　仮の義務付け

　なお仮の義務付けについては、本事例において「本案について理由があるとみえるとき」（行訴37条の5第1項）といえるかが問題となるだろう。本案についての以下の検討からして、Aの養子縁組成立を主張しうるなら、認められる可能性が高くなると思われる。

4．設問2――本案の主張

(1)　本案の主張としては、在留特別許可を付与しない判断の違法性を主張することになるが、入管法50条1項は、在留特別許可の要件につき、1号～3号で限定的な要件を掲げたのち、4号で「**その他法務大臣が特別に在留を許可すべき事情があると認めるとき**」と定める。多くの裁判例ではこの4号の要件に該当するとして在留特別許可が付与されるべきであるとの主張がなされており、本問においても同様に考えられる。

　この点につき、法務省は「在留特別許可に係るガイドライン」を策定・公表しており、学説においては、在留特別許可に裁量が認められることを前提としたうえで、このガイドラインを裁量基準として裁量統制の可能性が検討されている。もっとも裁判例におけるガイドラインの扱いはまちまちであり、本問の素材とした裁判例においてもガイドラインに言及することなく原告勝訴判決を導いているので、ここでは裁量権の逸脱・濫用に関する古典的な統制手法を用いた主張を考えてみ

よう。

　(2)　一般に在留特別許可を認めるうえでの消極要素としては当該事案における退去強制事由該当事実の具体的態様が挙げられる。まず保護者と行動を共にする未成年の子どもの不法滞在については消極要素として重視すべきでないことを主張すべきだろう。そのうえで、本事例ではAは退去強制令書発付時において8歳であり、直後に日本人の養子となったが、法務省告示により日本人の6歳未満の養子であれば定住者としての在留資格が得られたはずであり、不法残留といっても非難の程度は相当低いと主張できるだろう。消極要素は極めて軽微である。他方、仮に6歳未満の養子として在留資格を認められたとした場合、8歳になっても基本的に在留期間更新を認められると考えられるが、本事例で養子縁組成立の事実を主張できるとすれば、6歳未満から養子縁組に近い実態があったうえで養子縁組が成立した点は、在留資格が認められる場合に限りなく近いとの主張が考えられる。在留特別許可を認める有力な積極要素があるといえよう。こうした事情の下で強制送還という重大な不利益を課すことは比例原則違反であり、裁量の逸脱・濫用に当たるとの主張は十分に説得力があるだろう。

　とりわけM国に強制送還された後のことを考えると、BがCと離婚している点は、たとえCが共にM国に送還されたとしてもBの十分な協力を期待できないなど、日本でのD・Eによる養育と比べてAの厳しい養育環境を予想させるものであり、Aの福祉に著しく反するとの主張も加えられよう。この点を踏まえれば、仮に違法判断の基準時において養子縁組の成立を主張しえないとしても、養子縁組に近い実態があったことに鑑みて、裁量の逸脱・濫用が認められる余地は十分あるように思われる。

〔関連問題〕

　本事例と同じシチュエーションで退去強制令書の執行として収容がなされた際、もし仮放免が認められず収容が継続したとすれば、身柄の解放を求めるためAはどのような法的手段を用いてどのような主張をすべきか検討しなさい。なお退去強制令書の執行としての収容および仮放免に関する法令の定めは【資料2】に掲げるとおりである。

〔横田光平〕

〔問題17〕議員の海外研修費支出をめぐる紛争

◆ 事例 ◆

次の文章を読んで、資料を参照しながら、以下の設問に答えなさい。

1. 甲県の県会議員であるA・B・Cの3名は、甲県議会議長Dの派遣決定を受けて、2018年1月17日から同月23日まで、海外研修としてアメリカを訪問した（以下「本件研修」という）。
 海外研修申込書には、研修目的として「米国と日本の輸出入の調査。本県は農業、果樹生産県であり、農業大国米国の農業事情について視察いたします」と記載されており、また、研修地として「米国（ニューヨーク、ワシントン）」、視察先として「財団法人自治体国際化協会ニューヨーク事務所、大手旅行代理店J社ニューヨーク支店、その他」との記載があった。さらに同申込書には、旅行会社が作成した旅行日程表と見積書が添付されていた。議長Dは、この海外研修申込書の内容を審査し、「適当と認め」て派遣決定をなした。

2. 現実に実施された旅行日程（現地時間で記載）は、以下のとおりであった。
 2018年1月17日……午前9時30分頃にニューヨークに到着した後、専用車でニューヨーク市内を視察し、メトロポリタン美術館に入館し、グラウンド・ゼロ（アメリカ同時多発テロ事件によって崩壊したビルの跡地）および自由の女神を見学した。
 同月18日……ロングアイランドに赴いて、午前11時頃から午後1時頃までワイナリー「P」を視察し、後は自由行動とした。
 同月19日……午前9時30分頃から午前10時30分頃まで大手旅行代理店J社ニューヨーク支店を、午前11時頃から正午頃まで財団法人自治体国際化協会ニューヨーク事務所をそれぞれ訪問し、前者ではニューヨークのホテル業界の実情等を、後者では米国における果樹の生産状況等をそれぞれ聞き取り、その後、専用車でアトランティックシティ（カジノで有名な都市）に行った。

同月20日……専用車でアトランティックシティからフィラデルフィアへ移動した後、フィラデルフィアからアムトラック（全米を結ぶ鉄道輸送網）に乗車して昼頃にワシントンD.C.に到着し、専用車で、国会議事堂、アーリントン墓地、ホワイトハウスおよびリンカーン記念堂を見学した。

同月21日……リンカーンコテージを見学後、スミソニアン博物館に入館し、ユニオンステーション（同一構内を複数の鉄道事業者が共用する共同使用駅）、大型商業施設である「ホールフーズ・マーケット」（自然食料スーパーマーケット・チェーン店）を見学した。

同月22日……午前にワシントンD.C.から帰国の途に着いた。

3．以上の訪問先をみると、本件研修は、その大部分が、自由の女神、グラウンド・ゼロ、国会議事堂、アーリントン墓地、ホワイトハウス、リンカーン記念堂およびリンカーンコテージなどのニューヨークおよびワシントンD.C.の観光名所の見学や、メトロポリタン美術館やスミソニアン博物館への入館などに費やされ、研修目的である「米国と日本の輸出入の調査」、「米国の農業事情」の視察に直接に関係するものとしては、財団法人自治体国際化協会ニューヨーク事務所の訪問とロングアイランドにおけるワイナリー「P」の視察があるだけであった。

この点について、議員らは、帰国後に提出した「アメリカ視察・報告書」の「はじめに」の項目で、「議員3人は米国と日本の輸出入の調査、本県の主要産業であるワイン産業の本場である農業大国米国の現状、観光産業、また最近本県でも盛んに開発が行われている大型商業施設のあり方について米国（ワシントン、ニューヨーク）の視察を実施いたしました」と記載し、本件研修の目的が、アメリカにおけるワイン産業、農業事情および輸出入の調査に加えて、観光行政等の視察も目的であったと説明している。

4．また、帰国後に参加議員から提出された当初の「アメリカ視察・報告書」では、その13頁以下において、ニューヨークワインについて記載され、その冒頭部分に「22年にわたってワイン・ビジネスを営み、マンハッタンで唯一のニューヨークワイン専門店『V』を経営するニューヨークワインのエキスパート、Q氏に、ニューヨークワインの魅力を語っていただき、試してみるべき6本のワインを薦めてもらった」との記

述があり、以下、Q氏の語った内容やワインやぶどうの評価などをカギかっこを付して多数引用し、同報告書の20頁までの約8頁にわたり、Q氏を講師役とするワインについての研修内容が報告されていた。

しかし、後に判明したところでは、議員らの訪問時には既に「V」は閉店しており、3名の議員らは実際に「V」を訪問したこともなければ、Q氏と会って説明を受けたこともなく、報告書の記述は、日本で出版されている本の記載を引用して作成されたものであった。この点について、議員らは、記憶違いであったと釈明し、「V」を訪問したとの記述を全部削除し多数の写真を入れ替えた訂正版の「アメリカ視察・報告書」を改めて提出した。

5．3人の議員は、本件研修の旅費として各人64万1,500円を受け取り、また、通訳料等の必要経費として3人で合計77万4,600円を受け取った。県予算の執行権は県知事Eにあるが、議会関係の公金支出権限は議会事務局長Fに委任されていた。今回の旅費支出は、県会議長Dの派遣決定に基づき、議会事務局長Fが決済したものであった。

6．上記の訪問先と「アメリカ視察・報告書」の書換えを知った甲県の住民Jは、本件研修が、研修の名の下に行われた観光旅行であり、そのような私的な観光旅行に270万円近い公費が使われていることに強い憤りを覚えた。そこで、甲県の住民であるJは、2018年8月1日、友人である弁護士Nの事務所に相談に行った（相談内容の一部については【資料1】を参照）。相談の結果、Jが原告となり、地方自治法242条の2に定める住民訴訟を提起することになった。

〔設問〕
1．Jは、誰を被告として、いかなる内容の住民訴訟を提起すべきであるのか。地方自治法の条文を挙げながら、考えられる請求内容を複数検討し、その中で最も適切な請求内容は何かについて、答えなさい（なお、住民訴訟を提起するためには、まず、監査委員に対して住民監査請求をする必要があるが、ここでは、住民監査請求については考慮しなくても良い）。(50点)

2．Jは、設問1で選んだ住民訴訟において、本件研修に伴う公金支出の違法性として、いかなる主張をすべきか。公金支出が適法であるという

甲県側からの（予想される）反論についても触れながら、答えなさい。（50点）

【資料1　N法律事務所での会話】

J：N先生、われわれ住民が支払った税金が、議員の私的な観光旅行に使われているなんて全く許せません。

N：そうですね。ただ、議員の海外研修は地方自治法100条13項に根拠があり、甲県でも正式の制度として認められていますので、その制度趣旨に照らして、本件研修に対する公金支出が違法であるという必要がありますね。

J：どういうことでしょうか？

N：そもそも、議員の海外研修として、どの国に、どのような目的で、どのくらいの期間研修するのか、そこでいかなる事項を研修するのかなどについては、議員および議会の広範な裁量が認められる、というのが判例の考え方ですね。もっとも、裁量といっても無制限ではなく、甲県の「議会研修要綱」では、研修の趣旨を「研修を実施することにより、議会運営及び議会審議等の資質の向上を図り、もって、県民福祉の増進に資するもの」と定めています。したがって、本件研修が、上記の研修の趣旨に照らして適切であったのかどうかが問題となります。

J：本件研修が、研修という名に値しない観光旅行であったことは明らかです。研修目的が「輸出入の調査」と「農業事情について視察」となっていながら、それに関連する施設はほとんど視察せず、訪問先の大部分は有名な観光地です。

N：なるほど。もっとも帰国後に提出された「アメリカ視察・報告書」では、研修目的の1つに「観光行政」視察もあったと主張しているようですが……。観光に力を入れている甲県の議員として、観光に関連する施設も視察したと主張しているようですね。

J：そんな主張が認められるんでしょうか？　それならなぜ、前もって「研修目的」の中に書いておかなかったんでしょうか？　また、観光行政視察といっても、単なる旅行客として見てきているだけで、それぞれの観光施設の運営について深めてきているわけではありません。単なる言い訳としか思えません。

N：そうですね。「輸出入の調査」と「農業事情について視察」という「研修目的」が妥当ということで派遣決定がなされたわけですから、当初の研修目的との関係で本件研修が「研修」に値する実質をもっていたかどうかが問われるべきですね。

J：帰国後に出された「アメリカ視察・報告書」の内容もデタラメです。当初の報告書で訪問したとされていたワイン店「V」には、実際に訪問していなかったことが後に判明しています。さらに、訂正された「アメリカ視察・報告書」の記述の大半は、インターネットでの記事や旅行会社のパンフレットに記載されていることを引き写しただけで、自分たちの目で見て新たに発見したような知見を記載しているわけではありません。私は、おそらく、報告書も旅行会社の人に作らせているんではないかと思います。帰国後に、3人の議員が、甲県の議会運営について新たな提案をしたとか、甲県の観光行政に関する新たな政策提言をしたとかいうことも全くありません。

N：たしかに、報告書には、本件研修で訪問した施設の概要や統計データ等が掲載されているだけで、別にアメリカに行かなくても書ける内容ですね。また、甲県における観光行政および農業政策の現状や課題、本件研修で得た経験が今後の県政にどのように役立てられるかなど、研修の具体的成果は何ら考察、報告されていませんね。こういう報告書しか出されていないことをみると、本件研修は物見遊山にすぎないと批判を受けるのは当然ですね。住民訴訟で責任を追及することにしましょう。

J：地方自治法上の住民訴訟の規定（自治242条の2）を見てもややこしくて、どのような請求をしたら良いのか迷うところです。どう考えれば良いのでしょうか。

N：住民訴訟には1号請求から4号請求まで4類型がありますが、既に公金が支出されている本件では、4号請求が選ばれるべきでしょうね。4号請求としては、「当該職員」に損害賠償請求をなすことを求める請求や、「相手方」に損害賠償請求または不当利得返還請求をなすことを求める請求などが考えられます。実質的に誰のどのような責任を問うべきかがポイントになりますね。

J：こんな私的観光旅行に公金を支出する決定をしたのは議会事務局長です。公金支出権限の行使を誤るものとして、議会事務局長には責任があるのではないでしょうか？

N：そうかもしれませんが、知事部局と議会との対等関係を前提とするならば、議会の議長が海外研修が必要であると判断して派遣決定をした以上、知事から支出権限の委任を受けている議会事務局長の立場としては、議会の独立性・自律性を尊重して、支出決定をせざるをえないのではないでしょうか。

J：それなら議長の責任はいかがでしょうか。実はこれまでも議員の海外研修といえばそのほとんどが観光旅行で、いわば議員の特権として実施していたように思います。議長も今回の研修が物見遊山であることを承知しながら派遣決定をしているのではないでしょうか。本来は議会の議決を得る必要があるところ、「緊急を要する場合」（甲県議会会議規則122条）でもないのに議長1

人で派遣決定をしています。今後のことも考えると、派遣決定をした議長の責任も問いたいのですが。

N：なるほど。議会の議決を省略したことは問題がありそうですね。しかし一応「輸出入の調査」と「農業事情について視察」という「研修目的」で申請が出された場合には、それを拒否するのは難しそうですね。それから、最高裁の判例では、住民訴訟で実質的な責任が問われる「当該職員」とは、法令上財務会計上の権限を有する者（またはその権限の委任を受けた者）となっています。議会には予算執行権がありませんので、議長を「当該職員」として責任を問うことは困難ですね。

J：そうなるとやはり、今回の研修では本来私費で行くべき旅行を公費でまかなってもらっている3人の議員の責任を追及したいと思います。どういう法的な構成をすれば良いのか教えて下さい。

N：わかりました。

【資料2　地方自治法（抜粋）】

第100条　（略）

2～12　（略）

13　議会は、議案の審査又は当該普通地方公共団体の事務に関する調査のためその他議会において必要があると認めるときは、会議規則の定めるところにより、議員を派遣することができる。

14～20　（略）

第203条　普通地方公共団体は、その議会の議員に対し、議員報酬を支給しなければならない。

2　普通地方公共団体の議会の議員は、職務を行うため要する費用の弁償を受けることができる。

3　普通地方公共団体は、条例で、その議会の議員に対し、期末手当を支給することができる。

4　議員報酬、費用弁償及び期末手当の額並びにその支給方法は、条例でこれを定めなければならない。

(住民監査請求)

第242条　普通地方公共団体の住民は、当該普通地方公共団体の長若しくは委員会若しくは委員又は当該普通地方公共団体の職員について、違法若しくは不当な公金の支出、財産の取得、管理若しくは処分、契約の締結若しくは履行若しくは債務その他の義務の負担がある（当該行為がなされることが相当の確実さをもって予測される場合を含む。）と認めるとき、又は違法若しくは

不当に公金の賦課若しくは徴収若しくは財産の管理を怠る事実（以下「怠る事実」という。）があると認めるときは、これらを証する書面を添え、監査委員に対し、監査を求め、当該行為を防止し、若しくは是正し、若しくは当該怠る事実を改め、又は当該行為若しくは怠る事実によって当該普通地方公共団体の被った損害を補填するために必要な措置を講ずべきことを請求することができる。

2～11　（略）

（住民訴訟）

第242条の2　普通地方公共団体の住民は、前条第1項の規定による請求をした場合において、同条第5項の規定による監査委員の監査の結果若しくは勧告若しくは同条第9項の規定による普通地方公共団体の議会、長その他の執行機関若しくは職員の措置に不服があるとき、又は監査委員が同条第5項の規定による監査若しくは勧告を同条第6項の期間内に行わないとき、若しくは議会、長その他の執行機関若しくは職員が同条第9項の規定による措置を講じないときは、裁判所に対し、同条第1項の請求に係る違法な行為又は怠る事実につき、訴えをもって次に掲げる請求をすることができる。

一　当該執行機関又は職員に対する当該行為の全部又は一部の差止めの請求
二　行政処分たる当該行為の取消し又は無効確認の請求
三　当該執行機関又は職員に対する当該怠る事実の違法確認の請求
四　当該職員又は当該行為若しくは怠る事実に係る相手方に損害賠償又は不当利得返還の請求をすることを当該普通地方公共団体の執行機関又は職員に対して求める請求。ただし、当該職員又は当該行為若しくは怠る事実に係る相手方が第243条の2の2第3項の規定による賠償の命令の対象となる者である場合には、当該賠償の命令をすることを求める請求

2～12　（略）

【資料3　甲県議会会議規則等（抜粋）】

○　甲県議会会議規則

122条　〔地方自治〕法第100条第13項の規定により議員を派遣しようとするときは、議会の議決でこれを決定する。ただし、緊急を要する場合は、議長において議員の派遣を決定することができる。

2　前項の規定により、議員の派遣を決定するに当たっては、派遣の目的、場所、期間その他必要な事項を明らかにしなければならない。

○　甲県議会研修要綱
（趣旨）
第１条　甲県議会議員（以下「議員」という。）及び事務局職員（以下「職員」という。）に対して所要の研修を実施することにより、議会運営及び議会審議等の資質の向上を図り、もって、県民福祉の増進に資するものとする。
（議員研修の区分）
第２条　議員に対して実施する研修は次の区分による。
(1)〜(3)　（略）
(4)　海外研修　県政にかかわる分野及びこれに関連する分野について、海外事情の調査、研究。
（海外研修の実施方法、費用及び手続）
第６条　議員の海外研修の実施方法、費用及び手続きは次による。
(1)　実施方法
　ア　研修は、原則として複数の議員による研修団を編成し、県政にかかわる事項及びこれに関連する事項について調査・研究することにより実施するものとする。
　イ　研修は、１つの任期について原則として１回以内とし、毎年度予算の範囲内で派遣するものとする。
(2)　費用
　ア　旅費の支給額は「甲県議会議員の報酬及び費用弁償等に関する条例」に基づき算定した額とする。ただし、その最高限度額は、１人、90万円とする。
　イ　１回の旅行額が90万円に満たない場合は、残額を限度として同一期中に限り再度研修することができる。この場合も原則として研修団により実施するものとする。
(3)　申込
　研修をしようとする議員は予め「海外研修申込書（様式１）」に研修計画、旅行日程、見積書、その他参考資料を添えて議長に提出するものとする。
(4)　決定
　議長は研修の申込みがあったときは、内容を審査し、適当と認めるときは、「甲県議会会議規則」第122条に基づき、これを決定するものとする。
(6)　終了
　研修が終了したときは直ちに「海外研修終了届（様式３）」を議長に提出するものとする。
(7)　報告
　研修が終了したときは速やかに、〔1〕研修の日程、研修者の氏名、〔2〕研修地の概況、〔3〕研修の目的、内容、成果等を主題とする「海外研修報告書」を

議長に提出するものとする。
(8) 成果の公表
議長は提出された「海外研修報告書」を他の議員等に対して開示するものとする。

◆ 解説 ◆

1．出題の意図

　地方自治法の定める**住民訴訟制度**は、地方公共団体の財務会計行政に違法があると考えられる場合に、住民が、裁判所に対して、違法な財務会計行政の是正を求め、あるいは、違法な財務会計行政の結果地方公共団体に生じた損害の回復を求めて、訴えを起こすことを可能にする制度である。原告となる住民は、自らの権利利益の回復を求めて出訴するのではなく、地方公共団体の財務会計行政の適法化を求めて出訴する。このような「自己の法律上の利益にかかわらない資格で提起する」訴訟を、行訴法は「**民衆訴訟**」（行訴5条）と称している。

　住民訴訟は、住民による行政活動の法的コントロール手段としてかなり活用されているが、行政法の授業では（講義時間の制約があるので）あまり詳しく触れることができない。本問は、現実の行政訴訟の中で相当の比重を占める住民訴訟について、その基本的な仕組みを考えてもらうために出題したものである。

　素材としたのは、甲府地判平25・3・19判例自治382号40頁、および、その控訴審である東京高判平25・9・19判例自治382号30頁であるが、事実関係などを簡略にしている。なお、〔関連問題〕は筆者の創作である。

2．設問1――住民訴訟の類型と請求内容

(1) **住民訴訟制度の概略**

　本問題の解説に入る前に、住民訴訟制度の概略について説明しておきたい（以下の説明は、解答に書く必要はないが、正確な解答を作成するうえでの前提となる知識である）。

　① 沿革……住民訴訟はアメリカの**納税者訴訟（Tax Payer's Suit）**をモデルにして1948年の第2次地方自治法改正に際してわが国に導入された訴訟である。ただし、アメリカの納税者訴訟は納税者の権利回復訴訟として判例法上発展してきているのに対して、わが国の住民訴

訟は納税者の主観的権利と切り離された**客観訴訟**として説明されている。

②　原告……住民訴訟を提起することができるのは当該地方公共団体の住民である。ここで**住民**とは、当該地方公共団体の「区域内に住所を有する者」（自治10条1項。なお、以下単に「法」とする場合は地方自治法を指す）をいい、有権者に限られず、外国人も未成年者も区域内で活動している法人なども含まれる。住民が転居などで区域外に出た場合には住民訴訟を提起する資格を失う。

③　住民監査請求前置主義……住民訴訟を提起する前に、**監査委員**に対して**住民監査請求**（法242条）をしなければならない。住民監査請求に固有の論点としては、「監査請求の特定性」をめぐる問題や、「監査請求期間制限」をめぐる問題（法242条2項）などがあり、多数の判決が生まれているが、この点については説明を省略する。

④　住民訴訟（住民監査請求）の対象……**住民訴訟の対象**は、地方公共団体が行う「公金の支出、財産の取得、管理若しくは処分、契約の締結若しくは履行若しくは債務その他の義務の負担」などの**財務会計上の行為**と、「公金の賦課若しくは徴収若しくは財産の管理を怠る事実」という**財務会計上の不作為**である（法242条1項）。

⑤　住民訴訟の類型……法242条の2第1項は、**住民訴訟の類型**として、1号請求、2号請求、3号請求、4号請求の4類型を定めている。

1号請求は、違法な財務会計行為がなされる前にその差止めを求める請求である。財務会計上の行為は住民に知らされずに行われることが多いので、事前の差止めを求める1号請求が活用される場面は限られている。

2号請求は、補助金の交付決定が行政処分の形で行われる場合などのように、財務会計上の行為が行政処分として行われる場合にその取消しまたは無効確認を求める請求である。財務会計上の行為は通常、契約などの非権力的な行為形式で行われるので、2号請求が使われる場面も限られている。

3号請求は、固定資産税の賦課徴収を怠るとか、公有地での不法占拠を見逃して財産の管理を怠っているとかいう場合に活用される請求であるが、これも数は少ない。

4号請求は、違法な財務会計上の行為または怠る事実により地方公

共団体に財産的な損害が生じた場合に、損害を回復させる措置の発動を地方公共団体（の執行機関）に求める請求である。「当該職員」に対する請求と「相手方」に対する請求の2種類があるが、この点については、本問の解説とも関係するので後に述べる。

　4つの類型の内で最も活用されているのは4号請求である。4号請求は地方公共団体に損害を与えた職員や相手方に対して**個人責任**（損害賠償責任、不当利得返還責任等）**を追及する訴訟**であり、時として巨額の損害賠償責任が問われることもあるので、地方公共団体の職員にとっては、インパクトの強い訴訟となっている。

(2) **本問における検討**

　設問1では、本件研修のために3人の議員に対して支出された旅費等の公金支出が違法であると主張して、誰を被告として、実質的に誰のどのような責任を追及する住民訴訟を提起すべきであるのかが問われている。(1)で略述した住民訴訟制度の概略について知識がある者にとっては簡単な問題であろうが、本務校で出題してみたところ、正確な分析をしている答案が少なかった。**【資料1　N法律事務所での会話】**も参考にしながら、以下、順次検討してゆこう（下図を参照）。

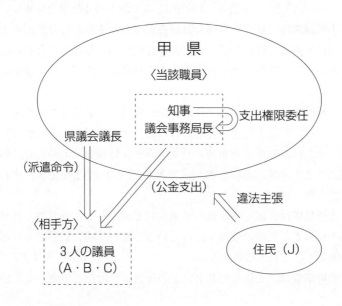

まず、4つの類型のうちどの類型が選ばれるべきであろうか。本問では、既に公金が支出され、甲県に違法支出分の損害が生じている。また支出が行政処分の形で行われているわけではない。それゆえ、事前の請求である1号請求や行政処分についての請求である2号請求は使えない。3号請求は、違法支出に対して損害回復措置をとらないことを「財産の管理を怠る事実」と捉えてその違法を確認する請求として構成すればできないわけでもないが、技巧的かつ間接的すぎるので本問では適切ではない。こう考えてゆくと、本問で選ばれるべきは、違法支出によって生じた損害の回復措置をとることを甲県知事に請求する4号請求訴訟ということになる。

4号請求は「当該職員又は当該行為若しくは怠る事実に係る相手方に損害賠償又は不当利得返還の請求をすることを当該普通地方公共団体の執行機関又は職員に対して求める請求」となっている（ただし書以下もあるが、本問では問題とならないので引用を省略する）。ここで明らかなように、4号請求の被告は2002年の地方自治法改正により「地方公共団体の執行機関又は職員」(242条の2第1項4号)と定められており、本問では甲県知事となる（なお、2002年の地方自治法改正以前には、被告は「当該職員」または「相手方」であった。この点については、コラム「旧4号請求と新4号請求」を参照）。そして実質的な損害賠償責任等を問われるのが「当該職員」あるいは「相手方」である。

それゆえ、本問では、甲県知事を被告として、①「当該職員」に損害賠償請求をすることを求める請求、②公金支出を受けた「相手方」に損害賠償請求または不当利得返還請求をすることを求める請求、の2つの4号請求が考えられる。複数の請求内容を検討せよという問題なので、それぞれの請求内容について簡単に検討することが求められる。

旧4号請求と新4号請求

4号請求訴訟は、2002年の地方自治法改正により現在の形になったが、それ以前には、違法な財務会計行為をした長や職員などの個人を被告として提起する形であった。例えば、本問を素材にすれば、旧4号請求訴訟は、住民が（甲県に代位して）原告となり、個人としての知事Eや議会事務局長Fを被告として、「甲

に違法支出額相当の損害賠償をすることを求める」訴訟となる。このような形の訴訟は、**株主代表訴訟**（会社847条以下）と同様の構造であるといえる。

しかしかねてから、旧4号請求訴訟では職員個人が被告となるために、訴訟に対応しなければならない職員の訴訟負担や心理的圧迫が強く、公務が萎縮するのではないかが問題となっていた。そこで、2002年地方自治法改正により、旧4号請求が廃止されて新4号請求が定められた。**新4号請求訴訟**の下では、住民が原告となり、甲県（の執行機関）を被告として、「甲県がEやFに対して損害賠償請求を行うことを求める」訴訟の形をとる。これにより、少なくともEやFは直接被告となることはなく、訴訟に対応する負担から免れることになった。

しかし、旧4号請求訴訟でも新4号請求訴訟でも、そこで実質的に争われるのは、EやFが個人として地方公共団体に賠償責任を有するか否かであって、住民訴訟では、公金支出の違法性と違法支出に対するEやFの過失（または重過失）の有無が審理される。そこで、新4号請求訴訟で実質的に責任を問われるEやFは、新4号請求訴訟に**訴訟参加**して自己の主張を行うことが必要になる（→〔関連問題〕参照）。

なお、**長の賠償責任**の実体法上の根拠は民法709条であり、**過失責任**であるが、**会計職員の賠償責任**については地方自治法243条の2による定めがあり、基本的に**重過失による責任**が定められている。また、地方自治法243条の2には、簡易な損害回復措置として**長**による**賠償命令**の規定もあり、会計職員の違法な行為を住民訴訟4号請求で争う場合には、賠償命令の発動を求める4号請求の形をとる。

㋐ 「当該職員」に対する損害賠償請求

(a) 最高裁判例

最高裁判例（最2小判昭62・4・10民集41巻3号239頁）によれば、「**当該職員**」とは、「当該訴訟においてその適否が問題とされている財務会計上の行為を行う権限を法令上本来的に有するものとされている者及びこれらの者から**権限の委任**を受けるなどして右権限を有するに至った者」をいう。本問では、法令上予算の執行権を有する知事Eと、知事から支出権限の委任を受けた議会事務局長Fが「当該職員」に該当する。そこで、設問1に対する解答として、まずは、個人としてのEおよびFに違法支出額相当の損害賠償請求をすることを甲県の執行機関としての甲県知事Eに求める4号請求が考えられる。

(b) 議会と知事部局の関係

もっとも、議会と知事部局との対等平等関係を前提とするならば、本件違法支出の責任を知事Eや議会事務局長Fに求めることが妥当かどうかが別個に検討されるべき問題である。この点は本案に関わる論

点であるが、例えば、全国都道府県野球大会に参加した県議会議員の旅費支給の違法性が争われた最2小決平15・1・17民集57巻1号1頁では、最高裁は「議会がその裁量により議員を派遣することができることは前示のとおりであるところ、予算執行権を有する普通地方公共団体の長は、議会を指揮監督し、議会の自律的行為を是正する権限を有していないから、議会がした議員の派遣に関する決定については、これが著しく合理性を欠きそのために予算執行の適正確保の見地から看過し得ない瑕疵がある場合でない限り、議会の決定を尊重しその内容に応じた財務会計上の措置を執る義務があり、これを拒むことは許されないものと解するのが相当である。〔原文改行〕これを本件についてみると、県議会議長が行った議員に対する旅行命令は違法なものではあるが、……県議会議長が行った旅行命令が、著しく合理性を欠き、そのために予算執行の適正確保の見地から看過し得ない瑕疵があるとまでいうことはできないから、知事としては、県議会議長が行った旅行命令を前提として、これに伴う所要の財務会計上の措置を執る義務があるものというべきである」と判示して、知事およびその補助として支出を行った職員の個人責任を否定している。旅費の支出権限が議会事務局長に委任されている本問でも同様の判断が妥当というべきであろう。

  (c) 違法支出の実質的責任者は？

本問では、何よりも実質的な責任が問われるべきなのは公金で私的観光旅行を行った議員A～Cであり、それを許した議会であろう。したがって、知事職にある個人Eや議会事務局長職にあるFに損害賠償請求をなすことを求める4号請求は形式的には可能であるが、後に検討する、研修参加議員A～Cに不当利得返還請求することを求める4号請求と比べた場合には「最も適切」とはいえないであろう。

  (d) 議長の責任

次に、本件研修を「適当」と判断し議員に対して派遣命令を出した議長Dに違法支出の損害賠償請求をすることを求める4号請求はどうであろうか。違法支出に責任がある職員を「当該職員」と理解する一部の学説ではこのような請求も認められることになるが、先述したように、最高裁は、法令上の財務会計上の権限を有する者（または委任を

受けた者）を「当該職員」としている。議長は財務会計上の権限を有していないので「当該職員」とはなりえず、議長Ｄを当該職員と見立てた4号請求訴訟は却下されることになろう。

(イ)　「相手方」に対する損害賠償請求または不当利得返還請求

「相手方」とは財務会計行為の相手方あるいは財務会計上の不作為の相手方をいう。本問では、公金支出の相手方である3人の議員が「相手方」となる。そこで、甲県知事を被告として、甲県が3人の議員Ａ～Ｃに不当利得返還請求（または損害賠償請求）をなすことを求める4号請求が考えられる。

本問では、私的な観光旅行に公費を負担させたことの違法が問われている。地方自治法203条2項は「議員は、職務を行うため要する費用の弁償を受けることができる」と定めている。本件研修の旅費等は議員の海外出張という「職務を行うため要する費用」として支出されているが、本件研修の実質が研修に値しない私的な観光旅行であるということであれば、「職務を行うため要する費用」としての支出はできないはずである。そこで、議員たちは、本来自費で負担すべき私的旅行費用を法律上の原因なくして甲県の損失の下に利得した（あるいは本来自費で負担すべき私的旅行費用を甲県に違法に支出させるという不法行為をなした）ということができる。

本問では、不当利得を得た議員Ａ～Ｃに不当利得額を甲県に返還させることが最も適切な解決であろう。したがって、本問で最も適切な住民訴訟としては、「甲県知事を被告として、3人の議員Ａ～Ｃに不当利得返還請求をすることを求める4号請求」を提起すればよいということになろう（なお、3人の議員に損害賠償請求をすることを求める4号請求も考えられるが、実質的には同じ請求となる）。

3．設問2──本件研修の旅費等支出の違法性

3人の議員Ａ～Ｃに不当利得返還請求をすべきことを求める4号請求訴訟について、本案での違法性主張のあり方を検討してみよう。

(1) 違法性主張の枠組み

　議員の海外研修は地方自治法100条13項を根拠とする正式の制度であり、議員がどの国で、どのような内容の研修をするのかについては、基本的に、議員ならびに議会の裁量に委ねられている。しかし海外研修が公費負担で実施されている以上、公費で負担するに値する実質を以て行われる必要がある。

　この点について、本問が素材とした判決において、前掲・東京高判平25・9・19は、以下のように、**海外研修の違法性判断の枠組み**をまとめている。

　「普通地方公共団体の議会は、当該普通地方公共団体の議決機関として、その機能を適切に果たすために合理的な必要性があるときは、その裁量により議員を国内や海外に派遣することができると解される。しかしながら、議員派遣の合理的な必要性が認められない場合にまで派遣を行うことが許されないのは当然のことであって、例えば、派遣目的が議会の機能を適切に果たすために必要のないものである場合や、行き先や日程等が派遣目的に照らして明らかに不合理である場合に派遣するなど、上記**裁量権の行使に逸脱又は濫用**があるときは、議会による議員派遣の決定は違法になると解される」。

　【資料3】甲県議会研修要綱によれば、議員の研修は「議会運営及び議会審議等の資質の向上を図り、もって、県民福祉の増進に資するもの」でなければならず、海外研修は「県政にかかわる分野及びこれに関連する分野について、海外事情の調査、研究」をするものと定められている。本件研修は、研修目的を「米国と日本の輸出入の調査」ならびに「農業大国米国の農業事情について〔の〕視察」として実施されたものである。研修申込書に記載された研修目的（派遣目的）については正当ということができようが、問題は、現実に実施された本件研修の行き先や日程等が派遣目的に照らして「明らかに不合理」といえるか否かである。

(2) 被告による適法性主張

　まず、被告側としては、以下のように述べて、本件公金支出は適法であると主張するであろう。

第1に、被告は、議員の海外研修の内容については議員ないし議会が広範な裁量を有していることを強調し、裁判所は**議会の自律的な決定**を尊重すべきであり、研修が違法となるのは極めて例外的な場合に限定すべきであると主張するであろう。そして本件研修について、「甲県議会研修要綱」に基づき適正に議長の派遣決定を得て行われていることから、手続的にも問題がないと主張するであろう。
　第2に、研修申込書の研修目的欄に観光に関する文言が記載されていないことから直ちに観光の視点から行われた視察が違法となるわけではないと主張するであろう。甲県は観光産業が活発であり、議員として海外研修の機会に国際的視野で観光の実態を探りたいと考えても不思議ではなく、このような視点での観光施設の視察を今後甲県の発展に活かすことも海外研修の目的として含めることができる、観光地の視察が多いことで今回の海外研修が違法ということにはならない、と主張するであろう。
　第3に、一般に、議員が海外の事情を視察し、議員としての知識・見聞を広めることは、ひいては今後の「議会運営及び議会審議等の資質の向上」にも資する、と主張するであろう。
　以上のような主張が裁判所で認められることもある。本問で素材とした事例で、前掲・甲府地判平25・3・19は、多様な観光地を有する甲県にとって観光振興が県政の重要課題であるとの認識の下で、観光行政視察も本件研修の目的であったと認定し、「一般の観光客が訪れる施設であっても、訪問国の歴史や文化等に直接触れることによって同国の観光行政政策の背景、実態及び課題等を理解する上で有益となる側面があることも一概には否定できず、これによって甲県の観光振興のための具体的な方策を検討する一助になり得る」として、本件研修を不相当とすることはできないと判示している。

(3) 原告による違法性主張

　原告側の違法性主張としては、先の判断枠組みを前提として、以下のような主張が考えられる。
　第1に、本件研修は「輸出入調査」「農業事情視察」を目的として派遣決定されたにもかかわらず、旅行先の大半は単なる観光地であり、

調査目的と直接関連する施設訪問は2カ所にすぎない。したがって本件研修はその「行き先や日程等が派遣目的に照らして明らかに不合理」であり、研修の実質のない単なる観光旅行である。そのような観光旅行に要した費用は「職務を行うため要する費用」と解することはできず、3人の議員への公費支出は違法である。

第2に、本件研修の目的が観光行政の視察であったというのは認められない。議員の派遣決定は研修申込書に記載された研修目的を適切として決定されており、当初の研修目的にない目的を後から追加して観光旅行を正当化することはできない。また、観光地を訪問して知識・見聞を広めることが県政に資するというような抽象的見解で海外研修が認められるべきではない。

第3に、研修実施後に提出された報告書には、実際に訪問していない店の記述などデタラメなものがあり、記述内容の大半はネットやパンフレットで入手できる情報の引写しであって、実質的な研修がなされたとは到底いえない。

以上の原告の主張は、本問で素材とした事例での控訴審で認められている。前掲・東京高判平25・9・19は、本件研修が「輸出入調査」「農業事情視察」を目的とした研修であることを前提にして派遣決定されている以上、後から「観光行政視察」という目的を加えることはできないと判示している。そして、旅行の実態や視察報告書の内容を具体的に検討したうえで、「本件アメリカ研修の行き先や日程等は、……前記の研修目的に照らして、明らかに不合理なものであり、本件アメリカ研修は、実質的には、海外研修に名を借りた観光中心の私的旅行というべきものであったといわざるを得ない」と断じて、旅費支給を違法と判示している。

設問2では、原告の立場に立っての違法性主張のあり方が問われている。上記(2)の被告の反論も想定しながら、(3)のような主張をなすべきであろう。

〔関連問題〕
本事例と同様のシチュエーションの下で提起された住民訴訟において、本件研修に関する公費支出が違法と判断され、甲県知事に対して、3人の

議員にそれぞれ89万9,700円（旅費64万1500円＋通訳料等の3等分25万8200円）とそれに対応する利子分の返還を命ずるようにとの判決（以下「本件住民訴訟判決」という）が確定した。

そこで判決に従い、甲県知事が3人の議員に上記の金額を甲県に返還するように請求したところ、3人の議員は、本件研修は議員として必要な研修であり、公金支出は適法である等と主張して、返還に応じようとしない。この時、甲県知事は返還を実現するためにどのような手段をとることができるのか。手元にある六法を参照して本件住民訴訟判決の効力について定める条文を指摘しながら、答えよ。

［曽和俊文］

『事例研究 行政法（第4版）』論点表

■第1部

	個別法	訴訟形式
1　行政過程		
〔問題1〕予備校設置認可をめぐる紛争	学校教育法	取消訴訟
〔問題2〕特商法の業務停止処分をめぐる紛争	特定商取引に関する法律	取消訴訟
〔問題3〕地方公務員の懲戒処分をめぐる紛争	地方公務員法	取消訴訟 行政処分の無効を前提とする当事者訴訟
2　行政争訟		
〔問題4〕ラブホテル建築規制条例をめぐる紛争	風営法 ラブホテル等建築規制条例	不作為の違法確認訴訟 申請満足型義務付け訴訟 取消訴訟
〔問題5〕住民票の記載をめぐる紛争	戸籍法 住民基本台帳法	取消訴訟 直接型義務付け訴訟
〔問題6〕開発許可をめぐる紛争	都市計画法	取消訴訟
〔問題7〕砂利採取計画の認可をめぐる紛争	砂利採取法 鉱業等に係る土地利用調整手続法	取消訴訟 申請満足型義務付け訴訟 直接型義務付け訴訟（関連問題）
〔問題8〕食品の回収命令をめぐる紛争	食品衛生法	取消訴訟 国家賠償訴訟（関連問題） 執行停止（関連問題）
〔問題9〕太陽光発電設備の設置をめぐる紛争	開発行為適正化条例	不作為の違法確認訴訟 申請満足型義務付け訴訟 取消訴訟
〔問題10〕廃棄物処理施設の規制をめぐる紛争	廃棄物処理法	直接型義務付け訴訟

訴訟要件	違法性主張	
	手続的違法	実体的違法
取消判決の拘束力	審査基準の設定・公表 行政手続の瑕疵と処分の取消事由	判断過程の統制（他事考慮）
	弁明手続	個別法の解釈（特商法） 裁量の有無
審査請求前置 無効確認訴訟の補充性 原処分主義（関連問題）	行手法の適用除外 意見陳述手続の瑕疵とその効果（関連問題）	裁量の有無 裁量基準と個別事情考慮義務 比例原則 平等原則
同意の処分性	申請留保	相当の期間
住民票記載申出の法的性質（応答の処分性） 直接型義務付け訴訟の訴訟要件	申請の仕組み	個別法の解釈（戸籍法・住民基本台帳法） 裁量の有無
第三者の原告適格		自己の法律上の利益に関係のない違法の主張制限
裁決主義 裁決の義務付け訴訟 訴えの客観的利益 直接型義務付け訴訟の訴訟要件（関連問題）	理由の提示 聴聞手続	個別法の解釈（砂利採取法） 審査基準を適用してなされた処分の適法性 比例原則
	弁明手続 理由の提示	個別法の解釈（食品衛生法） 比例原則と予防原則
不作為の違法確認訴訟の訴訟要件 申請満足型義務付け訴訟の訴訟要件 第三者の原告適格		個別法の解釈（開発適正化条例） 「住民の同意」の評価
直接型義務付け訴訟の訴訟要件（「一定の処分」、「重大な損害」、補充性、原告適格）		

	個別法	訴訟形式
3　国家補償		
〔問題11〕飲食店における食中毒をめぐる紛争	食品衛生法	国家賠償訴訟
〔問題12〕学校での事故・生徒間トラブルをめぐる紛争	学校教育法 地教行法	国家賠償訴訟
〔問題13〕指定ごみ袋の規格変更をめぐる紛争		国家賠償訴訟 損失補償請求訴訟

訴訟要件	違法性主張	
	手続的違法	実体的違法
		規制権限の不行使と国家賠償（国賠1条） 加害公務員の特定（関連問題） 加害公務員の個人責任（関連問題）
		公の営造物の設置管理の瑕疵（国賠2条） 国賠責任の主体（国賠3条）
		政策変更と国家賠償 損失補償 信頼保護原則

■第 2 部

	個別法	訴訟形式
1　情報公開		
〔問題 1〕土地買収価格の公開をめぐる紛争	情報公開条例	取消訴訟 申請満足型義務付け訴訟
2　まちづくり行政		
〔問題 2〕耐震偽装マンションをめぐる紛争	建築基準法	取消訴訟 直接型義務付け訴訟 国賠訴訟（関連問題）
〔問題 3〕公共施設管理者の不同意をめぐる紛争	都市計画法	取消訴訟
〔問題 4〕道路位置指定の廃止をめぐる紛争	建築基準法	差止訴訟 当事者訴訟
3　営業規制		
〔問題 5〕条例によるパチンコ店の規制をめぐる紛争	風俗営業等の規制及び業務の適正化等に関する法律 パチンコ店等規制条例	取消訴訟
〔問題 6〕フェリー運航の事業停止命令をめぐる紛争	海上運送法	取消訴訟
〔問題 7〕タクシーの運賃変更命令をめぐる紛争	道路運送法 特措法	取消訴訟 差止訴訟 仮の差止め 仮処分 当事者訴訟
〔問題 8〕不当表示をめぐる紛争	不当景品類及び不当表示防止法	取消訴訟
〔問題 9〕と畜場の使用をめぐる紛争	と畜場法	取消訴訟 義務付け訴訟 執行停止

訴訟要件	違法性主張	
	手続的違法	実体的違法
取消判決の拘束力	理由の追加・差し替え	個別法の解釈（情報公開条例） 立証責任分配 解釈と裁量
各種の救済手段の選択 直接型義務付け訴訟の訴訟要件 工事完成後の訴えの客観的利益		違法性の承継（構造適合性判定と建築確認） 建築確認の違法を理由とする国家賠償責任（関連問題）
同意の処分性 周辺住民の原告適格（関連問題）		個別法の解釈（都計法） 知事の権限と裁判所の審査範囲
道路位置指定廃止決定の処分性 第三者の原告適格 差止訴訟に特有の訴訟要件 確認訴訟の確認の利益（関連問題）		個別法の解釈（建基法） 利害関係人の同意の要否
取消訴訟の対象の選択（原状回復命令、行政代執行法上の戒告）		法令と条例の抵触 違法性の承継（義務賦課行為と強制執行）
執行停止の要件 第三者の原告適格		個別法の解釈（サービス基準） 効果裁量と比例原則
一般的行為（公定幅運賃指定）の処分性 差止訴訟の訴訟要件 仮の救済手段の選択 確認訴訟の確認の利益 当事者訴訟と仮の救済（仮地位仮処分）		裁量統制（判断過程の合理性）
返金措置計画不認定の処分性		個別法の解釈（景表法） 違法性の承継
検査の処分性 申請満足型義務付け訴訟の請求の特定 申請の仕組み 申請満足型義務付け訴訟の訴訟要件 執行停止の要件	意見陳述手続 理由提示	許可の要件と私法上の権原 撤回の制限（関連問題）

	個別法	訴訟形式
4　社会保障行政		
〔問題10〕生活保護をめぐる紛争	生活保護法	取消訴訟
5　公物・公共施設の管理		
〔問題11〕林道使用の不許可をめぐる紛争	地方自治法 森林法	申請満足型義務付け訴訟 仮の義務付け（関連問題）
〔問題12〕河川占用許可をめぐる紛争	河川法	取消訴訟
6　環境・衛生行政		
〔問題13〕廃棄物収集有料化条例をめぐる紛争	ごみ有料化条例 地方自治法 廃棄物処理法	取消訴訟 当事者訴訟
〔問題14〕温泉掘削許可をめぐる紛争	温泉法	申請満足型義務付け訴訟 取消訴訟（関連問題）
〔問題15〕保安林指定解除をめぐる紛争	森林法 鉱業等に係る土地利用調整手続法	差止訴訟 取消訴訟
7　出入国管理行政		
〔問題16〕入管法に基づく退去強制をめぐる紛争	出入国管理法	取消訴訟 義務付け訴訟 執行停止
8　財務行政		
〔問題17〕議員の海外研修費支出をめぐる紛争	地方自治法 議会会議規則	住民訴訟

訴訟要件	違法性主張	
	手続的違法	実体的違法
		行政の内部規則に照らした裁量判断の適否 授益的行政処分の職権取消制限の法理 不利益処分の要件の限定解釈
行政財産目的外使用(不)許可の処分性		裁量統制(判断過程の適正)
工事完了と工作物新築許可の取消しの利益 許可の更新と取消しの利益 第三者の原告適格		裁量統制(裁量基準違反) 複数の個別法による規制が関わる場合の処理
条例の処分性 確認訴訟の確認の利益		個別法の解釈(地方自治法)
申請満足型義務付け訴訟の訴訟要件 第三者の原告適格(関連問題)		個別法の解釈(温泉法) 裁量統制(他事考慮)
保安林指定解除の処分性 第三者の原告適格 差止訴訟に特有の訴訟要件 裁決主義 損失補償(関連問題)		裁量統制(裁量基準を適用してなされた処分の適法性)
訴訟手段の選択 義務付け訴訟の訴訟要件 執行停止の要件		裁量統制
住民訴訟の対象 住民訴訟の類型		要綱の解釈

●事項索引●

【あ 行】

意見公募手続……………………275
意見陳述手続…………… 106,117,365
著しい支障………………………204
一定の処分………………………149
違法性の承継………… 225,226,251,290,351
違法判断の基準時………………488
訴えの客観的利益(狭義の訴えの利益)
　………………… 104,231,420,422
上乗せ規制………………………274
営造物管理責任………………176〜
公の営造物………………………177

【か 行】

会計職員の賠償責任……………506
戒告………………………………288
解釈基準………………………… 36
回収命令(食品衛生法)…………115
蓋然性…………………… 265,470
改善命令(水質汚濁防止法)……275
開発許可…………………………243
　「——申請を適法に行う地位」の侵害 …247
　——取消訴訟…………………… 84
開発行為…………………………243
回復の困難な損害………………308
確認訴訟………………… 326,331
確認の利益……………… 245,331,441
過失相殺…………………………180
課徴金……………………………348
稼働能力の認定…………………372
仮処分……………………………332
仮の差止め………………………330
関係法令……………… 78,425,470
議員の海外研修…………………509
議会の自律的な決定……………510
規制基準…………………………274
規制行政…………………………271

規制権限の不行使……………165〜
　——による国家賠償責任……165
規制措置の発動を求める義務付け訴訟……278
規制対象の特定…………………272
義務存在確認の訴え……………442
義務付け訴訟……………………278
　→申請満足型義務付け訴訟、直接型義務
　　付け訴訟
客観訴訟…………………………503
給付行政…………………………371
給付の申込みとその諾否の決定…………377
狭義の訴えの利益→訴えの客観的利益
行政行為………………………… 60
行政財産…………………………406
　——の目的外使用許可………405
行政裁量→裁量
行政指導………………… 140,267,276
行政上の強制徴収………………380
行政処分の無効………………… 43
　——を前提とする現在の法律関係に関する
　　訴え………………………… 43
行政調査………………………… 26
強制徴収…………………………380
許可………………………………305
　——制……………………… 53
計画変更命令……………………273
ケースワーカーによる指導指示……378
権限の委任………………………506
権限濫用………………………… 27
健康で文化的な最低限度の生活………371
原告適格(差止訴訟)…………… 263,469
原告適格(直接型義務付け訴訟)……152
原告適格(取消訴訟)…… 76〜,85〜,312,424
検査済証交付……………………231
建築確認…………………………223
憲法25条…………………………371
効果裁量……………… 25,34,156,311,458
公共施設管理者の同意………242〜
公共の福祉に重大な影響を及ぼすおそれ…491
公共用地の買収…………………205

公権力
　──的事実行為……………………………… 61
　──の行使……………………………… 165,182
更新………………………………………………423
構造計算適合性…………………………………224
拘束力→取消判決の拘束力、執行停止の
　拘束力
考慮事項……………………………………… 268
国家賠償責任………………………… 165,176～
個別事情考慮義務……………… 39,40,327,334
個別的利益……………………………………… 77
根拠法令…………………………………………425

【さ　行】

裁決主義……………………………… 98,100,468
再審査請求………………………………………376
再生可能エネルギー……………………………133
裁判所の審査範囲………………………………251
財務会計上の行為・不作為……………………503
在留特別許可……………………………………491
裁量………… 25,34～,155～,268,275,333,392,472
　→要件裁量、効果裁量
　──と解釈……………………………………212
　──を認める実質的な理由…………………213
裁量基準………… 35,36,40,327,393,427,473,474
裁量権
　──収縮論……………………………………166
　──消極的濫用論……………………………166
　──の逸脱・濫用……… 35,139,156,491,509
作為義務論………………………………………166
差止訴訟………………………… 262,326,328,467
三極関係(三極的対立構造)…………… 133,277
市街化区域………………………………………243
市街化調整区域…………………………………243
自己の法律上の利益に関係のない違法… 87～
事前規制の導入…………………………………271
自然公物…………………………………………178
執行停止………………………… 287,307～,363,490
　──の拘束力…………………………………370
　──の対象……………………………………288
指定確認検査機関制度…………………………233
指導指示…………………………………………378
私法上の権原……………………………………366

司法審査……………………………………155～
社会観念審査……………………………………158
社会権……………………………………………371
重大かつ明白な瑕疵……………………… 44,229
重大な損害(差止訴訟)……………… 265,329,471
重大な損害(執行停止)……………… 308,363,490
重大な損害(直接型義務付け訴訟)…73,150,489
住民………………………………………………503
住民監査請求前置主義…………………………503
住民訴訟
　──制度………………………………………502
　──の対象……………………………………503
　──の類型……………………………………503
出訴期間……………………………… 224,226,453
守備範囲論………………………………………179
障害者加算………………………………………373
消極的損害………………………………………190
情報公開……………………………………203～
　──条例………………………………………203
　──訴訟における証明責任…………………206
証明責任の分配…………………………………206
条例制定権の限界………………………………291
条例制定行為の処分性…………………………439
職権………………………………………… 70,73
職権取消し………………………………… 377,394
処分
　──の効力の停止………………… 288,307,363,490
　──の執行の停止………………… 288,307,363,490
　──の無効→行政処分の無効
　──の同一性…………………………………208
処分基準………………………………… 36,106,326
処分性
　…54～,60～,262,327,349,363,368,405,407,439,467
　──拡大論……………………………………… 63
処分要件の限定解釈……………………………397
処理基準…………………………………………374
自立更生免除……………………………………380
信義則……………………………………… 35,189
人工公物…………………………………………178
審査基準………………………… 6,36,100,423,427
　──の設定・公表……………………………103
審査請求……………………………… 368,376,408,467
　──前置(主義)…………………………… 42,249,377
申請………………………………… 69,71,350,369,452

事項索引　523

――に対する処分……………………6,369
――に対する処分と不利益処分の区別…122
――の必要書類……………………138
申請権…………………………350,368,408
申請満足型義務付け訴訟
　………………58,99,210,363,369,406,453,488
信頼保護(原則)……………35,189,190～,394
水質汚濁防止法………………………271
裾出し規制……………………………273
生活扶助………………………………373
生活保護に要する費用………………375
生活保護法……………………………371
性風俗関連特殊営業…………………295
是正の指示……………………………375
世帯単位の原則………………………373
積極的損害……………………………190
設置管理の瑕疵…………………176～,177
相当の期間………………………58,135
即時確定の利益……………………245,442
訴訟物…………………………………208
訴訟要件………………………………140
損害の回復の困難の程度……………490
損害の性質及び程度並びに処分の内容及び
　性質…………………………………490
損失補償………………………………193
損失補償基準…………………………204

【た　行】

第1号法定受託事務…………………374
対象選択の適否………………………245
代表出訴資格…………………………313
諾否の応答……………………………369
他事考慮…………………9,136,409,456
立入検査………………………………276
知事の審査範囲………………………250
調査義務………………………………207
調査の仕組み…………………………276
町長の同意……………………………134
長による賠償命令……………………506
聴聞……………………………………365
直接型義務付け訴訟
　………………73,147～,149～,229,232,488,489
直罰主義………………………………275

通知……………………………………288
撤回………………………………263,377,467
手続(上)の瑕疵……………………7,365
手続の続行の停止………288,307,363,490
同意…………………………………134,242～
　――義務があることの確認訴訟………244
　――の義務付け訴訟…………………246
当該職員………………………………506
当事者訴訟活用論……………………63
特段の事情……………………………135
特定施設………………………………273
特許……………………………………305,410
届出制……………………………………53,273
取消訴訟
　――の原告適格→原告適格(取消訴訟)
　――の併合提起……………………370,453
取消しの利益→訴えの客観的利益
取消判決の拘束力…………………8,210,453
努力義務………………………………138

【な　行】

二元的な規制関係の把握……………277
納税者訴訟(Tax Payer's Suit)………502

【は　行】

排水基準………………………………275
排水規制………………………………272
判断過程審査……………………159,411
判断代置………………………………156
判断の表示……………………………244
標準処理期間…………………………135
平等原則………………………35,37,137,446
費用負担者……………………………184
比例原則…………25,38,105,120,121,290,457
風俗営業…………………………………294～
不開示情報……………………………203
不確定概念……………………………157
福祉事務所長…………………………374
不作為
　――の違法確認訴訟……………58,133～
　――の違法性………………………165～
普通財産………………………………406

不同意
　——の違法性……………………… 136,243
　——の処分性…………………………242
不利益処分………………………… 106,365
不利益変更の禁止………………………379
紛争の一回的解決………………………209
返還決定(生活保護63条) ………… 379,391
返還決定(生活保護78条) ………………395
弁明の機会の付与………………………365
法定外抗告訴訟…………………………331
法的保護に値する利益説……………… 77
方法選択の適否…………………………245
法律上保護された利益(説)………… 77,264,469
法令と条例……………………………291〜
法令に基づく申請………………………134
保護基準…………………………………371
保護の補足性の原則……………………372
補充性(差止訴訟)………………… 266,329,472
補充性(直接型義務付け訴訟)……………151
本案勝訴要件……………………………140
本案について理由がないとみえるとき……491

【ま　行】

民衆訴訟…………………………………502

無効確認訴訟………………………… 43,228

【や　行】

要件裁量………………………… 156,456,472
予防原則…………………………………121
4号請求 ……………………………… 503,505
　旧——………………………………………505

【ら　行】

利害関係者の承諾………………………136
立法事実…………………………………271
理由
　新たな——に基づく再処分の禁止………208
　——の追加・着替えの可否……………207
　——(の)提示 ………… 103,106,117,366
　——の提示の機能………………………117
　——の提示の程度………………………115
理由付記義務………………… 205,207,209
老齢加算…………………………………373

事項索引　525

● 判例索引 ●

最 1 小判昭 27・11・20 民集 6 巻 10 号 1038 頁
……………………………………………224
最 3 小判昭 33・7・1 民集 12 巻 11 号 1612 頁
……………………………………………456
最 1 小判昭 39・10・29 民集 18 巻 8 号 1809 頁
………………………………55,60,61,62,63
東京地判昭 39・11・4 行集 15 巻 11 号 2168 頁
……………………………………………135
大阪高決昭 40・10・5 判時 428 号 53 頁 …288
最大判昭 42・5・24 民集 21 巻 5 号 1043 頁
……………………………………………372
最 3 小判昭 43・12・24 民集 22 巻 13 号 3254 頁
……………………………………………423
最 1 小判昭 45・8・20 民集 24 巻 9 号 1268 頁
……………………………………………178
最 1 小判昭 45・12・24 民集 24 巻 13 号 2243 頁
………………………………………………63
最 1 小判昭 46・10・28 民集 25 巻 7 号 1037 頁
………………………………………………7
最 3 小判昭 47・7・25 民集 26 巻 6 号 1236 頁
………………………………………263,264
東京高判昭 48・7・13 行集 24 巻 6=7 号 533 頁
…………………………………………11,159
最 2 小判昭 48・9・14 民集 27 巻 8 号 925 頁
……………………………………………159
最 1 小判昭 50・5・29 民集 29 巻 5 号 662 頁
………………………………………………7
最 1 小判昭 50・6・26 民集 29 巻 6 号 851 頁
……………………………………………178
最大判昭 50・9・10 刑集 29 巻 8 号 489 頁
………………………………………291,292,293
最 3 小判昭 52・12・20 民集 31 巻 7 号 1101 頁
………………………………………34,35,158,159
最 3 小判昭 53・3・14 民集 32 巻 2 号 211 頁
………………………………………………76
最 3 小判昭 53・7・4 民集 32 巻 5 号 809 頁
……………………………………………177
東京地判昭 53・8・3 判時 899 号 48 頁……166
最大判昭 53・10・4 民集 32 巻 7 号 1223 頁
………………………………………158,159

千葉地判昭 55・12・26 行集 31 巻 12 号 2699 頁
………………………………………………12
最 3 小判昭 56・1・27 民集 35 巻 1 号 35 頁
………………………………189,190,191,192,193,194
東京高判昭 57・3・31 判タ 473 号 206 頁… 12
最 1 小判昭 57・4・22 民集 36 巻 4 号 705 頁
……………………………………………327
最 2 小判昭 57・4・23 民集 36 巻 4 号 727 頁
……………………………………………157
最 1 小判昭 57・9・9 民集 36 巻 9 号 1679 頁
………………………………………467,469
最 2 小判昭 58・2・18 民集 37 巻 1 号 101 頁
……………………………………………183
福岡高判昭 58・3・7 行集 34 巻 3 号 394 頁
………………………………………………54
最 1 小判昭 59・1・26 民集 38 巻 2 号 53 頁
……………………………………………178
東京地判昭 59・3・29 行集 35 巻 4 号 476 頁
……………………………………………157
最 2 小判昭 59・10・26 民集 38 巻 10 号 1169 頁
………………………………224,231,232,421
最大判昭 59・12・12 民集 38 巻 12 号 1308 頁
………………………………………………63
高松高判昭 59・12・14 行集 35 巻 12 号 2078 頁
……………………………………………156
最 3 小判昭 60・1・22 民集 39 巻 1 号 1 頁
………………………………………103,118,207
大阪地判昭 60・1・31 判時 1143 号 46 頁…335
最 3 小判昭 60・7・16 民集 39 巻 5 号 989 頁
……………………………………………135
最 3 小判昭 60・12・17 判時 1179 号 56 頁
………………………………………………78
最 3 小判昭 61・3・25 民集 40 巻 2 号 472 頁
……………………………………………181
最 3 小判昭 61・6・10 判例自治 33 号 56 頁
……………………………………………468
最 2 小判昭 62・2・6 判時 1232 号 100 頁…183
最 2 小判昭 62・4・10 民集 41 巻 3 号 239 頁
………………………………………506,507
最 2 小判平元・2・17 民集 43 巻 2 号 56 頁

.... 77,78,89
福岡地判平元・3・22 行集 40 巻 3 号 268 頁
.... 6
最 3 小判平元・6・20 判時 1334 号 201 頁 …313
最 3 小判平元・7・4 判時 1336 号 86 頁 …337
最 2 小判平元・11・24 民集 43 巻 10 号 1169 頁
.... 167
高松高判平 2・10・26 判時 1380 号 109 頁
.... 176
青森地判平 4・7・28 判時 1466 号 97 頁 …407
最 3 小判平 4・9・22 民集 46 巻 6 号 571 頁
.... 77,79
最 3 小判平 4・9・22 民集 46 巻 6 号 1090 頁
.... 44,229
最 1 小判平 4・10・29 民集 46 巻 7 号 1174 頁
.... 36,158,473
最 1 小判平 4・12・10 判時 1453 号 116 頁
.... 104
神戸地判平 5・1・25 判タ 817 号 177 頁 …294
秋田地判平 5・4・23 行集 44 巻 4 = 5 号 325 頁
.... 378
神戸地伊丹支決平 6・6・9 判例自治 128 号
68 頁 293
最 3 小判平 6・9・27 判時 1518 号 10 頁
.... 79,469
最 1 小判平 7・3・23 民集 49 巻 3 号 1006 頁
.... 238,239,242,243,244,245,
246,247,248,251,252
最 2 小判平 7・6・23 民集 49 巻 6 号 1600 頁
.... 167
最 2 小判平 8・3・8 民集 50 巻 3 号 469 頁
.... 159
大分地判平 8・6・3 判時 1586 号 142 頁 … 44
最 3 小判平 9・1・28 民集 51 巻 1 号 250 頁
.... 84,253
神戸地判平 9・4・28 判時 1613 号 36 頁 …293
最 1 小判平 9・12・18 民集 51 巻 10 号 4241 頁
.... 263
福岡地判平 10・1・26 判例集未登載 ……405
大阪高判平 10・6・2 判時 1668 号 37 頁 …293
福岡高判平 10・12・21 判例集未登載 ……405
最 1 小判平 11・1・21 判時 1675 号 48 頁 … 73
最 1 小判平 11・7・19 判時 1688 号 123 頁
.... 158,335

福岡地判平 11・9・30LEX/DB25410045 …405
最 2 小判平 11・11・19 民集 53 巻 8 号 1862 頁
.... 209
京都地判平 11・11・24 判例自治 204 号 73 頁
.... 264,265,269
富山地判平 11・12・13 判タ 1064 号 141 頁
.... 408
岡山地判平 11・12・21 判例自治 201 号 96 頁
.... 269
福岡高判平 12・5・26 判タ 1069 号 91 頁 …405
東京高判平 13・6・14 判時 1757 号 51 頁 …103
東京高判平 13・7・4 判時 1754 号 35 頁 … 90
東京地判平 13・9・27LEX/DB25410210 …475
最 3 小判平 14・1・22 民集 56 巻 1 号 46 頁
.... 223,232
最 3 小判平 14・7・9 民集 56 巻 6 号 1134 頁
.... 293
岐阜地判平 14・10・31 判例自治 241 号 58 頁
.... 452,457
最 2 小判平 15・1・17 民集 57 巻 1 号 1 頁
.... 507
名古屋高金沢支判平 15・1・27 判時 1818 号 3 頁
.... 229
大阪高判平 15・2・18LEX/DB25410304 …269
最 1 小判平 15・9・4 判時 1841 号 89 頁 … 63
最 1 小判平 16・4・26 民集 58 巻 4 号 989 頁
.... 239
最 3 小判平 16・4・27 民集 58 巻 4 号 1032 頁
.... 167
最 2 小判平 16・10・15 民集 58 巻 7 号 1802 頁
.... 167
大津地判平 17・2・7 判時 1921 号 45 頁 …448
神戸地判平 17・3・25 裁判所ウェブサイト
.... 293
名古屋地判平 17・5・26 判タ 1275 号 144 頁
.... 57
福岡高決平 17・5・31 判タ 1186 号 110 頁
.... 305
最 2 小決平 17・6・24 判時 1904 号 69 頁
.... 233,234
最 2 小判平 17・7・15 民集 59 巻 6 号 1661 頁
.... 63,248
最 3 小判平 17・10・25 集民 218 号 91 頁 …248
大阪高判平 17・11・24 判例自治 279 号 74 頁

判例索引 527

最大判平 17・12・7 民集 59 巻 10 号 2645 頁
....76,77,78,79,424
最 3 小判平 18・2・7 民集 60 巻 2 号 401 頁
....159,402,411
最 1 小判平 18・7・13 判時 1945 号 18 頁…204
最 2 小判平 18・7・14 民集 60 巻 6 号 2369 頁
....439
名古屋地判平 18・8・10 判タ 1240 号 203 頁
....61
東京地判平 18・10・25 判時 1956 号 62 頁
....150
最 1 小判平 18・11・2 民集 60 巻 9 号 3249 頁
....159
福岡高判平 18・11・9 判タ 1251 号 192 頁… 45
公害等調整委員会裁定平 19・5・8 判タ 1244 号 335 頁..102
東京地判平 19・5・25 訟月 53 巻 8 号 2424 頁
....468
東京地判平 19・5・31 判時 1981 号 9 頁
....69,73
東京高判平 19・7・30 判時 1980 号 52 頁
....468
東京高判平 19・11・5 判タ 1277 号 67 頁
....69,73
最 2 小判平 19・12・7 民集 61 巻 9 号 3290 頁
....403,405,410
福岡地判平 20・2・25 判時 2122 号 50 頁
....150
最大判平 20・9・10 民集 62 巻 8 号 2029 頁
....248
金沢地判平 20・11・28 判タ 1311 号 104 頁
....452
高松地判平 21・3・23 賃金と社会保障 1495 号 57 頁..396,397
最 2 小判平 21・4・17 民集 63 巻 4 号 638 頁
....69,71,74
名古屋高金沢支判平 21・8・19 判タ 1311 号 95 頁..452
横浜地判平 21・10・14 判例自治 338 号 46 頁
....438,442,445,446
最 2 小判平 21・10・23 民集 63 巻 8 号 1849 頁
....185
最 1 小判平 21・11・26 民集 63 巻 9 号 2124 頁

....63,440,441
高松高判平 21・11・30 裁判所ウェブサイト
....397
最 1 小判平 21・12・17 民集 63 巻 10 号 2631 頁
....224,225,227,351
最 3 小判平 22・3・2 裁判集民 233 号 181 頁
....181
横浜地判平 22・3・24 判例自治 335 号 45 頁
....470
東京地判平 22・5・26 判タ 1364 号 134 頁
....305
福岡高判平 22・6・14 判時 2085 号 128 頁
....373
福岡高判平 23・2・7 判時 2122 号 45 頁
....147,150,151
東京高判平 23・5・11 判時 2157 号 3 頁
....487,491
最 3 小判平 23・6・7 民集 65 巻 4 号 2081 頁
....103,106,118,366
東京高判平 23・9・13 判時 2150 号 55 頁…176
最 2 小判平 23・10・14 判時 2159 号 53 頁
....141
新潟地判平 23・11・17 判タ 1382 号 90 頁
....115
最 1 小判平 24・2・9 民集 66 巻 2 号 183 頁
....265,266,326,329,331,337,470,471
大阪地判平 24・3・28 裁判所ウェブサイト
....84
最 2 小判平 24・4・2 民集 66 巻 6 号 2367 頁
....373
横浜地判平 24・4・11 判例自治 372 号 19 頁
....459
徳島地判平 24・5・18 判例自治 384 号 70 頁
....242
東京高判平 24・6・20LEX/DB25482659…115
東京高判平 24・8・16LEX/DB25482550… 34
名古屋地判平 24・9・20 裁判所ウェブサイト
....84
東京地決平 24・10・23 判時 2184 号 23 頁
....363
最 2 小判平 25・1・11 民集 67 巻 1 号 1 頁
....331
大阪地判平 25・2・15 裁判所ウェブサイト
....84

東京地判平 25・2・26 判タ 1414 号 313 頁
……………………………………………… 106,363
甲府地判平 25・3・19 判例自治 382 号 40 頁
……………………………………………… 502,510
札幌地判平 25・4・15 判時 2197 号 20 頁 …270
高松高判平 25・5・30 判例自治 384 号 64 頁
………………………………………… 242,247,248,249
最 2 小判平 25・7・12 判時 2203 号 22 頁
………………………………………………… 76,263
東京高判平 25・9・19 判例自治 382 号 30 頁
……………………………………………… 502,509,511
最 3 小判平 26・1・28 民集 68 巻 1 号 49 頁
……………………………………………………… 12
大阪高判平 26・3・20 裁判所ウェブサイト
………………………………………………………… 84
名古屋地判平 26・4・10LEX/DB25446824
………………………………………… 467,472,473,474
大阪地決平 26・5・23 裁判所ウェブサイト
………………………………………………… 326,330
最 3 小判平 26・7・29 民集 68 巻 6 号 620 頁
……………………………………………………… 152,153
最 1 小判平 26・10・9 民集 68 巻 8 号 799 頁
……………………………………………………… 167
東京地判平 26・11・21 判例自治 401 号 76 頁
………………………………………………………… 22
大阪高決平 27・1・7 判時 2264 号 36 頁 …326
最 3 小判平 27・3・3 民集 69 巻 2 号 143 頁
……………………………………… 36,104,423,427,474
横浜地判平 27・3・11 賃金と社会保障 1637 号
33 頁 ……………………………………… 391,396
名古屋高判平 27・3・19LEX/DB25447512
………………………………………………………474
名古屋高判平 27・11・12 判時 2286 号 40 頁
………………………………………………………148
東京地判平 28・6・17 判時 2325 号 30 頁…267
東京高判平 28・11・30 判時 2325 号 21 頁
………………………………………………… 264,267
最 1 小判平 28・12・8 民集 70 巻 8 号 1833 頁
………………………………………………………266
東京地判平 29・2・1 賃金と社会保障 1680 号
33 頁 ……………………………………… 391,394,395
甲府地裁平 29・12・12 判例自治 451 号 64 頁
………………………………………………… 133,138,140
神戸地判平 30・2・9 賃金と社会保障 1740 号
17 頁 ………………………………………………396
広島地判平 30・9・19 裁判所ウェブサイト
………………………………………………………420
東京高判平 30・10・3 判例自治 451 号 56 頁
………………………………………… 133,135,139,140
最 3 小判平 30・12・18 民集 72 巻 6 号 1158 頁
………………………………………………………397
広島高判令元・7・26LEX/DB25563898 …420
最 3 小判令 2・3・24 判時 2467 号 3 頁…… 37
徳島地判令 2・5・20 判例自治 464 号 84 頁
………………………………………………………192
最 2 小判令 3・1・22 裁判所ウェブサイト
………………………………………………………141

● 編者・執筆者および執筆分担一覧

編著者

曽和俊文（そわ・としふみ）　　　　同志社大学法科大学院特別客員教授
　　　　　　　　　　　　　　　　　第1部問題8・9
　　　　　　　　　　　　　　　　　第2部問題1・3・17
　　　　　　　　　　　　　　　　　ミニ講義4・5

野呂　充（のろ・みつる）　　　　　大阪大学法科大学院教授
　　　　　　　　　　　　　　　　　第1部問題6・11・13
　　　　　　　　　　　　　　　　　第2部問題2・5・11
　　　　　　　　　　　　　　　　　ミニ講義1・2

北村和生（きたむら・かずお）　　　立命館大学法科大学院教授
　　　　　　　　　　　　　　　　　第1部問題2・4・12
　　　　　　　　　　　　　　　　　第2部問題6・13

著者（50音順）

佐伯祐二（さえき・ゆうじ）　　　　同志社大学法科大学院教授
　　　　　　　　　　　　　　　　　第1部問題10
　　　　　　　　　　　　　　　　　第2部問題10

中原茂樹（なかはら・しげき）　　　関西学院大学法科大学院教授
　　　　　　　　　　　　　　　　　第1部問題1・5
　　　　　　　　　　　　　　　　　第2部問題7・8・12
　　　　　　　　　　　　　　　　　ミニ講義3

長谷川佳彦（はせがわ・よしひこ）　大阪大学法学研究科准教授
　　　　　　　　　　　　　　　　　第1部問題3
　　　　　　　　　　　　　　　　　第2部問題14

湊　二郎（みなと・じろう）　　　　立命館大学法科大学院教授
　　　　　　　　　　　　　　　　　第1部問題7
　　　　　　　　　　　　　　　　　第2部問題4・15

横田光平（よこた・こうへい）　　　同志社大学法科大学院教授
　　　　　　　　　　　　　　　　　第2部問題9・16

事例研究 行政法 [第4版]

2008年 5月30日　第1版第1刷発行
2011年 4月10日　第2版第1刷発行
2016年11月20日　第3版第1刷発行
2021年 8月15日　第4版第1刷発行
2023年10月20日　第4版第2刷発行

編著者――曽和俊文・野呂　充・北村和生
発行所――株式会社　日本評論社
　　　　　東京都豊島区南大塚3-12-4
　　　　　電話03-3987-8621(販売), -8631(編集)
　　　　　振替00100-3-16
印刷所――精文堂印刷株式会社
製本所――株式会社難波製本

Ⓒ T.Sowa, M.Noro, K.Kitamura
装丁／桂川　潤　Printed in Japan
ISBN 978-4-535-52512-2

|JCOPY|〈社〉出版者著作権管理機構　委託出版物〉

本書の無断複写は著作権法上の例外を除き禁じられています。複写される場合は、そのつど事前に、
〈社〉出版者著作権管理機構(電話 03-5244-5088、FAX 03-5244-5089、e-mail:info@jcopy.or.jp)の許諾
を得て下さい。
また、本書を代行業者等の第三者に依頼してスキャニング等の行為によりデジタル化することは、
個人の家庭内の利用であっても、一切認められておりません。

基本行政法 [第3版] 中原茂樹 [著]

初学者がつまずきやすい基本知識から、個別法と事案への当てはめまで、法の全体像とともに確実に理解できる。楽しくて深い解釈方法入門。◆定価3,740円(税込)

基本行政法判例演習 中原茂樹 [著]

『基本行政法』の判例学習を深く広く発展させ、完成させる。立体的で精緻、かつ明快な解説で、事例問題を正確に解く力が身につく。◆定価3,960円(税込)

基本憲法Ⅰ 基本的人権 木下智史・伊藤 建 [著]

判例の示す「規範」とは何か。それをどう事例に当てはめるのか。各権利・自由につき、意義、内容、判断枠組み、具体的問題、そして「演習問題」という構成で明快に解説。◆定価3,300円(税込)

基本刑法Ⅰ 総論 [第3版] Ⅱ 各論 [第3版]

大塚裕史・十河太朗・塩谷 毅・豊田兼彦 [著]

絶大な人気を誇る定番の教科書。法改正・新判例を踏まえ、さらに明快にバージョンアップ。Ⅰは「正当防衛」「実行の着手」「共犯」を全面改訂。Ⅱは旧版よりもさらに解説にメリハリをつけ、頁と定価を削減。 ◆Ⅰ:定価4,180円(税込) ◆Ⅱ:定価3,740円(税込)

基本刑事訴訟法Ⅰ 手続理解編 Ⅱ 論点理解編

吉開多一・緑 大輔・設楽あづさ・國井恒志 [著]

法曹三者と研究者による徹底的にわかりやすいテキスト。4つの「基本事例」と具体的な「設問」、豊富な図表・書式を使って解説。手続も論点もこれで完璧。 ◆各定価3,300円(税込)

行政法Ⅰ 行政法総論 岡田正則 [著]

著者の単独執筆による基本書第1弾。考え方の背景から丁寧に説きつつ、演習問題とその解説を付し、基礎から実践レベルまで導く。 ◆定価2,640円(税込)

行政法 ■日評ベーシック・シリーズ 下山憲治・友岡史仁・筑紫圭一 [著]

行政法の基本的な仕組みと考え方、なぜそうなるのかを、豊富な具体例を使った易しい文章で丁寧に解説。スイスイ読めます。 ◆定価1,980円(税込)

事例研究 民事法 [第2版] Ⅰ・Ⅱ

瀬川信久・七戸克彦・山野目章夫・小林 量・山本和彦・山田 文・杉山悦子・永石一郎・亀井尚也 [編著]

好評の事例問題集。第2版はⅠが主に民法、Ⅱが主に民事訴訟法・商法に分離し、さらに使いやすくハイクオリティにバージョンアップ。TMあり。 ◆Ⅰ:定価3,960円(税込) ◆Ⅱ:定価3,630円(税込)

事例研究 刑事法 Ⅰ 刑法 [第2版] Ⅱ 刑事訴訟法 [第2版]

井田 良・田口守一・植村立郎・河村 博 [編著]

理論とあてはめをしっかり学べる、最高峰の演習書。新しい判例等を踏まえ、自習でも法科大学院でもさらに使い易くバージョンアップ。 ◆各定価3,300円(税込)

日本評論社
https://www.nippyo.co.jp/